GRADUS*

* Abrègement de *gradus ad Parnassum,* « escalier vers le mont Parnasse, séjour des Muses ». Ainsi désigna-t-on aux siècles classiques des manuels qui facilitaient la composition littéraire.

UNION GÉNÉRALE D'ÉDITIONS
8, rue Garancière — 75006 Paris

DU MÊME AUTEUR

L'Étude des styles ou *la Commutation en littérature*, 2e éd., Paris, Didier Érudition ; Montréal, Didier Canada ; 1971, in-8°, 366 p.

C.A.F.É. *(Cours autodidactique de français écrit)*, Univ. de Montréal, 3 cahiers microgradués d'exercices sur les singularités de la langue, 256, 256, 278 p.

En soixante-six symboles. Introduction à la poïétique formalisée, document de travail du groupe D.I.R.E.

ISBN 2.264-00587-4

GRADUS

LES PROCÉDÉS LITTÉRAIRES

(DICTIONNAIRE)

par
Bernard Dupriez
docteur ès lettres

10|18

Dans les nacelles de l'enclume
Vit le poète solitaire,
Grande brouette des marécages.

RENÉ CHAR

INTRODUCTION

On trouvera ici les figures traditionnelles, définies sur des échantillons de textes modernes et complétées par des figures plus récentes, surréelles ou autres. La considération du système qu'elles forment — le répertoire (dans *GRADUS 2*) en donnera une meilleure idée — nous a conduit à des redéfinitions, comme à proposer un petit nombre de concepts encore inédits.

Mais l'essentiel est ailleurs. Ce long travail est destiné à soutenir une activité qui engage plus intimement un lecteur. Certes, il n'est pas inutile de resituer l'oeuvre dans une époque, un contexte socio-culturel. On peut aussi favoriser une lecture plurielle, qui voit le texte de façon purement formelle. On peut encore tenter de retrouver le texte comme signifiant pulsionnel, lié aux intérêts, au plaisir, et donc subjectif (le sujet n'y fût-il qu'un lieu et restant parfois muselé par sa situation). Mais on peut aussi essayer d'apercevoir dans le prolongement du texte un procès signifiant, une articulation rhétorique, ce que J. Kristeva appelle *"chora sémiotique"*, un comportement de l'être-au-monde-et-au-langage. C'est proche de ce que nous proposions naguère d'appeler stylémie. (Cf. *l'Étude des styles ou la Commutation en littérature.)*

La stylémie est repérable dans un ensemble de stylèmes desquels elle offre une interprétation cohérente *aux yeux du lecteur,* suivant sa sensibilité, son activité, son insertion dans le monde. Elle est la rencontre de deux personnes, de deux idiolectes et de deux mondes vécus, en une tentative d'élucidation par la pratique textuelle. Car la stylémie, exprimée comme l'entend celui qui la confectionne par l'apport de sa variante, reste au niveau concret de l'art puisque sa première manifestation est le couple [t/v]. Dans cet algorithme, **t** désigne un élément de texte; **v**, une variante de contenu ou d'expression; le trait oblique, leurs différences réciproques. On compare donc le signifiant (situé) de l'auteur à celui d'un lecteur (celui qui dira *je,* et donc toi, désormais) en tenant compte du double contexte (le réel et l'imaginaire) de chacun. Ces contextes sont alignés par la visée initiale, que réassume la lecture. La possibilité de "lire" par des variantes personnelles offre, pensons-nous, au critique littéraire, une échappatoire à son langage de représentation positive et généralisante, mais pour autant que, cessant de "juger", il ose n'être que lui-même, écrivant face à l'écrivain ou avec lui. Ceci va dans le sens de ce que propose notamment Ph. Sollers: Étudier l'écriture par "l'écriture elle-même (son exercice dans certaines conditions) ..... Économie dramatique dont le "lieu géométrique" n'est pas représentable (il se joue)." *Tel Quel*, nº 31, p. 3.

Lire en créant des variantes personnelles, comprendre en se risquant par les interprétations de ces variantes commutées (différances intimes), telle est la voie d'accès la plus tangible et la plus nue à l'univers de deux "je" liés par deux procès signifiants parallèles.

Le présent dictionnaire, destiné à faciliter le maniement des formes, aux divers niveaux, pourrait mettre le lecteur sur la voie de ses variantes. En s'initiant au jeu des formes, on en viendra à ne plus se contenter d'une imprégnation passive ni d'un simple étiquetage: on saura *se* jouer les oeuvres, se créer en elles son espace à soi.

Analyser, classer des figures peut déboucher sur un prolongement de soi dans les textes.

La terminologie.

Les quelque deux mille termes auxquels renvoie l'index appartiennent, néologismes mis à part, à quatre couches socio-historiques. Le fonds le plus ancien est juridique et logique, il remonte à Corax et Aristote. Il s'agit de: *ab absurdo, abjuration, adjuration, antanaclase, antanagoge, antiparastase, apagogique, apodioxis*, etc. Le fonds le plus abondant est celui de la philologie classique, qui s'étend du Moyen Âge à nos jours et s'inspire largement de l'Antiquité. Il s'agit de: *abruption, accommodatice, acronyme, acrostiche, adynaton, allégorie, allitération, amphibologie, anacoluthe, anadiplose, anagramme, anapeste, anaphore, annomination, antapodose, anticlimax*, etc. Le fonds le plus naturel est celui de la langue commune, où l'on trouve: *accent, accumulation, alinéa, allocution, allusion, ambiguïté, anecdote, annotation, anonnement, aparté, apologie, apostrophe, archaïsme, argot, argument*, etc. Certains de ces termes ont pris un sens spécifique à la rhétorique. Ce sont: *abrègement, abstraction, accord, adjonction, agglutination, alexandrin, alliance, alternative, amorce, amplification, annonce, anticipation, attelage, atténuation*, etc. Le fonds le plus récent est un apport des sciences modernes: linguistique et psychologie surtout, dont quelques concepts caractérisent des procédés littéraires. Ce sont: *actualisateur, agrammatisme, allocentrique, amalgame, application, ataxisme, autisme, autonymie, axe paradigmatique, axe syntagmatique*, etc.

Tous ces termes sont français. Les termes étrangers ont été écartés, à l'exception d'un petit nombre, qui sont francisés (*kérygme, leitmotiv, oxymore, speech, thriller*), ou usités (*ad hominem**, *concetti**, *flash, in petto, isocolon, hiatus**) ou simplement utiles (*bathos, cheretema, zwanze*).

Quand il avait des synonymes, nous avons pris le terme le plus actuel comme vedette, préférant donc *accumulation** à *athroïsme, congerie* ou *conglobation; alliance** *de mots* à *oxymore; autocorrection** à *épanorthose; gradation** à *climax; menace** à *commination; prétérition** à *paralipse* et *prétermission. "Ne trouveriez-vous pas qu'il fût aussi beau de dire ..... le noeud, que l'épitase?"* (Dorante, dans *la Critique de l'école des femmes*).

À l'instar des psychanalystes, qui ont remplacé *hermaphrodisme* par *intersexualité*, nous avons proposé *isolexisme** pour remplacer *polyptote; brouillage syntaxique** pour remplacer *synchise*. Quant aux concepts qui nécessitaient appellation neuve, ils l'ont trouvée conformément à la pratique des anciens rhéteurs, qui dénommaient les figures par des mots courants désignant l'opération. Ce sont: *alluvion, approximation**, *changement, concrétisation**, *effacement, généralisation**, *variation** *typographique, notation**, *permutation, réamorçage**, *redépart, ressaisissement, schématisation*. D'autres sont obtenus par composition, dérivation ou analogie: *assise**, *contre-interruption**, *mot dévalisé, pseudo-langage, quasi-interjection, sens subjectal, tohu-bohu*.

La terminologie ancienne garde, par ailleurs, quelque chose d'attrayant: ce sont *"mots de métier, légèrement exotiques, étranges, (on dirait féériques)"* écrit Paulhan (*Énigmes de Perse*). C'est qu'à la faveur de l'évolution phonétique et lexicale, ces termes, qui étaient généraux, se sont dédoublés, la forme savante, latine ou grecque, étant désormais réservée à la rhétorique. *Litote** ne voulait rien dire d'autre qu'*atténuation**. En français, *litote* pourra désigner l'artifice rhétorique qui atténue "pour faire entendre plus". *Apocope** et *aphérèse** voulaient dire *abrègement**; *antiphrase**, *contre-vérité; prolepse**, *anticipation**; *crase, contraction*.

L'évolution sémantique a fait perdre des acceptions que nous avons parfois rappelées: *aposiopèse**, *calembour**, *épithète, épitrochasme**, *ironie**, *métalepse**, *récrimination*.

La dénomination d'une figure n'en souligne d'ordinaire qu'un des aspects, ce qui provoque certaines ambivalences. Nous nous sommes attaché à désambiguïser certains termes: _adjonction_*, _disjonction_* et _zeugme_*; _antanaclase_* et _diaphore_*; _antimétathèse_*, _antimétabole_* et _antimétalepse_*; _allégorie_* et _personnification_*; _brachylogie_* et _ellipse_*; _énallage_*, _hyperbate_* et _synchise_; _épanalepse_*, _anadiplose_* et _anaphore_*; _épiphonème_* et _épiphrase_*; _équivoque_* et _à-peu-près_*; _incohérence_* et _inconséquence_*; _phébus_*, _verbiage_*, _psittacisme_* et _verbigération_*; _pictogramme_* et _idéogramme_; _prolepse_* et _anticipation_*; _redondance_* et _battologie_; les diverses répétitions. En toutes nos décisions, l'usage général ou l'avis des spécialistes ont été les critères prépondérants. Au lecteur excédé par les distinctions, rappelons que les oppositions lexicales sont neutralisables, que tout terme peut s'employer au sens large, que pour tout texte, le sens dépend aussi de la _voluntas_ du locuteur.

Aux rubriques _actant_*, _énonciation_*, _écho sonore_*, _groupe rythmique_*, _intonation_*, _récit_*, _rythme_*, _syntagme_* et _vers_* ont été placées des méthodes d'analyse ouvrant sur de nombreux procédés, galaxies de formes trop peu connues pour être détaillées. Des termes comme _blasphème_*, _apocalypse_, _eucharistie_ ont été repris pour leur utilité dans l'étude des textes religieux.

La compilation des nomenclatures a donné un _Index_. Cet index est détaillé. Nous souhaitons ainsi faciliter le repérage des figures inconnues. Par exemple, à _rapprochement_ comme à _incongru_, on trouvera un renvoi à _collage_*; à _liaison_ comme à _emphatique_, on trouvera un renvoi à _anadiplose_*. De nombreux termes significatifs ont été repris dans l'index. Ainsi ouvre-t-on également la voie à une recherche sur les divers possibles des phénomènes (par exemple, tous les effacements). En systématisant et en synthétisant l'ensemble de ces données, on pourra sans doute créer une poïétique opérationnelle assez simple. C'est la tâche que s'est donnée le groupe D.I.R.E. (Délibérations informatisées sur les ramifications de l'expression). Dans les articles du dictionnaire également, de nombreux renvois multiplient les lectures transversales. Ils font de ce manuel le support éventuel de démarches multiples. L'index contient aussi les noms des écrivains cités.

Le rhétorique.

En confrontant les définitions aux phénomènes, leur complexité, si naturelle, apparaît comme tout autre que la complexité terminologique de leur approche. Contrairement à ce que l'on pourrait penser, ce sont les figures simples, et les plus fréquentes, qui furent les moins reconnues des rhétoriciens (les pauses*, les intonations*, les rythmes*, les types de phrase*). Elles sont si familières qu'on les considère comme allant de soi. Dès qu'elles se compliquent (réticence, exclamation*, hypotaxe ou période*, vers* rythmique ou métrique, ironie*, etc.), elles se dessinent plus nettement, acquièrent des propriétés, et deviennent d'autant plus rares. Voilà pourquoi les figures passent pour quelque chose de raffiné, et de singulier.

En réalité, les figures foisonnent, envahissent non seulement la littérature mais la langue. C'est le cas même d'une figure biscornue comme le macaronisme*. Elle pourrait éclaircir l'étymologie, obscure, du mot *cagibi*. Les "figures" (en latin: *schemata,* c'est-à-dire structures...) s'accumulent dans les segments de texte même les plus courts, mêlées ou superposées. Les connaître par leurs définitions ne sert pas seulement à l'analyse littéraire. Elles constituent en effet un système immanent à toute la culture (métonymie* et métaphore* par exemple sont essentielles en sémiologie des objets); elles sont là dans tous les problèmes de communication, langagière ou autre, publique ou intime; elles font le joint entre l'inconscient enraciné dans le corps propre, dans le milieu familial et social, avec ses pulsions, ses intentions, ses souvenirs, et la phrase exprimée, structure "de surface", située et concrète, geste visible, trace laissée. Aussi ne faut-il pas les définir par opposition à du langage qu'elles modifieraient, selon la trop commode théorie de l'écart. Cette théorie est utile en stylistique, à certaines conditions (cf. *l'Étude des styles,* p. 181 & 213), mais le problème d'établir une variante zéro, sans valeur particulière, sera toujours insoluble, parce que le rhétorique sera présent aussi dans la variante, étant sous-jacent au langage. Pour les éléments du style comme pour ceux de la langue, il n'y a que des différences *"sans terme positif"* (Saussure). Ce n'est qu'occasionnellement, faute de mieux, que les figures modifient la langue. Les figures fondamentales, qui ne sont pas seulement celles "de pensée" ou "de passion" comme disaient les classiques, sont à un niveau plus "profond" que l'expression.

Les figures sont la forme, propre mais conventionnelle à la fois, de ce surgissement, souvent indifférencié, du moi au monde. On ne peut parler sans figures. Lorsqu'elles s'incurvent au niveau de la première ou de la deuxième articulation linguistique (allitération*, métaplasme*, tactisme*), il y a jeu de la part de l'auteur, "jeu* de mots" ou jeu de sens. C'est une rhétorique redoublée, dénudée, la plus visible, non la plus constante. Il en est de même a fortiori dans le cas de la poétique.

Tout est rhétorique, qui a rapport à l'acte. L'amplification grossit le texte comme le microscope un tissu musculaire. Pour spécifier le rhétorique, on restreint son domaine au discours, on l'oppose au réel objectif, au sujet même (V. à *sens* subjectal). Il est cet entre-deux où se joignent sujet et objet par le langage et qui se laisse oublier, en sorte qu'on ne l'aperçoit que déplacé, quand il fonctionne à vide, artificiellement, forme réutilisée, "oratoire" (V. à faux* —). Sans doute, le rhétorique n'est ni moi, ni monde, ni langue; mais ni moi, ni le monde, ni la langue ne serions sans lui.

Aussi le méconnaît-on facilement. Le plus grand collectionneur de formes, James Joyce, n'en a eu, semble-t-il, qu'une connaissance presque scolaire (cf. *l'Étude des langues*, dans ses *Essais critiques*). On ramène le métier d'écrivain à quelques trucs, à l'expérience ou au "génie".

"Comme le musicien, le poète doit connaître bien son métier, de façon très artisanale, avant de se mettre à écrire. Il y a un artisanat préalable." (P.-M. Lapointe).
Cet artisanat, le plus commun et pourtant le plus complexe, voilà précisément ce que la poïétique comme science a pour tâche de mettre au jour. Combien d'ambiguïtés et finalement de mécomptes dans les assemblées, les déclarations publiques, les contrats, les communications scientifiques, les conversations même, peuvent être dus à de simples façons de parler dont personne n'arrive à se dépêtrer, voire à se rendre compte. Par exemple, le personnage de Satan est-il un être réel, ou un mythe antique et durable, ou une personnification rhétorique de l'idée de mal?

Rhétorique ne signifie donc pas nécessairement truc bizarre, superficiel. Le rhétorique a de profondes racines dans l'inconscient. C'est le *"fond de mon arrière-cuisine"*, selon l'expression savoureuse de Jacques Ferron. Seul le rhétorique pur est absurde et a mauvaise presse.

Et pourquoi mon gosier qui devrait être sobre
S'ouvre-t-il si béant au jus que presse Octobre?
se demande Gautier, provoquant l'ironie de Flaubert. Il y a un abus possible des tropes comme du reste.

Mais toute action parle, pour le sujet en formation, pour son corps (physique, familial, social). Les procédés ne sont pas limités aux phrases de discours quoique les phrases soient déjà tissues de nos vies entremêlées.

Le classement.

Le "désordre" alphabétique est commode au consultant qui s'interroge sur un mot vedette. En revanche, au chercheur qui s'interroge sur un échantillon de texte comme au lecteur qui passe d'un concept au voisin, il faut un ordre fondé sur quelque théorie et capable d'apporter de la clarté. Le groupe D. I. R. E. s'attache à effectuer des analyses componentielles pièce à pièce, analyses d'autant moins approximatives que les éléments réunis représenteront la quasi-totalité du système recueilli dans la terminologie présente et passée du rhétorique et du poétique. L'exhaustivité, en ce cas, est moins une ambition qu'une condition à l'exactitude. La confrontation aux exemples concrets vient, du reste, dévoiler les dimensions et les points faibles des champs sémantiques usuels, invitant à développer la théorie dans plusieurs directions. Nulle figure ne peut occuper d'espace indéfini, limitée qu'elle se trouve par chacune de ses voisines. La vox populi, l'usage, la tradition soutiennent ou réinstaurent des concepts qui obtinrent, en d'autres cadres socio-culturels, une pertinence. Tout individu et tout groupe simplifie à sa façon.

Parler de structure, pour le rhétorique, c'est donc chercher l'articulation de l'acte sous-jacent au langage, dans le cadre théorique le plus englobant, le moins exclusif. Mais qu'est-ce qu'articuler? C'est transposer en combinaisons d'éléments formant entre eux un système clos de différences, une substance vécue mais de façon encore indéfinie et par conséquent multiple. Dans le cas, par exemple, des phonèmes, si bien délimités en apparence, on constate par les clichés cinématographiques qu'ils restent variables et parfois mêlés. L'articulation du rhétorique présente de nombreuses difficultés, sinon de réels obstacles. Nul ne s'en étonnera, qui aura saisi le niveau où il se trouve dans la *"spirale de l'élaboration"* (J. Kristeva) du texte.

Précisons ces difficultés dans un exemple. Éluard énonce la sentence: *Il faut battre sa mère pendant qu'elle est jeune.* Méchanceté gratuite? Paradoxe bête? Ne nous hâtons pas. On aura remarqué l'absence de virgule mais cela ne signifie peut-être rien, Éluard étant partisan de la suppression systématique de ce signe. Toutefois, la virgule après *mère* aurait permis

d'isoler l'assertion principale. Son absence incline à faire porter l'assertion par la subordonnée: c'est pendant qu'elle est (encore) jeune qu'il faut la battre (à supposer qu'il faille le faire); et non plus tard, pourrait-on enchaîner. Pourquoi donc? Parce que *c'est trop tard*? "Battre sa mère" est donc escamoté dans le présupposé de l'assertion et présenté comme allant plus ou moins de soi. Fausse naïveté, en ce cas? Pseudo-simulation? Examinons mieux.
Il existe deux proverbes — et l'on sait qu'Éluard et Breton ont beaucoup pratiqué les substitutions dans les proverbes — qui conseillent, l'un de battre le fer tant qu'il est chaud, l'autre de châtier ses enfants dès leur plus jeune âge. Reprise formelle de l'un et inversion du contenu de l'autre: fusion. Jeu sur l'intertexte, alors: pur plaisir de provoquer un heurt entre des extrêmes? (Plus les termes sont éloignés, plus l'étincelle sera forte.) À la limite, pouvoir battre sa mère jeune est une impossibilité, un adynaton*; car elle n'est plus jeune, une fois qu'elle est mère, elle n'est plus une enfant. À moins que ce ne soit l'idée qu'il appartient aussi, réciproquement, aux enfants d'apprendre à vivre à ceux qui les éduquent, théorie nouvelle, très avant-gardiste, ou retournement de situation, qui rétablit une justice? Ou exutoire proposé à quelque vieux ressentiment? Ou encore généralisation d'un processus jugé inique, sorte d'*ab absurdo*, en vue d'affirmer qu'il ne faut battre personne?

On choisira soi-même un sens ou l'on tentera de savoir comment, par quel acte, le texte a surgi. Il peut y avoir des actes composés, surdéterminés, avec plusieurs figures coïncidentes. Quant à l'informe ou au confus, ce sont des figures aussi, déterminées après tout (en tant que figures). Il faut bien que l'acte qui produit un texte ait son mode propre. Fût-il combinaison, amalgame ou absence, il est spécifiable puisqu'il a existé, souvent avec des relectures, des réécritures, qui le garantissent, l'approchent des systèmes signifiants. On peut donc viser cet acte ou tenter de le constituer.

Exposer les concepts indispensables à la définition des figures sera l'objet des essais réunis dans *Gradus 2*. Disons seulement ici que la figure est un syndrome, ensemble de traits. Par là s'expliquent les variations de définition, de plan, la multiplicité des figures trop détaillées, la rareté des fondamentales. Ne sachant par où définir, on a surdéfini. La rhétorique et la poétique traditionnelles font musée et bric-à-brac, elles définissent moins par classèmes que par propriétés, elles multiplient les points de vue. La proximité des procédés, les transformations possibles n'apparaissent pas. Il en irait autrement si la figure était définie dans des ensembles structurés et opérationnels qui gouverneraient les métamorphoses possibles aux divers niveaux: celui du récit, celui du langage, celui de la disposition, etc. De tels ensembles pourraient aussi être formalisés. Des symboles prenant place dans des matrices suggéreraient abstraitement les opérations intuitivement menées par les poètes et tout être qui parle.

Car un trait n'est jamais exclusif à la figure qu'il définit. Le chiasme* a un point commun avec le parallélisme* (membres semblables syntaxiquement), un autre avec l'inversion* (ordre inversé des termes). L'antimétabole* de même, qui est en outre une répétition*. Si l'on considère la totalité des traits nécessaires à la définition des figures (une soixantaine) et les possibilités de leurs arrangements (des millions), on comprend que Lamy ait pu penser: *"le nombre des figures est infini"*.

Avec des outils aussi épais que les sémèmes (c'est-à-dire, en somme, le lexique), il n'est pas étonnant que, dans les traités et les dictionnaires, les exemples de figures voisines se chevauchent. Travailler avec une précision plus grande est-il possible? Il faudrait caractériser les échantillons, non par un mot (dont les sèmes sont agencés de façon flottante), mais par l'énumération des sèmes (qu'il reste à définir, transcrire et agencer). Ce travail, si considérable qu'il paraisse, doit être entrepris globalement, car c'est l'ensemble qui forme système. Une rhétorique des sèmes, une rhétorique vraiment systématique, semble possible. Divers efforts en ce sens, ceux d'A.-J. Greimas, de G. Genette, du groupe mu, d'O. Ducrot, des linguistes de Lyon, de nombreux sémioticiens ont donné leurs premiers fruits.

*

M. B. QUEMADA a amendé nos néologismes. Nous lui devons les mots *tactisme, isolexisme, autruisme, sérisme, brouillage syntaxique* et *rappel* syntagmatique* tandis qu'il a approuvé *chassé-croisé*, écho rythmique*, louchement*, miroir*, mixage, musication*, nominalisation*, ressassement**. À Mme CH. VAN DER REST, nous devons la compilation des définitions classiques. M. M. ANGENOT nous a communiqué un important dossier de figures polémiques (V. à *argument, réfutation* et *paralogisme*). Nous avons largement puisé dans sa thèse inédite sur la rhétorique du surréalisme. M. J. PESOT a révisé nos figures de sonorités; M. D. DELAS, les figures de graphies; MM. A. BROCHU et J.-M. KLINKENBERG l'ensemble. Mme S. CLOUTIER et M. G. CONNOLLY ont revu la présentation typographique. Mlles L. CAMERLAIN et F. THIVIERGE, ainsi que M. N. CHAURETTE ont amendé le manuscrit. Le Centre de calcul de l'Université de Montréal, MM.

Cl. SCHNÉEGANS, D. BELZILE, S. FROMENT et la Cie Logidec ont réalisé les logiciels d'entrée de texte, d'index automatique et de photocomposition.

Cet ouvrage a été publié avec une subvention de la Fédération canadienne des Études humaines, dont les fonds proviennent du Conseil de recherches en sciences humaines du Canada.

*

Dans le texte du dictionnaire, les termes marqués d'un astérisque sont des vedettes traitées à leur place alphabétique. Les numéros de page des références renvoient aux éditions courantes ou, quand il y en a une, à l'édition de poche. Quand il s'agit d'*Oeuvres*, c'est dans la collection *pléiade*, si elles y figurent. Les ouvrages cités par le seul nom de l'auteur se trouvent dans la *Bibliographie*.

DICTIONNAIRE

ABRÈGEMENT Pour un mot, substitution* d'une forme réduite à la forme pleine, par exemple de *métro* à *métropolitain.* MAROUZEAU.

L'argot* et les jargons* utilisent largement ce procédé, qui obéit à la loi *"du moindre effort linguistique"* dont parle Martinet (*Éléments de linguistique générale,* 6-5). **Ex.:** *les diams* (pour *les diamants;* cf. Robert, *Supplément*), un soir de *perme* (permission, jargon* militaire), *la prof* (pour *le professeur féminin,* jargon* des lycées).

Les exemples littéraires sont des cas de jargon*, ou sont artificiels.

Si tu savais comme on s'ennuie
À la Manic[1]
Tu m'écrirais bien plus souvent
À la Mani...couagan[2] .

G. DOR, *la Manic,* chanson.

je mon dans un aut plein de voya
R. QUENEAU, *Exercices de style,* p. 55, sous le titre d'*Apocopes**.

Syn. Raccourcissement par troncation (STERN, cité et traduit par P. GUIRAUD, *la Sémantique,* p. 42).

Rem. 1 On aura remarqué l'absence de point abréviatif dans l'abrègement, procédé sonore (toujours au moins une syllabe) et non graphique. Ce type de métaplasme* est très courant pour former les petits noms d'amitié. **Ex.:** *Lol* pour *Lola* (M. DURAS, *le Ravissement de Lol V. Stein*). *Alex* pour *Alexandre* ou *Alexandra,* etc.

Rem. 2 L'abrègement peut se faire par amputation initiale. **Ex.:** *Nadette* pour *Bernadette* (en ôtant le suffixe, il reste *Nade,* titre d'un magazine pour adolescentes); *Leine* pour *Madeleine,* etc.

Rem. 3 L'abrègement d'un syntagme peut se faire par suppression de plusieurs mots (Ex.: Gradus) ou affecter chacun des éléments et les réunir en un composé nouveau. **Ex.:** *Boul' Mich* (Boulevard Saint-Michel), *surgé* (surveillant général). V. à *acronyme.*

---

1 Le */c/* est implosif (V. à ***implosion***) dans le texte chanté. Il est écrit mais on n'entend pas la phase explosive.

2 La Manicouagan, rivière du Québec sur laquelle des barrages hydro-électriques étaient en construction.

Rem. 4 L'abrègement peut s'accompagner de gémination*. **Ex.:** *Nounou, Gugusse, Mimi.*

Rem. 5 L'abrègement et l'abréviation* sont souvent confondus. Ainsi, dans Lol **V.** Stein, **V.** est une abréviation (d'où le point). Il ne faut donc écrire ni **Lol V** , ni **Lol. V.**

Rem. 6 L'abrègement est parfois commandé par la pudeur. *"Il a sauvé la sit. Culottes col. Brillante insp."* (JOYCE, *Ulysse,* p. 257). Pour cacher les noms propres, on met des astérisques, précédées parfois des initiales. V. aussi à *gros mot,* rem. 1; *ellipse,* rem. 1.

ABRÉVIATION Réduction graphique (ainsi *etc.* pour *et caetera*). MAROUZEAU.

Ex.: *Mon identité de pauvre CF condamné, par deux siècles de délire, à parler mal, sans plaisir*
H. AQUIN, *Trou de mémoire,* p. 95. (*CF:* Canadien français.)

Analogue Sigle, lorsque l'abréviation est entrée dans l'usage pour remplacer un subst. **Ex.:** *"idée ..... définitive, emmurante. Devenue vérité* **V***"* (MICHAUX, *Connaissance par les gouffres,* p. 217). *"Le nombre aberrant des* **T.S.** *aux barbiturates nous oblige à prendre des précautions"* (H. AQUIN, *Trou de mémoire,* p. 93; pour tentatives de suicide, sigle en psychiatrie).

Rem. 1 L'abréviation appartient aux métaplasmes*. Elle est souvent confondue avec l'abrègement*, procédé sonore correspondant (graphiquement on réduit à la lettre, sur le plan sonore à la syllabe).

La marque de l'abréviation est le point abréviatif, mais on ne le place pas (à la différence de l'anglais) si la dernière lettre du mot est reprise dans l'abréviation[1] (Dr, Cie), ni quand il s'agit de *symboles* (V. ce mot, rem. 1) mathématiques ou scientifiques (h, m, mn, mm).

Une série d'initiales peut former un mot nouveau. V. à *acronyme.*

Rem. 2 L'abréviation est utilitaire. On s'en sert aussi pour abréger des inscriptions. R.F. (sur un monument). I.N.R.I. (sur un crucifix). Mais elle a parfois un rôle euphémisant. *"Il s'est cassé la* **g***... Qu'est-ce qu'il allait* **f***... là?"* Également pour les noms propres: *"P... fait un visage en soudant une demi-face à un profil, visage deux fois plus vivant que le réel"* (MICHAUX, *Passages,* p. 70; *P* pour *Picasso*). On recourt aussi à des astérisques, sans initiales si l'on veut un anonymat complet. Pour les abréviations

---

1 Les dernières lettres sont normalement ***suscrites,*** c'est-à-dire en petits caractères et surélevées. Ex.: ***n^{o}, n^{os}, Mlle,*** (mais ***liv., part., chap.*** pour livre, partie, chapitre). ***Analogue*** Lettres supérieures.

protocolaires, V. à *discours,* rem. 2; pour celles des rites, V. à *souhait,* rem. 2.

Rem. 3 Littré donne à *brachygraphie*: art d'écrire par abréviations; à *brachygraphe:* celui qui possède cet art. **Ex.:** cette transcription d'une variante: *Je ne fais que v.d.d.a. contre moi* (SPITZER, *Études de style,* p. 278; vous donner des armes).

Rem. 4 Un autre type d'abréviation consiste à supprimer les voyelles (comme dans les langues sémitiques, où elles sont facultatives). **Ex.:** *cpdt* (cependant), *Mtl* (Montréal).

Pons propose (p. 11) d'appeler le procédé littéraire correspondant *dévocalisation.* Swift en offre des exemples: *Pdfr* (Podefar), *Ppt* (Puppet). Joyce aussi: *"Les célèbres chanteurs des rues de Dublin L-n-h-n et M-ll-g-n soulevèrent l'hilarité générale"* (*Ulysse,* p. 295; pour Lenehan et Mulligan).

Rem. 5 Certaines abréviations sont lexicalisées. On entend dire *esvépé* pour *s.v.p.* Les abréviations ne prennent pas la marque du pluriel. V. à *lexicalisation,* ainsi qu'à *trait oblique,* rem. 1.

Rem. 6 Dans le nouveau roman, qui veut faire abstraction* de la personnalité, le héros n'est parfois désigné que par une initiale. **Ex.:** A dans *la Jalousie* de ROBBE-GRILLET.

ABSTRACTION Comme procédé, l'abstraction consiste à remplacer un adjectif de qualité par un substantif, ou un verbe d'action par une périphrase, de façon à isoler et à mettre en évidence un aspect abstrait.

Ex.: *Inclinez la binarité de vos rotules vers la terre.* LAUTRÉAMONT.

Autre ex.: (faux col et gilet) *"deux articles vestimentaires mal tolérés par les quadragénaires et qui ne se prêtent pas aux modifications du volume par l'expansion."* (JOYCE, *Ulysse,* p. 630).

Autre sens: V. à *énigme,* rem. 2; *amalgame; tête-à-queue,* rem. 2.

Rem. 1 L'abstraction est une forme du baroquisme*. **Ex.:** *"Les commodités de la conversation"* pour les *fauteuils* dans le langage des précieuses. Maupassant ironise sur la métonymie* par la qualité, chère aux Goncourt: *"Ceux qui font aujourd'hui des images sans prendre garde aux termes abstraits, ceux qui font tomber la grêle ou la pluie sur la* **propreté** *des vitres"* (Préface à *Pierre et Jean*).

Rem. 2 L'abstraction est souvent synecdochique. **Ex. courant:** *Sa Majesté.*

Ex. litt.: *"Ce côté tenace de sa personnalité songeait déjà à toutes les fouilles qui l'attendaient."* (SOLJENITSYNE, *le Premier Cercle*, p. 74).

On n'est pas loin de la demi-tautologie (V. à *tautologie*, rem. 3).

Rem. 3 Dans le syntagme nominal, l'abstraction se réalise en inversant les fonctions de l'adjectif et du substantif. L'adjectif devient lexème premier en prenant la forme d'un substantif abstrait correspondant et le substantif devient complément déterminatif. Ainsi *"la binarité de vos rotules"* remplace *vos deux genoux* et *"la propreté des vitres"*, les *vitres propres.*

Rem. 4 L'abstraction de la qualité est un mode de *soulignement* (V. ce mot, rem. 1) assez caractéristique du style dit "féminin".

Ex.: *"Elle était maigre ..... Elle avait vêtu* **cette maigreur** *d'une robe noire à double fourreau de tulle également noir, très décolletée."* (M. DURAS, *le Ravissement de Lol V. Stein*, p. 14.) Mais on la trouve aussi chez les doctes: *"la rapidité de la langue nous jette dans de mauvais pas d'où l'agilité des pieds ne peut nous retirer"* (A. KOUROUMA, *les Soleils des indépendances*, p. 21).

Rem. 5 Le langage mathématique concrétise des abstractions. On énonce: la multiplication est commutative; et on écrit: a x b = b x a (C. SERRUS, *le Parallélisme logico-grammatical*, p. 106). Et en littérature: "une personne réelle, par exemple Monsieur X, particulièrement repoussant, Monsieur Z que je vomis ou Monsieur N qui me fatigue et m'ennuie" (GOMBROWICZ, *Ferdydurke*, p. 205).

Rem. 6 La faculté de percevoir les idées ou les valeurs qui sont aux prises sous les actes (ou qui leur servent de prétexte) est un autre type d'abstraction: l'**idéologie.**

Ex.: — *Je suis prêt à donner ma vie pour l'idéal! — Allez! Allez-y, les gars! Cassez-lui la figure à cet adolescent! — À moi, les adolescents! Défendez-moi! À cet appel, plusieurs sentirent en eux l'Adolescent combattre le Gaillard. Des coups furent échangés.*
GOMBROWICZ, *Ferdydurke*, p. 39.

Rem. 7 L'abstraction s'offre à la personnification*.

ACCENT Un phonème ou un groupe de phonèmes est articulé avec plus de force (ou de durée ou de hauteur). M. GRAMMONT, *Traité de phonétique*, p. 115.

En français, l'accent final, normal[1], est placé sur la dernière syllabe du mot phonétique (V. à *groupe rythmique*) et se caractérise par un allongement[2].

D'autres accents, appelés ***accents d'insistance***, et caractérisés par un accroissement de volume sonore peuvent prendre place en fin de phrase (V. à *exclamation*), en fin de syntagme, et se combiner avec l'accent normal, ou s'étendre sur plusieurs syllabes.

Ex.: *JEANNE (clair et triomphal). — Et quand* ***Jeanne*** *au mois de* ***Mai*** *monte sur son* ***cheval*** *de bataille, il faudrait qu'il soit bien malin celui qui empêcherait toute la France de* ***partir***.
CLAUDEL, *Jeanne d'Arc au bûcher*, dans *Théâtre*, t. 2, p. 1238.

Parmi les accents d'insistance, qui sont facultatifs, on distingue encore deux variétés, qui sont particulières parce qu'elles prennent place au début du mot. C'est l'accent antithétique* et l'accent affectif* (ou énergétique).
L'épitrochasme* tire parti de l'accent "de mot phonétique".

Autres déf. 1 Ton exprimant les sentiments (accent pathétique, oratoire, hautain, amer, ironique, personnel, etc.). C'est une définition qui vise le rythme, les mélodies de phrase plus que l'accent (V. à *ponctuation*).

2 Inflexions de voix particulières aux habitants d'une région (accent parisien, accent du midi... cf. *Robert*). C'est une définition qui vise plutôt des habitudes collectives de prononciation.

V. à *faute*, rem. 2. et à *étirement*, rem. 1.

3 Signe graphique qui, en français, se met sur une voyelle pour en indiquer le timbre (**Ex.: é**, accent aigu; **è**, accent grave; **e**, sans accent) ou le timbre et la durée (**ê**, accent circonflexe).
Rem. 1 La coupe du vers métrique* se libère de la contrainte des accents toniques.

ACCENT AFFECTIF Au sens large, synonyme d'accent d'insistance, voire même d'accent émotionnel, emphatique, pathétique, oratoire (MAROUZEAU, QUILLET). V. à *accent*.
Mais, par opposition à *accent antithétique**, l'expression *accent affectif* a reçu un sens restreint:
Accent d'intensité ..... (qui) frappe les mots de valeur... Le mot, prononcé dans un état d'exaspération, reçoit un

---

1 On dit souvent ***accent tonique*** par analogie avec le latin.

2 Cf Léon, p 58, qui cite Delattre

accent supplémentaire sur la première consonne. MORIER (à *affectif*).

Ex. donné par Morier: *C'est inconcevable.*

Rem. 1 Cet accent, très particulier puisqu'il porte sur une consonne[1], mérite un nom qui le distinguerait davantage. D'un autre côté, il n'exprime pas nécessairement un sentiment d'exaspération. **Ex.:** *"DUPONT — Je m'appelle Dupont d'Isigny.* (Il accentue les D)" (B. VIAN, *Théâtre,* t. 1, p. 250). On peut affirmer que, dans tous les cas, accentuer des consonnes confère plus d'énergie à l'expression. Pourquoi ne pas spécifier: *"accent énergétique"*? L'*accent affectif,* en effet, couvre trop d'accents distincts, aux nuances difficiles à démêler par critère extérieur. L'accent *pathétique* renvoie à un sentiment peut-être feint; l'accent *oratoire* à un ton sublime; l'accent *émotionnel* à un trouble du locuteur; l'accent *expressif* à la couleur du style; l'accent *emphatique* à un excès de soulignement*, etc.

ACCENT ANTITHÉTIQUE Parmi les accents*, il en est qui frappent le début du mot. Dauzat et Marouzeau (*Accent affectif et intellectuel,* dans *le Français moderne,* t.2, p. 23 à 28) en ont discerné un qui touche la première consonne (V. à *accent affectif* ou *énergétique)* et un autre qui touche la première voyelle. Ils appellent ce dernier *accent d'insistance intellectuel.* Morier précise en disant *accent antithétique:*
Accent frappant la première voyelle d'un mot, mis en évidence dans le dessein de l'opposer à son contraire, ou du moins de créer une distinction de nature intellectuelle... **Ex.:** *Nous n'avons pas voulu parler de ses attentions à notre égard, mais bien de ses intentions.* MORIER (à *antithétique*).

Rem. 1 Garde (*l'Accent,* p. 45) confirme la place de ces deux accents et offre l'exemple que voici: *"C'est abominable! C'est terrible!* (insistance affective) *Ce n'est pas abominable, ce n'est pas terrible, c'est normal* (insistance intellectuelle)".

Rem. 2 Garde précise que l'insistance logique porte nécessairement sur une "unité significative", morphème ou mot. On dira: "Ne confondez pas les sulfates avec les sulfures" (suffixes), mais on ne dira pas: "Je n'ai pas dit *Monte-Carlo,* j'ai dit *Montélimar"* car l'unité significative est ici le mot entier. On dira "...Montélimar". De même Saint-Eustache, Cincinnati.

Marouzeau et Morier précisent avec raison que le premier terme de l'opposition (celui qui est nié) peut rester implicite. **Ex.:** Voilà qui est parfaitement amoral.

---

1 Cf. *l'Étude des styles,* 2e éd., p. 327.

Rem. 3 L'accent antithétique est, en langage parlé, la marque du posé dans l'assertion*. Il joue aussi un rôle important au point de vue esthétique (V. à *assonance*, rem. 2.)

ACCUMULATION On ajoute des termes ou des syntagmes de même nature et de même fonction, parfois de même sonorité finale. J.-M. KLINKENBERG.

Ex.: *et là se fait entendre un perpétuel piétinement, caquettement, mugissement, beuglement, bêlement, meuglement, grondement, rognonnement, mâchonnement, broutement des moutons et des porcs et des vaches à la démarche pesante*
JOYCE, *Ulysse*, p. 283.

Autre ex.: *ces multitudes terribles et migratrices tourbillonnant sans fin à la surface de la terre errant de l'Orient à l'Occident à travers le temps et l'espace se traînant de lieux saints en lieux saints fanatiques cauchemaresques avec leurs yeux chassieux leurs ulcères leurs membres tordus leur colère et leur désespoir les hailloneux troupeaux de paralytiques d'affamés de borgnes de boiteux et de bossus se bousculant dans les déserts les défilés les montagnes sauvages les villes pestiférées et vides ..... se traînant claudiquant véhiculés dans un bruit de béquilles de voitures d'infirmes de carrioles d'autos démantibulées de litanies d'hymnes de sébilles et d'imprécations*
Cl. SIMON, *Histoire*, p. 226-7.

Syn. Amas (PAULHAN, *Énigmes de Perse*, NRF, 1963, p. 74); amplification* (Girard, Littré, Preminger); athroïsme (Quillet, Lausberg); synathroïsme (Littré, Lausberg); congerie (Lausberg, Preminger); conglobation (Fontanier, p. 363; alors que Littré, Morier et Quillet définissent la conglobation comme une accumulation de preuves dans les procès).

Rem. 1 L'accumulation peut servir à amplifier, mais c'est un mode d'amplification* facile. Théophile Gautier le souligne dans la préface à *Mlle de Maupin*.

MODÈLE D'ARTICLES VERTUEUX
Après la littérature de sang, la littérature de fange; après la Morgue et le bagne, l'alcôve et le lupanar; après les guenilles tachées par le meurtre, les guenilles tachées par la débauche; après, etc. (selon le besoin et l'espace, on peut continuer sur ce ton depuis six lignes jusqu'à cinquante et au-delà)...

Rem. 2 L'accumulation et l'énumération* ne sont pas toujours nettement distinctes. L'une et l'autre peuvent être longues, baroques (V. à *baroquisme*), désordonnées (V. à *verbigération*, rem. 3) ou en gradation*. Mais l'accumulation garde quelque chose de moins logique: elle saute d'un point de vue à l'autre,

semble pouvoir se poursuivre indéfiniment, tandis que l'énumération* a une fin, même si les parties énumérées sont contradictoires. **Ex.:** *"On peut affirmer la présence ou la perception d'un objet quand il est présent et perçu, quand il est absent et perçu, quand il n'est ni présent, ni perçu."*
(P. QUERCY, dans le *Dict. abrégé du surréalisme*, à *perception*.)

Toutes les possibilités ayant été envisagées, la **série** est fermée, c'est une énumération. En revanche, des séries même très complètes restent nécessairement ouvertes et sont donc des accumulations.

Ex.: *L'hallucination, la candeur, la fureur, la mémoire, ce Protée lunatique, les vieilles histoires, la table et l'encrier, les paysages inconnus, la nuit tournée, les souvenirs inopinés, les prophéties de la passion, les conflagrations d'idées, de sentiments, d'objets, la nudité aveugle, les entreprises systématiques à des fins inutiles devenant de première utilité, le dérèglement de la logique jusqu'à l'absurde, l'usage de l'absurde jusqu'à l'indomptable raison, c'est cela — et non l'assemblage plus ou moins savant, plus ou moins heureux des voyelles, des consonnes, des syllabes, des mots — qui contribue à l'harmonie d'un poème.*
ÉLUARD, *Donner à voir.*

Rem. 3 Quand les termes ne sont pas de même nature, l'accumulation est désordonnée, *"chaotique"* (Spitzer), proche du verbiage*.

Ex.: *Quel programme d'occupations intellectuelles pouvait simultanément se réaliser? La photographie instantanée, l'étude comparative des religions, le folklore relatif à un certain nombre de pratiques amoureuses et superstitieuses, et l'observation des corps célestes.*
JOYCE, *Ulysse*, p. 634.

Elle peut aller jusqu'à la verbigération*.

Rem. 4 L'accumulation d'adjectifs a reçu le nom de *style épithétique"* (Lausberg). **Ex.:** *"et sous ses couleurs rouges, vertes, jaunes, brunes, roussâtres, douce, amère, plantureuse, pommelée, la pomme"* (JOYCE, *Ulysse*, p. 283). S'ils sont en désordre, on parlera d'un **tohu-bohu** de qualifiants. **Ex.:** "(la joie), *une horrible, une superbe, une absurde, une éblouissante, une poignante réalité!"* (CLAUDEL, *Théâtre*, t. 2, p. 536). Un tohu-bohu de métaphores* peut faire un poème extraordinaire. **Ex.:** *l'Union libre de Breton.*
V. aussi à *épithétisme*, et, pour l'accumulation de lexèmes, V. à *synonymie*, rem. 1.

Rem. 5 L'accumulation de qualifiants ralentit l'exposé (V. à *suspension*, rem. 3 et à *parastase*). Inversement, l'accumulation de noms propres ou de courtes phrases semble l'accélérer.

Ex.: *Mais nous avons eu la bonne idée de revenir sur nos pas, repassant une seconde fois le Simplon, enfilant le Valais de Brig à Martigny et puis, après quelques heures douces passées à Martigny, rejoignant les bords lumineux du Léman: Villeneuve, Territet, Vevey, Cully, Lutry*
H. AQUIN, *Trou de mémoire*, p. 151-2.

Autre ex.: "*Enfile-moi cet uniforme, là, oui, c'est ça, eh bien, grouille-toi, fais fiça, magne-toi le pot, le popotin si tu préfères, enfin t'y voilà*" (QUENEAU, *Pierrot mon ami*, p. 79-80).

Rem. 6 Pour l'accumulation de mots courts, V. à *épitrochasme;* pour l'accumulation de titres, V. à *titre* (collation de —), rem. 4; pour celle de verbes personnifiant, V. à *personnification*, rem. 2; pour celle de questions, V. ce mot, rem. 2

ACCUSATION Représenter quelqu'un comme coupable d'un délit.

Ex.: *Henry Fleury. Sans domicile fixe. Vagabondage nocturne et stationnement sur la voie publique.*
JOYCE, *Ulysse*, p. 435.

Analogue V. à *discours*.

Rem. 1 L'***insinuation*** est une accusation dont l'énoncé reste partiel. Pour les arguments* de l'accusation, V. à *antiparastase*, rem. 5. Pour les déguisements de l'accusation, V. à *question*, rem. 3.

Rem. 2 Le ***procès d'intention*** est une accusation portant, non sur des faits, mais sur des intentions que l'on prête plus ou moins gratuitement à l'adversaire. Par exemple, si on a demandé à qqn qqch. et qu'il vous répond non seulement qu'il est occupé, mais: *Tu as juré de ne pas me laisser une seconde de tranquillité!*

ACRONYME Groupe d'initiales abréviatives, plus ou moins lexicalisé[1]. On les prononce comme s'il s'agissait d'un nouveau mot, "prononciation intégrée" (l'/Urs/) ou en considérant chaque lettre séparément, "prononciation disjointe" (/U.R.S.S./). Dans le cas de la prononciation disjointe, il devient possible de transcrire en toutes lettres cette prononciation.

1 La lexicalisation est plus forte si l'acronyme est écrit comme un mot (Puf). Avec des points, on est assez près encore de la simple abréviation* (P U.F.)

Ex.: *Achélème* pour *H.L.M.* (Queneau), *Téhéseffe* pour *T.S.F.* (Duhamel), cités par M. Rheims.

Un autre type de formation d'acronymes part de l'abrègement* des mots en leurs syllabes initiales. **Ex.:** *Bénélux* pour l'ensemble formé par *Belgique, Nederland, Luxembourg; Telbec* pour *Compagnie de télécommunication du Québec.*

L'invention d'acronymes originaux peut constituer un procédé littéraire. **Ex.:** *"Le Syndicat des empêcheurs de rire en rond à l'Opéra*"* et, en bas de page: * SDEDRERALO. (R. DUCHARME, *la Fille de Christophe Colomb,* p. 185).

Analogue Sigle.

Rem. 1 L'acronyme est l'une des ressources de la *dénomination propre* (V. ce mot, rem. 2). Le nouveau lexème formé peut engendrer une série lexicale. Cf. J. DUBOIS, *Étude sur la dérivation suffixale en français moderne et contemporain,* p. 75. Des dérivés originaux relèveront à leur tour du procédé. **Ex.:** *cégétiste* et, en littérature: *"Les Uerressestois"* (R. DUCHARME, *l'Océantume,* p. 44).

Rem. 2 Les acronymes donnent lieu à un jeu littéraire*, fondé sur la diversité possible des lectures. Ce jeu débouche aussi sur un procédé. **Ex.:** *"La maison s'appelle P.I. parce qu'elle a la spécialité des pâtisseries infectes"* (JOYCE, *Ulysse,* p. 237-8).

Rem. 3 On rencontre aussi de *faux acronymes,* qui sont en réalité des allographes*. **Ex.:** *"FMRFIJ"* (R. DESNOS, *Corps et biens,* p. 6).

Rem. 4 Confié au graphiste, le sigle devient *symbole* (V. ce mot, 3). Évoquant alors plus directement l'objet, il devient **icône**; évoquant certaines qualités (image de marque), il devient **emblème**.

Rem. 5 Pour la typographie des acronymes en fin de ligne, V. à *césure typographique,* rem. 3.

ACROSTICHE Poème dont on peut lire le sujet, le nom de l'auteur ou celui du dédicataire dans un mot formé des initiales de chaque vers.

Ex.: Villon signe plusieurs ballades* en plaçant les lettres de son nom au début des vers de la dernière strophe (envoi).

Voulez-vous que verté vous die? (que je vous dise la vérité)
Il n'est jouer qu'en maladie
Lettre vraye que tragedie
Lasche homme que chevalereux,
Orrible son que melodie,
Ne bien conseillé qu'amoureux.
VILLON, *Ballade des contre vérités.*

Rem. 1 L'acrostiche appartient à la cryptographie*. V. aussi à *Jeux littéraires.*

ACTANT Rôle joué dans l'action. Souriau (*les 200 000 Situations dramatiques*) en repéra six qu'il décrivit ainsi: force orientée (Fo), bien souhaité (Bs), obtenteur souhaité (Os), opposant (Op), arbitre de la situation (Ar), adjuvant (Ad). Propp, étudiant de ce point de vue la *Morphologie du conte,* distingue (chap. 6) sept personnages types: le héros, la princesse, l'agresseur, le mandateur, l'auxiliaire, le donateur et le faux héros.
Greimas (*Sémantique structurale,* p. 176 à 180) étend ces notions à des entités plus abstraites et envisage une concordance avec les systèmes antérieurs. Il prend comme exemple le philosophe *"des siècles classiques"*.

PARADIGMES ACTANCIELS

Souriau	Propp	Greimas	EXEMPLE
Fo	héros	sujet	philosophe
Bs	princesse	objet	monde
Ar	mandateur	destinateur[1]	Dieu
Os		destinataire[2]	humanité
Op	agresseur faux héros	opposant	matière
Ad	auxiliaire	adjuvant	esprit

L'application des paradigmes à une oeuvre donnée se fera avec souplesse et sans ramifications excessives. Un même personnage peut avoir une fonction distincte vis-à-vis des autres antagonistes, ou assumer seul plusieurs fonctions. Il faudra remodeler parfois les paradigmes. Ainsi, dans le théâtre de Montherlant, nous avons pu les ramener à quatre, avec des constantes qui évoluent parallèlement à la situation affective de l'auteur (*les Structures et l'inconscient dans le théâtre de Montherlant,* dans *Protée,* n°6, p. 47 à 64). Une analyse actancielle doit échapper à l'imbroglio de l'intrigue. Elle sera d'autant plus claire que le point de vue choisi pour la tracer se révélera pertinent.

Rem. 1 L'analyse actancielle peut encore se faire, non d'après une dialectique générale mais en serrant l'intrigue au plus près, comme l'a proposé Cl. Bremond dans *Logique du récit.* On part des personnages concrets, on les envisage dans le détail de leur participation à chaque événement, et même aux trois étapes essentielles de chaque événement: l'éventualité, le processus

1 ou donateur.

2 ou bénéficiaire.

de réalisation, l'issue. On les classe en agent et patient, influenceur, améliorateur ou protecteur, dégradateur ou frustrateur, acquéreur de mérite et rétributeur. Selon Ph. Hamon, les descriptions, même réalistes, transforment les acteurs en actants, et constituent donc des indices actanciels. De nombreux procédés restent à définir dans ce domaine. V. à *communication*, autres déf., 2.

Rem. 2 Il est possible d'inverser les actants. V. à *chassé-croisé*, rem. 3 et à *antimétabole*, rem. 3.

AD HOMINEM (Argument —) Argument qui ne vaut que contre l'adversaire que l'on combat, soit que cet argument se fonde sur une erreur, une inconséquence ou une concession de l'adversaire, soit qu'il vise tel ou tel détail particulier à l'individualité ou à la doctrine de celui-ci. LALANDE, *Vocabulaire technique et critique de la philosophie*.

Ex.: *Ceux qui se prétendent réalistes devraient aussi tenir compte de ce que sera la réalité demain.* **Ex. litt.:**
Pour jamais! Ah, Seigneur, songez-vous **pour vous-même**
Combien ce mot cruel est affreux quand on aime.
RACINE, *Bérénice*.

Analogue Argument ad personam (Perelman).

Autre déf. *"Argument qui oppose à l'opinion actuelle d'un homme ses paroles ou ses actions antérieures"* (Littré, TLF). C'est un sens très spécifique et qui rapproche le procédé de la rétorsion*.

Rem. 1 L'argument *ad hominem* est une attaque. Quand il masque l'absence d'argument valable et qu'il s'en prend à la personne faute de pouvoir réfuter les idées, il est purement rhétorique et donc faux*. *Ad personam* pourrait être le nom du procédé correspondant mais bienveillant. Ainsi, pour renseigner quelqu'un sur le chemin à suivre, on cherchera des points de repère faciles à identifier, tel magasin de mode si l'on s'adresse à une dame, etc. ou avant de proposer un concert: *"Vous qui aimez Chopin*, etc.*"*

ADJONCTION Sorte[1] d'ellipse* par laquelle on retranche, dans une section de phrase, un mot exprimé dans une section voisine. LITTRÉ.

Ex.: *S'armait d'un oeil si fier, d'un front si redoutable*
RACINE, cité par LAUSBERG, t. 1, p. 372.

---

1 Ellipse sur proposition ajoutée à une phrase syntaxiquement déjà complète, d'où le nom d'*adjonction*.

Ex. cont.: *On est contraint, en face d'elles, à une espèce de comédie;* **peu honnête;** *mais qu'y faire?*
A. GIDE, *Romans*, p. 1015.

Même déf. Lausberg.

Autre nom Zeugme*.

Rem. 1 Fontanier oppose l'adjonction à l'ellipse*, où les mots supprimés ne sont pas exprimés dans le voisinage. Mais il l'oppose aussi au zeugme* (p. 336), contrairement à Fabri (t. 2, p. 156), Littré, Le Bidois, Lausberg, Robert. La différence qu'il propose est que l'adjonction doit se faire avant que la proposition ne soit achevée, en sorte que le tout ne fasse *"qu'une seule et même proposition complexe"* (p. 338). **Ex.:** *"Je donnais, j'enlevais, je rendais les États"*.

Nous voyons mal la nécessité de ce trait distinctif, puisque de toute façon, sans l'adjonction, la phrase serait syntaxiquement complète (V. à *disjonction*, rem. 3). Qu'on se contente d'observer que l'adjonction se fait aussi bien au début (*protozeugme*) ou au milieu (*mésozeugme*) qu'à la fin de la phrase (*hypozeugme*).

Rem. 2 L'adjonction est un mode courant de développement syntaxique, surtout dans la langue parlée. C'est, en effet, la façon la plus simple de faire une *assertion adjacente* (V. à *assertion*, rem. 3). **Ex.:** *"Un obus!... Vrang!... qui rentre dans le pont! La maîtresse arche saute, éclate!... Creuse un gouffre dans la chaussée, une béance énorme... un cratère où tout s'engouffre!..."* (L.-F. CÉLINE, *Guignols Band*, p. 17). V. à *dislocation*, rem. 1.
Elle est possible même quand la phrase paraît achevée. **Ex.:** "(Il) *y bâtirait une hutte. Aux neiges un igloo."* (Y. THÉRIAULT, *Agaguk*, p. 10).

Rem. 3 Si l'élément adjoint ne remplit pas la même fonction qu'un élément énoncé, on a une *demi-adjonction*. **Ex.:** *"Un obus!... Vrang!... qui rentre dans le pont!"* (En revanche, *éclate*, *creuse*, *béance* et *cratère* présentent, dans l'exemple de Céline, des cas d'adjonction).
La demi-adjonction est fréquente en parataxe*.
Tout syntagme* *"en exclusion"* et en fin de phrase peut être placé en demi-adjonction par une ponctuation* renforcée. **Ex.:** *"Introduite de force dans l'intimité de cette maison barricadée. En plein hiver. Au bord de la route, entre Sainte-Anne et Kamouraska. La nuit du 31 janvier."* (A. HÉBERT, *Kamouraska*, p. 210).
Si le syntagme* exclu final est introduit par une conjonction, une virgule suffira. **Ex.:** *"Tu auras une belle dot, et un bel héritage."* (R. QUENEAU, *Pierrot mon ami*, p. 95).

Rem. 4 L'usage détermine les éléments à élider. Dans l'exemple suivant, Gide rend son adjonction insolite en répétant le *si*. *"Oh! si le temps pouvait remonter vers sa source! et si le passé revenir!"* (GIDE, *Romans*, p. 245).

Rem. 5 L'adjonction donne des hyperbates (V. ce mot, rem. 2), des parataxes (V. ce mot, rem. 2).

ADYNATON Hyperbole* impossible à force d'exagération.

Ex.: *Ne pas se laisser condamner à défaire les* ***chignons de bronze***
MICHAUX, *Face aux verrous*, p. 41.

Ex. publicitaire: *L'eau qui fait* ***digérer des briques.***

Même déf. Lausberg (§ 1245), Preminger.

Analogues Fatrasie, conte à dormir debout.

Rem. 1 L'adynaton est de pure rhétorique (*"châles......se déchirent rien qu'à les regarder"*, JOYCE, *Ulysse*, p. 674) ou il touche au fantastique*, tendant à reculer les bornes du réel. **Ex.:** *"L'atmosphère était si humide que les poissons auraient pu entrer par les portes et sortir par les fenêtres, naviguant dans les airs d'une pièce à l'autre"* (G. G. MARQUEZ, *Cent ans de solitude*, p. 299). Comme deuxième terme dans une comparaison*, on peut tout accepter. *"L'insaisissable Djeky comme le vent / Comme la flamme comme l'espace" (Geste de Djeky*, dans *l'Épopée traditionnelle*, p. 45). La question des isotopies* se pose avec plus d'acuité lorsqu'il est dit: *"Djeky..... Qui avala l'océan et le cracha"*. Il n'est pas sûr qu'il faille la résoudre de la même façon que dans les fatrasies, plus proches de la verbigération*. Le **fatras impossible** (Morier), la **fatrasie** médiévale étaient des poèmes* à forme fixe qui n'offraient que des incohérences* ou des impossibilités. Il en est resté une trace dans les comptines. **Ex.:** *"J'ai vu une anguille — Qui coiffait sa fill' — Au haut d'un clocher"* (Vieille chanson, dans le *Dictionnaire du surréalisme*, à *possible*).

Les adynatons surréels ont quelque chose de fantastique* et de rhétorique à la fois.

Ex.: *Un jour notre amitié aura rendu son regard si matériel qu'elle pourra me toucher comme avec ses mains en me regardant. Un jour ..... son seul regard pourra, comme le tranchant d'un rasoir, tracer des sillons dans ma chair*
R. DUCHARME, *l'Océantume*, p. 116.
Ils gardent un sens, irréel, tandis que les dissociations* vont plus loin, dissolvant les structures mêmes du mental.

ALLÉGORIE Image* littéraire dont le phore est appliqué au thème, non globalement comme dans la métaphore* ou la comparaison* figurative, mais élément par élément, ou du moins avec personnification*.

Ex.: *La rêverie... une jeune femme merveilleuse, imprévisible, tendre, énigmatique, provocante, à qui je ne demande jamais compte de ses fugues.*
A. BRETON, *Farouche à quatre feuilles,* p. 13.

Autre ex.: *Mon beau navire ô ma mémoire*
Avons-nous assez navigué
Dans une onde mauvaise à boire
Avons-nous assez divagué
De la belle aube au triste soir
APOLLINAIRE, *la Chanson du mal aimé.*

Syn. Métaphore* en plusieurs points, *métaphore filée.* V. à *apocalypse.*

Déf. analogues Girard, Littré, Albalat, Morier, Robert, Lausberg, Preminger.

Rem. 1 C'est par la dimension et le nombre des éléments que l'allégorie diffère des autres images*. On retrouve donc au sein de l'allégorie la distinction appliquée, pour des segments plus réduits, entre la comparaison* et la métaphore*. Il y a des allégories où le thème* est bien isolé (avec *comme* ou une autre marque de l'analogie; V. à *comparaison*, rem. 2), d'autres où il est mêlé au phore. Les deux exemples ci-dessus illustrent ces particularités.

Rem. 2 Comme pour la *métaphore* (V. ce mot, rem. 1) la suppression du thème est possible. C'est même pour Fontanier une condition de l'allégorie proprement dite (cf. p. 114). Quand le thème* est mêlé au phore, on n'a, dit-il, qu'un *allégorisme.* Cette remarque peut avoir son importance. L'allégorisme serait une allégorie partielle, une *demi-allégorie.*

Est-ce à dire que l'allégorie serait nécessairement énigmatique? Elle peut l'être (V. un ex. à *énigme,* 1), mais normalement le contexte indique le thème*. C'est le cas pour tous les exemples que cite Fontanier. Quand Boileau déclare: *"J'aime mieux un ruisseau etc. qu'un torrent débordé",* c'est à propos d'auteurs et donc on sait qu'il parle de leur style.

Fontanier privilégie la cohérence interne de l'exposé du phore. On préfère aujourd'hui, semble-t-il, un glissement du thème* au phore.

Ex.: *les spectateurs, les femmes en robes bruissantes gravissent majestueusement les marches disparaissent dans une flamboyante apothéose engloutis, digérés, comme si les*

lumières les velours les suaves couleurs des robes se fondaient dans un unique conglomérat auréfié[1] *et bourdonnant tapissant les profondeurs caverneuses sanglantes et jaunes de quelque monstre boeuf omnivore qui les digérerait lentement*
Cl. SIMON, *Histoire,* p. 56.

Rem. 3 L'allégorie est souvent définie comme personnification* (Cf. Morier, sens I, Lausberg, sens II) parce que cette figure entraîne habituellement plusieurs *métaphores* (V. ce mot, rem. 4). L'aspect vécu propre à l'image* trouve son épanouissement dans une allégorie personnifiante qui rend le thème* visible et le fait agir. V. l'ex. de Cl. Simon ci-dessus.
Personnifiante, l'allégorie peut être brève, mais il faut prévoir aussi le ridicule d'une figuration excessive. **Ex.:** *"Allez, et que l'amour vous serve de cornac, Doux éléphant de mes pensées".* (Tristan DERÈME, *la Verdure dorée,* I).

Rem. 4 Tout trope en plusieurs points n'est pas allégorique... **Ex.:** *"Louis: — Le plus grand coquin a dans son coeur un stock des plus nobles sentiments, dont il regrette de n'avoir jamais pu se servir. C'est comme neuf."* (CLAUDEL, *Théâtre,* t. 2, *le Pain,* p. 448). *Stock, comme neuf,* n'est-ce pas simplement le concret pour l'abstrait et donc une métonymie*?

On rencontre aussi le concret pour le concret: *"Le troupeau des sensations tactiles paît dans les prés illimités de la peau."* (M. LEIRIS, *Aurora,* p.120). Voici un cas d'application de l'abstrait au concret.
NOTES D'AURORE. Voici la plus récente édition du vieux texte du jour: le verbe SOLEIL développe les conjugaisons de couleur qui lui appartiennent; il commente toutes ces propositions variées de lumière et d'ombre dont se fait le discours du temps et du lieu...
VALÉRY, *O.,* t. 2, p. 859.
On rencontre aussi un changement de point de vue, de vocabulaire: *"La première opération* (de l'histoire de la médecine), *pratiquée sur Adam, fut une incision intercostale. Une complication postopératoire se manifesta sous la forme d'une ravissante jeune femme."* (L.-M. TARD, *Si vous saisissez l'astuce,* p. 11).
Dans ses *Exercices de style,* Queneau exploite ainsi le langage des domaines les plus variés, philosophique, botanique, médical, gastronomique, zoologique, mathématique, racontant toujours la même histoire...

La métonymie* en plusieurs points pourrait recevoir le nom, emprunté à la mathématique ensembliste, d'application[2]. Il y a,

---

1 Sic, pour aurifié.

2 Morier l'étudie sous le nom de ***similé.***

en effet, mise en relation d'un ensemble avec un autre par le moyen d'un certain nombre d'éléments qui sont en contact. Cf. PH. DUBOIS, *"la Métaphore filée"* dans *le Français moderne,* juillet 1975.

Rem. 5 L'application, comme l'allégorie*, peut s'étendre à l'entier d'une oeuvre. **Ex.:** R. de OBALDIA, *le Tamerlan des coeurs*; H. AQUIN, *Prochain Épisode.*

Rem. 6 Pour la différence entre l'allégorie et l'apologue, V. ce mot, rem. 1. V. aussi à *diatypose,* rem. 1; à *énigme.* L'allégorie appartient au style sublime (V. à *grandiloquence,* rem. 1)

ALLIANCE DE MOTS Rapprocher deux termes dont les significations ***paraissent*** se contredire.

Ex.: *Cette* ***obscure clarté*** *qui tombe des étoiles.*
CORNEILLE, *le Cid,* IV, 3.

Autre ex.: *un vieux polichinelle* ***articulé désarticulé*** (R. PINGET, *Clope au dossier,* p. 45).

Même déf. Le Clerc, p. 240. Il cite *"l'orgueilleuse faiblesse"* d'Agamemnon dans l'*Iphigénie* de Racine et commente: *"ce sont deux idées qui semblent incohérentes, mais qui dans la réalité s'allient avec précision."*

Syn. Oxymore (Preminger, groupe mu), oxymoron (Lausberg, § 807; Morier); antonymie (Littré, Quillet).

Rem. 1 *"Alliance de mots"* est une ellipse de la définition: *"alliance de mots contradictoires".* Les deux termes doivent donc viser des qualités opposées. Mais ces qualités appartiennent au même objet, ce qui distingue l'alliance de mots de la dissociation*.

Rem. 2 Les vocables s'opposent dans leur sens hors contexte, le paradoxe* reste latent et il n'y a pas d'antilogie*, car, en réalité, les sens ne sont pas incompatibles. Le *"soleil noir de la mélancolie"* de Nerval est un astre figuré. Il est tout naturel de s'élancer *"en avant derrière la musique"* (JOYCE, *Ulysse,* p. 156).

Quand l'alliance de mots se double d'une opposition du sens en contexte (sens* divisé), il y a aussi alliance d'idées*. **Ex.:** *De vrais chevaux de bois. Des tulipes en matière plastique naturelle.* V. aussi à *miroir,* rem. 2.

ALLIANCE DE PHRASES Faire deux assertions* successives inverses l'une de l'autre mais non incompatibles.

Ex.: *N'en parlons plus. Parlons-en.*
M. PLEYNET, dans *Théorie d'ensemble,* p. 119.

Ces assertions* peuvent être adjacentes[1], coordonnées, voire même subordonnées. **Ex.:** (Ce qu'écrit un auteur, par rapport à sa pensée vécue) "*est plus riche et moins riche. Plus long et plus bref. Plus clair et plus obscur.*" (VALÉRY, *O.*, t. 2, p. 569).
"*C'est égal, il y a sans doute mieux à faire ou à ne pas faire.*" (BRETON, *Manifestes du surréalisme*, p. 43).

"*Ceux qui comprennent ne comprennent pas qu'on ne comprenne pas.*" (VALÉRY, *O.*, t. 2, p. 827).
V. aussi à *miroir*, rem. 2.

Rem. 1 Les alliances de phrases et de mots se distinguent des autres types d'alliances, qui visent des signifiés, parce que les oppositions qu'elles créent ne sont qu'apparentes et se cantonnent sur le plan du signifiant. (V. à *alliance d'idées*, rem. 1). **Ex.:** "*S'il a froid, c'est sans avoir froid. Il a chaud sans chaleur.*" (MICHAUX, *l'Espace du dedans*, p. 150).
Le poète décrit ainsi un état d'indifférence analogue à celui des ascètes (cf. *1re Épître aux Corinthiens*, 7, 29 à 31). Les extrêmes se neutralisent dans une réalité visée qui est unique. V. aussi à *négation*, rem. 3.
Dans les autres exemples cités, il semble que le réel est soit quelconque, soit double, soit alternant (V. à *alternative*), soit encore étagé (cas d'assertions subordonnées l'une à l'autre).

ALLIANCE DE SENTIMENTS En un même personnage se heurtent deux sentiments contraires.

Ex.: *Gargantua ..... voyant d'un côté sa femme Badebec morte, et de l'autre son fils Pantagruel né .....* ***pleurait*** *comme une vache; mais soudain* ***riait*** *comme un veau*
RABELAIS, *Pantagruel*, chap. 3.

Autre ex.: "*Ch't'haïs mais ch't'aime quand même.*" (J. RENAUD, *le Cassé*, p. 76).

Rem. 1 Les sentiments alliés s'opposent parfois sous forme d'images*. **Ex.:** "*Et durant le voyage toute la journée cette situation est restée inchangée, elle a été* **à côté** *de moi* **séparée** *de moi* **gouffre** *et* **soeur.**" (M. DURAS, *le Ravissement de Lol V. Stein*, p. 192).
Rem. 2 La compensation*, destinée seulement à redresser l'effet de certaines connotations, est une fausse alliance de sentiments.

Rem. 3 Assez proche, on a l'**alliance d'actions inverses** ou **alternance** (*Dict. des media*), dont Montherlant a fait la théorie.

---

1 C'est-à-dire contenues dans des syntagmes et pas nécessairement dans des phrases distinctes V à ***assertion***.

Ex.: *"Solange avait satisfait Costals, à la fois dans sa fringale charnelle et dans son "rigorisme". Elle s'était montrée à lui double, grue et fille du monde, et on ne l'intéressait que lorsqu'on était double."* (MONTHERLANT, *Romans*, p. 1245).

ALLIANCE D'IDÉES Rapprocher, dans une relation quelconque, deux idées inverses l'une de l'autre.

Ex.: *LA FRANCE PLEURE BOURVIL, QUI L'A TANT FAIT RIRE*
Paris Match.

Ex. litt.: *"Je n'ai jamais vu mon beau grand frère si laid"* (R. DUCHARME, *l'Avalée des avalés*, chap. 20).

Syn. Antithèse* (Fontanier, p. 379; Littré; Le Clerc; Martin, E.-L., *les Symétries du français littéraire*, p. 68 à 70; Marouzeau; Quillet; Lausberg, (à *antitheton*, § 787); Robert; Preminger). C'est un sens élargi de l'antithèse* classique (V. ce mot). Opposition (Lausberg, Robert), contention (Fabri; Bary, t. 1, p. 319), contraste (Garcin de Tassy, p. 78).

Rem. 1 L'alliance de mots* et l'alliance de phrases*, qui peuvent exprimer des idées cohérentes, ne créent pas d'opposition forcée entre les idées. Quant à la dissociation*, à l'inconséquence* et au coq-à-l'âne*, ils concernent des idées, non pas inverses, mais incompatibles.

ALLITÉRATION Retours multipliés d'un son identique.

Ex: *Pour qui **s**ont ce**s** **s**erpents qui **s**ifflent **s**ur vo**s** tête**s**?...*
RACINE, *Andromaque*, V, 5, v. 1638.

Ex. (avec des voyelles): *Salut! encore endormies*
À vos sourires jumeaux,
Similitudes amies
Qui brillez parmi les mots!
VALÉRY, *O.*, t. 1, p. 111.

Même déf. Fontanier (p. 345), Littré, Verest, Marouzeau, Quillet, Lausberg, Robert, Preminger.

Syn. Paragrammatisme (Littré); parachrèse (Fontanier); rebondissement (Morier): *"répétition, coup sur coup, dans un même mot, d'une voyelle"* (**Ex.:** *saccadé, lugubre, hagard*).

Rem. 1 L'allitération n'est pas nécessairement la reproduction allusive d'un son, comme dans le célèbre exemple des serpents. Elle peut ne servir qu'à faire résonner le texte, comme dans cet exemple de Bossuet, que cite Morier: *"C'est que **P**aul a des moyens **p**our **p**ersuader, que la Grèce n'enseigne **p**as et que Rome n'a **p**as a**pp**ris".*

Rem. 2 Morier propose de réserver assonance* aux répétitions de voyelles et *allitération* aux répétitions *"de consonnes, notamment des consonnes initiales, mieux perçues et souvent mises en évidence par l'accent affectif"*. C'est restreindre le sens d'*allitération* et étendre celui d'assonance*.

Rem. 3 Sa notoriété fait que l'on prête à l'allitération un sens très étendu; elle sert à désigner toutes les figures de sonorité autres que la rime* (V. à *musication,* rem. 1; à *cacophonie,* rem. 2; à *écho sonore,* rem. 1; à *harmonie imitative,* rem. 1; à *paronomase,* rem. 2; à *tautogramme,* rem. 2). Morier, après Valéry, parle d'**intrasonance** (par opposition à **multisonance,** recherche de la variété des sons).

ALLOGRAPHE *(Néol.)* Texte transcrit en d'autres mots. On a remplacé les mots par des homophones qui semblent conférer à la phrase un sens nouveau.

Ex.: *"La rue meurt de la mer. Île faite en corps noirs."* (pour: *La rumeur de la mer. Il fait encore noir*).(COCTEAU, *Opéra,* p. 41). *"Sceau d'eau mégots morts"* (PRÉVERT).

Syn. Langage cuit (DESNOS, *la Révolution surréaliste,* t. 9, p. 26-7, cité par Angenot, p. 163).

Rem. 1 L'allographe s'obtient par une métanalyse* de la chaîne sonore, à l'instar de la *charade* ou du *rébus* (qui est un allographe pictographique). Il y faut parfois des prodiges d'imagination. **Ex.:** *"la garce (un l'a tzar)!"* pour *la gare Saint-Lazare.* (QUENEAU, *Exercices de style,* p. 128).

Rem. 2 L'allographe est volontiers allusif. **Ex.:** *la des-mots-cratie, la messe-câline.* Dans ce but, il se combine avec l'à-peu-près*. **Ex.:** *"en mail oh de bi[e]n"* (R. DUCHARME, *l'Océantume,* p. 134).
Les combinaisons sont multiples et significatives: "**existence** *devient* **aiguesistence** *pour les poissons,* **ogresistence** *pour les homards, ou* **eggsistence** *pour la vie en coquille"* (R. QUENEAU, *Petite Cosmogonie portative*).

Rem. 3 L'allographe alphabétique abrège la transcription. **Ex.:** *"— Et LN? — LR."* (pour: — Et Hélène? — Elle erre.) (Queneau) V. à *acronyme.*

Le boustrophédon* est un jeu allographique.

Rem. 4 On distingue l'*allographe* de l'*allophone* (V. à *équivoque*).

ALLUSION On évoque une chose sans la dire explicitement, au moyen d'une autre qui y fait penser.

Ex.: *J'ai eu chaud place de la paix. Dix mille degrés sur la Place de la Paix. Je le sais. La température du soleil sur la Place de la Paix. Comment l'ignorer?*
M. DURAS, *Hiroshima mon Amour*, p. 25.

Même déf. Paul (p. 144), Fontanier (p. 125), Littré, Robert.

Analogues (Se faire entendre) à demi-mot, à mots couverts, par sous-entendus.

Rem. 1 Comme les tropes, l'allusion est un détour du sens*; mais elle concerne la phrase (ou l'équivalent). Il y a donc des allusions:
— **Métaphoriques. Ex.:** *"Pas d'année, dit grand-père, pas d'année où je vis tant de mouches"* (MICHAUX, *la Ralentie*). Analogie d'impression produite par une telle phrase et d'impression ressentie par *"la ralentie"*.
— **Métonymiques. Ex.:** *"C'est là* (dans les zones mal éclairées de l'activité humaine) *qu'apparaissent les grands phares spirituels, voisins par la forme de signes moins purs"* (ARAGON, *le Paysan de Paris*). C'est l'abstrait (moins purs) pour le concret (phallus). V. aussi à *métalepse*.
— **Synecdochiques. Ex.** de M. Duras, la température du soleil étant celle de la désintégration atomique.
— **Allégoriques. Ex.:** *"l'Argienne Hélène, la jument de Troie qui n'était pas de bois et qui hébergea tant de héros dans ses flancs"* (JOYCE, *Ulysse*, p. 192). Allusion historique avec rapprochements en plusieurs points.
— **Catachrétiques. Ex.:** *"Bouche bien faite pour cacher / Une autre bouche* (ÉLUARD, *la Halte des heures*). *Cacher* pour *baiser* parce qu'il n'y a pas d'autres sens possibles.

De plus, l'allusion a volontiers recours à la syllepse*, c'est-à-dire à deux sens possibles à la fois. Ainsi le conteur du village avec son histoire de fusil *"qui ne partait jamais"* ridiculise Tartarin, qui parle depuis longtemps d'aller chasser en Afrique (DAUDET, *Tartarin de Tarascon*).

Rem. 2 Il y a des allusions historiques, mythologiques, littéraires, politiques, comminatoires, érotiques, personnelles, selon le contenu. **Ex.** d'allusion littéraire: (le romancier) *se traîne sur un seul roman imaginaire dans le temps que je mets à en connaître cinquante, qui sont vécus. Je me fais l'effet d'être une sorte d'Asmodée qui soulève les toitures et les crânes, et qui a le don d'ubiquité.*
J. AICARD, *Maurin des Maures*, p. 51 (Allusion au *Diable boiteux* de Le Sage).V. aussi à *concetti*.

L'allusion érotique semble la plus facile à décoder puisqu'elle se réalise par simple effacement* lexical. **Ex.:** *Il ne pense qu'à* **ça.** *Elle est assez portée sur* **la chose,** *comme chacun sait.* V. aussi à *euphémisme.*

D'autres contenus sont possibles: il suffit que l'auditeur soit présumé au courant d'avance. La perception de l'allusion reste assez subjective. Il y a ceux qui ne les voient pas et ceux qui en voient partout. Aussi l'allusion est-elle une ressource précieuse pour celui qui veut faire entendre quelque chose sans qu'on puisse l'accuser de l'avoir dit. **Ex.** la chanson de G. Vigneault: *"Mon pays,* **ce n'est pas un pays,** *c'est l'hiver".* Simple antithèse* de soulignement* de l'hiver? Tel ne fut pas le jugement du Gouvernement canadien, qui commença par interdire la chanson, parce qu'il y voyait une allusion subversive au séparatisme québécois.

L'allusion peut donc être *voilée* ou *transparente.* **Ex.:** *"Une chaussée empierrée attache l'île au continent. Ma mère déplore cet isthme. Elle parle de le tuer, de le faire crucifier."* (R. DUCHARME, *l'Avalée des avalés,* p. 29).
Bérénice veut-elle se moquer de sa mère, qui est catholique (elle est juive)? Ou bien serait-ce une syllepse*, le mot *isthme* représentant parà-peu-près* tous les mots en *-isme,* dont *christianisme,* et Ducharme exprimant alors sa défiance des idéologies par les allusions *tuer, crucifier?* L'allusion reste plutôt voilée...

Rem. 3 L'*implication* (V. ce mot, rem. 1) est à distinguer de l'allusion.

Rem. 4 L'évocation, récit voilé parce qu'inséré dans un discours (V. ce mot, rem. 1) est une variété de l'allusion, de même que la métalepse.

Rem. 5 Il y a des allusions purement sonores. V. à *annomination,* autres déf., 2, à *contrepléonasme,* rem. 4 & 5, à *allitération,* à *écho sonore,* rem. 3, à *tautogramme,* rem. 2; ou des allusions graphiques (V. à *graphie,* rem. 1, *allographe,* rem. 2). Disséminée, elle devient une variété de l'anagramme*.

Rem. 6 Elle aime la périphrase (V. ce mot, rem. 2), joue un rôle dans la définition du calembour (V. ce mot, rem. 1). Elle augmente la concision (V. à *épithétisme,* rem. 3). Elle provoque le rire (V. à *esprit,* rem. 1), véhicule la menace (V. ce mot, rem. 1), prolonge le sarcasme (V. ce mot, rem. 2), alourdit le silence (V. à *interruption*).

ALTERNATIVE On laisse à choisir entre deux possibilités qui s'excluent mutuellement.

Ex. courant: *La bourse ou la vie. De deux choses l'une: ou bien (etc.) ou bien (etc.).*

Ex. litt.: *LE CONTRÔLEUR. — Et ainsi de suite, par une série de balancements et de merveilleux carrefours où seront inclus, au*

*hasard des contrées, la chasse aux coqs de bruyère ou la pêche à la mostelle, le jeu de boules ou les vendanges, les matches de ballon ou la représentation aux arènes de l'***Aventurière** *avec la Comédie-française, j'arriverai un beau jour au sommet de la pyramide.*
GIRAUDOUX, *Intermezzo*, III, 3.

Rem. 1 Quand les deux termes ne s'excluent pas, on a une *fausse alternative (et/ou)* qui signifie que le choix en lui-même importe assez peu. **Ex.:** (Un résumé ne pourrait) "*donner une idée, même sommaire, du contenu, ou de l'absence de contenu, de cette pièce (***le Bétrou** *de Torma).*" (G. LAUNOIR, *Clefs pour la 'pataphysique*, p. 74).
Autre ex.: *Lui reprocher* (à l'artiste) *de voir les choses belles ou laides, petites ou épiques, gracieuses ou sinistres, c'est lui reprocher d'être conformé de telle ou telle façon et de ne pas avoir une vision concordant avec la nôtre.*" (MAUPASSANT, préface à *Pierre et Jean*).
V. aussi à *alliance de phrases*, rem. 1.

Rem. 2 Au sens strict, l'alternative est un argument* (Littré, Lalande), par lequel on enferme l'auditeur dans un raisonnement*. Celui-ci atteint la perfection quand, dans les deux hypothèses inéluctables, les conséquences sont identiques. C'est le **dilemme. Ex.:** "*Ne le châtie pas. Car ou bien il craint le châtiment, ou bien il ne le craint pas. S'il le craint, il est bon, inutile de le châtier. S'il ne le craint, il n'en tiendra pas compte.*" (FABRI, t. 2, p. 114).
Le dilemme n'est pas toujours présenté dans les formes. **Ex.:** "*On meurt toujours trop tôt — ou trop tard.*" (SARTRE, *Huis-clos*).
Il n'y a pas d'heure qui convienne à quelque chose d'absurde.
La réfutation* du dilemme consiste à montrer qu'il y a d'autres éventualités. Son acceptation consiste à rejeter toutes les éventualités sauf une.

Rem. 3 L'alternative peut être placée devant le lecteur. V. à *double lecture* et à *atténuation*, rem. 1.

AMALGAME SYNTAGMATIQUE Exprimer plusieurs syntagmes*, voire plusieurs assertions*, en un seul mot* phonétique. Pour transcrire ce phénomène, on a recours à des élisions* et à des juxtapositions* graphiques. **Ex.:** *Doukipudonctan* (R. QUENEAU, *Zazie dans le métro*). **Autre ex.:** Dialogue de pêcheurs (anonyme), en joual. — *Lodjo.* — *Lopol.* — *Mansava?* — *Pommal.* — *Kostapri?* — *Coupparchaudes.* — *Sorddapa?* — *Ménépitoué?* (Qu'on peut traduire: — Hello, Joe. — Hello, Léopold. — Comment ça va? — Pas mal. — Qu'est-ce que tu as pris? — Une couple de perchaudes. — Quelle sorte d'appât? — Des menés [du fretin]. Et puis toi?)

AMBIGUÏTÉ N'était le contexte, combien de phrases seraient ambiguës! On distinguera les ambiguïtés voulues (V. à *diaphore, antanaclase, à-peu-près, équivoque, contrepèterie, syllepse*) et les involontaires (V. à *kakemphaton, amphibologie*); celles qui viennent du décodage par métanalyse* (V. à *kakemphaton, équivoque, diaphore,* etc.); celles que favorisent des morphèmes grammaticaux "indéfinis" ou des constructions polyvalentes (V. à *amphibologie, irradiation, louchement* et *négation,* rem. 1 & 2); celles qui jouent sur la polysémie des vocables (V. aussi à *diaphore* et *antanaclase*) ou sur des syntagmes idiomatiques; celles qui viennent d'une double isotopie*; enfin celles qui subsistent dans l'idée exprimée elle-même.

1. Ambiguïtés par vocables polysémiques. Plus courantes qu'on ne pense, elles sont surtout perçues quand on a "l'esprit mal tourné" et que l'on feint d'ignorer l'isotopie* (le sujet de la conversation). **Ex.** cette lettre d'hôtelier: *"Nous ne pouvons absolument rien garantir. C'est seulement sur place que nous pouvons* **arranger** *la clientèle."* (JEAN-CHARLES, *les Perles du facteur,* p. 61).

Inconscientes et naïves, elles connotent le locuteur. **Ex.:** *"M. le juge d'instruction, j'en ai eu aussi, moi, de l'instruction"* (J. COCTEAU, début du *Fantôme de Marseille,* dans *Théâtre de poche,* p. 89).

Elles sont aussi la source d'innombrables jeux de mots*. **Ex.:** *"Notons que le cinéma est la seule activité humaine où d'abord on réalise, ensuite on* **projette.**" (L.-M. TARD, *Si vous saisissez l'astuce,* p. 77).

Elles peuvent encore servir à des sarcasmes*: *"Leurs poitrines reluiront des crachats que méritent leurs visages"* (L. TAILHADE, *Imbéciles...,* p. 222). *Crachat* ayant reçu par antiphrase* le sens accidentel de *décoration,* le retour par étymologie* se propose assez facilement. V. à *réfutation,* rem. 1.

2. Ambiguïtés par syntagmes polysémiques. Un syntagme est dit **idiomatique** lorsqu'il a pris une acception spécifique plus ou moins indépendante de ses éléments. Ceux-ci peuvent alors favoriser un second sens, d'où l'ambiguïté. **Ex.:** *"Nos hommes d'État ont tout pour eux. (C'est pourquoi, d'ailleurs, il ne reste rien pour les autres)"* (H. ROCHEFORT, *la Lanterne,* no 1). V. aussi à *antanaclase,* rem. 2.

Parfois, c'est le sens idiomatique qui est second. **Ex.:** (À la devanture d'un photographe) *"Ici, on vous fera de beaux* *enfants"* (JEAN-CHARLES, *les Perles du facteur,* p. 71). On n'est pas loin de la syllepse*.

3. Ambiguïtés par lexèmes insuffisamment déterminés. L'ambiguïté peut venir du sens global, où l'on ne trouve pas de réponse aux questions que le thème suscite. Ainsi, quand Lust relit ce que Faust lui a dicté, elle se demande ce que veulent dire les mots: *"si mon épouse tient une conduite conforme à l'usage"* (VALÉRY, *O.*, t. 2, p. 283). C'est que l'usage, dans le contexte, n'a pas été spécifié. Le sens du lexème est donc resté **indéterminé.**

Les *Proverbes de Salomon* (26.4-5) exploitent habilement la double détermination possible de "selon sa folie" en donnant deux conseils apparemment inverses, en réalité identiques. *Ne réponds pas à l'insensé selon sa folie, de peur de lui devenir semblable, toi aussi. Réponds à l'insensé selon sa folie, de peur qu'il ne se figure être sage.*
On complète le sens indéterminé par des hypothèses sur le sens visé, que vient étayer la connaissance que l'on peut avoir du locuteur. **Ex.:** *"Je me permets, une fois de plus, docteur, de faire appel à vous moralement et physiquement"* (JEAN-CHARLES, *les Perles du facteur,* p. 82). La brave dame qui s'exprime ainsi n'a pas d'arrière-pensée.

Rem. 1 Plus rare, mais possible pour les textes sans contexte, il y a l'ambiguïté par ignorance de l'isotopie*. **Ex.:** *"La conjonction n'est pas une adjonction"*. Phrase de grammairien, de logicien, de mathématicien, de biologiste?...

Rem. 2 L'ambiguïté est parfois voulue pour elle-même, afin de donner raison à tout le monde, ou par hésitation. Par ex., voici la définition que donne Littré au mot *graphisme: "manière de représenter, d'écrire les mots d'une langue"*. Veut-il parler du choix des lettres (orthographe) ou de leurs formes? Toute définition* gagne à être accompagnée d'un exemple...

Rem. 3 Il y a *demi-ambiguïté* quand l'expression manque de clarté, non quant au sens, mais au point de vue syntaxique, deux constructions différentes étant possibles. **Ex.:** *"Oh! Je vois ma mère renversée. Je la regarde. Je mesure son envergure terrassée. Elle était immense, marquée de sang et d'empreintes incrustées."* (A. HÉBERT, *le Torrent,* p. 36). *Elle* paraît d'abord désigner *l'envergure* (immense) puis la *mère même* (sang, empreintes).

Le complément du nom, avec *de,* est facilement ambigu, car le second nom peut aussi bien être sujet qu'objet de l'action du premier. Dans *la critique de Dubois,* on dit qu'il y a **génitif subjectif** si Dubois critique et **génitif objectif** s'il est critiqué.

Attila, le fléau de Dieu, peut se comprendre spontanément comme génitif objectif (fléau = cataclysme) alors qu'il s'agit, pour les Romains, d'un génitif subjectif (fléau au sens propre, pour séparer le grain et la paille). V. à *sens indéfini.*

AMPHIBOLOGIE Ambiguïté* d'origine grammaticale (morphologique ou syntaxique).

Ex.: (Une dame télégraphie à son mari) *"Ai raté train. Partirai demain **même** heure".* Réponse du mari: *"Alors tu vas encore le rater"* (JEAN-CHARLES, *les Perles du facteur,* p. 65). On ne peut pas demander trop de précision aux "indéfinis". Aux prépositions non plus. Voici un extrait de lettre adressée à la Sécurité sociale: *"J'ai été malade au lit **avec** le docteur pendant une semaine"* (JEAN-CHARLES, *ib.,* p. 119).
Aux articles et pronoms encore moins. Voici l'explication d'un paiement en retard: *"Mes trois gosses étaient malades et mon mari est toujours en déplacement, je* **l***'avais complètement oublié"* (JEAN-CHARLES, *ib.,* p. 40). Aux articles, pas davantage. *"Ah! que je suis fatigué! Tout de même, il est midi!... Et midi, c'est* **une** *heure!... Non, midi, ce n'est pas* **une** *heure, c'est midi!... Ah! je ne sais plus ce que je dis!..."* (FEYDEAU, *Occupe-toi d'Amélie,* 2, 1).
Il faut se méfier des fonctions syntaxiques. **Ex.:** *"Je vous fais savoir que le docteur de la Sécurité sociale lui a prolongé sa maladie"* (JEAN-CHARLES, *les Perles du facteur,* p. 118); et dans le syntagme nominal: *le lait de vache maigre* est amphibologique, il pourrait même être gras si l'on rapporte l'adjectif au subst. le plus proche.

La place des syntagmes* a aussi son importance. **Ex.:** *"Faites refaire les programmes en nombre insuffisant"* ...pas pour en manquer, mais seulement ceux dont on manquera. Et même la place des phrases: "(Sur une pancarte, près de l'école d'un petit village) *Attention! École! N'écrasez pas les enfants. Attendez l'arrivée de l'instituteur."* (JEAN-CHARLES, *ib.,* p. 71).

Déf. analogues Littré, Quillet, Bénac, Lausberg, Robert.

Rem. 1 L'amphibologie est un défaut* mais, comme toutes les *ambiguïtés*,* elle trouve son utilité, soit par des effets par évocation (de la maladresse), soit par des jeux de mots* qui la rapprochent de la syllepse de sens*. **Ex.** *"Voici l'homme"* (Pilate, aux notables juifs) avec, en français du moins, les deux actualisations possibles de l'article défini, anaphorique (cet homme) ou synthétique (l'homme, exemple d'humanité).

Rem. 2 D'ordinaire, il n'est pas difficile d'y remédier. **Ex.:** *"Pauvres gens, ceux qui seront arrêtés par les tournants, / Pauvres gens, et il y en aura des pauvres gens et des tournants.* (MICHAUX, *l'Époque des illuminés).*

La répétition*, après *il y en aura*, éclaircit le sens de *en*...

Rem. 3 V. aussi à *dissociation*, rem. 9.

AMPLIFICATION Développer les idées par le style, de manière à leur donner plus d'ornement, plus d'étendue ou plus de force.

ALBALAT, *la Formation du style.*

Ex.: *Se réjouir = être joyeux = être dans la joie = être rempli de joie = avoir le coeur en fête = sentir son coeur se gonfler de joie = sentir que son coeur se gonfle de joie = sentir que son coeur s'emplit et déborde de joie = sentir que son coeur s'emplit et se gonfle, ô combien, de joie, de force, de tendresse = sentir battre son coeur et préférer la joie à une vie terne, réglée de l'extérieur, uniforme* (Et ainsi de suite). V. à *accumulation*, rem. 1.

Syn. Étoffement, multiplication (Bary).

Ant. Concentration, résumé.

Autre déf. Les Anciens appelaient amplification le traitement du discours* dans son ensemble, c'est-à-dire l'art de trouver les meilleurs arguments* et d'en tirer parti en rédigeant suivant un plan* logique et efficace, établi de préférence selon une gradation en intensité. Il y fallait des descriptions*, des comparaisons*, des exemples, une discussion des raisons, du pathétique, des souvenirs, des citations* de citoyens illustres ou de poètes, on s'expliquait, on se justifiait. Pour finir, une accumulation* d'arguments*, de faits, ou seulement de phrases, voire de mots synonymes. Telle est l'**amplification oratoire**, appelée encore, quand elle va trop loin, *développement outré, pathétique, superflu, verbeux, diffus.* V. à *verbiage* et à *grandiloquence.*

Rem. 1 L'étoffement peut avoir une fonction de soulignement*. Il peut prendre la forme d'une *concrétisation* (V. ce mot, rem. 1), d'un exemple (V. à *raisonnement*, rem. 2), d'une énumération*, d'une gradation*, d'une paraphrase*, d'un apologue*, d'une apostrophe*, d'un cliché*. V. aussi à *rythme de l'action.*

Rem. 2 L'inverse de l'amplification est la **condensation** (GREIMAS, *Sémantique structurale*, p. 74), où l'on cherche à tout dire en peu de mots (V. à *récapitulation*), voire en un seul terme (**dénomination**).

Rem. 3 À l'amplification se rattache le refus de recourir au pronom et la répétition du lexème, pour des raisons parfois prosodiques: *"Le feu ne franchit pas la limite des cendres / Mais*

la chaleur du feu pénètre la maison" (J.-Cl. Renard).
Ou pour concrétiser un être plus verbal que visible: *"Les fantômes du jour ne sont pas comme les fantômes de la nuit"* (Michaux); parfois aussi par amour des beaux prénoms: *"Catherine voulut se séparer de Michel tout de suite, afin que personne ne les vît ensemble. Michel tenta de retenir Catherine"* (A. Hébert).

ANACHRONISME Erreur sur les dates de quelque chose.

Ex.: *Après la cérémonie à l'Hôtel de Ville, la princesse se rend au château de Sully, d'où s'évada Jeanne d'Arc.* ***Voltaire partagea sa chambre.***
AUDIBERTI, *l'Effet Glapion,* p. 236.

Rem. 1 Genette a montré que, dans *À la recherche du temps perdu,* des rapprochements spatiaux ou thématiques contraires à l'ordre chronologique inclinent le récit vers une sorte d'achronie (*Figures III,* p. 119).

C'est ce qui se produit encore dans la rhétorique surréelle. *"Je saigne du nez autant qu'Holopherne saignait du cou quand Napoléon lui a tranché la tête"* (DUCHARME, *l'Océantume,* p. 146), voilà une substitution* de Napoléon à Judith bien plus qu'un anachronisme. On peut donc définir l'**achronie** comme une vue de l'esprit négligeant la temporalité. On a proposé aussi **uchronie** (*Dict. des media*) pour une temporalité qui dépasse les repères chronologiques habituels (en science-fiction notamment).

Rem. 2 Le *dialogue entre morts,* genre littéraire un peu vétuste, est une mise en scène (V. à *hypotypose*) de personnes de jadis, qui conversent comme si elles se rencontraient aujourd'hui (au lieu fictif où se retrouvent les morts). Anachronique, le dialogue entre morts peut rapprocher Charles Quint et Staline. On le dirait aussi bien parachronique, ou simplement achronique puisque, s'il est en dehors du temps, c'est pour accéder à un certain degré d'abstraction, ce qui prépare les jugements que l'auteur entend porter plus ou moins explicitement.

Rem. 3 V. à *dissociation,* rem. 2.

ANACOLUTHE (fém.) Rupture de construction syntaxique. MORIER.

Ex.: *Pour qui a vu une révolution sait à quoi s'en tenir. Elle berce et sourit à son enfant. Le roman n'est pas pressé comme au théâtre.*

Même déf. Littré, Marouzeau, Quillet, Georgin, Robert, Preminger.

Autres déf. 1 Sous-entendre, et toujours conformément à l'usage ou sans le blesser, le corrélatif, le compagnon d'un mot exprimé. **Ex.: Là** *est à suppléer avant* **où** *dans "je me sauve où je puis"..... "***Heureux qui,** *pour* **heureux celui qui"**. (FONTANIER, p. 315 à 318).

2 Lausberg (§ 924) définit l'anacoluthe comme un déséquilibre, une asymétrie et non comme une incohérence* ou une rupture. Il suffirait que, dans une période*, il manque une partie de la protase ou de l'apodose pour que l'on ait une anacoluthe.

Rem. 1 Ces deux dernières définitions atténuent l'aspect de rupture, en vue de faire de l'anacoluthe une figure de grammaire (Fontanier) ou de style (Lausberg), alors qu'elle est un défaut, parfois expressif. Ce défaut, du reste, n'est pas toujours très évident. **Ex.:** Ceux d'entre vous qui ont terminé, vous pouvez sortir. V. aussi à *zeugme,* rem. 1.
L'anacoluthe n'est fréquente que dans le langage parlé. On commence une phrase et on la finit autrement. Dans l'écrit, on remanierait. **Ex.:** *"— et aussitôt, quelle métamorphose... Y a-t-il une oeuvre d'art... qui peut venir me parler de Poussin, de Chardin?... pourquoi s'agiter, courir les musées?..."* (N. SARRAUTE, *Portrait d'un inconnu,* p. 114). V. à *réamorçage,* rem. 2.
Elle caractérise aussi le langage enfantin. **Ex.:** *J'ai envie de dodo.*

Rem. 2 Quand la phrase est remaniée en cours de route, on a un **anapodoton**. Variété d'anacoluthe, telle qu'une phrase antécédente qui ..... est restée en suspens, se trouve reprise sous une forme nouvelle et non symétrique pour servir d'amorce à une phrase conséquente. **Ex.:** *"Si vous vous récusez, comme vous en avez le droit,* — **si c'est là votre attitude,** *j'agirai en conséquence."* (MAROUZEAU) V. à *réamorçage,* rem. 1.

Rem. 3 Quand la phrase est abandonnée en cours de route, on a un **anantapodoton** (ou *particula pendens*): *"Variété d'anacoluthe, dans laquelle, de deux éléments corrélatifs d'une expression alternative (comme* **les uns... les autres),** *le premier seul est exprimé.* **Ex.:** *"Tantôt il s'enthousiasmait à l'idée de ce voyage;* **et puis qu'avait-il à gagner loin de son pays, des siens..."** (MORIER).

Cf. aussi Marouzeau. **Ex. litt.:** *"Les uns, dirait-on, ne songent jamais à la réponse silencieuse de leur lecteur. Ils écrivent pour des êtres béants."* (VALÉRY). Ce que font les autres, on ne nous le dira pas.

Rem. 4 Certaines anacoluthe viennent de deux actualisations incompatibles. **Ex.:** *"Les hommes de l'Occident étaient en marche vers ceux de l'Orient afin de s'entretuer."* TOLSTOÏ,

Guerre et Paix, t. 2, p. 6 (pour: ...et ceux de l'Orient étaient en marche les uns vers les autres...)

ANADIPLOSE Au début d'une phrase, on reprend, en guise de liaison (parfois emphatique) un mot de la phrase précédente.

Ex.: *On a sorti nos revolvers et on a tiré. On a tiré précipitamment...*
H. MICHAUX, *la Nuit des Bulgares.*

Même déf.: Legras, cité par Le Hir, p. 93; Littré, Lausberg, Morier, Preminger.

Rem. 1 Preminger distingue une anadiplose *emphatique* et une anadiplose *de liaison*. Comparer les deux exemples suivants: *"Et les princes et les peuples gémissaient* **en vain; en vain** *Monsieur, en vain le roi lui-même tenait Madame serrée par de si étroits embrassements"* (BOSSUET, *Oraison funèbre de la duchesse d'Orléans*). *"Pour moi, c'est* **un malheur. Un malheur,** *tout le monde sait ce que c'est. Ça vous laisse sans défense."* (CAMUS, *l'Étranger*, p. 136). (V. à *grandiloquence*, rem. 1.)

Rem. 2 L'anadiplose introduit (par le biais lexical) les répliques, en conversation. **Ex.:** À Stephen, qui a donné l'âme pour *"une substance simple"*, Bloom répond: *"Simple? Je n'aurais jamais cru que c'était le mot propre."* (JOYCE, *Ulysse*, p. 556).

Rem. 3 On passe insensiblement de l'anadiplose à la réduplication*. **Ex.:** *"mes rayons font ma force et la force n'a pas d'âge"* (R. GIGUÈRE, *l'Âge de la parole*, p. 126); *"Le suffrage universel règne en tyran et en tyran aux mains sales"* (STENDHAL, *Lucien Leuwen*, p. 661). Ce dernier exemple est nettement une réduplication*.

Rem. 4 L'anadiplose est un procédé naturel pour lier des ensembles relativement étendus.

Ex.: (Les Goncourt) *inventaient et mettaient en pratique une sorte de style si entièrement neuve que les meilleurs juges de leur époque en furent étonnés. Ce style est encore le prétexte aux objections les plus ardentes que leurs adversaires* (etc.)
P. BOURGET, *Essais de psychologie contemporaine*, p. 139.

Dans le cas d'ensembles très étendus (chapitres par exemple), V. à *épanalepse*, rem. 4.

Rem. 5 Une suite d'anadiploses est une concaténation*.

ANAGRAMME (fém.) Mot obtenu par transposition des lettres d'un autre mot. ROBERT.

Ex.: *chien / niche; Carmen Tessier / être sans merci*
J. LACROIX, *l'Anagrammite.*

Même déf. Bénac.

Syn. Métagramme (selon Angenot, p. 170, qui cite Leiris, *Glossaire,* avec l'exemple: *semeur / mesure.* Toutefois, Littré, s'inspirant du grec, donne à *métagramme* un sens plus général, il le fait synonyme de métaplasme*.

Rem. 1 L'anagramme sert avant tout à composer des pseudonymes. **Ex.:** Alcofribas Nasier, pour François Rabelais. Il s'agit d'une anagramme parfaite, c'est-à-dire reprenant les mêmes lettres exactement. La première lettre d'*Alcofribas Nasier* est la 3e de *François Rabelais.* Viennent ensuite dans l'ordre les 13e, 5e, 6e, 1re, 2e, 7e, 11e, 10e, 8e, 4e, 14e, 16e, 15e, 12e, et 9e lettres du patronyme.

Si l'anagramme inverse l'ordre sans le bouleverser, elle est palindrome*. On aboutit à un mot usité (REGATE / ETAGER) ou à un mot* forgé.

Rem. 2 L'anagramme peut aussi se combiner avec le paragramme*. Par ex., Ivirnig, le héros des *Oranges sont vertes* est un double (approximatif) de l'auteur, son nom étant tiré de *Gauvreau* par anagramme des consonnes et paragramme des voyelles (le son **o** devenant **i**).

Rem. 3 L'antimétathèse* est une anagramme, souvent très partielle, étendue dans l'axe syntagmatique.

Rem. 4 Pour Saussure, en disséminant dans le texte lettres ou sons *"hors de l'ordre dans le temps qu'ont les éléments"* (J. STAROBINSKI, *les Anagrammes de F. de Saussure,* p. 255), l'anagramme fait lire des mots sous les mots, permet la pratique de lectures autres, souterraines, *"hypogrammatiques".* Certains (J. Kristeva, H. Meschonnic) voient dans la conception anagrammatique de l'écriture une voie d'accès à l'inconscient du travail poétique. En ce sens, on parle aussi d'**anaphone** (Deguy), de paragramme (V. ce mot, rem. 4). Intentionnel, le procédé est une allusion graphique (V. ce mot, rem. 5) ou une cryptographie (V. ce mot, rem. 2). On peut en faire un jeu* littéraire.

ANAMNÈSE Forme de pensée religieuse hébraïque; les souvenirs d'événements concrets remplacent l'expression d'une idée, d'un sentiment.

Ex.: *Lui qui fit marcher son peuple dans le désert ..... lui qui frappa de grands rois .....*
Grand Hallel (Psaume 135, 16-17).

Syn. Remémoration.

Rem. 1 L'anamnèse entre dans le genre littéraire de l'eucharistie ancienne: V. à *célébration,* rem. 4.

Rem. 2 La déchronologie* présente le souvenir comme revécu au présent et en vue d'expliquer l'action.

ANAPHORE Répétition du même mot en tête des phrases ou des membres de phrase. LITTRÉ.

Ex.: *Semblable à la nature .....*
Semblable au duvet,
Semblable à la pensée .....
Semblable à l'erreur, à la douceur et à la cruauté .....
À la moelle en même temps qu'au mensonge .....
Semblable à moi enfin,
Et plus encore à ce qui n'est pas moi.
H. MICHAUX, *l'Espace du dedans,* p. 25-6.

Même déf. Girard, Verest, Quillet, Bénac, Morier, Robert, Preminger.

Autre déf. En ce qui concerne l'**extension anaphorique** de l'article, V. à *explication,* rem. 4.

Autre nom Épanaphore (Morier, Preminger, Lanham). V. aussi à *épanalepse,* autres déf., 2.

Rem. 1 L'anaphore est un *"outil coordinatif de remplacement qui laisse subsister et même souligne la juxtaposition"* (G. ANTOINE, *la Coordination,* p. 1291). C'est donc un moyen naturel de créer des accumulations* analogiques ou disparates.

Ex.: *ceux qui écaillent le poisson*
ceux qui mangent la mauvaise viande
ceux qui fabriquent les épingles à cheveux
ceux qui soufflent vides les bouteilles que d'autres boiront pleines
ceux qui coupent le pain avec leur couteau
ceux qui passent leurs vacances dans les usines
J. PRÉVERT, *Paroles,* p. 15.

Les anaphores de ce type, avec variation des lexèmes, sont des reprises*, ce qui favorise le collage* par substitution*.

Rem. 2 On distingue l'anaphore de l'épiphore* et de la symploque*. V. aussi à *épanalepse,* rem. 6. Elle appartient au sublime (V. à *grandiloquence,* rem. 1). Quand elle porte sur un lexème, celui-ci constitue un motif*. Elle crée des parallélismes (V. ce mot, rem. 3), des refrains (V. ce mot, rem. 2).

ANASTROPHE Renversement de l'ordre dans lequel se présentent habituellement les termes d'un groupe.

Ex.: *muros intra* (au lieu de *intra muros*). MAROUZEAU.

Même déf. Lausberg (§ 173 à 175), Robert, Preminger.

Autre nom Hyperbate (V. ce mot, rem. 1).

Rem. 1 L'anastrophe est une variété de l'inversion*; elle se distingue toutefois de l'inversion* au sens strict, qui porte sur des syntagmes* entiers. L'anastrophe inverse l'ordre des mots à l'intérieur d'un syntagme*. **Ex.: Excepté lui** (au lieu de *lui excepté*). **Ex. litt.:** *"Jour un midi vers"* (au lieu de *Un jour vers midi*) (R. QUENEAU, *Exercices de style*, p. 103).

Rem. 2 L'anastrophe n'est possible en français que dans certaines expressions figées (**Ex.:** *Sans lien aucun. Qui plus est...*) ou avec des qualifiants (adjectifs ou adverbes). **Ex.:** *Plus encore / encore plus; pas même / même pas.* Encore l'usage restreint-il beaucoup les possibilités d'anastrophe du nom et de l'adjectif (cf. A. BLINKENBERG, *l'Ordre des mots en français moderne*). Dans l'exemple suivant, l'anastrophe n'est qu'apparente: on a plutôt une reprise* elliptique (*plus, toujours plus*).

Notre âme blessée de la honte du péché se cramponne à nous toujours plus, femme cramponnée à son amant, plus, toujours.

JOYCE, *Ulysse*, p. 48.

Rem. 3 On prendra garde que la terminologie peut masquer l'explication* au lieu de la fournir. Il n'est pas sûr que *sa vie durant* soit adéquatement défini comme anastrophe. Il est probable au contraire qu'il s'agit d'une brachylogie* pour *"autant que sa vie ira durant"* et que c'est par hasard (*durant*, participe présent devenu préposition) qu'on a l'impression qu'il y aurait eu inversion*. Le sens est d'ailleurs nettement distinct de *durant sa vie*.

ANGLICISME Pérégrinisme* tiré de l'anglais.

Ex.: *J'ai commencé d'un petit air* ***matter of fact*** *et naturel pour ne pas les effaroucher.*

N. SARRAUTE, *Portrait d'un inconnu*, p. 17.

Aux mots français d'origine anglaise (comme *redingote*, de *riding-coat*) s'ajoutent les anglicismes récemment entrés dans l'usage (comme *bifteck*, de *beefsteak*) et tous ceux qui, à la faveur de la technique et de la vie moderne, tentent d'y pénétrer. Cf. ÉTIEMBLE, *Parlez-vous franglais?* et G. COLPRON, *les Anglicismes au Québec*.

Rem. 1 La pénétration de l'élément étranger est plus ou moins complète. *Pipeline* (prononcer *pa-yp la-yne*) n'a perdu en français que sa phonie (on prononce *pip' lin'*) et la traduction officielle ne s'est guère répandue (oléoduc). Il y a des anglicismes qui ne concernent que la syntaxe (*l'actuel gouvernement* pour *le gouvernement actuel*). Au point de vue lexical, on distingue l'**emprunt** (*living room*) et le **calque** (*salle de séjour*), qui est plus insidieux (Cf. A. MARTINET, *la Linguistique, Guide alhabétique*, p. 309). Il faut une racine et un suffixe français pour faire une traduction totale (*vivoir*).

Lorsqu'un mot existe dans les deux langues mais avec des sens différents, on peut avoir un *anglicisme de sens.* **Ex.:** Les architectes ont leur *convention* annuelle (pour: leur *congrès* annuel; *convention :* "accord, traité").

Anglicismes de graphie: réalizer, abbréviation.

Rem. 2 Il suffit qu'il soit expressif pour que l'anglicisme devienne procédé littéraire. **Ex.:** *La Guerre, yes Sir* (R. Carrier). La locution *yes Sir,* marquant la soumission, rappelle que les Canadiens français avaient fait la dernière guerre sous la contrainte.

La connotation propre à un anglicisme n'est pas nécessairement évocative, elle peut appartenir au vocable comme tel. **Ex.:** "**Boys** *du sévère"* Ainsi débute *l'Amour fou* de Breton, qui évite ainsi à la fois les connotations religieuses du mot *ange* et celles, trop familières, des mots *garçon* ou *serveur.*

Rem. 3 L'anglicisme est parfois une question de snobisme. **Ex.:** *"Les membres de ce bar, vêtus de complets à carreaux et coiffés de casquettes, passent leur time à boire du stout, du porter et de l'Old Tom gin, en mangeant des mutton-chops avec des pickles."* (A. JARRY, *la Chandelle verte,* p. 374).

ANNOMINATION Remotivation* du nom propre par étymologie*, ou métanalyse* ou traduction*. En d'autres termes, un nom propre est utilisé avec le sens soit du nom commun soit des segments qui l'ont formé ou que l'on peut y déterminer, même par simple homophonie, voire dans une autre langue. LITTRÉ

Ex. donné par Littré: *"Je te dis que tu es Pierre et sur cette pierre je bâtirai mon Église"* (*Évangile selon Matthieu,* 14, 18).

Ex. actuel: *"Ah! qu'il est malin, le Malin"* (c'est-à-dire Méphisto) (VALÉRY, *Mon Faust,* dans *O.,* t. 2, p. 346).

Autres déf. 1 Scaliger, Marouzeau et Lausberg (§ 637-9) font d'*annomination* un synonyme de paronomase*.
2 Morier voit l'annomination (dans un premier sens) comme l'évocation d'un nom propre qui n'est pas prononcé, par le moyen de plusieurs mots dont les sonorités sont analogues (allusion* sonore). Ainsi *"eau muette"* suscite *"Juliette"* (dans un esprit prévenu comme celui de Roméo).

Rem. 1 Dans sa définition, Littré ne distingue pas nettement l'annomination de la dénomination* propre quand elle est motivée par un nom commun. Il inclurait donc dans l'annomination des exemples comme *Lieutenant Létourdi* et *Madame Vabontrain,* qui sont très proches puisqu'on y joue aussi sur deux sens (mais en partant du nom commun pour aller vers le nom propre).

Rem. 2 Le contexte utilise le second sens de façons diverses, par exemple négativement. **Ex.:** *"DORINE. — Ce monsieur Loyal porte un air bien déloyal"* (MOLIÈRE, *Tartuffe*, 5, 4).

Rem. 3 L'annomination, parfois proche du jeu de mots*, est fréquente dans la langue familière. **Ex.:** *Madame Maura ne m'aura pas.* Rappelons seulement, avec Souriau (*Revue d'Esthétique*, 1965, p. 28), qu' *"en français, les plaisanteries sur les noms propres sont aussi mal vues que les* **personal remarks** *en Angleterre"*. **Ex. litt.:** *"Paul de Kock. Quel coquin de nom!"* (JOYCE, *Ulysse*, p. 257).

Joyce modifie des noms et des titres avec une ironie* efficace. *"La délégation, au grand complet, comprenait le Commandeur Bacibaci Benibenone ..... Monsieur Pierre-Paul Petit épatant, le Grandtruc Vlalekroumir Tiremolardoff ..... Comte Athanatos Karamelopoulos"* (*Ulysse*, p. 295).
Cette fois, l'équivoque* accentue le jeu de mots*.

ANNONCE Événement communiqué avant son temps ou universellement (annonce publique).

Ex.: *La signature définitive des accords assaisonnant de convertibilité réciproque le libre échange des monnaies respectives aura lieu sous la présidence de la princesse Augusta...*
AUDIBERTI, *l'Effet Glapion*, p. 207.

Analogue Déclaration, avis, message, proclamation (V. à *discours*). Annonciation, terme spécifique de l'annonce, à Marie, que "le fruit de ses entrailles" sera le Messie; poncif surtout pictural.

Rem. 1 Dans un récit*, l'annonce est une anticipation* (V. ce mot, rem. 3) ainsi qu'une répétition* (V. ce mot, rem. 5); dans un discours, elle s'appelle *division* (V. à *plan*) ou entre dans les *transitions* (V. ce mot, rem. 1). À la radio, elle peut prendre la forme d'une notation* (V. ce mot, rem. 1). Elle est souvent implicite. Par ex., la déclaration de Roosevelt citée à *implication*.

Rem. 2 Les **petites annonces** offrent des transactions particulières occasionnelles (journaux, panneaux d'affichage). **Ex.:** V. à ellipse*, rem. 1.

Rem. 3 L'annonce est performative. Elle réalise qqch. qui est la notoriété anticipée ou générale de quelque événement. (V. à *prophétie*, rem. 1.)

Rem. 4 Dans l'annonce évangélique (kérygme), c'est le mandateur qui est étranger (transcendant, invisible). (V. à *prophétie*, rem. 3.)

ANTANACLASE Diaphore* prenant place dans un dialogue*, voire une plaidoirie (cf. Lausberg, § 663). Il s'agit de reprendre les mots de l'interlocuteur (ou de la partie adverse) en leur donnant une signification autre, dont on pourra tirer avantage.

Ex.: *Proculeius reprochait à son fils d'***attendre** *sa mort et celui-ci répondait qu'il ne l'attendait pas. Eh bien, reprit-il, en tout cas, je te prie d'***attendre**. QUINTILIEN.

Autre ex.: *— Et ce roi, ce n'est pas toi qui l'as tué? — Je te l'accorde. — Tu me l'accordes! Que Dieu t'accorde alors la damnation pour ce forfait!* SHAKESPEARE. V. aussi à *réponse.*

Même déf. Verest (§ 422) et Vuillaume (p. 16) rapprochent l'*ignoratio elenchi,* (réponse à côté de la question) de l'antanaclase, ce qui montre qu'ils la situent dans un dialogue*. **Ex.:** *"— Valentoulya, tu fais toujours tinter ta cuiller sur ton verre après l'extinction des feux et j'en ai marre.— Comment veux-tu que je fasse fondre mon sucre?— En silence."* (SOLJENITSYNE, *le Premier Cercle,* p. 70).

Autres déf. 1 Diaphore* (du Marsais, p. 243; Fontanier, p. 347 à 349; Quillet, Morier, Robert, Preminger). C'est un sens élargi.

2 Pour Fontanier, l'antanaclase est une paronomase* *"où la forme et les sons se trouvent exactement les mêmes dans les mots de signification différente rapprochés l'un de l'autre"* (p. 347-8). Le poète Colletet ayant reçu de Richelieu une gratification en remerciement d'un court poème de courtisanerie, le remercia en ces termes: *"Armand, qui pour six vers m'as donné six cents livres / Que ne puis-je à ce prix te vendre tous mes livres!"* On voit qu'il s'agit plutôt d'une homonymie*.

Rem. 1 Quand, dans une réplique, on reprend les mots de l'interlocuteur, même sans diaphore, on a une **réflexion** (Bary, cité par Le Hir, p. 129; Lausberg: *reflexio*). L'antanaclase est donc une variété retorse de la *reflexio.* Elle joue sur une ambiguïté*, sans aller habituellement jusqu'au calembour*. Il y a donc simulation* de coq-à-l'âne (V. ce mot, rem. 2) ainsi que fausse rétorsion*

Rem. 2 Le dialogue* n'est pas nécessairement explicite. **Ex.:** *"Je l'sais qu'tu veux mon bien, mais tu l'auras pas, mon sacripant!"* (Un cultivateur, à un politicien).

Rem. 3 Fondée sur l'homophonie, l'antanaclase devient un jeu.

Ex.: *PROTÉE. — Ah, je voudrais la voir* (la belle Hélène).
BRINDOSIER. — Vous voudriez l'avoir?
CLAUDEL, *Protée.*

Rem. 4 Modalisateurs de l'antanaclase: *"justement, surtout, particulièrement, spécialement"* (V. à *énonciation*, rem. 3 et à *contre-litote*, rem. 2).

Rem. 5 L'antanaclase qui porte sur le référent est une échappatoire (V. à *argument*, rem. 2).

Ex.: — *Tu aimes toujours les livres? me demanda-t-il. Esquissant une moue d'indifférence, je lui déclarai que les livres brûlaient moins longtemps que le charbon, mais que, faute d'autre combustible, il m'arrivait de m'en servir.*
G. BESSETTE, *le Libraire*, p. 23.

ANTÉPIPHORE Répétition de la même formule ou du même vers au début et à la fin d'une période ou d'une strophe. MORIER.

Ex.: *Adorable sorcière, aimes-tu les damnés?*
Dis, connais-tu l'irrémissible?
Connais-tu le remords aux traits empoisonnés?
À qui notre coeur sert de cible?
Adorable sorcière, aimes-tu les damnés?
BAUDELAIRE, *l'Irréparable*.

Rem. 1 L'antépiphore est intermédiaire à la symploque* et à l'inclusion*, car elle entoure l'alinéa ou la strophe, non la phrase, ni l'oeuvre.

ANTICIPATION Dans le déroulement de la narration, on insère une scène qui a eu lieu seulement plus tard.

Ex.: (À propos de Mlle de Saint-Loup) *cette fille, dont le nom et la fortune pouvaient faire espérer à sa mère qu'elle épouserait un prince royal ..... choisit plus tard comme mari un homme de lettres obscur, et fit redescendre cette famille plus bas que le niveau d'où elle était partie.*
PROUST, *À la recherche du temps perdu*, t. 3, p. 1028.

Syn. Prolepse* (Genette).

Ant. Déchronologie*.

Autres déf. V. à *prolepse*.

Rem. 1 L'anticipation saute dans le déroulement chronologique du narré sans toucher à la temporalité de la *"narration"*. Elle conserve donc les temps du récit* mais remodèle son ancrage allocentrique (par un adverbe, *"plus tard"*). Sa temporalité la distingue de la prévision, de la déclaration d'intention et de la promesse (V. à *prophétie*, rem. 1), qui sont dans l'ancrage nunégocentrique, donc en énoncé direct, et qui s'expriment par un futur car on ne sait pas encore si elles auront lieu. **Ex.:** *"Un jour, quand le temps sera venu, la danse se débarrassera de son*

enveloppe dure, la danse s'échappera, et mes jambes intérieures laisseront sur mon lit les écailles fanées de leur immobilité." (A. HÉBERT, *l'Ange de Dominique*, p. 97).
C'est la conviction d'une jeune infirme fascinée par un danseur. Dans un récit* au passé, le futur devient futur du passé (conditionnel) avec les mêmes valeurs. On rencontre aussi l'auxiliaire *aller* ou *devoir*, délexicalisé. C'est ce que Benvéniste appelle le *prospectif*. **Ex.** donné par J.-F. LYOTARD, *Des dispositifs pulsionnels*, p. 249 :*"La lutte commerciale ne devait pas cesser dans le Bassin Méditerranéen jusqu'à la destruction de Carthage"*.

Ces deux futurs peuvent aussi être mis dans la bouche de l'auteur, qui se donne l'air de jouer les prophètes dans son propre récit*. C'est ce qu'on pourrait appeler **pseudo-prophétie**, artifice romanesque qui présente surtout l'avantage de ne pas modifier l'ancrage allocentrique.

Ex.: (Renata est entrée au couvent.) *Elle pensait encore à Mauricio Babilonia, à son odeur d'huile et aux papillons qui l'environnaient, et elle* **continuerait** *d'y penser chaque jour de sa vie jusqu'à cette aube d'un automne encore éloigné où elle* **mourrait** *de vieillesse, sous une autre identité que la sienne et sans avoir prononcé une parole, dans quelque ténébreux hospice de Cracovie.*
GARCIA-MARQUEZ, *Cent ans de solitude*, p. 281.

Ainsi peut-on anticiper sans risquer de perdre le lecteur dans des changements d'ancrage temporel.

Rem. 2 Le roman *"d'anticipation"* a pour ancrage un présent réel. Il serait logique de l'écrire au futur, temps de la science et de la fiction, donc propre à la science-fiction. Telle n'est pas la coutume. Les futuristes tiennent au passé simple, temps du récit*, sans doute parce que ce temps implique moins d'irréel.
À bien y penser, pourtant, ce passé ancre le lecteur en un point si éloigné de l'avenir, si hypothétique, qu'il doit se trouver habitué, blasé, même des inventions les plus étranges, pour lui déjà dépassées. L'auteur est donc obligé de présenter comme naturelles des inventions qu'il lui faut expliquer en détail et qui sont essentielles au genre. Le futur lèverait ce dilemme. Le présent même y suffirait. **Ex.:** *"C'est un nouvel appareil* (de photo). *L'image se développe toute seule. Pas besoin d'y toucher"* (CLAUDEL, *Protée*). Le déplacement de l'ancrage est à peine sensible dans ce cas. On pourrait même soutenir qu'il n'y a pas de déplacement, vu que l'appareil en question a été inventé depuis la phrase de Protée.

Rem. 3 L'annonce*, qui réduit l'anticipation à un sommaire, est une déclaration d'intention de l'auteur, d'où sa formule introductrice: *"On verra plus tard que..."*. Lorsqu'il s'agit d'un aperçu prometteur destiné à attiser la curiosité, c'est un **appât**. Le truc de l'appât est constant à la dernière image de la livraison hebdomadaire de bandes dessinées, dans les illustrés et, dans le roman policier, à la fin des chapitres. **Ex.:** *"Je ne sais pas pourquoi mais j'ai l'impression que je vais très bientôt aboutir dans cette affaire"* (P. CHEYNEY, *la Môme vert-de-gris*, fin du chap. 6). Cet appât n'est qu'un leurre, il y en aura encore neuf.

ANTILOGIE Contradiction entre les idées. QUILLET.

Ex.: *Même si c'est vrai, c'est faux.*
H. MICHAUX, *Tranches de savoir.*

Autre ex.: *C'est assez vague pour être clair, n'est-ce-pas?*
B. VIAN, *En avant la zizique.*

Sur le coup de cinq heures et demie six heures
R. QUENEAU, *Pierrot mon ami*, p. 32.

Même déf. Robert.

Syn. Contradiction dans les termes.

Ant. Tautologie*.

Rem. 1. L'antilogie s'apparente au sophisme* et au paralogisme*. Elle est, en effet, un défaut de raisonnement*, (V. ce mot, rem. 1), défaut qui est poussé si loin que non seulement les idées paraissent se contredire, mais encore que le sens des mots employés rend impossible toute conciliation.

Rem. 2 L'antilogie ne se confond pas avec l'alliance d'idées* où les extrêmes, mis en parallèles, restent compatibles chacun dans sa sphère. Elle est proche de l'alliance de mots*, où un sens pourtant peut se dégager.

Rem. 3 L'antilogie appartient au paradoxe*, l'incompatibilité des termes ne pouvant que heurter le sens commun. S'il n'y a pas d'intelligibilité, elle constitue un non-sens*.

Rem. 4 Une figure assez fréquente chez les théoriciens contemporains est la *fausse antilogie*, opposition formelle résolue par un sens plus profond. **Ex.:** *"le signifiant exige un autre lieu... pour que la Parole qu'il supporte puisse mentir, c'est-à-dire se poser comme Vérité"* (J. LACAN, *Écrits*, p. 807).

ANTIMÉTABOLE Deux phrases font pour ainsi dire entre elles l'échange des mots qui les composent, de manière que chacun se trouve à son tour à la même place et dans le même rapport où était l'autre. LITTRÉ.

Ex.: *Je ne prétends pas justifier ma vie par mes livres, non plus que mes livres par ma vie. J'ai mené une vie de chien, non pas une chienne de vie.*
BERNANOS, *Essais*, p. 875.

Même déf. Morier, Preminger.

Syn. Antimétalepse et antimétathèse* (Littré), réversion* (Fontanier, p. 381-2), commutation (lorsque les deux propositions sont de sens opposés; Littré).

Autre sens V. à *antimétathèse.*

Rem. 1 La métabole* consiste à dire la même chose en d'autres mots. L'antimétabole, autre chose avec les mêmes mots. *"Il faut manger pour vivre et non pas vivre pour manger"* (Lausberg, § 708).

Rem. 2 L'antimétabole est propre à remettre en question les liens de causalité. Ainsi les classiques, les étudie-t-on parce qu'ils sont classiques ou sont-ils classiques parce qu'on les étudie? *"C'est la sélection darwinienne qui crée la finalité, et non pas la finalité qui crée la sélection"* (J. Monod).

Son originalité a mis cette figure à la mode chez les existentialistes. Le tableau pictural est défini par Merleau-Ponty comme *"le dedans du dehors et le dehors du dedans"* (*l'Oeil et l'esprit*), cette belle antimétabole rend compte à la fois de l'intériorisation du monde et de l'extériorisation de l'artiste.

Rem. 3 Une antimétabole de forme un peu différente consiste à inverser les actants autour d'un lexème. **Ex.:** "(Nizan) *ne concevait pas qu'il pût y avoir possession quand on ne possédait pas la femme, quand elle ne vous possédait pas."* (SARTRE, *Situations* IV, p. 154). "(La bourgeoisie) *est obligée de le laisser déchoir* (le prolétaire) *au point de devoir le nourrir au lieu de se faire nourrir par lui."* (MARX, *O.*, t. 1, p. 250).

Rem. 4 Sans subordination des termes, il n'y a qu'une *fausse antimétabole.* **Ex.:** *"Vide et amour, amour et vide"* (Y. THÉRIAULT, *Cul-de-sac,* p. 83).

Rem. 5 V. aussi à *paronomase,* rem. 7; *chiasme,* rem. 2; *épiphore; réversion,* rem. 1.

ANTIMÉTATHÈSE Rapprochement de deux mots qui ne diffèrent que par l'ordre de succession de quelques lettres.

Ex.: *"S'il se pouvait un choeur de violes voilées"* (ARAGON, *les Yeux d'Elsa,* p. 67). *"Le fiat et le fait, ia - ai"* (CLAUDEL, *Journal,* t. 2, p. 873).

Même déf. Lausberg.

Autre déf. V. à *antimétabole.*

Syn. antimétabole*, antimétalepse (Littré, Morier), antistrophe, rétorsion* (Littré).

Rem. 1 L'antimétathèse est une variété de la paronomase* et plus généralement de la répétition*, c'est-à-dire que les deux termes doivent se suivre ou occuper des emplacements qui se correspondent. **Ex. :** *"tant de grands pans de rêve de parties d'intimes patries effondrées"* (CÉSAIRE, cité par L. KESTELOOT, *les Écrivains noirs de langue française: naissance d"une littérature*, p. 173).

Rem. 2 Autre type d'antimétathèse, le chiasme sonore, qui peut se produire même dans un mot. Ainsi *"métamathématique"* présente les voyelles é-a, puis a-é. Dans *"l'artiste attristé"* on a *chiasme* sonore (partiel) des consonnes mais parallélisme sonore des voyelles.

Rem. 3 L'antimétathèse parfaite serait une anagramme* s'il y avait remplacement des termes et non rapprochement dans l'axe syntagmatique. **Ex.:** *"Diviniser: indiviser"* (LEIRIS, *Glossaire*).

Rem. 4 Plus totale encore, l'antimétathèse s'identifie au palindrome*. **Ex.:** *"C'est* **Adam, Mada***me, Adam du fait d'***Evâh hâve***"* (JOYCE, *Ulysse*, p. 131).

Rem. 5 V. aussi à *équivoque*, rem. 2.

ANTIPARASTASE Réfutation* qui consiste à montrer que le fait incriminé est au contraire louable.

Ex.: — *Vous abusez des citations ..... — Elles ne sont pas en aussi grand nombre que vous le croyez, et c'est leur qualité, leur justesse, leur rareté et leur éclat qui vous ont donné l'illusion de leur fréquence.*
V.LARBAUD, *Sous l'invocation de saint Jérôme*, p. 215.

Même déf. Littré, Morier.

Rem. 1 L'antiparastase sans preuve ni explication* n'est pas d'aussi bonne foi.

Ex.: — *Ne pensez-vous pas cependant, demanda le professeur, qu'insinuer la naïveté aux élèves est un procédé pédagogique un peu archaïque, un peu anachronique? — Justement! Les procédés anachroniques sont les meilleurs!*
GOMBROWICZ, *Ferdydurke*, p. 28.

Le *"Raison de plus!"* qu'on assène à l'aveuglette contre un bon argument* est une ruse courante qui ne surprend plus que ceux qui discutent avec trop de sérieux.

Rem. 2 L'antiparastase est parfois seulement dans le ton (V. à *intonation*). Les antiparastases elliptiques ne sont pas dédaignées en littérature. **Ex.:** *"Quand* (le cheval) *avait couru, il suait: c'est briller!"* (SAINT-JOHN PERSE, *O. poétiques*, t. 1, p. 39).

Rem. 3 L'inverse, prouver que le fait loué est au contraire condamnable, est aussi une antiparastase. On reste sur le même sujet (parastase*) mais on le présente sous un jour inverse (anti).

Ex.: (Gillou a annoncé qu'il voulait entrer dans la Résistance.) "*GEORGES. — En somme, il voudrait se jeter dans le courage comme un passe-temps pour l'été. Le désoeuvrement est père de bien des choses.*" (MONTHERLANT, *Théâtre*, p. 704).

Rem. 4 Le genre littéraire correspondant est l'*apologie*, qui joint l'éloge à la défense ou à la justification. L'*apologie personnelle* a son auteur pour objet.

Rem. 5 On peut retourner l'interprétation de l'accusation sans pour autant avouer le fait. "*Il serait à louer et non à blâmer* **s'il était vrai** *qu'il eût fait ce qu'on lui oppose*" (*Encyclopédie*, 1751).

ANTIPHRASE On emploie un mot ..... dans un sens contraire à celui qui lui est ..... naturel. FONTANIER, p. 266.

Ex.: *Cherchant le plus doux nom qu'elle puisse donner*
À sa joie, à son ange en fleur, à sa chimère
— Te voilà réveillée, **horreur!** *lui dit sa mère.*
HUGO.

Ex. courant: *Ne vous gênez pas!* (V. aussi à *menace*, rem. 1, *astéisme*, rem. 2; *euphémisme*, rem. 6; *gros mot*, autre déf.; *lettre; persiflage*, rem. 1.)

Même déf. Littré (il donne comme exemple les *Euménides*), Marouzeau, Quillet, Bénac, Willem (p.41), Lausberg (§ 585), Robert.

Autre déf. Morier, après Quintilien, la fait synonyme d'ironie*. Lausberg, au contraire, l'en distingue. L'ironie est pour lui dans le ton, tandis que l'antiphrase est évidente, soit par le contexte, soit par la situation (§ 585).

Cette distinction n'est pas toujours applicable.

Ex.: *L'homme continua: "Tu peux espérer que je vais bien la recevoir." Il insista sur le mot "bien", de manière à montrer qu'il fallait comprendre tout le contraire. En outre, comme beaucoup de gens de l'île, il employait "espérer" à la place de "présumer" — qui, dans le cas présent, signifiait plutôt "craindre".*
ROBBE-GRILLET, *le Voyeur*, p. 142.

Même sans le ton et les explications* du romancier, la phrase est perçue comme une menace voilée et donc comme antiphrastique.

Mais il y a des ironies sans antiphrase, et le plus simple est donc de considérer que l'ironie* englobe l'antiphrase comme une de ses variétés.

Syn. Contre-vérité réduite à un seul mot, selon Littré et Lausberg (§ 1244). Toutefois, selon nous, l'antiphrase communique assez clairement le contenu inverse du terme, et il n'y a pas contre-vérité, c'est-à-dire erreur ou mensonge. **Ex.:** *"Elle a ..... un moteur excellent* (bruit de moteur défectueux)*"* (IONESCO, *le Salon de l'automobile*). C'est une contre-vérité, non une antiphrase, le vendeur n'ayant pas l'intention de faire saisir autre chose que ce qu'il dit.

Rem. 1 La force de l'antiphrase dérive d'une affirmation implicite (V. à *implication*) comme: *"ce que nous voulons dire est si vrai qu'on peut même* **dire** *le contraire sans danger d'être mal compris".* **Ex.:** *" elle connut ..... la caverne d'***honnêtes gens** *qu'est le monde."* (MONTHERLANT, *Romans,* p. 766). Elle dépend donc du contexte (V. à *litote,* rem. 2 et à *mot doux,* rem. 2).

Rem. 2 Quand on voit que l'antiphrase n'est pas reconnue par l'interlocuteur, on la souligne, pour accentuer l'invraisemblance. **Ex.:** "Il est intelligent. (— ?) — Très vif d'esprit. Supérieurement doué..." On peut aussi faire appel au jugement de l'interlocuteur à l'aide de formules comme : *"Nul n'ignore.../ ...on le sait./ Comme chacun sait...".* On dispose d'une intonation* particulière.

Rem. 3 Le lexicographe, s'il ne tient pas compte de la présence du procédé, attribue à un terme des valeurs contradictoires, par exemple le mépris et la tendresse: Robert, à *ça,* cite Brunot, avec le cas d'une mère montrant son enfant, *"Vous voyez comme on est attaché à ça".*

ANTITHÈSE Présenter, mais en l'écartant ou en la niant, une idée inverse, en vue de mettre en relief l'idée principale.

Ex.: *D'autres préfèrent le monologue intérieur, moi non, j'aime mieux battre.*
H. MICHAUX, *l'Espace du dedans,* p. 33.

Autre ex.: *"Le Canada est le paradis de l'homme d'affaires, c'est l'enfer de l'homme de lettres."* (J. FOURNIER, *Mon encrier,* p. 48).

L'aspect artificiel de ce procédé est ridiculisé par R. Queneau dans ses *Exercices de style* (p. 29): *"Ce n'était ni la veille, ni le lendemain, mais le jour même. Ce n'était ni la gare du Nord, ni la gare de Lyon, mais la gare Saint-Lazare."* (V. à *redondance,* rem. 3.)

Autre déf. V. à *alliance d'idées.*

Rem. 1 C'est un mode courant de soulignement*. **Ex.:** *Cela et pas autre chose.* (V. aussi à *allusion,* rem. 2.)

Rem. 2 Quelquefois, la thèse reste implicite. **Ex.:** *"Ce n'est pas en semant qu'on devient forgeron"* (H. MICHAUX, *Tranches de savoir*).

Rem. 3 L'antithèse, surtout implicite, est très naturelle et dispose d'une marque auditive directe (V. à *accent antithétique*).

Rem. 4 Gorgias conseillait de joindre à l'antithèse l'homéotéleute* dans les membres *isocolons* (V. à *phrase*). Cicéron, Quintilien, Augustin ont transmis et suivi eux-mêmes ce conseil, réunissant les trois procédés sous le nom de figures **gorgianiques** (M. Comeau, *la Rhétorique de Saint Augustin*, p. 51). L'antithèse caractérise le pétrarquisme (V. à *imitation,* rem. 3). Le classicisme en usera et abusera: elle facilite la confection des périodes (V. ce mot, rem. 2). Albalat, qui lui consacre deux chapitres entiers dans *la Formation du style,* ne craint pas de dire qu'elle est *"la clef, l'explication, la raison génératrice de la moitié de la littérature française, depuis Montaigne jusqu'à Victor Hugo"*.

Rem. 5 On distinguera l'antithèse, rhétorique, de l'*énantiose,* opposition essentielle. Les pythagoriciens considéraient le bien et le mal, le pair et l'impair, l'un et le multiple, etc. comme la source de tout. C'est l'énantiose plus que l'antithèse qui mérite la critique de G. Durand: *"elle hante de son manichéisme implicite la majeure partie de la pensée de l'Occident"* (*les Structures anthropologiques de l'imaginaire,* p. 453).

Rem. 6 Elle peut prendre la forme du distinguo (V. ce mot, rem. 2); elle favorise des surprises (V. à *négation,* rem. 1); permet d'aligner des hypothèses (V. à *supposition,* rem. 3); s'appuie sur des synonymes (V. ce mot, rem. 6).

ANTONOMASE Prendre un nom commun pour un nom propre, ou un nom propre pour un nom commun. LITTRÉ.

Ex. donnés par Littré: *un Zoïle pour un critique envieux, l'orateur romain pour Cicéron.* **Autre ex.:** *balkanisation* ("fragmentation d'un territoire unifié en plusieurs États").

Même déf. Fontanier (p. 95), Quillet, Lausberg, Preminger.

Autre nom Synecdoque* d'individu (Fontanier).

Rem. 1 L'antonomase agrémentait le style: l'époque d'Auguste, le siècle de Périclès, le roi Soleil, la Vierge, la Diva. Elle correspond, dit Barthes, à quelque chose de mythique, *"l'incarnation d'une vertu dans une figure"* (cf. *Communication,* t. 16, p. 201): Caton pour la vertu, Amyclas pour la pauvreté; de nos jours Churchill pour le courage, Jean XXIII pour la bonté.

Elle peut tenir simplement au fait que les grands hommes sont connus (leur nom propre en devient *commun*). **Ex.:** *"Mon professeur de mathématiques m'a prédit que je serais un Vauban"* (PH. AUBERT DE GASPÉ, *les Anciens Canadiens*, p. 35). Il devient commun au sens grammatical du terme quand il est employé sans majuscule, son origine propre étant oubliée (macchabée, pandore).

Rem. 2 Les Grecs donnaient aux années le nom du magistrat principal, l'archonte **éponyme**, à leurs villes des noms de dieux (Athènes): c'est passer de nom propre à nom propre. L'éponymie se retrouve aujourd'hui dans la dénomination des complexes (comme celui d'Oedipe). (V. à *métonymie*, rem. 6.)

Rem. 3 Il y a des antonomases très spontanées (Londres décide que ..... pour le gouvernement anglais; le quai d'Orsay se refuse à tout commentaire; le Québec, c'est la Corse? (pour: Êtes-vous délaissés par le gouvernement?).(V. à *concrétisation*, rem. 3.)

Rem. 4 V. aussi à *dénomination propre*, rem. 3; *métonymie*, rem. 4; *personnification*, rem. 1; *sens*, 4; *synecdoque*, rem. 1 et 7; *titre* (collation de —), rem. 5.

À-PEU-PRÈS Double sens* obtenu par un léger déplacement, sans contrepartie, d'un ou de deux phonèmes d'une phrase ou d'un syntagme*. (Il) ne peut s'établir que dans le cadre d'une expression figée ou bien connue. Dans une ***contrepèterie***, il y a au contraire un double déplacement. ANGENOT, p. 167.

Ex.: *Elle disait toujours que Ben Dollard a une voix de basse bariltonnante. Il a des jambes comme des barils et vous croiriez qu'il chante dans le fond d'un tonneau. Eh bien, ça n'est-il pas spirituel?*
JOYCE, *Ulysse*, p. 146.

Autre nom Quasi-homonyme (*Dict. de ling.*).

Rem. 1 L'à-peu-près est un des moyens d'obtenir des équivoques*. Nerval signale le goût des Allemands pour ce procédé (Cf. Robert, à *près*, citation 21). Il se combine avec l'allographe (V. ce mot, rem. 2); il n'est pas loin du brouillage* lexical; il se raffine en contrepèterie (V. ce mot, rem. 1).

Rem. 2 Il peut y avoir aussi des à-peu-près graphiques. **Ex.:** le *"Bien à vous"* sur lequel Costals termine ses lettres (MONTHERLANT, *les Jeunes Filles*, p. 162) et qu'il écrit sans fermer le *B*, en sorte qu'il ressemble à un *R*.

Rem. 3 Au sens large, l'à-peu-près est l'emploi d'un mot légèrement impropre, d'une tournure un peu gauche, etc. (Cf. le Hir, p. 122). Mais dans ce cas, il y a translation plutôt que

lexicalisation; on dit: c'est de l'*à peu près* et non: c'est un *à-peu-près*. La loc. adv. *à peu près* est employée comme nom mais n'est pas devenue un nom, d'où l'absence de traits d'union. On parle aussi, en ce sens, de **langage approximatif**. **Ex.:** *"Je savais bien qu'à neuf ans c'est pas possible, j'étais encore trop minoritaire. Je rêvais d'être flic parce qu'ils ont la force de sécurité."* (É. AJAR, *la Vie devant soi*, p. 34-5).
V. aussi à *ellipse*, rem. 3.

APHÉRÈSE On retranche une syllabe ou une lettre au commencement d'un mot. LITTRÉ.

Ex.: *T'y vois core moins clair que moi* (encore).
JOYCE, *Ulysse*, p. 239.

Même déf. Marouzeau, Lausberg (§ 487), Robert, Preminger.

Autre déf. Quillet (au commencement *ou à la fin* d'un mot).

Rem. 1 L'aphérèse fait partie de métaplasmes*.

Rem. 2 Le langage enfantin a d'abord tendance à ne retenir que la dernière syllabe des mots (*nette* pour marionnette, *ange* pour jus d'orange), puis deux syllabes (*andail* pour chandail, *octeur* pour docteur). La prononciation relâchée (*reuz'ment* pour heureusement, *gzactement* pour exactement) a donc quelque chose d'enfantin. Mais dans *tension* (pour attention), c'est l'économie, l'efficacité qui jouent.

Rem. 3 Comme l'apocope*, l'aphérèse est un relâchement usuel de l'expression plutôt qu'un procédé littéraire. Un cas comme: *"l'HUMOUR NOIR, l'UMOUR (sans h)"* (Breton, dans le *Dictionnaire abrégé du surréalisme*, à *Vaché*), bien qu'il semble correspondre à la définition, est plutôt, pensons-nous, une graphie*.

APOCALYPSE Allégorie* fantasmagorique (V. à *fantastique*), dont le thème est la révélation d'événements à venir ou de réalités présentes mais cachées.

Ex.: *Je vis sept candélabres d'or, entourant comme un Fils d'homme, revêtu d'une longue robe serrée à la taille par une ceinture en or ..... Dans sa main droite, il a sept étoiles, et de sa bouche sort une épée effilée, à double tranchant.*
JEAN, *Apocalypse*, I, 12 à 16.

Rem. 1 Ce qu'il y a d'outré dans l'apocalypse renvoie, non à la fiction, mais à un aspect transcendant, religieux ou surréel.

Ex.: *Je vis devant moi un tombeau. J'entendis un ver luisant, grand comme une maison, qui me dit: "Je vais t'éclairer. Lis l'inscription. Ce n'est pas de moi que vient cet ordre suprême."*

Une vaste lumière couleur de sang, à l'aspect de laquelle mes mâchoires claquèrent et mes bras tombèrent inertes, se répandit dans les airs jusqu'à l'horizon.
LAUTRÉAMONT, *les Chants de Maldoror*, I.

L'allégorie* et la forme de récit* (passé simple) avec développement explicite de l'énonciation* (allant parfois jusqu'au dialogue* avec le lecteur) visent à conférer au contenu fantasmagorique un statut de réalité et de vérité. L'apocalypse tente d'unir deux effets contraires, d'où l'admiration des surréalistes pour Lautréamont.

Rem. 2 Genre littéraire antique, l'apocalypse florit dans la Bible (livre de Daniel), la Kabbale, le Coran. Difficile à décoder, elle verse dans l'hermétisme. **Ex.:** *"L'Un se manifeste trois / Le pôle a levé le doigt / César pentagramme[1] en croix."* (JARRY, *César-Antéchrist*, 4, 5).

Mais ce caractère est souvent contrebalancé par des répliques triviales, du langage parlé, une simplicité plus rassurante.

Rem. 3 Dans l'apocalypse est incluse l'**apothéose**, triomphe du héros qui, aux yeux de tous, est élevé jusqu'aux cieux.

Ex.: *Et ils virent le char où Il se tenait debout qui montait au ciel. Et ils Le virent dans le char, vêtu de la gloire de cette lumière ..... Et ils Le virent Lui, Lui-même, Ben Bloom Élie, monter parmi les tourbillons d'anges vers la gloire de la lumière à un angle de 45 degrés au-dessus de chez Donohoe, Little Green Street, comme une pleine pellée de poussier.*
JOYCE, *Ulysse*, p. 333.

Rem. 4 V. aussi à *prophétie*, rem. 2.

APOCOPE (fém.) Retranchement d'une lettre ou d'une syllabe à la fin d'un mot. **Ex.:** ***encor*** pour encore. LITTRÉ.

Même déf. Marouzeau, Quillet, Morier, Robert, Preminger.

Syn. Ecthlise (Lausberg).

Antonyme Paragoge (V. ce mot, rem. 1)

Rem. 1 Selon Lausberg (§ 490), c'est une variété de l'abrègement* ou de l'*endie* (retranchement d'une lettre); selon Marouzeau, de la chute*. (V. ce mot, n. 1, aussi à *métaplasme*, rem. 1.)

Rem. 2 L'élision* est l'apocope d'une voyelle finale devant un mot commençant par une voyelle.

---

1 "fait de cinq lettres".

Rem. 3 La disparition progressive du **e** muet a posé au vers syllabique de nombreuses difficultés. Déjà Ronsard avait opté pour l'apocope. Au lieu d'écrire *"Rolland avait deux épé-es en main"*, il exige *"deux épé's en la main"*. *"Ne sens-tu pas, argumente-t-il, que ces deux épé-es en main offencent la délicatesse de l'aureille?"* (cité par GRAMMONT, *le Vers français*, p. 464). Le conseil est suivi, notamment par Desportes (qui écrit: *"des charbons inutils"*), mais Malherbe intervint... et grâce à ce rigoriste, notre théâtre classique est composé d'alexandrins que les comédiens ne peuvent prononcer avec vraisemblance qu'en onze, dix, voire neuf syllabes — ce qui n'est pas toujours la meilleure façon de les rythmer (sur ce problème, V. à *vers*).

La principale apocope autorisée par le classicisme est celle du *s* suivant un **e** muet élidé. *"Tu l'emporte, il est vrai"* (Lamartine).

Une façon élégante d'éviter le problème est d'élider les **e** finals en les faisant suivre d'un mot à initiale vocalique (marbre onyx). C'est ce que fait par exemple Th. Gautier. Morier appelle **vers plein** ce type de vers, et **vers ajouré** le vers qui contient un (ou plusieurs) **e** muet prononcé.

Rem. 4 La situation actuelle du **e** muet (ou **e caduc**) est instable. Les traités de prononciation apportent à la *"loi des trois consonnes*[1] *"* d'innombrables restrictions (Cf. Martinon, Fouché). La solidité du **e** dans la prononciation méridionale, la possibilité d'autre part de prononcer un demi-**e**, voire des traces de **e**, sont parmi les raisons du maintien du **e** graphique. Dès lors, l'usager a pris l'habitude de faire, sans même y penser, les élisions et apocopes nécessaires. Dans le vers libre, on lira spontanément: *"en jouant d'l'harmonica"* (DELOFFRE, *le Vers français*, p. 114).

On peut aussi recourir à l'apostrophe pour supprimer toute hésitation.

Ex.: *Les marmots en boulott'nt et tous nous trépignons*
En voyant l'Palotin qui brandit sa lumelle,
Et les blessur's et les numéros d'plomb.
Soudain j'perçois dans l'coin, près d'la machine,
La gueul' d'un bonz' qui n' m' revient qu'à moitié.
A. JARRY, *Ubu roi*, la chanson du décervelage.

Rem. 5 Si l'on veut que le **e** soit nettement prononcé, il est devenu nécessaire d'écrire *eu*. **Ex.:** *"Tout de même, leu temps, c'est leu temps. L'passé, c'est l'passé."* (QUENEAU, *le Chiendent*, p. 295).

En somme, nous serions d'accord avec Ducharme, qui aide le

---

1 Un e reparaît lorsqu'il s'agit d'éviter d'avoir à prononcer trois consonnes de suite (*Je m' dis*, et non *J' m' dis*).

lecteur à trouver le rythme en indiquant par des renforcements ou des apocopes le sort qu'il entend réserver aux e litigieux.

C'est l'âge; c'est la vraie tristesse,
*Cell***eu** *où s'éteint la tendresse*
Et avec ell le feu du drame.
R. DUCHARME, *le Nez qui voque,* p. 71.

Rem. 6 En dehors du problème du **e** muet, l'apocope attaque surtout les finales liquides (**tab**le, **prop**re, **quat**re). Elles appartiennent à la langue parlée. **Ex.:** *Le minis(tre).* **Ex. litt.:** *"C'est pas croyab."* (QUENEAU, *Zazie dans le métro,* p. 31).

Rem. 7 Dans la diction de l'alexandrin, c'est la voyelle atone[2] finale de mot phonétique qui tombe de préférence. **Ex.:** *Ta chevelur' d'oranges* (Cf. *le Vers fr. au XXe siècle,* p. 34).

APOLOGUE Récit* illustrant quelque "vérité".

Ex.: *Et chacun de mes sens a eu ses désirs. Quand j'ai voulu rentrer en moi, j'ai trouvé mes serviteurs et mes servantes à ma table ..... La place d'honneur était occupée par la Soif; d'autres soifs lui disputaient la belle place. Toute la table était querelleuse, mais ils s'entendaient contre moi ..... ils m'ont traîné dehors ..... J'ai marché; j'ai voulu lasser mon désir; je n'ai pu fatiguer que mon corps.*
GIDE, *Romans,* p. 200-1.

Rem. 1 À l'origine, l'apologue appartient à la littérature orale. Il est proche du *mythe* (V. ce mot, rem. 1). C'est le cas aussi de la parabole (V. ci-dessous). Ensuite, l'apologue est devenu un mode de l'amplification* des idées, distinct de l'hypotypose* par son caractère purement imaginaire et surtout par sa *"morale"*, implicite ou explicite. Ainsi les **fables** de La Fontaine sont-elles souvent des apologues.

Quand la vérité sous-jacente (le thème; le *noème* selon Morier, la *moralité* s'il s'agit d'une fable) est clairement exprimée, l'apologue se rattache à la comparaison* figurative; quand elle est implicite, il se rattache au symbole*.

Le thème étant quelque vérité d'ordre religieux, on parlera de **parabole. Ex.:** les paraboles évangéliques des dix vierges, du festin nuptial, des vignerons homicides.

L'interprétation de l'apologue doit se faire globalement et non pas en établissant une correspondance terme à terme (J.-P. Audet). En effet, sans cela, l'apologue serait une allégorie* ou une comparaison* suivie.

---

2 *Atone:* "qui ne reçoit pas d'accent tonique".

Rem. 2 L'expression d'une idée par une **anecdote** relève du même procédé (mise en scène plus ou moins détaillée et propos pertinents de la part des personnages). Toutefois, l'anecdote, n'étant pas imaginaire[1], appartient plutôt à l'**exemple**. Ainsi: *MONIQUE. — ..... Maintenant, j'aurais le ménage à m'occuper, je me porterais mieux. Mais avec cette bonne que nous avons, comment veux-tu? ..... Tiens!* **Je m'étais réservé en me cachant d'elle, je m'étais réservé un peu de poussière, dans un coin, pour mon dimanche!... Juste de quoi torchonner un brin. Eh bien, ce matin, ma poussière, envolée! nettoyée!**
AUDIBERTI, *l'Effet Glapion,* p. 142.V. aussi à *simulation,* rem. 4.

Rem. 3 L'apologue est un excellent argument* pour qui veut faire sentir certaines nuances plus sentimentales que juridiques.

Ex.: (le Gouverneur, anglais, du Canada français) *a fait comme un étranger qui, dans une réunion de famille où l'on célèbre la mémoire d'un défunt cher, irait sans y être invité se mêler à la fête, s'asseoir à la table, boire et chanter, sous prétexte qu'il est propriétaire de la maison .....*
J. FOURNIER, *Mon encrier,* p. 62.
Il peut remplacer un raisonnement (V. ce mot, rem. 3).

APOSIOPÈSE Interruption brusque, traduisant une émotion, une hésitation, une menace. PETIT ROBERT.

Ex.: (Marcelle est enceinte et croit que son amant lui garde le secret; mais, aux allégations d'un ami, elle devine que ce dernier a été mis au courant.)

Elle blêmit: "Il... Oh! le... Il m'avait juré qu'il ne vous dirait rien."
SARTRE, *l'Âge de raison,* p. 226.

Même déf. Lamy, Littré, Quillet, Lausberg, Morier, Preminger.

Syn. Réticence, retenue (LEGRAS, cité par LE HIR, p. 132-3).

Rem. 1 L'aposiopèse est une variété de l'interruption* caractérisée par le fait que les causes de l'interruption (V. ce mot, rem. 1) sont personnelles et d'ordre émotif (Cf. Lausberg, Morier). C'est souvent l'indignation (ex. ci-dessus) mais cela pourrait être un excès de plaisir. **Ex.** à replacer dans son contexte: *"Il a beaucoup de fièvre et il ne sait... il ne sait réellement plus ce qu'il dit."* (BERNANOS, *Romans,* p. 838). (Constatant qu'elle a repris la photographie et s'est donc trahie, il ne peut s'empêcher de laisser échapper sa jubilation dans cet arrêt.)

---

1 D'où le sens d'*anecdotique:* "qui ne va pas à l'essentiel".

Rem. 2 Du Marsais (V. 285), Fontanier (p. 135-6) et Littré rangent la réticence parmi les prétéritions* et mettent l'accent sur l'aspect oratoire du procédé (V. à *faux* —). C'est l'aposiopèse classique. Elle consiste à *"s'arrêter tout à coup dans le cours d'une phrase, pour faire entendre par le peu qu'on a dit, et avec le secours des circonstances, ce qu'on affecte de supprimer, et même souvent beaucoup au delà."* (Fontanier, p. 135).
C'est une ruse du *pathos* (V. à *argument*).

Ex. traduisant une menace*: *Je devrais sur l'autel où ta main sacrifie*
Te... mais du prix qu'on m'offre il faut me contenter
RACINE, *Athalie*, V, 5.

Rem. 3 Suivant Lamy, le discours* n'est pas nécessairement retenu, mais simplement haché par la précipitation.
C'est en effet le cas lorsqu'il s'agit de traduire l'hésitation.

Ex.: *Dans une apothi... tho... dans une apothéose triste et solitaire!*
M.-Cl. BLAIS, *Une saison dans la vie d'Emmanuel*, p. 60. (Le héros cherche le mot).
De même, pour exprimer la distraction: M'Coy demande à Bloom l'heure du service funèbre, mais celui-ci est ailleurs, il pense à la lettre de Martha. *"— On... Onze Heures."* (JOYCE, *Ulysse*, p. 68).
Ces aposiopèses sont spontanées, naturelles. Elles sont fréquentes dans le monologue* intérieur, où l'on ne prend pas la peine de finir ses phrases.

Ex.: *La mer? Pourqu... Oh! Non je m'occupe des terres vous savez. Je suis toute la journée sur le tract..., puis sa propre main lui apparaissant* (etc.)
CL. SIMON, *la Route des Flandres*, p. 201. (Monologue* intérieur dans lequel prend place un dialogue* imaginé).

Rem. 4 La *"réticence"* n'est pas loin de son sens courant (attitude de réserve) lorsqu'elle consiste en un refus de finir la phrase commencée.

Ex.: *Le rire est dans ma...*
Un pleur est dans mon...
H. MICHAUX, *Glu et gli*.

On peut s'arrêter encore parce que l'on voit que l'interlocuteur a déjà compris. C'est la réticence par connivence (Marchais).

Rem. 5 L'aposiopèse a son intonation (V. ce mot, rem. 3) et sa ponctuation* expressive.

APOSTROPHE L'orateur, s'interrompant tout à coup, adresse la parole à quelqu'un ou à quelque chose. LITTRÉ.

Ex.: (Au milieu d'un texte impersonnel) *Enfoncez-vous bien dans la tête que je ne veux pas des rieurs de mon côté.* ARAGON, *Traité du style*, p. 210.

Autres ex.: "(Au milieu de son discours de réception à l'Académie) *Et c'est entre toutes, votre absence que j'évoque, cher ami, cher frère, Philippe Berthelot, qui depuis treize ans m'attendez dans ce cimetière abandonné de Neuilly.*" (CLAUDEL, *O. en prose*, p. 635). "*Cache-toi, guerre.*" (LAUTRÉAMONT, *Poésies*, 2). "*Piscines! Piscines! nous sortirons de vous purifiés.*" (GIDE, *Romans*, p. 217).

Même déf. Girard, Fontanier (p. 371), Marouzeau, Quillet, Bénac, Morier, Robert, Preminger.

Syn. Appellation (Bary, p. 344).

Autre sens Signe graphique de l'élision*.

Rem. 1 Avoir un interlocuteur, s'adresser à lui, rien de plus naturel (V. à *dialogue; discours*, 2). L'apostrophe est rhétorique quand un de ses éléments est inattendu, soit que, dans un récit*, l'énonciation* soit explicitée par un pronom à la 2e personne désignant le lecteur (V. ci-dessous, rem. 2); soit que, dans un discours*, une vérité générale soit adressée spécialement aux auditeurs (ex. d'Aragon, ci-dessus); soit que l'auteur, par une feinte, s'adresse à des absents (ex. de Claudel), à des idées (ex. de Lautréamont), à des objets (ex. de Gide). Seul le premier exemple appartient au style tempéré (V. à *grandiloquence*, rem. 1).
Une marque, plutôt sublime, de l'apostrophe est, à l'initiale, le **ô** vocatif, distinct du **ho** d'appel; mais il existe aussi un ô exclamatif, distinct du oh (cf. Bossuet: "*Ô nuit désastreuse!*"). (V. aussi à *prosopopée* et à *faux*, rem. 1.)

Rem. 2 On peut appeler **adresse** le passage d'une oeuvre littéraire où l'auteur nomme et décrit son lecteur. Cf. B. Tomachevski, dans p. 264. L'adresse prend place au début de l'oeuvre (Par ex., BAUDELAIRE, *Au lecteur*, poème liminaire des *Fleurs du mal*) ou à la fin (Par ex., POUCHKINE, *Eugène Onéguine*).

De l'adresse, on distingue la **dédicace**, formule manuscrite ou imprimée qui accompagne le don de l'oeuvre, ou d'un exemplaire de celle-ci, à un particulier. **Ex.:** "*Au poète impeccable, au parfait magicien ès lettres françaises, à mon cher et très vénéré maître et ami Théophile Gautier ..... je dédie ces fleurs maladives*". BAUDELAIRE.

En publicité, on appelle **personnalisation** le procédé qui consiste à inclure dans le message le nom des destinataires. V. aussi à *prière*, rem. 1.

Rem. 3 L'apostrophe peut joindre à la fonction référentielle ou injonctive une fonction de contact (ou *phatique*) qu'un simple appel réalise rait à l'état pur (V. à *exclamation*, rem. 2 et à *injonction*, rem. 3).

Mais il arrive aussi que l'apostrophe ne s'adresse à personne de réel mais qu'on veuille prendre tout un monde (imaginaire) à témoin de la vérité de ce qu'on profère. C'est **parler à la cantonade**. On hausse le ton. Il arrive encore qu'on s'adresse à quelqu'un dans l'espoir d'être entendu d'un tiers, comme cette mère qui demande à un enfant de deux ans de lui chercher ses ciseaux, mais le mari n'est pas loin. Il y a double actualisation du destinataire. Le procédé est moins rare qu'on ne pense. Ainsi Sganarelle, au début de *Don Juan* de Molière, ose tancer, en simulant qu'il s'adresse à un autre maître: *"Je ne parle pas aussi à vous ..... Je parle au maître que j'ai dit"*.

La recherche d'un interlocuteur "valable" peut donner lieu à une dubitation*

Ex.: *Tempêtes, soeurs des ouragans; firmament bleuâtre dont je n'admets pas la beauté; mer hypocrite, image de mon coeur; terre, au sein mystérieux; habitants des sphères; Dieu qui l'as créé avec magnificence, c'est toi que j'invoque: montre-moi un homme qui soit bon!*
LAUTRÉAMONT, *les Chants de Maldoror*, 5.

Apostropher quelqu'un, c'est entrer en contact avec lui de façon inattendue et souvent désobligeante. **Ex.:** *"Tout faraud, il cria: "— Tu pues, eh gorille." Gabriel soupira."*(QUENEAU, *Zazie*, p. 10). (V. aussi à *sarcasme*, rem. 2; *titre*, rem. 1; *mot doux*, rem. 3.)

Rem. 4 L'apostrophe est un moyen d'étoffer (V. à *amplification*).

Ex.: *Liberté de pensée, liberté d'écrire et de parler, sainte conquête de l'esprit humain! que sont les petites souffrances et les soucis éphémères engendrés par tes terreurs ou tes abus, au prix des bienfaits infinis que tu prépares au monde?*
G. SAND, fin de la 2e préface d'*Indiana*.

C'est aussi un mode de transition (V. ce mot, rem. 1).

Rem. 5 Pour le ton, V. à *célébration*, rem. 1; *intonation*, rem. 3; *supplication*, rem. 2. Pour la construction, V. à *apposition*, rem. 5; *notation*, rem. 6.

Rem. 6 Elle peut porter sur une métaphore*. **Ex.:** *"Sable noir, sable des nuits qui t'écoules tellement plus vite que le clair, je n'ai pu m'empêcher de trembler lorsqu'on m'a délégué le mystérieux pouvoir de te faire glisser entre mes doigts."* (A. BRETON, *l'Amour fou*, p. 81).
Quand elle a pour objet une idée ou une chose, l'apostrophe entraîne une personnification*, mais il faut s'interroger sur le degré de réalité de celle-ci.

Ex.: *Icebergs, Icebergs, Solitaires sans besoin, des pays bouchés, distants et libres de vermine. Parents des îles, parents des sources, comme je vous vois, comme vous m'êtes familiers...*
H. MICHAUX, *Icebergs.*

Les Icebergs semblent bien devenus des êtres personnels. Et pourtant Michaux écrit, à propos de la peinture chinoise: *"L'homme modeste ne dit pas "Nous souffrons / Les nôtres meurent / Le peuple est sans abri", il dit: "Nos arbres souffrent"* (*Lectures,* II). C'est métaphoriquement que l'objet est ici comme une personne.

APPOSITION Caractérisation ou identification d'un substantif ou d'un pronom par un substantif, qui le suit. FONTANIER, p. 297.

Ex. cité par Fontanier: *Déjà coulait le sang, prémices du carnage.*
RACINE, *Iphigénie.*

Autre ex.: *"Nuit, mon feuillage et ma glèbe."* On peut sous-entendre: toi qui es. (R. CHAR, *Neuf Merci...)*

Autre nom Épexégèse (archaïsme; Littré, Marouzeau)

Rem. 1 Lorsque l'apposition est mise entre virgules et qu'on peut la supprimer sans nuire à la phrase, l'apposition est simplement explicative (accidentelle comme le souligne Fontanier). Sans pauses, il y a identification dans l'assertion* elle-même. **Ex.:** *"Avec les mots corbeaux de poèmes qui croassent."* G. MIRON.

Corbeau qualifie *mots,* mais d'une façon qui est essentielle à l'assertion. L'intégration de l'apposition peut être plus grande encore si l'on ajoute un trait d'union. Par ex., les *"mots-flots"* de R. Giguère. On débouche alors sur la juxtaposition lexicale*.

Du Marsais, Beauzée, Fontanier, Littré et Quillet ne signalent que l'apposition explicative, procédé grammatical (Homère, le prince des poètes). Ils considèrent comme apposition toute caractérisation placée entre deux virgules, même s'il s'agit d'un adjectif.

Rem. 2 La pause* qui précède l'apposition remplace la copule d'une assertion* adjacente (elle équivaut donc à "qui est"), à moins que, dans un style elliptique (V. à *ellipse*), il ne s'agisse du verbe principal (copule sous-entendue: "est"). Dans ce dernier cas, l'inversion* est fréquente et la pause* se marque par le deux-points*. Voici, à titre d'exemple, une phrase sans verbe, où l'on trouve deux assertions* sous forme d'apposition. *"Règle donnée du plus haut luxe: Un corps de femme — nombre d'or!"* (SAINT-JOHN PERSE, *Amers,* strophe 2). Le tiret accentue la pause* qui précède l'apposition du type habituel (qui constitue une assertion* secondaire) tandis que le deux-points introduit une apposition inversée (qui constitue l'assertion principale). On amplifierait donc comme suit: "Un corps de femme (thème) *est* la règle du plus haut luxe (prédicat)" et "Un corps de femme (thème de l'assertion adjacente) *qui est* le nombre d'or" ou *parce qu'*il est (la relative cache ici une causale).

De même, dans les énumérations* précédées du deux-points, on a une apposition inversée, l'élément initial étant le prédicat. La construction de l'asyndète (V. ce mot, rem. 2) est très différente, le terme implicite étant une coordination (*et*).

Même dans l'apposition normale (assertion* adjacente), on rencontre parfois l'inversion*. **Ex.:** *"Joyeux enfant de la Bourgogne, je n'ai jamais eu de guignon..."*

Le rôle de prédicat du substantif apposé explique l'absence d'article. L'importance de la pause* est due à l'absence de taxème (d'où le nom d'apposition). Sans pause, on aurait un qualifiant simple (adj.).

Rem. 3 La valeur assertorique de l'apposition apparaît nettement dans la double* lecture que voici: *"La conscience (de) soi"* (SARTRE, *l'Être et le néant,* p. 72). Le rapport d'appartenance avec *de* est ainsi remplacé par un rapport d'identité (avec **qui est** sous-entendu).

Rem. 4 L'apposition introduit des métaphores*, des métonymies* ou des synecdoques*. (V. à *comparaison figurative,* rem. 1.) Elle permet aussi de lever des équivoques* dues, par exemple, à l'emploi de pronoms.

Ex.: *Car il ne voulait pas que les éloges de Paradis amenassent Petit-Pouce à l'avoir dans le nez, lui Pierrot, et que sa petite tête, à lui Pierrot, finisse par ne plus lui revenir, oh! mais plus du tout, à lui Petit-Pouce.*
R. QUENEAU, *Pierrot mon ami,* p. 9.

Rem. 5 La construction de l'apposition est la même que celle de l'apostrophe*, d'où des confusions possibles. **Ex.:** *"Je me rappelle dans la nuit ton nom, Yahvé", (Psaume 118);* pour *"ton nom à toi, Yahvé"* ou *"ton nom qui est* **Yahvé***".* (V. aussi à *approximations successives,* rem. 3.)

Rem. 6 V. aussi à *phrase,* 4; à *titre,* rem. 1.

APPROXIMATIONS SUCCESSIVES On donne plusieurs termes de suite dans la même fonction mais ils ne sont pas synonymes: ils viennent comme faute de mieux, visant quelque signifié qui se situe en marge du vocabulaire.

Ex.: *et ce sourire fautif, touchant, d'enfant*
N. SARRAUTE, *Portrait d'un inconnu,* p. 109 (*d'enfant* qualifie le sourire au même titre que les adjectifs).

Rem. 1 Le procédé est fréquent dans la langue parlée lorsqu'on veut caractériser une impression ou qu'on ne trouve pas le terme propre. Des intonations suspensives semblables suffisent à indiquer la fonction identique des syntagmes*. (V. aussi à *louchement,* rem. 2.)

Rem. 2 On rencontre des approximations faites de segments très étendus: alinéas, paragraphes. Cf. les Upanishads, et Ch. du Bos, qui donne ce titre à ses recueils de critique.

Rem. 3 Dans l'apposition*, les sèmes s'ajoutent; ici, ils se remplacent.

ARCHAÏSME On appelle archaïsme un mot vieilli qui n'est plus usité, un sens antérieur qui a cédé la place à un sens nouveau, une construction ancienne qui n'a plus cours.

La Fontaine, qui les aimait, en regorge. "Tel cuide engeigner autrui qui souvent s'engeigne lui-même."
SUBERVILLE, p. 100. (*Engeigner:* "tromper", archaïsme lexical.)

Ex. d'archaïsme de sens: *Je vous salue ma France aux yeux de tourterelle / Jamais trop mon tourment mon amour jamais trop / Ma France mon ancienne et nouvelle querelle*
ARAGON, *Août-Septembre 1943. Querelle:* non pas *"dispute, altercation",* mais, dans un procès, la cause pour laquelle on prend parti. Cf. *Lexis.* V. aussi à *étymologie.* **Ex. d'archaïsme morphologique:** *"Leurs mains étaient si froides qu'elles se touchèrent illusoirement, dans l'intention seulement, afin que ce fût fait, dans la seule intention que ce le fût"* (M. DURAS, *Moderato cantabile,* p. 110). Le subjonctif imparfait, mis en évidence alors qu'il est de moins en moins courant, donne au geste l'allure d'un cérémonial figé. **Ex. d'archaïsme graphique** ironique: "(Une pensée) *d'une singularité* **espovantable** ..... " (MONTHERLANT, *Essais,* p. 896). **Archaïsmes de prononciation,** V. à *diérèse,* rem. 1.

Signalons un archaïsme de contenu ou "de civilisation", repéré par Klinkenberg chez De Coster, et qui consiste à mentionner des objets ou des coutumes typiques d'une époque du passé, de sorte que le passé y soit situé.

Même déf. Littré, Marouzeau, Robert...

Rem. 1 Durant la période classique, les archaïsmes admis étaient des imitations de Marot, d'où le nom de *marotisme* (V. à *imitation*), synonyme alors d'*archaïsme* (Fontanier, p. 288).

Rem. 2 La langue juridique abonde en archaïsmes. Les formules prescrites par Colbert en 1667 ne furent réformées qu'en 1908 (Cf. Payen, p. 188-9).

Rem. 3 L'imitation de l'ancienne langue peut aller assez loin. **Ex.:** *"Ladite garde lui répondit et dit à li que cette femme était jà de trois jours pleins ès affres et que seraient couches périlleuses dures à passer mais que dans peu tout serait finé."* (JOYCE, *Ulysse*, p. 374).

Rem. 4 Les latinismes inusités (V. à *pérégrinisme*) sont des archaïsmes.

ARGOT Langage de la pègre, du "milieu".

Ex.: *Nanar l'argougne par les endosses: t'es sourdingue?*
A. BOUDARD et L. ÉTIENNE, *l'Argot sans peine*, p. 16.

Syn. Poissard, mot bas, jobelin, bigorne, langue verte (l'argot affecte les hardiesses et les "verdeurs" de langage). Il y a aussi les argots régionaux comme le mourmé (maçons de Haute-Savoie), le brusseleer (V. ex. à *réponse*, rem. 2).

Autre déf. Par extension, *argot* désigne aussi tout jargon* réservé à un petit groupe d'initiés. L'argot a, en effet, ses codes secrets (V. à *cryptographie*, rem. 2).

Rem. 1 Il y a toujours du langage populaire (V. à *niveau de langue*) dans l'argot, et souvent de la gauloiserie*. **Ex.:** *T'as d'la merde dans les châsses / Vous n'y voyez pas clair.* La langue des voleurs, des snobs, des soldats est aussi à base de langue populaire, avec une part de jargon*.

Rem. 2 L'argot recourt à l'abrègement*. Il est volontiers caricatural (V. à *caricature*, rem. 1).

Rem. 3 Le mélange d'argot et de style noble fait une dissonance*.

ARGUMENT Assertion* utilisée dans un raisonnement*, une plaidoirie, où elle a pour fonction de justifier ou d'expliquer une autre assertion.

Ex.: *JULIEN. — Comment as-tu pu permettre à ce grotesque de t'appeler mon petit loup? Je t'avais interdit de lui parler!*
COLOMBE. — Mais ***c'est l'auteur de la pièce!***
ANOUILH, *Colombe*, dans *Pièces brillantes*, p. 270.

Syn. Preuve, raison.

Analogue Allégation: "assertion sur laquelle on s'appuie pour justifier sa position".

Même déf. TLF.

Autre déf. Synopsis (V. à *récapitulation*, rem. 2), raisonnement*.

Rem. 1 Besoins et abus de plaidoyers firent naître et catégoriser mille et un moyens de trouver des arguments. Ce sont les **lieux communs** au sens original du terme[1], autrement dit les **topiques**. Dans sa *Rhétorique*, Aristote les divise selon l'éthos (le caractère de l'orateur), le pathos (ce qui émeut le public) et le logos (le raisonnement logique ou imagé par des exemples). Le livre II est entièrement consacré à l'explication de ces trois types de lieux: l'orateur doit se montrer sous un jour favorable, donc afficher les vertus décrites dans l'Éthique; il suscitera dans son auditoire certaines passions, parfois la colère, l'amitié ou la haine suivant les personnes visées, la crainte ou l'assurance, l'indignation ou la pitié... Les lieux *"logiques"* sont près de quarante, notamment: la non-contradiction ou tiers exclu[2] (Il faut qu'une porte soit ouverte ou fermée), le lien entre l'acte et la personne (Celui qui assassine est un assassin), le lien entre l'antécédent et le conséquent, celui du tout et des parties ou du groupe avec l'individu, les inséparables (On ne fait pas d'omelette sans casser des oeufs), etc. Ces lieux débouchent sur des conclusions, non pas véridiques, mais vraisemblables sans plus. On peut y ajouter (selon Angenot) le lieu de l'indifférence des intéressés (Il ne faut pas être plus catholique que le Pape), le lieu du gaspillage (Il faut poursuivre pour ne pas rendre vains les sacrifices consentis), celui de la direction (Si on cède une fois, on devra céder toujours), etc.

Les lieux *"logiques"* visent à assurer une certaine véracité. Aussi l'un des plus importants est-il la **règle de justice**, qui consiste à traiter semblablement les choses semblables. **Ex.:** *"Faudrait-il appeler crime l'incendie de pavillons en briques et peccadille l'incendie de villages en bambous?"* (BARDÈCHE, *Nuremberg*, p. 174). Contrevenir à cette règle, c'est *"Faire deux poids, deux mesures"* (loc.). Cette règle se retrouve, renforcée, dans l'argument **a fortiori** (loc.: *à plus forte raison*). **Ex.:** *"Si mourir pour son prince est un illustre sort / Quand on meurt pour son dieu, quelle sera la mort"* (CORNEILLE, *Polyeucte*). **Ex. cont.:** *"Même un athée européen sera souvent blessé par la familiarité avec laquelle ils (les Hindous) conversent de Jésus-Christ"* (MICHAUX, *Un barbare en Asie*, p. 119). Ce genre d'argument doit cependant éviter l'hyperbole*.

---

1 ***Commun*** a fini par générer le sens de ***"banal, sans nouveauté"***, d'où l'emploi actuel (V. à ***cliché***). Mais pour Aristote, les lieux communs s'opposent aux lieux spécifiques, qui sont les axiomes des diverses sciences, techniques et disciplines. Le livre I de sa ***Rhétorique*** examine les lieux spécifiques des genres judiciaire (concernant le passé), épidictique (concernant le présent) et délibératif (concernant l'avenir).

2 On dit aussi: principe du milieu exclu, parce que ce sont les cas où un "juste milieu" n'est pas possible.

Ex.: *"des peintures lubriques qui feraient rougir des capitaines de dragons (la virginité du capitaine de dragons est, après la découverte de l'Amérique, la plus belle découverte que l'on ait faite depuis longtemps)"* (Th. GAUTIER, Préface à *Mademoiselle de Maupin*).

À partir de Cicéron, les lieux communs logiques vont céder la place à des lieux plus empiriques. Il s'agira moins de véracité que d'adresse et pour cela on cherchera à examiner les affaires sous tous les angles imaginables. L'**exhaustion** est la méthode qui épuise les arguments (Robert). Le **diallage** (Scaliger, *Poetices libri septem*, III, 64; Lausberg) est le discours* qui découle de cette méthode: on y voit se succéder toutes sortes d'arguments tendant à la même conclusion. On enseigne dès lors, plus que les relations logiques, les points de vue auxquels on devra se placer pour trouver des arguments. Les lieux communs deviennent: — la personne (race, nationalité, origine, sexe, âge, éducation, mode de vie, fortune, condition civile, caractère, goûts, etc.); — l'affaire (dans son ensemble, dans ses parties, dans ses débuts, dans sa progression, dans sa fin, dans les mots employés pour la désigner, dans ses précédents, etc.); — la cause, le lieu, le moment, la manière, le moyen, la définition, la comparaison*, les hypothèses, les circonstances (cf. Lausberg, § 373 à 399). Vuillaume (p. 25-6) en offrait un sommaire mnémotechnique sous forme de vers latin: *quis, cui, pro quo, de quo, quando, ubi, quidque loquatur.* C'est un hexamètre dactyle. Y sont réunies les *"bienséances oratoires"* essentielles, celles qui se rapportent, respectivement, à l'orateur, à l'auditeur, à la personne en faveur de qui l'on parle, à celle de qui l'on parle, au temps et au lieu, au sujet[3] .

Convoités des ignorants, rabâchés dans les écoles de rhéteurs, les lieux se concrétiseront encore davantage, ils se réduiront à des extraits à imiter, *"morceaux tout faits, utilisables moyennant quelques retouches dans n'importe quel discours"* (*Rh. d'Aristote*, coll. Budé, *Analyse du livre 2*, p. 32). On en voit dans *les Plaideurs* de Racine (acte 3) un plaisant exemple.

Rem. 2 Pour être valables, les arguments doivent non seulement être justes en eux-mêmes, mais encore pertinents à la question. (V. à *ad hominem; alternative; dilemme; aposiopèse,* rem. 2; *réfutation; apologue; citation,* rem. 3; *communication; hyperbole,* rem. 2; *admonition; prémunition.)*

Divers types de ruses argumentatives ont été identifiés et enseignés (pas toujours en vue de leur dénonciation). Angenot signale les suivants.

---

3 Barthes (*l'Ancienne Rhétorique,* p. 209) signale d'autres topiques, celles du risible, du théologique, de l'imaginaire (***topique*** est masc. en ling.; fém. en rh.).

— L'argument **a contrario** ou *énantiose*, où la preuve est remplacée par la réfutation* d'une assertion* inverse. **Ex.:** *Mieux vaut en rire qu'en pleurer.*

Autre ex.: "*Continuez, les amoureux, aimez-vous bien et toi, jeune homme, mets longtemps ta main dans celle de ta maîtresse,* **cela vaut mieux que de la lui mettre sur la figure, surtout brutalement.**" (A. ALLAIS, *la Barbe et autres contes*, p. 106.)

— Le **corax** (du nom d'un Sicilien qui inventa la rhétorique argumentative), où l'on renverse une vérité probable par le motif qu'elle l'est *trop*. **Ex.:** dans les romans policiers, le crime ne doit pas être imputé à celui que tous les indices désignent trop clairement.

— L'**amalgame** ou *assimilation*, où l'on considère comme de même catégorie des notions, phénomènes ou objets différents. L'amalgame est la démarche naturelle de l'esprit d'abstraction quand il se place à un point de vue donné: il est constamment pratiqué en mathématique. Mais il peut autoriser des confusions préjudiciables, qu'une analyse critique décèlerait. **Ex.:** "*ces matraqueurs casqués aux joues rouges font le même travail que les purs et vénérables penseurs auprès de qui nous avons grandi*" (NIZAN, *les Chiens de garde*, p. 94).

— L'argument du **témoin fictif**, recourt à une autorité anonyme, où l'on fait appel à un arbitre objectif imaginaire situé au loin. **Ex.:** "*Je rêve parfois à ce que diront de nous* **les historiens futurs**. *Une phrase leur suffira pour l'homme moderne: il forniquait et lisait des journaux*" (CAMUS, *la Chute*, p. 10). L'argument est plus fort si le témoin est quelconque. **Ex.:** "*Si dans mille ans quelqu'un lit ce texte [de Lévi-Strauss], il en déduira qu'il existait dans le midi de la France au XIe siècle une religion du vin*" (J.-FR. REVEL, *Pourquoi des philosophes*, p. 145).

— L'argument **ad ignorantiam**, où l'on impose à l'adversaire le fardeau de la preuve du contraire (Lalande). **Ex.:** "**Prouvez-nous** *que nous sommes contre le courant de notre nature et de notre histoire et nous ne nagerons pas contre lui*" (NIZAN, *les Chiens de garde*, p. 88).

— Le **prétexte** (V. ce mot).

— L'**échappatoire** (*réponse à côté, tangente, alibiforain, ignoratio elenchi, éluder la question**), où l'on débite des propos sans rapport avec la question.

Ex.: (Michaux visite l'Équateur et critique le paysage) *Un tas de terre, voilà vos montagnes. Mais lui, avec l'immense satisfaction d'être une fois de plus d'accord avec moi: "C'est très juste, un*

tas de bêtes, voilà nos montagnes, et quelques eucalyptus, un tas de loups et de faisans, des perdrices[4] ... Beaucoup de bêtes, des insectes, des viboras, non pas vénéneuses, des légumes aussi, vous savez."
MICHAUX, *Ecuador*, p. 53.

La réponse à côté est parfois comique. **Ex.** de l'affiche: *"L'alcool tue lentement"* sur laquelle un pochard griffonne: *"On s'en f... On n'est pas pressé."* L'*ignoratio elenchi* (Vuillaume, p. 16; Verest, §422) est une feinte de plaidoirie par laquelle, comme si l'on *"ignorait"* le point central du débat, on prouve autre chose, et on déplace ainsi la question* insensiblement. Vian pousse l'*ignoratio* jusqu'à la dénuder:
Messieurs les jurés, nous laisserons de côté le motif du meurtre, les circonstances dans lesquelles il a été accompli, et aussi le meurtre lui-même. Dans ces conditions, que reprochez-vous à mon client?
VIAN, *le Brouillard*, dans *les Fourmis*, p. 155.(V. aussi à *antanaclase.)*

— L'argument **ad populum**, où l'on tente seulement d'émouvoir le "bon public".

— L'**apodioxis** (Morier), où l'on rejette l'argument sans le discuter, en le déclarant enfantin. Fabri (t. 2, p. 113) l'appelait *contennement*: *"quant... nous disons que c'est pou de chose ce qu'il dict, ou moins que rien, ou il n'est point à propos, ou il repugne, ou il est incredible et que il tenne et ennuye d'en parler, ou de s'en rire en soy mocquant."*
Une variété commode propre aux exposés savants est le rejet d'un point comme trop long à développer. **Ex.** (ironique): *"Le lait est-il un aliment? Une telle discussion dépasserait le cadre de cet article"* (JARRY, *La Chandelle verte*, p. 489). Ou le rejet de points que l'on déclare secondaires: *On pourrait évidemment discuter certains détails de votre exposé* (on les énumère très rapidement) *mais nous examinerons plutôt* (etc.)
Si le point est trop délicat pour être écarté d'un revers de la main, on l'évite, *"promettant que, en temps et lieu, nous en parlerons plus amplement, affin que il ne semble pas que l'on y vueille fuir"* (FABRI, t. 2, p. 112). C'est ce qu'il appelle **intermission.**
Angenot définit la **disqualification** comme un autre type de dispense d'argumenter que l'on s'octroie , en déclarant que la bassesse, ou la légèreté, ou la violence indue de l'attaque suffit à discréditer son auteur.

---

4 Espagnol, "perdrix".

Ex.: *D'après Marcel Martinet* (**Europe**, 15 mai 1926), *la déception des surréalistes ne leur est venue qu'après la guerre, du fait d'avoir* **mal à leur portefeuille**... *Affirmation dont nous lui laissons la responsabilité et dont l'évidente mauvaise foi me dispense de répondre point par point à son article.*
A. BRETON, *Légitime Défense.*

V. aussi à *contre-litote; définition*, rem. 1; *étymologie;* argument *ad verecundiam; paralogisme; prosopopée*, rem. 4; *sophisme.*

Rem. 3 Tout argument entre dans un raisonnement*, parfois implicite, et donne lieu à une éventuelle réfutation*, à moins qu'on n'ait recours à l'argument d'autorité (V. à *citation*, rem. 3). La discussion de la valeur d'un argument est un des moyens de l'amplification* au sens large. (V. aussi à *délibération* et à *lettre*.)

Rem. 4 Une bonne partie des arguments restent toujours implicites. Ce sont les **présomptions**, jugements préalables, sédimentés (selon les cultures), présupposés de l'argumentation.

ASSERTION Prise de position du locuteur sur un sujet donné. L'assertion a deux parties: le ***thème**** ou sujet psychologique[1] (anglais ***topic***), c'est-à-dire ce dont on parle ou plus exactement ce dont on dit qqch.; et le ***propos*** ou ***prédicat psychologique*** (anglais ***comment***), c'est-à-dire ce que l'on dit (du thème).

Quoique thème et prédicat ne soient pas toujours isolables, ce sont eux qui sont à l'origine de la constitution syntaxique de la phrase en syntagme nominal suivi de syntagme verbal.

Ex.: *Le choc* ***est indispensable.*** *Les Mages* ***aiment l'obscurité.***

Le thème peut se placer dans un premier membre suivi de virgule. **Ex.:** *Dans cette maison // naquit Voltaire.* Phrase de guide touristique, on montre la maison; le thème est donc dans le complément circonstanciel, le reste constitue le prédicat. On voit que le sujet grammatical et le sujet psychologique ne coïncident pas nécessairement.

Le verbe à sujet apparent laisse distinguer plus nettement thème et prédicat. **Ex.:** *Il a été perdu une montre.* C'est un **avis.**

---

1 Ce que la grammaire a appelé ***sujet logique*** ou ***sujet réel*** est autre chose. Ces expressions sont utilisées lorsque la fonction de sujet est assumée par un morphème qui ne renvoie à rien et qu'on appelle ***sujet apparent***. Ex. ***Il pleut.*** Ce qui "pleut" en réalité est alors sujet "logique". Ex. ***Il pleut des hallebardes*** (c'est-à-dire: des hallebardes pleuvent). Le sujet logique dépend strictement de la construction du verbe, non de l'assertion.

Le thème serait *"ce qui se passe"*. Si *montre*, sujet réel, était sujet grammatical (Une montre a été perdue), on verrait moins nettement que le thème n'est pas la montre.

Sur le plan logique, le prédicat se distingue par le fait qu'il peut être dit soit vrai, soit faux. Sur le plan psychologique, il peut faire l'objet d'une question* ou être nié. Sans être un critère parfait, la transformation par *c'est...qui* (ou *que*) appelée **tour présentatif, pseudo-clivage** ou **emphasis**[2] (prononcer emmefazis), met en évidence le prédicat. **Ex.:** *C'est elle qui est arrivée en retard hier. C'est en retard qu'elle est arrivée hier. C'est hier qu'elle est arrivée en retard.* Dans ce cas, le verbe et ses expansions sont refoulés dans le thème, puisque *"C'est elle qui est arrivée en retard hier"* implique *"Quelqu'un est arrivé en retard hier"*. À quoi on ajoute qu'à ce *propos*, à ce *sujet* (il s'agit donc bien du thème) on a à dire que (ceci annonce le prédicat) c'est *elle*.

En langage parlé, l'accent antithétique* joue un rôle identique à celui du tour présentatif, ce qui est la principale raison de la meilleure intelligibilité du parlé.

Le thème n'apparaît pas toujours explicitement. S'il est suffisamment énoncé dans le contexte ou dans la situation, il sera élidé. **Ex.:** *Fameux!* Ou bien il n'apparaît que sous la forme d'un pronom. **Ex.:** *"Je n'en parle jamais, mais j'y pense toujours"* (A. ALLAIS, *Lettre à Paul Déroulède*, dans *la Barbe et autres contes*, p. 64). P. Guiraud (p. 73) appelle **locutif** l'ellipse* du prédicat, phénomène plus rare: celui-ci se réfugie dans la situation, le ton, une interjection. **Ex.:** *"À l'heure actuelle, les distances, pff!"* (AUDIBERTI, *l'Effet Glapion*, p. 145).

Thème et prédicat, s'ils coïncident avec sujet et attribut, sont joints par une copule (*être* ou un analogue). La copule peut se remplacer par le deux-points* ou même par une virgule[3] sans plus. **Ex.:** *"Dans le noir, ce qu'il importe de connaître et c'est dans la nuit que l'humanité s'est formée en son premier âge."* (MICHAUX, *Émergence, résurgence*, p. 30). V. aussi à *apposition*, rem. 2.

Analogues Prédication (Robert, *Supplément*), phrase-pensée (Séchehaye).

Déf. analogues Marouzeau (à *phrase*), Robert.

Rem. 1 L'assertion peut prendre la forme d'une question*. Dans ce cas, c'est l'interlocuteur qui est invité à prendre position.

---

2 Nous préférons ***emphasis*** parce qu'***emphase***, quoique répandu en grammaire générative, reste usité dans la langue courante avec un sens assez différent, plutôt péjoratif. V. à ***grandiloquence***.

3 Une analyse plus poussée montrerait que cette virgule délimite plutôt deux assertions* au statut implicite de thème* pour l'une, de prédicat pour l'autre.

D'autre part, elle peut être affirmative, négative (V. à *négation*) ou dubitative (V. à *dubitation*). Il y a plusieurs degrés, de l'assurance au doute, dans les phrases affirmatives ou négatives, déclaratives, interrogatives, exclamatives ou injonctives.

Rem. 2 L'assertion est, en grammaire générative, une modalité de la phrase, caractéristique de la fonction référentielle. (V. à *énonciation*.) J. Kristeva (*la Révolution du langage poétique*, p. 42 à 50) signale une parenté entre les constituants syntaxiques[4] et la *"phase thétique de la signifiance"*, faite d'une énonciation qui concerne un *denotatum*. Cette mise en relation de deux éléments, on peut la dire "vraie" ou "fausse", ce qui est la "propriété logique" des énoncés assertifs. Aristote appelait **apophantiques**[5] ces propositions.

Rem. 3 À l'assertion constitutive de la phrase assertive, il y a divers moyens d'adjoindre des assertions supplémentaires, qu'on appelle **assertions adjacentes** ou seconde, troisième... assertion (ou prédication). Ce sont les *adjonctions* (V. ce mot, rem. 2), les incises, les parenthèses*, les appositions*, l'autocorrection*, l'hyperbate*. **Ex.:** *"Nous avons ici une sorte d'équivalent de ce que Godel démontre — laborieusement — dans son système."* (A. BADIOU, *la Formalisation*, p. 169). L'adverbe entre deux pauses équivaut à une autre assertion, qui dirait: mais sa démonstration est plus laborieuse.

"Les propositions qui définissent la réalité donnent pour vrai quelque chose qui n'est pas (immédiatement) vrai". (MARCUSE, *l'Homme unidimensionnel*, p. 171-2). La parenthèse équivaut à une concession qui ferait suite au paradoxe, soit: qui n'est pas vrai, du moins pas immédiatement.

"C'est lorsque des yeux se sont ouverts que les vérités, que le mensonge, dis-je, a éclaté, que l'illusion a envahi l'homme." (R. DUCHARME, *l'Avalée des avalés*, p. 102).

Une simple virgule peut suffire: *"À côté, une boîte d'ébène. Pourquoi cette boîte, d'ébène?"* (BAUDELAIRE, dans POE, *O.*, p. 677). C'est dire: pourquoi cette boîte et pourquoi était-elle d'ébène.(V. à *césure*, rem. 4.)

Rem. 4 Une définition opératoire plus stricte est proposée par O. Ducrot, qui se place au point de vue du contexte implicite de l'assertion. Il oppose **posé** et **présupposé**. Le posé, c'est l'élément présenté comme nouveau par l'assertion, en sorte que toute transformation négative ou interrogative l'efface. Le

---

4 SN + SV. V. à ***syntagme***.

5 Du grec αποφασις, qui signifie aussi bien déclaration que dénégation, d'où, chez Littré, ***apophase***, "dénégation, réfutation" en face de ***cataphase***, "affirmation".

présupposé, qui subsiste à travers ces transformations, est présenté à l'interlocuteur comme évident implicitement, déjà admis, hors de discussion. Il a donc une valeur illocutoire, qui se fonde sur une convention sociale. (V. à *impasse* et à *coq-à-l'âne*, rem. 5.)

Inversement, si dans le posé on n'a rien mis de plus que dans les présupposés, l'assertion est creuse, on parle pour ne rien dire. **Ex.:** *Picasso ayant voué sa vie à l'art, celui-ci tient une place importante dans son oeuvre picturale.* C'est une loi du texte, selon la *pragmatique*[6] *du discours, que chaque assertion doive apporter un élément susceptible de s'ajouter à ce qui a été dit ou sous-entendu.*

Rem. 5 L'assertion est la forme normale de l'argument*. Elle a des degrés (V. à *énonciation*, rem. 1). Elle a son intonation*. Elle se résout par nominalisation*. Elle se développe dans la période*. Elle se manifeste en divers types de phrases*, s'articule diversement selon la place de l'accent* antithétique ou expressif (V. à *ponctuation expressive*, rem. 2). Elle s'évide pour devenir question*, implique souvent une réponse (V. ce mot, rem. 1). Elle se souligne en se réduisant à un seul mot (V. à *soulignement*, rem. 1).

ASSISE (Signes d'—) (Néol.) Signes qui transcrivent le ton particulier à une citation*, une réplique, un titre*, etc. et qui indiquent donc la situation (l'assise) du segment par rapport à son contexte syntagmatique ou au contexte réel évoqué.

Dans le texte, ces signes s'ajoutent aux autres signes de ponctuation*, ce qui montre qu'ils constituent une catégorie à part.

1. Si l'on veut intensifier un segment du texte, on dispose de moyens de plus en plus forts, depuis les **petites capitales** et les **caractères gras** jusqu'à la composition en caractères de plus en plus grands. **Ex.:** V. à *graphie*, rem. 5, ou dans ÉLUARD, *O.*, p. 691 à 718. En dehors du texte, les mêmes moyens indiquent des titres. Leur importance relative, leur organisation est marquée par la dimension des caractères employés.

Quant à Butor (*Illustrations*), il a recours à la disposition et au type des caractères pour définir sa forme poétique indépendamment de la lecture linéaire.

2. Les **italiques** ont une place à part. Dans le texte, ils servent à connoter une acception que le contexte détermine. **Ex.:** "Élisa a *trouvé* un chandail de dix dollars l'autre jour." (M.-Cl. BLAIS, *les*

---

6 ***pragmatique du discours***: discipline récente, voisine de la linguistique, elle étudie les énoncés et l'énonciation*

Apparences; euphémisme* pour volé). Ils reprennent des titres (même s'il s'agit d'un titre d'article[1]). **Ex.:** *Énigmes de Perse* est un article de Jean Paulhan dans la *Nouvelle Revue française.* Ils signalent la présence de mots étrangers. D'une façon générale, ils désignent les segments autonymes (V. à *court-circuit*). Ils peuvent aussi servir à distinguer un paragraphe, une phrase, un mot, dans un texte composé en caractères romains. Si le texte est en italiques, ce sont les caractères romains qui assument le même rôle. **Ex.:** *"On croirait lire des articles* **humains** *sur les grands hommes* **vivants***"* (VILLIERS DE L'ISLE-ADAM, *Contes cruels,* p. 73). Dans un texte manuscrit ou tapé à la machine, on souligne d'un trait (V. à *soulignement,* rem. 1 et 2).

3. a) Si l'on veut faire une mise en évidence, on peut introduire dans le texte un tiret[2] . **Ex.:** *"Non point la sympathie, Nathanaël, — l'amour"* (GIDE, *Romans,* p. 156). Il correspond dans le langage parlé à un silence qui accroît l'attente.

On peut aussi mettre en évidence des syntagmes* détachés de la construction syntaxique, en les plaçant entre deux tirets (qui jouent un rôle analogue, mais inverse quant à l'effet, à celui des parenthèses). **Ex.:** *"par d'à peine perceptibles mouvements — ceux de l'amibe sur sa plaque de verre — et "* (N. SARRAUTE, *Portrait d'un inconnu,* p. 144); *" cette habitude — mais je la leur ferai passer — de tremper dans l'eau pendant des heures "* (*ib.,* p. 157).

Il arrive toutefois que le silence transcrit par le tiret ne soit que la marque temporelle d'une pause*, sans soulignement*.

Ex.: *THÉODORE. — Ô chère âme! que ne le puis-je! — Mais ne perdez pas l'espoir. — Vous êtes belle et bien jeune encore. — Vous avez bien des allées de tilleuls et d'acacias en fleurs à parcourir avant d'arriver à cette route* (etc.)

TH. GAUTIER, *Mademoiselle de Maupin,* p. 157.

b) Le tiret, en début de phrase, indique que l'on passe au point suivant d'une série.

Ex.: *Promenades. — Landes, mais sans âpreté. — Falaises. — Forêts. — Ruisseau glacé. Repos à l'ombre; causeries. — Fougères rousses.*
GIDE, *Romans,* p. 209.

Si des guillemets indiquent qu'il s'agit de citations* (V. ci-dessous, 5) ou plus précisément de conversations rapportées, le tiret annoncera la réplique d'un personnage.

---

1 L'usage de guillemets dans ce cas est d'origine anglo-saxonne, mais il s'est répandu en France.

2 À la machine, on distingue le tiret du trait d'union en l'écrivant par deux ou trois traits d'union successifs, précédés et suivis d'une espace.

Ex.: *"Mais, dit Angèle, cela ne suffit pas pour faire une poésie...*
— Alors laissons cela", répondis-je.
GIDE, *Romans*, p. 207.

c) Le tiret est encore employé pour marquer la répétition* d'un mot ou d'un syntagme* déjà imprimé sur la ligne supérieure (*Code typographique*).

Ex.: *Je ne peux écrire ce* **"sans cesse"** *sans cesse*
— — — —
— — — —

MICHAUX, *Connaissance par les gouffres*, p. 106.

On rencontre très souvent les guillemets dans cette fonction, alors qu'ils désignent, selon le *Code typographique*, l'inverse, l'équivalent de *"rien"*.

4. Si l'on se refuse à intégrer dans le texte un segment disponible qu'on veut mentionner (c'est en quelque sorte le contraire de la mise en évidence), on place ce segment entre parenthèses*.
Il est possible de le mentionner hors du texte. Ce sera la *"note"* marginale ou infrapaginale, qui ne se rattache plus au reste que par un astérisque (*) ou un chiffre (*appel de note*). En revanche, quand la parenthèse est incluse dans le texte, on a une digression* ou une double lecture*. Queneau, lui, a voulu insérer une parenthèse dans une parenthèse. Il lui a suffi d'utiliser pour cela les crochets, comme en algèbre. Cf. *Bâtons, chiffres et lettres*, p. 130. "— [..... (.....) .....] ....."

Quant à G. Bessette, il utilise la parenthèse double, pour les réflexions *in petto*: "((*crainte constante de montrer un rebord de jupon*))" (*le Cycle*, p. 204). V. aussi à *paraphrase*, rem. 2 et à *syntagme*, rem. 1.

5. Les guillemets (" ") marquent les limites d'un segment hétérogène. C'est par exemple un texte tiré d'une autre oeuvre (V. à *citation*), ou un ensemble de termes dont on ne vise que le signifié. **Ex.:** *C'est l'fonne* veut dire *"c'est amusant"*. V. aussi à *dialogue*, rem. 3.

Les guillemets existent aussi dans la voix, comme Proust l'a remarqué:

Quand (Swann) employait une expression qui semblait impliquer une opinion sur un sujet important, il avait soin de l'isoler dans une intonation spéciale, machinale et ironique, comme s'il l'avait mise entre guillemets, semblant ne pas vouloir la prendre à son compte, et dire: la **hiérarchie** (des arts), *vous savez, comme disent les gens ridicules".*
À la recherche du temps perdu, t. 1, p. 93.

Dans cet exemple, il s'agit d'une *pseudo-citation* et les guillemets sont donc particulièrement indiqués. On peut observer qu'ils se rangent, dans ce cas, à côté de locutions comme *à ce qu'on dit, soi-disant, prétendu,* par lesquelles le locuteur prend ses distances par rapport au texte et refuse de l'assumer entièrement. Jakobson a isolé le phénomène dans son étude sur les **embrayeurs**, mots dont le sens varie suivant les coordonnées de l'énonciation*. On précisera avec Dubois que ces termes sont des **modalisateurs**, c'est-à-dire des marques spécifiques de la manière dont le locuteur envisage son énoncé (Cf. *Dict. de ling.*). V. aussi à *rejet*.

Ce type de modalisateurs pourrait s'appeler **attestation** (Jakobson: *testimonial*). Il est parfois transcrit par des italiques plutôt que par des guillemets, car il y a confusion fréquente entre les emplois de ces deux signes d'assise (V. ci-dessus, 2).

En dehors du texte, la marque de la citation est la mise en exergue. On y recourt pour un alinéa, ou du moins pour une phrase de quelques lignes (à la rigueur un vers). La mise en exergue s'obtient par des caractères plus petits, sur une justification plus étroite (marge agrandie) et avec des interlignes réduites.

6. Pour indiquer un texte sauté (l'absence d'un segment), on place dans le texte des points de suspension entre parenthèses ou entre crochets. Tel est le procédé habituel dans les éditions critiques. Mais Damourette et Pichon (*Traité moderne de ponctuation*) ont proposé cinq points, sans parenthèses, ce qui est plus léger. Il suffirait même de trois points, à condition qu'ils soient entourés, comme le tiret, de deux espaces, ce qui les distinguera des points de suspension. Quand on saute des phrases entières, c'est la **coupure**[3], qui se marque par une ou plusieurs lignes de points espacés. Elle peut avoir une certaine expressivité. **Ex.:** À la fin du cinquième livre des *Nourritures terrestres,* Gide remplace un développement par une ligne de points, mais le sujet de ce développement est la plaine, dont il évoque ainsi en même temps l'immensité. V. aussi à *contre-interruption.*

7. Les sciences ont leurs signes d'assise spéciaux. Les crochets: [,], servent pour annoncer une transcription selon l'alphabet phonétique; les traits obliques // entourent la transcription d'un sème; les guillemets indiquent que c'est le signifié seul qui est visé; les petites capitales représentent l'objet réel ou référent.

ASSONANCE Marque du vers*: répétition de la dernière voyelle accentuée. J. PESOT.

---

3 Signalons un autre sens de ***coupure*** : article découpé dans un journal; sans compter les découpages* en mots, en pieds, etc. V. aussi à ***coupe rythmique.***

Ex.: *Ils dormiront sous la pluie ou les étoiles*
Ils galoperont avec moi portant en croupe des victoires
APOLLINAIRE, *Poèmes à Lou.*

Même déf. Littré.

Autre sens V. à *allitération,* rem. 2.

Rem. 1 Rime* et assonance sont les variétés, en poésie régulière, du procédé plus général d'homéotéleute*; mais assonance est souvent pris comme synonyme d'homéotéleute. **Ex.:** *"tes mains pleines de fleurs et de meurtres"* (CAMUS, *Caligula,* p. 170).

Rem. 2 Dans l'homéotéleute, il y a identité d'une voyelle qui porte l'accent, sans que l'on tienne compte des consonnes. La paronomase* est plus générale, qui a plusieurs phonèmes proches ou semblables.

Rem. 3 On rencontre aussi une identité des seules consonnes post-toniques, que les *Leys d'Amors* appelaient *rims consonans,* signale P. Guiraud (p. 258), qui donne un exemple récent:

Je sors! si un rayon me blesse
Je succomberai sur la mousse
RIMBAUD, *les Illuminations.*

J. Mazaleyrat (*Cours de métrique,* Sorbonne, 1971-2) parle à ce sujet de *contre-assonance,* terme qui paraît plus pertinent que celui de *rime apophonique* (MORIER; V. à *paronomase,* rem. 3).

Rem. 4 Les vers assonancés sont regroupés en laisses (V. à *strophe,* rem. 2).

ASTÉISME Badinage délicat et ingénieux par le quel on loue ou l'on flatte avec l'apparence même du blâme et du reproche. FONTANIER, p. 150 **Ex.:** *Quoi! encore un nouveau chef-d'oeuvre! N'était-ce pas assez de ceux que vous avez déjà publiés? Vous voulez donc désespérer tout à fait vos rivaux?* (VOITURE, cité par Fontanier.)

Autre ex.: *Il paraît que tu ne comprends*
Pas les vers que je te soupire .....
Tu les inspires, c'est bien pire.
VERLAINE, *O. c.,* p. 837.

Loc. *À charge de revanche* (après un service rendu).

Même déf. Morier, Genette (*Figures II,* p. 251)

Rem. 1 L'astéisme est une forme de l'ironie* mondaine. Auss certains lui adjoignent-ils son inverse: *"déguiser le blâme sous le voile de la louange"* (Le Clerc, p 298; Verest, p. 106). La célèbre tirade du nez du *Cyrano* de Rostand en accumule des exemples (*"Pour un parfumeur quelle enseigne!"*) qui sont aussi des chleuasmes*. C'est un procédé éminemment rhétorique (V. à *faux,* rem. 1). Il a son intonation*.

Rem. 2 L'astéisme, qui suppose une certaine connivence entre les interlocuteurs, se pratique surtout entre amis. **Ex.:** (Brunet propose à Mathieu d'entrer au Parti. Il pense que s'engager lui fera du bien.) Mathieu *"s'approcha de Brunet et le secoua par les épaules: il l'aimait très fort. — Sacré vieux racoleur, lui dit-il, sacrée putain. Cela me fait plaisir que tu me dises tout ça"* (SARTRE, *l'Âge de raison*, p. 172). L'astéisme va même jusqu'au gros mot*. Il est proche de l'antiphrase*.

ASYNDÈTE Sorte d'ellipse* par laquelle on retranche ..... les conjonctions simplement copulatives qui doivent unir les parties dans une phrase. LITTRÉ.

Ex.: *La pluie, le vent, le trèfle, les feuilles sont devenus des éléments de ma vie.* ***Des membres réels de mon corps.***
A. HÉBERT, *le Torrent*, p. 37.

Même déf. Paul (p. 141), Girard, Le Clerc (p. 268), Quillet, Lausberg (§ 709 à 711), Robert, Preminger.

Autres noms Disjonction* (Paul; Girard; Fontanier, p. 340; Littré; Quillet; Lausberg § 711), dissolution (Le Clerc, p. 269), asynartète (Quillet).

Antonyme Polysyndète.

Rem. 1 L'asyndète exprime le désordre (Spitzer, p. 283).

Ex.: *Il y avait eu tant de funérailles depuis que grand-mère Antoinette régnait sur sa maison, de petites morts noires, en hiver, disparitions d'enfants, de bébés, qui n'avaient vécu que quelques mois, mystérieuses disparitions d'adolescents en automne, au printemps.*
M.-Cl. BLAIS, *Une saison dans la vie d'Emmanuel.*

Rem. 2 L'asyndète étant caractérisée par l'absence de conjonction et la virgule, il arrive que rien, sinon le sens, ne permette de distinguer si le premier élément s'ajoute au premier avec la même fonction que lui, où s'il se rapporte à lui par apposition*. **Ex.:** *"cette triste femme contemplait avec douceur les enfants, les bébés"* (*ib.*, p. 53). Faut-il comprendre *d'une part et d'autre part* ou *les enfants qui sont plus exactement des bébés?*

Il y a nettement apposition quand on peut insérer *c'est-à-dire.* **Ex.:** *"N'était-ce pas lui l'étranger, l'ennemi géant"* (*ib.*)

Cette parenté formelle n'est pas étrangère à l'effet de conjonction vague que fournit l'asyndète: ses éléments sont rassemblés en un concept mal délimité. **Ex.:** *"Ma mère confondait les noms, les événements"* (*ib.*, p. 53).
Le langage précis du mathématicien utilise l'asyndète pour énumérer des données encore indépendantes. *"Chacune des lettres A, B, C désigne une droite"* (mais *"Les droites A* et *C sont*

parallèles"). Quant à la réduplication asyndétique (V. à *réduplication,* rem. 1), c'est par analogie qu'elle s'écrit avec virgule. La prononciation indique une seule assertion. On écrirait mieux *joli-joli.*

Rem. 3 Mieux vaut éviter de parler, à propos de l'asyndète, de juxtaposition*, ce terme ayant un sens spécifique bien distinct.

ATTÉNUATION On peut grouper sous ce nom l'exténuation*, l'euphémisme* et leur variété ironique, la litote*. Ce sont des figures d'énonciation* qui consistent à diminuer, par bienséance ou pour tout autre motif, l'intensité réelle des choses. **Ex.:** le juron (V. à *interjection,* rem. 5), les prétéritions (V. ce mot, rem. 1), certaines négations (V. ce mot, rem. 3), certaines questions*, certaines tautologies (V. ce mot, rem. 2).

Analogues Écriture blanche, degré zéro de l'écriture (Barthes, V. à *litote,* rem. 2).

Antonyme Hyperbole.

Rem. 1 L'attitude qu'implique le procédé place le lecteur devant une alternative*. Il peut considérer l'atténuation comme naturelle (par exemple si les choses sont de toute façon connues et *"parlent d'elles-mêmes"*) ou comme ironique (par exemple s'il s'agit de vérités controversées ou réprimées). Interprétée comme ironique, l'atténuation provoque une réaction vigoureuse (V. à *litote*).

Rem. 2 On distinguera l'atténuation de la réduction (V. à *généralisation,* rem. 3), qui relève de l'énoncé et non d'une attitude.

Rem. 3 Le récit* est atténué quand il est dans un discours*. **Ex.:** V. à *discours,* rem. 1. V. aussi à *truisme,* rem. 2.

AUTISME Attitude qui consiste à n'envisager toute chose qu'à un point de vue strictement personnel, *"subjectif"*.

Ex.: *Cela se passait dans un de ces immondes autobi qui s'emplissent de populus précisément aux heures où je dois consentir à les utiliser.*
QUENEAU, *Exercices de style,* p. 24.

Même déf. Marchais.

Rem. 1 L'autisme a un fondement dans l'expérience intime. *"Toute la science hasardeuse des hommes n'est pas supérieure à la connaissance immédiate que je puis avoir de mon être. Je suis seul juge de ce qui est en moi."* (ARTAUD, *l'Ombilic des limbes,* p. 72).

Le solipsisme de Schopenhauer lui fournit une base théorique, à laquelle Leiris a donné, dans *Aurora*, une forme littéraire.
Ce mot **Je** *résume pour moi la structure du monde. Ce n'est qu'en fonction de moi-même et parce que je daigne accorder quelque attention à leur existence que les choses sont... Ce n'est qu'en fonction de moi-même que je suis et si je dis qu'***il pleut** *ou que* **la mer est mauvaise,** *ce ne sont que périphrases pour exprimer qu'une partie de moi s'est résolue en fines gouttelettes ou qu'une autre partie se gonfle de pernicieux remous.*
De telles intériorisations constituent un mode de formation d'images (V. ce mot, rem. 5).

Rem. 2 On distingue l'autisme de l'égoïsme naïf de celui qui se met en avant. **Ex.:** *"Il y a des choses curieuses dans la vie, moi je vous le dis, il n'y a que les montagnes qui ne se rencontrent pas."* (QUENEAU, *Exercices de style*, p. 57-8).
L'égotisme de Barrès, en revanche, est une forme d'autisme, de même que l'apologie personnelle. **Ex.:** *"Je n'ai pas abusé de la réputation attachée à mon art pour éblouir les humbles et les crédules ..... J'ai essayé d'avoir l'imagination juste. Je n'ai pas inventé à vide."* (R. CAILLOIS, *Art poétique*, I). V. aussi à *citation*

Rem. 3 L'autisme a des marques orales comme l'intonation* un peu chantante et parfois le registre plus élevé.

AUTOCORRECTION On rétracte en quelque sorte ce qu'on vient de dire à dessein, pour y substituer quelque chose de plus fort, de plus tranchant, ou de plus convenable. FONTANIER, p. 366 (à *correction*).

Ex.: *Que dis-je, c'est un cap, c'est une péninsule!*
ROSTAND. *Cyrano, tirade du nez.*

Autre ex.: (Une tête monstrueuse) *nourrie d'elle-même, de mon immense chagrin plutôt oui, oui, chagrin de je ne sais précisément quoi, mais auquel collabora une époque, non, trois époques déjà, et si mauvaises toutes.*
MICHAUX, *Têtes*, dans *Peintures.*

Même déf. Littré

Autre déf. Correction réalisée par le récepteur, de lui-même (théorie de l'information).

Rem. 1 L'autocorrection est évidemment un type particulier de **correction**, celle-ci s'adressant aussi bien à d'autres qu'à soi. **Ex.:** *"Un accident. Vous voulez dire un attentat"* (HERGÉ, *Tintin*). La correction est aussi, parfois, de forme sans plus.

Ex.: *L'officier consulta sa liste, dit "Ter-rô-riste". Le voisin ..... avança d'un pas, leva un index philologique, dit respectueusement: "Pas terro-riste:* **tou**-*riste".*
MALRAUX, *Anti-mémoires,* p. 247.

On peut feindre de corriger pour renchérir. **Ex.:** *"— Les gens qui savent disent que* (la langue irlandaise) *c'est une fameuse langue. — Fameuse n'est pas le mot, dit Buck Mulligan. Une pure merveille."* (JOYCE, *Ulysse,* p. 16).

Il y a donc des **pseudo-corrections**. V. aussi à *périphrase,* rem. 3.

Rem. 2 Les marques de l'autocorrection sont: les locutions "Que dis-je", "Je veux dire", "ou plutôt", "mais", "non", "oui"; le réamorçage* ou seulement l'arrêt suivi d'un **redépart** (*"je n'ai pas cherché, voulu chercher, ce qui vous embellit si pleinement",* VALÉRY, *O.,* t. 2, p. 344). Il y a des redéparts purement syntaxiques. **Ex. :** *"Je, j'ai, je suis / Ailleurs"* (MICHAUX, *Épreuves, exorcismes,* p. 11). Ils n'en constituent pas moins des autocorrections dans la mesure où il y a retour sur le texte que l'on vient d'énoncer. C'est du reste ce retour qui suffit à définir le procédé, puisqu'il n'est pas essentiel qu'il y ait désaveu de ce qu'on vient de dire, il suffit que ce soit revu, quand ce ne serait que pour l'approuver sans plus. C'est le sens de certaines réduplications*, ou de l'insertion d'un *oui* qui appartient à l'énonciation*.

Si l'autocorrection ne porte que sur le signifiant (V. à *lapsus,* rem. 3), on la fait suivre de *dis-je.* **Ex.:** *...de l'île — de la ville, dis-je.*

Rem. 3 S'il y a des autocorrections rhétoriques, le procédé en lui-même est plutôt un signe de sincérité. **Ex.:** *"Que veut dire cet air de bonté avec lequel elle me regarde souvent (souvent, non, mais quelquefois)?"* (GOETHE, *les Souffrances du jeune Werther,* p. 126). Dans le texte écrit, où l'auteur a toujours eu le loisir d'effacer, elle est toujours volontaire et doit donc avoir une valeur **perlocutoire** (l'auteur poursuit un but qui se trouve au-delà de l'énonciation*. Cf. Ducrot & Todorov, p. 428-9). Il s'agira par exemple de caractériser un personnage comme roué, en lui faisant faire une volte-face qui dévoile son absence de scrupules: *"TURELURE. — C'est faux, je veux dire c'est vrai. Mais où est le mal?"* (CLAUDEL, *Théâtre,* t. 2, p. 431). Il peut s'agir aussi de montrer que le texte est spontané, transcription de langage parlé et non composition écrite. **Ex.:** *"Elle connaît les douze segments du hanneton. C'est une forte-en-botanique. C'est une forte-en-zoologie, si vous voulez"* (R. DUCHARME, *l'Avalée des avalés,* p. 147). L'impropriété (botanique) est corrigée et montrée à la fois.

Rem. 4 Autres emplois — Limiter une assertion* (V. ce mot, rem. 3) sans la modifier. **Ex.:** *"un certain nombre d'affaires en apparence compliquées — en apparence seulement"* (BERNANOS, *Romans*, p. 768). — Insérer un distinguo*. **Ex.:** *"faute de ces actes, leur liberté (ce qu'on voit de leur liberté) ne saurait être en jeu"* (BRETON, *Manifeste du surréalisme*, p. 13). — Juxtaposer deux lexèmes. **Ex.:** "(l'État-Major en déroute invite son chef à enlever ses insignes pour mieux se cacher) *Les é-pau-lettes?! — râla, non, rugit Samsonov"* (SOLJENITSYNE, *Août 14*, p. 381). Joyce aurait opéré une juxtaposition lexicale*, il aurait mis: *râlarugit*. — Traduire une métaphore*. **Ex.:** *"Flèche? non... c'est la pensée"* (R. DAUMAL, *Bharata*, p. 134, notes). — Souligner (V. à *périphrase*, rem. 3).

Rem. 5 L'autocorrection a son intonation*. Elle est proche du réamorçage (V. ce mot, rem. 3); se prête à la surenchère (V. ce mot, rem. 4); peut servir de transition*. Développée, elle devient une épanorthose* (V. ce mot, rem. 1).

BALLADE Série de strophes* sur un rythme* simple (**baller**: danser). Dans sa forme stricte, la ballade a trois strophes et demie, terminées par le même vers* (refrain*). La demi-strophe finale (ou **envoi**) débute par une apostrophe* qui dédie le poème à une personne titrée ou aimée.

Ex. la *Ballade des dames du temps jadis* de Villon. V. aussi à *acrostiche*.

Rem. 1 La ballade est une "taille" (V. à *poèmes*). La ballade est en huitains (V. à *strophe*); la *grande ballade*, en dizains; *le chant royal*, en onzains (et il a cinq strophes et demie).

BARAGOUIN Déformation soit phonétique, soit lexicale en vue d'obtenir une apparence de langue étrangère alors qu'en réalité le texte est décodable à partir du français.

Ex.: *Phus phoyez — dit-il, gue le mié hait de phus dénir dranguile; et maintenant phus zaurez gui che zuis. Recartez-moâ! Che zuis l'***Ange ti Pizarre.**
E. POE, *l'Ange du bizarre*. V. aussi à *réactualisation, 5*.

Autre déf. Langage incorrect et inintelligible (Petit Robert). Ce sens élargi est courant (V. à *phébus*).

Syn. Langage contrefait; hybridation (V. à *pérégrinisme*, rem. 3); jargon* (dans un sens élargi).

Rem. 1 La forme la plus simple du baragouin est le pérégrinisme* de prononciation. **Ex.:** *"Ung joor vare meedee ger preelotobüs"* (QUENEAU, *Exercices de style*, p. 130). Poe, dans l'exemple ci-dessus, remplace les consonnes sonores par les sourdes correspondantes (**v** devient **f**) ce qui est proche de l'allemand; mais il va plus loin, en permutant réciproquement les sourdes avec les sonores (**t** devient **d**), et il ajoute des *allographes* (**est** devient **hait**), etc.

Rem. 2 Il existe un *contre-baragouin*, qui consiste à donner une apparence de langue française à un texte qui n'est en réalité décodable qu'à partir d'une autre langue ou d'un procédé. Par exemple, au chap. 6 de *Pantagruel*, l'on entend un étudiant de "l'alme, inclyte et célèbre académie que l'on vocite Lutèce" parler français en mots latins.

Plus subtil, le langage "paralloïdre" inventé par A. Martel (compte-rendu par É. Souriau dans la *Revue d'esthétique*, 1965, p. 38-9). **Ex.** : "Le Mirivis des naturgies" signifie "le Miroir Merveilleux du Visage des Surgies de la Nature". C'est de la glossolalie*.

Rem. 3 Le texte automatique, qui n'attend d'être compris que plus tard ou jamais, laisse la parole à une instance du moi (ou du non-moi) analogue peut-être à celle qui surgit dans la glossolalie*.

BARBARISME Faute* de vocabulaire, emploi de mots ou de formes qui ne font pas partie de la langue (par opposition à *solécisme**).

Ex.: *elle me disait sur un ton raide ALLEZ DONC VOUS DESVESTIR DANS LE DESVESTOIR MONSIEUR!*
M.-Cl. BLAIS, *Une saison dans la vie d'Emmanuel*, p. 65.

Même déf. Marouzeau, Robert (qui insiste: faute grossière).

Autre déf. Littré donne à *barbarisme* un sens plus large: toute expression, toute locution qui viole la règle. Le barbarisme inclurait donc le solécisme*, voire la cacologie*.

Rem. 1 Les barbarismes sont des altérations, ils sont obtenus par composition, dérivation ou forgés de toutes pièces: mais ils sont toujours le fruit de l'ignorance ou de certaines confusions. Ceci ne les empêche pas de trouver un emploi dans les textes littéraires.

Ex.: *Eh ben oui, ils avont passé par chus nous pour le recensement. Et pis ils nous avons tote recensés, pas de soin: ils avont recensés Gapi, pis ils avont encensé la Sainte, pis ils m'avont ensemencée, moi itou.*
A. MAILLET, *la Sagouine*, p. 86.

Il s'agit toujours du mot *recenser*, que l'héroïne prononce de travers, ce qui permet de bifurquer vers d'autres sens. On voit que le barbarisme peut produire des effets qui ne sont pas seulement par évocation. Dans de tels cas, cependant, il est proche de l'impropriété (V. ce mot, rem. 3).

Rem. 2 L'adj. *barbarismique,* régulièrement formé, sera une dérivation mais non un barbarisme.

Rem. 3 L'erreur peut venir d'un emprunt à une langue étrangère. V. à *pérégrinisme.* V. aussi à *sarcasme,* rem. 1.

BAROQUISME Recherche des idées, des figures et des mots les plus rares, les plus surprenants, les plus curieux.

Ex.: *MONIQUE. — ..... vous les épouses qui faites les cuivres, le potage, les enfants, le parquet. Vous en régalez-vous comme il convient, de la sphérique intimité rectangulaire d'une cuisine ..... Les gants de caoutchouc que, soucieuses de votre épiderme, vous enfilez à l'heure puritaine de la vaisselle, quittes à les ôter pour bannir d'un coup d'ongle un pompon d'omelette accrochée, un fleuron de mayonnaise entêtée, leur transparence chirurgicale fait la nique aux funèbres étuis de lainage noir où les élégantes sans cervelle enferment, les soirs de première, leurs pattes de grues. Et quel hymne assourdira le sincère tintamarre du bouclier de fer célébrant à heure fixe votre intense, votre intraduisible jouissance, celle de vider dans les poubelles ..... où les mouches commencent déjà, ses péchés, ses regrets, les ossements de la chimère, les inavouables tisons.*
AUDIBERTI, *l'Effet Glapion,* p. 216-7.

Autre ex.: (Ces critiques) *"n'ont produit aucun ouvrage et ne peuvent faire autre chose que conchier et gâter ceux des autres comme véritables stryges stymphalides."* (TH. GAUTIER, Préface à *Mlle de Maupin).*

Analogues Maniérisme, préciosité, marinisme (V. à *imitation*), sécentisme (Robert, *Supplément*), asianisme, cataglottisme (Littré, *"emploi de mots recherchés"*).

Rem. 1 Le contraire de l'asianisme était l'**atticisme** (V. à *période,* rem. 4), la clarté grecque et le démocratique souci de convaincre s'opposant aux fascinations des beautés de détail. Et pourtant l'atticisme lui-même a pu paraître trop recherché : un avatar de l'atticisme, le cicéronisme (Érasme) a suscité chez certains humanistes (Dolet, Juste-Lipse) une réaction, "le mouvement anticicéronien", qui rejette tout ce qui ne va pas droit à l'essentiel (**concision, laconisme**).

Rem. 2 Les précieuses abusaient de la périphrase* métonymique.

Ex.: *Dîner — Nous allons dîner:* **nous allons prendre les nécessités méridionales.**
Cabinet — Ma suivante, allez quérir mon éventail dans mon cabinet: **ma commune, allez quérir mon zéphir dans mon précieux.**
SOMAIZE, *le Grand Dictionnaire des précieuses.*

Mais c'est dans les comparaisons* que triomphe le baroquisme, même aujourd'hui. **Ex.:** "*Son peigne d'ambre divisa la masse soyeuse* (des cheveux) *en longs filets orange pareils aux sillons que le gai laboureur trace à l'aide d'une fourchette dans la confiture d'abricots.*" (VIAN, *l'Écume des jours,* p. 7).

Autres figures précieuses: abstraction*, accumulation (V. ce mot, rem. 2), alliance de mots*, diaphore*, concetti, énumération (V. ce mot, rem. 5), litote*, périphrase*, pointe*, homonymie*, jeu de mots*, syllepse de sens*, synecdoque (V. ce mot, rem. 3).

Rem. 3 Si le sens se dérobe sous les ornements, on a du phébus*, ce qui est le comble du baroque. Mais un auteur habile y préparait le lecteur par des figurations d'abord simples, combinées ensuite en une formule, la pointe*.

Rem. 4 L'asianisme a continué dans la littérature arabe jusqu'à nos jours, avec ses broderies sur des hypothèses gratuites ou sur la forme des lettres. **Ex.:** "*Quelle est la meilleure De la lèvre du haut ou de l'inférieure? Tu voudrais savoir. Qu'importe si toutes deux sont de velours Pour mes baisers, pour mon amour.*" (G. GHANEUR, dans l'*Anthologie de la litt. arabe contemporaine,* t. 3, p. 158).
On n'est pas loin du concetti*.

Ce type de développement peu rationnel était méprisé par le classicisme, mais la littérature moderne y revient. **Ex.:** "(les étoiles) *le ciel en était plein l'***y** *et l'***ï** *de myriade scintillant*" (CL. SIMON, *Histoire,* p. 355).

Rem. 5 Le positivisme classait tous les procédés baroques ou surréels sous l'étiquette péjorative de *procédisme.*
Le procédisme consiste à s'épargner la peine de la pensée et spécialement de l'observation, pour s'en remettre à une facture ou une formule déterminée ..... Au XVIe siècle, les Concettistes, Gongoristes et Euphuistes; au XVIIe siècle les Précieux ont été tous des Procédistes...
Annales médico-psychologiques, citées par BRETON, *Manifestes du surréalisme,* p. 74.

Qu'auraient-ils dit, ces doctes aliénistes, pour qui l'observation scientifique était le seul type de pensée, devant notre littérature *"potentielle"* ou *"disséminée"?*

Rem. 6 S'il manque de distinction, le baroquisme tombe dans le burlesque*; s'il n'a pas d'isotopie, dans le procédisme (V. ci-dessus et à *faux,* rem. 4). V. aussi à *surenchère,* rem. 3.

BATHOS Gradation* ascendante, brusquement rompue. Cf. Preminger.

Ex.: *A. de Musset, esprit charmant, aimable, fin, gracieux, délicat, exquis, petit.*
HUGO, cité par CLARAC, *La Classe de français, le XIXe siècle,* p. 202.

L'effet est ironique ou parfois simplement cocasse. **Ex.:** *"Une centaine de solliciteurs ..... vont recueillant conserves, cigarettes, dollars et coups de pied au derrière."* (R. DUCHARME, *l'Avalée des avalés,* p. 96).

Autres déf. Longin emploie le mot comme synonyme de *sublime,* tandis que Pope (1728) s'en sert pour désigner un pathétique ridicule. La définition que propose Preminger serait un ultime avatar du sens de *bathos,* le ridicule du sublime étant souligné par l'opposition finale. C'est ainsi que Claire se moque de son propre enthousiasme:

CLAIRE. — Dans ses bras parfumés, le diable m'emporte. Il me soulève, je décolle, je pars... (elle frappe le sol du talon) ...et je reste.
J. GENET, *les Bonnes,* p. 21.

Rem. 1 *Bathos* au sens actuel = gradation (V. ce mot, rem. 5) + déception (V. ce mot, rem. 3).

BATTOLOGIE Répétition* oiseuse, fastidieuse des mêmes pensées sous les mêmes termes dans deux propositions proches LITTRÉ.

Ex.: *Il veut que je lui réponde que le phénol est un dérivé oxygéné du benzène que l'on extrait des huiles fournies par le goudron et la houille, mais je ne lui répondrai pas que le phénol est un dérivé oxygéné du benzène que l'on extrait des huiles fournies par le goudron et la houille!!*
R. DUCHARME, *l'Avalée des avalés,* p. 196.

Autre ex.: *"Et encore une introduction... et je suis contraint à une introduction, je ne peux pas me passer d'introduction et une introduction m'est nécessaire."* (GOMBROWICZ, *Ferdydurke,* chap. XI).

Rem. 1 La battologie est une forme particulière de verbiage*. Pour la distinguer de la redondance*, de la périssologie* et du pléonasme, (V. ce mot, rem. 1) Marouzeau la rapproche du bégaiement*, probablement à cause de l'étymologie* (Battos, roi bègue). Justifiée, c'est une épanalepse (V. ce mot, rem. 2); avec des termes distincts, c'est une métabole*, une paraphrase.

Rem. 2 V. aussi à *irradiation*, rem. 2.

BÉGAIEMENT Défaut de prononciation (V. à *faute*, rem. 2) dans lequel une syllabe est reprise plusieurs fois.

Ex.: *Fafafafafafameux, bégayait Pradonet*
QUENEAU, *Pierrot mon ami*, p. 37.

La reproduction approximative des paroles du bègue relève de la mimologie*. En poésie automatiste, il reçoit cependant une valeur littéraire. **Ex.:** *"Il peut ppppeut! ppp eu peu!!"* (C. GAUVREAU, *Étal mixte*, p. 15).

Rem. 1 On distingue le bégaiement de la prosthèse* comme de la gémination*, dans lesquelles l'ajout est lexicalisé. Le bégaiement est seulement du domaine de la performance (réalisation contingente), il ne peut affecter la langue. Ce qui le caractérise est d'ailleurs moins le redoublement d'une syllabe que l'arrêt du débit avec reprise, saccadée, à un endroit quelconque. Lié à des troubles psychiques (cf. *le Langage*, p. 381), il en devient la marque, ou celle d'une émotion profonde.

Ex.: *Il a fallu qu'il me frappe sur la gueule puisque toi tu l'avais frappé. Sans cela, il n'y avait pas d'égalité et je n'aurais pas pu fra... fra... fratern... Il fra...ternise! répondis-je. Il veut fra...fraterniser.*
GOMBROWICZ, *Ferdydurke*, p. 252 et 264.

Rem. 2 Il y a un pseudo-bégaiement qui introduit dans la phrase des jeux de mots* ou des distorsions de sens*. **Ex.:** *"Mes amants ..... je les rossais à coup de tisonnier. — Chat charmant, balbutia Saturnin. Cidrônie, ma soeur, t'es chat-charamante."* (R. QUENEAU, *le Chiendent*, p. 293). *"Il ne lui manque que que la pa-pa que la pa-role di-di di-divine"* (J. PRÉVERT, *la Pluie et le beau temps*, p. 116).

BILLET Très court éditorial, paradoxal ou humoristique, sur un événement d'actualité.

Ex.: PONGISTES*

Après avoir reçu des joueurs américains de tennis de table, la Chine communiste organise maintenant un grand tournoi de ping-pong afro-asiatique.

Les Chinois, en inventant la diplomatie du ping-pong, croient innover; en fait elle ressemble fort à la manière traditionnelle: installés autour d'une table verte, les participants ne cessent de se renvoyer la balle jusqu'au moment où l'un d'eux est éliminé à la suite d'un revers.
L.-M.TARD, dans *le Devoir* (quotidien montréalais).

Autre sens V. à *lettre*.

Rem. 1 Le genre a ses lois, que L.-M. Tard définit comme suit. Prendre son sujet dans l'actualité qui fait la manchette. Inventer un rapprochement comique susceptible de clore sur quelque chose d'assez éblouissant. Centrer le texte sur une seule idée. Premier paragraphe: exposition du sujet. Deuxième: transition vers le mot de la fin. Retravailler pour la concision et la variété des termes et des tours.

BLASPHÈME Paroles qui outragent intentionnellement la divinité.

Ex.: *Tout travaillait à sa destinée: les arbres, les planètes, les squales. Tout, excepté le Créateur. Il était étendu sur la route, les habits déchirés ..... il gisait là, faible comme le ver de terre, impassible comme l'écorce. Des flots de vin remplissaient les ornières... Il était soûl!* LAUTRÉAMONT, *les Chants de Maldoror*, 34.

Rem. 1 Le **juron**, exclamation familière, vaguement blasphématoire en ses origines, est proche de l'*interjection* (V. ce mot, rem. 5). Il libère l'affectivité aux dépens du Sur-moi.

Ex.: *Je ne charge pas, saint chrême fouetté, je décharge à pleins ciboires, j'actionne mes injecteurs de calice à plein régime et je sens bien qu'au fond de cette folle bandade je retrouve, dans sa pureté de violence, la langue désaintciboirisée de mes ancêtres.* H. AQUIN, *Trou de mémoire*, p. 94-5.

Toutefois, on distinguera du juron une exclamation* qui invoque la divinité sans chercher l'outrage, et qu'on nommait, dans les couvents, **éjaculation** (sic). **Ex. courant:** *Jésus! Doux Jésus! Mon Dieu! Jésus Marie Joseph!* Ce type d'exclamation* s'est aussi banalisé et rapproché de l'interjection*. Il dérive d'une supplication* adressée au Sur-moi. **Ex.:** *Maman! Bonne Mère!*

BOUCLE (Néol.) Texte qui se termine par un retour au point de départ tel que l'on puisse imaginer que tout recommence, et recommencera à nouveau quand on sera revenu à la fin, et ainsi de suite.

Ex. Cf. IONESCO, *la Leçon* et *la Cantatrice chauve*.

C'est le cas aussi dans quelques chansons et comptines.

Ex.: *Avec quoi faut-il puiser l'eau, chère Élise... Avec un seau, cher Eugène... Mais le seau, y a un trou dedans... Bouchez-le donc... Avec quoi faut-il le boucher...Avec d'la paille... Mais la paille n'est pas coupée... Coupez-la donc... Avec quoi faut-il la couper... Avec la faux... Mais la faux n'est pas aiguisée... Aiguisez-la... Avec quoi faut-il l'aiguiser... Avec la meule... Mais* *la meule n'est pas mouillée... Mouillez-la donc... Avec quoi faut-il la mouiller... Avec de l'eau... Avec quoi faut-il puiser l'eau, chère Élise... (da capo)*

Rem. 1 La boucle est une inclusion* doublée de répétition*. V. aussi à *escalier*, rem. 1 et à *parenthèse*, rem. 4.

Rem. 2 Le mot est emprunté à l'informatique, où il désigne une partie de programme susceptible d'être recommencée indéfiniment.

Rem. 3 En musique, on conclut souvent sur la phrase initiale, à laquelle on renvoie par le sigle d.c. (italien *da capo*, "du début") et dont la fin est alors indiquée par deux points et un trait en gras. On ne possède pas de convention équivalente en littérature.

BOUSTROPHÉDON Transcription graphique de droite à gauche.

Ex.: *elbaré'd elliuef al ed enneivuos em ej euq li-tuaf*
R. DUGUAY, *LAPOCALIPSÔ*, p. 147

Autre ex.: *mangiD. kcirtaP.*
JOYCE, *Ulysse*, p. 117.

Rem. 1 C'est l'ordre des lettres mais non les lettres elles-mêmes qu'on inverse. Il ne suffit donc pas de regarder par transparence ou dans un miroir pour pouvoir déchiffrer. En supprimant les repères que constituent les majuscules, les apostrophes etc. et même la division en mots, on obtiendrait un brouillage* graphique déjà efficace.

Rem. 2 Le boustrophédon, au sens propre du terme, est *"l'écriture grecque primitive, dont les lignes allaient sans interruption de gauche à droite et de droite à gauche"* (Littré, Robert).

Rem. 3 V. aussi à *palindrome* et à *allographie*, rem. 3.

BRACHYLOGIE Vice d'élocution[1] qui consiste dans une brièveté excessive, et poussée assez loin pour rendre le style obscur. LITTRÉ.

Ex.: *Objet de mes voeux, je n'appartenais plus à l'humanité!*
LAUTRÉAMONT, *les Chants de Maldoror*, § 40. On développerait ainsi: Enfin était réalisé l'objet de mes voeux: je...V. aussi à *anastrophe*, rem. 3.

---

1. ***Élocution*** au sens de Fontanier (latin ***elocutio***, "choix, assortiment des mots") ou au sens très large de "manière de s'exprimer" (Littré Larousse), mais non au sens restreint, plus récent (1850) de "manière d'articuler les sons en parlant" (Larousse)

Analogue Contraction (MOUFFLET, cité par DUPRÉ, *Encyclopédie du bon français dans l'usage contemporain* , p. 2227).

Autre déf. Marouzeau: *"emploi d'une expression comparativement courte: je crois être dans le vrai = je crois que je suis dans le vrai"*. C'est un sens élargi.
Marouzeau (et Grevisse, *le Bon Usage,* § 228, n°1): *"variété d'ellipse qui consiste à ne pas répéter un élément précédemment exprimé"*. C'est le zeugme*. V. aussi à *ellipse,* même déf.

Rem. 1 La brachylogie n'est pas toujours un vice. Son obscurité est parfois la rançon d'une brièveté commode. **Ex.:** la pause café (pour prendre un café); une religion sociologique (qui se réduit à un conformisme).
Elle dépanne le romancier devant les répétitions des verbes déclaratifs (*dire,* etc.) **Ex.:** *"Monsieur, m'aborda-t-il..."* (dit-il en m'abordant); *"Hein! sursauta la visiteuse"* (dit-elle en sursautant). Grevisse, qui rapporte ces exemples (§ 599, rem. 6, n. 1), n'admet dans le bon usage que des verbes qui contiennent l'idée de *dire* (soupirer, s'étonner, insister, etc.)
La brièveté peut jouer un rôle expressif. **Ex.:** *"Je l'aimais inconstant, qu'eussé-je fait fidèle?"* (RACINE, *Andromaque*). *"Une phrase si ramassée ne peut être que l'expression d'une âme oppressée"* commente Spitzer (p. 269)[2] .
L'obscurité même de la brachylogie peut avoir une importance esthétique, comme dans cet exemple, où elle joue un rôle de litote*, les ossements étant ceux des ancêtres du poète: *"terre osseuse"* (VALÉRY, *Cimetière marin,* v. 53).

Rem. 2 La juxtaposition* syntaxique est une des formes de la brachylogie. V. aussi à *mot-valise,* n. 1.

BROUILLAGE LEXICAL Remplacement de quelque lettre, pour défigurer un mot.

Ex.: *dangir (pour **danger**) Harcule (pour **Hercule**) durmir (pour **dormir**) tu pux (pour **tu pues**)*
R. DUCHARME, *l'Avalée des avalés,* p. 265.

Rem. 1 S'il débouche sur une équivoque*, le brouillage lexical est un à-peu-près*. V. aussi à *contrepèterie,* rem. 3.

Rem. 2 Les lettres peuvent être interverties plutôt que remplacées. V. à *métathèse,* rem. 3.

BROUILLAGE SYNTAXIQUE Bouleversement syntaxique qui rend la phrase inintelligible.

---

2 Cet exemple est souvent donné sous la rubrique ***ellipse.*** Certaines brachylogies ne sont que des ellipses* particulièrement fortes.

Ex.: *Arrogant et larmoyant d'un ton, qui se trouve à côté de lui, contre ce monsieur, proteste-t-il.*
R. QUENEAU, *Exercices de style,* p. 16. (La phrase devient parfaitement claire si l'on inverse deux à deux les syntagmes, ainsi que le pronom dans le syntagme* verbal).

Autres noms Renversement (Littré). Bien entendu, pour un classique, *"le renversement de construction ne doit jamais renverser le sens"* (DU MARSAIS, *Des tropes,* t. 2, p. 18, cité par Littré).

Synchise (Legras, cité par Le Hir, p. 94; Du Marsais, t.5, p.274; Le Clerc, p. 271; Littré; Marouzeau, *Traité de stylistique latine;* Lausberg; Robert). Pour la rhétorique classique, la synchise est un défaut qui consiste à rompre le déroulement syntaxique par des sortes de parenthèses qui laissent en suspens les constructions (Legras).

Ex.: *Pour clore ce petit incident, qui s'est lui-même dépouillé de sa gangue par une légèreté aussi irrémédiablement déplorable que fatalement pleine d'intérêt (ce que chacun n'aura pas manqué de vérifier, à la condition qu'il ait ausculté ses souvenirs les plus récents), il est bon, si l'on possède des facultés en équilibre parfait, ou mieux, si la balance de l'idiotisme ne l'emporte pas de beaucoup sur le plateau dans lequel reposent les nobles et magnifiques attributs de la raison, c'est-à-dire, afin d'être plus clair (car, jusqu'ici je n'ai été que concis, ce que même plusieurs n'admettront pas, à cause de mes longueurs, qui ne sont qu'imaginaires, puisqu'elles remplissent leur but, de traquer, avec le scalpel de l'analyse, les fugitives apparitions de la vérité, jusqu'en leurs derniers retranchements), si l'intelligence prédomine suffisamment sur les défauts sous le poids desquels l'ont étouffée en partie l'habitude, la nature et l'éducation, il est bon, répété-je pour la deuxième et la dernière fois; car, à force de répéter, on finirait, le plus souvent ce n'est pas faux, par ne plus s'entendre, de revenir la queue basse ..... au sujet dramatique cimenté dans cette strophe.*
LAUTRÉAMONT, *les Chants de Maldoror,* p. 130.

On peut définir la synchise comme une hyperhypotaxe* défectueuse.

Rem. 1 Pour le demi-brouillage, V. à *hyperbate,* autre déf.

BRUIT La tentative de transcription de l'environnement sonore, même imaginaire, devient onomatopée* s'il y a lexicalisation*. Autrement, on a seulement la transcription d'un bruit.

Ex.: *Tstscrr! Le gravier craque.*
JOYCE, *Ulysse,* p. 109.

Autre ex.: *"le flot passe, passe en se courrouçant contre les roches basses, tourbillonne et passe ..... Attention: un discours en quatre mots du flot: sîîsou, hrss, rseeiss, ouass."* (JOYCE, *Ulysse*, p. 49).
"Vous n'avez jamais rien compris à la pluie campagnarde, aux sabots qui font "jiac" en quittant leur empreinte humide." (COLETTE, *Claudine en ménage*, p. 141, cité par Y. GANDON, *le Démon du style*).
Cf. aussi R. BENAYOUN, *Vroom, Tchac, Zouie, le Ballon dans la bande dessinée.* Une liste de bruits et cris des b. d. avec leur "traduction*" est publiée par G. Jean, revue *Poésie*, nº 66, juil. 79, p. 194 à 199.

La difficulté est de fournir, en consonnes et voyelles, un équivalent de bruits qui n'ont, avec les sons codés, qu'un rapport très lointain. Il y a bien le **s** des sifflements, le **p** des éclatements, la stridence du **i**, la vibration du **r**, mais le bois mort, sec, ne fait pas "crac", il fait **zpiesssat** ou **ptkeeiett** ou autre chose; l'éternuement, c'est **chtzsm** ou **eïettschtuuf** (**atchoum** est littéraire).

Le bruit* devient onomatopée* quand il entre dans le système lexical, recevant alors une orthographe. On écrit **tic-tac** et non **tique-taque.** On peut insérer l'onomatopée* dans un syntagme* nominal (leur tic-tac) ou verbal (glouglouter) et le lien avec le bruit d'origine peut s'estomper. V. aussi à *monologue*, rem. 1.

Autre déf. Événement acoustique concurrent, information non souhaitée (le *bruit blanc*, mélange de fréquences variées, est utilisé pour des expériences de *masquage* de la communication; cf. H. HÖRMANN, *Introd. à la psycholinguistique*, p. 69). C'est ce qu'on peut aussi appeler **brouillage** sonore, procédé assez courant sur les ondes et, littérairement, au théâtre: brouhaha des foules, des convives, couvrant la voix des héros, et qui créent une **ambiance**, *"unité de lieu, d'atmosphère matérielle et morale"* (*Dict. des media*).
Les bruits de fond dus aux amplificateurs sont la **friture**, le **oom** et le **ssch**. D'autres **parasites**, en provenance d'étincelles électriques par exemple, peuvent venir troubler la réception radiophonique.

Analogues Par analogie avec la peinture, Morier parle de **poème abstrait, non figuratif, non représentatif.**

Rem. 1 Dans l'onomatopée, le bruit s'efface au profit du mot. Il suffit de modifier le mot usuel pour faire reparaître le bruit. Ainsi cocorico, réveillé en *"kicorikiki"* (JOYCE, *Ulysse*, p. 476) ou en *"COU que li COU que li"* (M.-Cl. BLAIS, *Une saison dans la vie d'Emmanuel*, p. 99).

Rem. 2 Les bruits interviennent dans d'autres figures: l'harmonie imitative*, l'allitération*. Le clic* est un bruit humain; V. aussi à *interjection*, rem. 2.

Rem. 3 Autres bruits: la gamme des bruits humains non buccaux. Le claquement de doigts de l'élève qui demande à être interrogé, les façons de frapper ou de gratter à une porte, les battements de mains, de pieds, de crayon sur les pupitres, etc. Au son concret, il faut adjoindre les sons musicaux, purs ou synthétiques. Concrets ou musicaux, les sons peuvent être générés électroniquement, enregistrés, modifiés par des filtres et des réverbérateurs, étalés ou condensés, déplacés en harmoniques et combinés avec d'autres. C'est le **bruitage**, accompagnement de l'action par un son actif, producteur d'effets. Cf. *Dict. des media.*

Rem. 4 Le **lettrisme** a prôné le vers fait de bruit et non de langue (ce qui n'exclut pas nécessairement le sens). V. à *pseudo-langage*, à *glossolalie et à musication*. **Ex.** d'Isou à *interjection*, rem. 2.

Rem. 5 Le contexte confère au bruit une foule de significations (V. par exemple à *injonction* et à *mimologie*, rem. 1).

BURLESQUE Comique bas et outré.

Ex.: *Un pauvre capucin et grand amiral des Galères*
arrive à fond de train par la mer
et après avoir fait les sommations d'usage
Ceci est mon corps expéditionnaire
Ceci est votre sang
à coups de droit canon il sermonne Haïphong
des anges exterminateurs accomplissent leur mission
et déciment la population
J. PRÉVERT, *Entendez-vous, gens du Viet-Nam...*, dans *la Pluie et le beau temps.*

Rem. 1 Littré distingue le burlesque, la parodie* et le poème **héroï-comique**. Ce sont les trois espèces du genre **bouffon**. Le burlesque traite un sujet noble, héroïque, avec des personnages vulgaires et un style bas. (**Ex.:** VIAN, *le Goûter des généraux.*) L'héroï-comique, au contraire, prête à des personnages de petite condition des manières recherchées, sur le ton de l'épopée. (**Ex.:** MARIVAUX, *le Télémaque travesti.*) La parodie "change la condition des personnages dans les oeuvres qu'elle travestit".

Rem. 2 Venu de l'Italie avec le baroquisme*, le burlesque a fleuri au XVIIe avec d'Assoucy et Scarron, essuyant les sarcasmes de Boileau. Toutefois, *burlesque* est employé dans une acception moins spécifique: V. à *interjection*, rem. 5 et à *célébration*, rem. 2.

Rem. 3 Les **mazarinades** sont des persiflages* burlesques à incidence politique. Le terme vient des couplets de la Fronde, qui étaient dirigés contre Mazarin. De nos jours, la relève du genre semble assurée par le dessin caricatural.

CACOLOGIE Expression défectueuse qui, sans constituer une incorrection grammaticale, fait violence à l'usage, à la logique. MAROUZEAU.

Ex.: *Tout au cours... (Tout au long / Au cours). Les intentions des gardes ne se résument qu'à assurer leur confort (se résument à / ne consistent qu'à).*

Ex. litt.: "— *Très épatante, votre pièce*" (M. de GHELDERODE, *Théâtre*, t. 2, p. 133; il s'agit de connoter la maladresse d'un Jeune Premier).

Même déf. Lausberg (§ 1070).

Autre déf. syn. de kakemphaton* (Marouzeau).

Rem. 1 Terme générique pour une faute*, spécifié de façon à couvrir toute erreur de langue autre que le barbarisme* et le solécisme*. Il s'agit de méconnaissances de certaines associations privilégiées (dites logiques, mais parfois simplement imposées par les usages) comme "*remplir une mission*" et "*atteindre un but*", d'où les reproches qu'adresse Marouzeau à "*remplir un but*", devenu pourtant courant.

On n'est pas loin de l'incompatibilité sémantique. Dès qu'elle est motivée en tant qu'erreur, la cacologie devient un procédé (V. à *dissociation*). Elle peut aussi réveiller des métaphores endormies. **Ex.:** Une discussion prend feu entre les cousins (on dit bien: dans le feu de la discussion).

CACOPHONIE Vice d'élocution qui consiste en un son désagréable, produit par la rencontre de deux lettres ou de deux syllabes, ou par la répétition* trop fréquente des mêmes lettres ou des mêmes syllabes. **Ex.:** *En l'en entendant parler.* LITTRÉ.

Ex. avec des sons divers: *Où, ô Hugo, juchera-t-on ton nom? / Justice, enfin, faite que ne t'a-t-on? / Quand à ce corps qu'Académie on nomme, / Grimperas-tu de roc en roc, rare homme?*
Il s'agit d'un quatrain satirique visant les sonorités de certains vers d'Hugo (cité par Suberville, p. 174).

Ex. contemporain: "*Qui s'est fait ruer une fois pour toutes par une prude taure*" (R. DUCHARME, *la Fille de Christophe Colomb*, p. 9).

Même déf. Marouzeau, Quillet, Vannier (p. 232), Lausberg (§ 1244), Robert, Preminger.

Autre nom Dissonance*. Adj., cacophonique.

Ant. Euphonie, euphonique.

Rem. 1 Si c'est une syllabe qui est répétée, on a un paréchème*.

Rem. 2 La **tautophonie** est une cacophonie due à une allitération* poussée jusqu'à l'excès. Les Grecs s'y intéressaient. Ils ont donné un nom à la tautophonie du **l** (lambdacisme), à celle du **m** (mytacisme), à celle du **i** (iotacisme), à celle du **r** (rhotacisme), à celle du **s** (sigmatisme). Ils distinguent les tautophonies de consonnes et celles de voyelles.

Ex.: *et voyant parmi les hors d'oeuvre des filets de hareng, elle en prend machinalement en sanglotant, puis en reprend, pensant à l'amiral qui n'en mangeait pas si souvent de son vivant et qui pourtant les aimait tant.*
J. PRÉVERT, *Paroles,* p. 7. V. à *tautogramme,* rem. 2 et à *paronomase,* rem. 5.

Rem. 3 L'hiatus* n'est pas nécessairement cacophonique.

Rem. 4 Il y a une cacophonie imitative, qui consiste à reproduire des bruits désagréables. V. à *harmonie imitative,* rem. 1.

CADENCE Harmonie qui résulte de l'arrangement des mots dans une période, un vers*. ROBERT.

Ex.: *L'Été plus vaste que l'Empire suspend aux tables de l'espace plusieurs étages de climats. La terre vaste sur son aire roule à pleins bords sa braise pâle sous les cendres.*
SAINT-JOHN PERSE, *Anabase,* p. 175.
En groupes* rythmiques, cela donne 1232/123, selon une diction un peu stylisée, où la gradation est nette (123).

Autres déf. Le mot *cadence* peut aussi désigner la vitesse du débit (V. à *tempo*), ou le dernier membre d'une phrase (V. à *chute,* rem. 1).

Rem. 1 Morier précise: *"rythme entièrement formé de nombres répétés ou symétriques",* en une sorte d'écho* rythmique renouvelé. Ce sont les cadences parfaites, fréquentes en prose poétique et dans le poème en prose. **Ex.:** le *Télémaque* de Fénelon, *les Martyrs* de Chateaubriand, les poèmes en prose de Baudelaire, etc. C'est de la **prose cadencée.**

Rem. 2 Avec un rythme , ne fût-ce que légèrement marqué, la phrase prosaïque est dite *nombreuse.*

CALEMBOUR Jeu de mots* fondé sur des mots se ressemblant par le son, différant par le sens, comme quand M. de Bièvre disait que le temps était bon à mettre en cage, c'est-à-dire *serein* (serin)... LITTRÉ.

Même déf. Paul, Quillet, Vannier (p. 108), Lausberg (§ 1244), Robert, Preminger (au mot *Pun*).

Autre déf. *Calembour* est souvent employé au sens large d'équivoque* (Paul, Bénac, Robert) et désigne alors quantité de procédés comme l'à-peu-près*, la syllepse*, le mot-valise*, etc. (Angenot). Preminger y range même l'antanaclase*, la paronomase*, et l'astéisme*, parce qu'ils ont un but comique (ce qui n'est pas toujours vrai, d'ailleurs)!

Rem. 1 Au sens précis que donne Littré, le calembour est une périphrase*, hermétique à première vue, qui s'éclaire par une allusion* à une équivoque* ou à une homophonie*, (V. à *homonymie,* rem. 3); parfois à une *métanalyse* (V. ce mot, rem. 2).

Rem. 2 Le calembour est plus fréquent dans le langage courant, où les situations facilitent le décodage, qu'en littérature. **Ex.:** *"Garçon, ce steak est innocent!"* (pas coupable) *"Voulez-vous le plus féminin des fromages?"* (d'Edam). On le trouve aussi dans les définitions de mots croisés et dans les charades. **Ex.:** *"Absolument. C'est une charade. Ce que ne qualifie pas le premier mot est le sujet du second."* (A. JARRY, *l'Amour absolu,* p. 148).

Rem. 3 Doublé d'allographe, le calembour constitue un bon cryptogramme. **Ex.:** *"la société des amis de l'ABC"* (HUGO, *les Misérables,* p. 1237), société révolutionnaire, l'ABC désignant le peuple, *abaissé* par les bourgeois. V. à *phébus,* rem. 4. C'est par ce procédé que se monte la **charade à tiroir. Ex.:** *Mon premier ne se lave pas le soir; mon second n'est pas fils unique; mon tout est un vieil instrument manquant de puissance, mais gracieux entre de jolies mains.*
Mon premier est épine *parce que* épine dorsale; *mon second est* ette *parce que* ...et ta soeur; *mon tout est* épinette. L. Étienne, *l'Art de la charade à tiroir,* p. 214-5.

Rem. 4 La plupart des calembours ont un effet comique et sont décodés dans le contexte. **Ex.:** *"La bouche de Chateaugué est comme un tiroir; elle s'ouvre."* (R. DUCHARME, *le Nez qui voque,* p. 103). Ils peuvent véhiculer de l'ironie*.

Rem. 5 V. aussi à *dénomination propre,* rem. 2; à *étymologie.*

CALLIGRAMME Mot inventé par Apollinaire pour désigner ce qu'il appela d'abord des idéogrammes lyriques (Cf. *O. poétiques,* p. 1075): il disposait le texte poétique de façon à dessiner approximativement quelque objet correspondant.

Ex.:

CET
ARBRISSEAU
QUI SE PRÉPARE
A FRUCTIFIER
TE
RES
SEM
BLE

APOLLINAIRE, *ib.*, p. 170.

Syn. Poésie figurative (Robert, qui donne pour exemple le chant de la Dive Bouteille, Rabelais, *Cinquième Livre*, où le texte est disposé en forme de bouteille); vers rhopaliques (Morier); poème-dessin.

Rem. 1 V. à *harmonie imitative*, rem. 1; *pictogramme; vers graphique.*

CAPITALE Caractère typographique vulgairement appelé majuscule, par opposition au bas de casse (minuscule). On distingue les petites et les grandes capitales. Ces dernières permettent de mettre des majuscules aux noms propres composés en petites capitales.

Ex.: LE MUR / *D*ON *Q*UICHOTTE DE LA *M*ANCHE. V. à *assise, 1;*à *soulignement*, rem. 2, à *graphisme*, rem. 1.

Rem. 1 Alors que les majuscules sont le signe graphique du nom propre, les capitales sont le signe du titre (V. à *paragraphe*, n. 1) ou de la **vedette** (terme imprimé de la façon la plus visible, de l'italien *vedere*). Le mot ou la phrase mise en rouge est la **rubrique.** Dans un dictionnaire, la vedette est aussi appelée **entrée.** V. aussi à *discours*, rem. 2.

Rem. 2 Les linguistes mettent en PETITES CAPITALES le segment pris pour désigner le référent. V. à *assise*, rem. 7.

Rem. 3 La marque manuscrite des capitales est un soulignement double (V. à *soulignement*, rem. 1).

CARICATURE On présente un objet, une idée, une personne sous un jour excessivement défavorable, avec des traits chargés, exagérés.

Ex.: (à propos de l'imagerie sulpicienne)

Et moi j'ai horreur de ces gueules de morues salées, de ces figures qui ne sont pas des figures humaines mais une petite exposition de vertus!
CLAUDEL, *le Soulier de satin*, p. 339.

Autre ex.: "*Il se fait aller les bras. Il dit qu'il bat la mesure.*" (R. DUCHARME, *l'Avalée des avalés*, p. 15).

Même déf. Lausberg, Robert.

Antonyme Euphémisme (V. aussi à *célébration*, rem. 3)

Autres noms Charge (Bénac), dysphémisme (Carnoy, par opposition à *euphémisme*).

Autre déf. Parodie* (Littré, Robert).

Autre sens Dessin caricatural (V. à *burlesque*, rem. 3)

Rem. 1 À l'instar de l'hyperbole (V. ce mot, rem. 2), la caricature porte aussi bien sur le choix des termes que sur le choix des aspects du réel. **Ex.:** *"cette pièce de viande en uniforme"* (SOLJENITSYNE, *le Premier cercle*, p. 83). La langue abonde en marques, parfois ténues, des connotations péjoratives, depuis les intonations méprisantes jusqu'aux injures fleuries à la chinoise, ou bassement argotiques (*"ce sacré salopiau de bâtard de goulupiat"*, JOYCE, *Ulysse*, p. 294), en passant par les suffixes (-eux, -ard, -astre; luxuriant / luxurieux, chauffeur / chauffard, médecin / médicastre), sans oublier les adjectifs et syntagmes* qualifiants (de bas étage, fantoche, au petit pied, louche, vil, etc.)

Les marques de la caricature n'ont pas besoin de se multiplier dans la phrase, elles font tache d'huile, car elles appartiennent à l'énonciation*. Il suffit par exemple d'aligner des mots en *-isme*, suffixe neutre en soi, pour que l'ensemble se colore péjorativement.

Rem. 2 Quand l'objet de la caricature est le destinataire lui-même, on a l'injure* (s'il s'agit d'un mouvement d'humeur manifesté par un simple qualificatif), le sarcasme* si la critique est étoffée, destinée à des témoins, ou le persiflage*.

Rem. 3 V. aussi à *description*, rem. 1 et à *portrait*.

CATACHRÈSE La langue paraissant parfois ne pouvoir offrir de terme propre, on a recours à une dénomination tropologique, qui parfois se lexicalise. Le croisement de deux autoroutes sera appelé *plat de macaronis* en attendant le mot *échangeur*. **Ex. litt.:** *"l'asphalte derechef déroulait à gauche ses **faufilures blanches**"* (G. BESSETTE, *l'Incubation*, p. 48). *Faire un créneau*: "se ranger entre deux voitures en stationnement, le long d'un trottoir" (*Lexis*). **Ex. courants:** laine de verre, salade de fruits.

Même déf. Du Marsais (p. 46), Le Clerc, Littré, Marouzeau, Bénac, Lausberg , Robert. D'autres mettent l'accent sur l'abus que constitue l'usage d'un trope qui ne sert pas à l'ornement, et ils montrent les conséquences ridicules possibles d'un tel abus (par exemple: "à cheval sur un âne"). Ce sont Paul (p. 137-8), Fontanier (p. 213 à 219), Verest (p. 55), Preminger, Lanham.

Rem. 1 La catachrèse est synecdochique (*casque* pour "lunettes de plongée sous-marine"), métonymique ou métaphorique (langue *source* et langue *cible*, V. à *traduction*), mais elle opère toujours une dénotation, et non une connotation. Comparer: les grandes *artères* / une humeur *massacrante. Artère* seul est catachrétique. (V. à *néologisme de sens,* rem. 1).

C'est que la catachrèse répond à un besoin de **dénomination** en un seul vocable d'une réalité nouvelle ou considérée comme telle. Ainsi quand J.F. Dulles a soutenu que si le Vietnam passait au communisme, tous les pays d'Asie suivraient l'un après l'autre, on a créé l'expression: théorie *des dominos.* S'il y a un terme propre, l'image n'est pas catachrétique. **Ex.:** *"Il y avait, à l'extrémité du jardin, un bois de repoussis ..... à mi-chemin entre la futaie et le taillis"* (FERRON, *l'Amélanchier,* p. 10). V. à *impropriété,* rem. 1.

Rem. 2 Nombre de termes considérés comme propres ont une origine catachrétique: Feuille (de papier), bureau (d'avocat), cadre (dirigeant), balkanisation... V. aussi à *discours.*

CÉLÉBRATION En rhétorique, la célébration consiste à se réjouir de quelque chose et à fixer ce sentiment dans une formule stéréotypée ou dans une forme plus étendue (vers* ou verset*, strophe* ou paragraphe*).

Ex.: *Monceaux de grains, je vous louerai, céréales, blés roux; richesse dans l'attente; inestimable provision.*
GIDE, *Romans,* p. 211.

Autres noms Bénédiction, macarisme (formules commençant par *"Bienheureux les"*), **épinicie** (après une victoire), **épithalame** (pour un mariage), **panégyrique** (discours louant une institution, un homme, une oeuvre), **blason** (petits vers à rime suivie, à l'éloge, souvent ironique, d'une personne), **tombeau** (recueil de vers* et proses à la gloire du défunt). **Encomium** (éloge chanté dans la rue en cortège; *Grande Encyclopédie*). Le mètre **encomiologique** fait alterner mesure rapide, mesure lente (*ib.*) **Péan** "chant solennel, à beaucoup de voix, que l'on chantait [en Grèce] dans les circonstances importantes" (Littré).

Antonyme Lamentation*.

Rem. 1 Formules courantes de célébration: Vive, béni soit, heureux qui, loué soit, quel bonheur que, ô bonheur de, honneur à, merveille de, quelle chance que, réjouissons-nous parce que, félicitons-nous que, félicitations à, bravo pour, hourra pour.

La célébration, habituellement collective, a des marques explicites, voire institutionnelles, mais on peut aussi observer des marques ténues, intonations sans plus, en sorte que l'exclamation*, l'apostrophe*, l'énumération* se teintent aisément de ce sentiment de joie reconnaissante. **Ex.:** *"Balcons;*

corbeilles de glycines et de roses; repos du soir; tiédeur" (GIDE, *Romans*, p. 223). La célébration intime peut se réduire au geste*. *"D'une seule caresse — je te fais briller de tout ton éclat"* (ÉLUARD, *O. c.*, t. 1, p. 731).

Rem. 2 Le mot *éloge*, plus courant que *célébration*, désignera plutôt le genre littéraire correspondant au procédé, le genre **épidictique**. V. à *discours*. **Ex.:** certaines préfaces, la plupart des présentations de conférenciers, des parties de discours du trône (discours inaugural). Il y a aussi les éloges burlesques: l'*Éloge de la folie* d'Érasme, la collection *"Célébration"* de l'éditeur Morel (Célébration de la pipe, de l'amour, du silence, de l'artichaut, etc., V. à *court-circuit*, rem. 3).

Quand l'éloge s'adresse à celui qui est célébré, ou se prononce devant lui, c'est la *louange*, inverse du sarcasme*; intéressée, excessive, elle devient flatterie; trompeuse et basse, flagornerie. Un genre littéraire est bâti sur la louange hyperbolique: le *dithyrambe* (adj., *dithyrambique*). Au Moyen Âge, c'est le panégyrique (V. à *surenchère*, rem. 1). V. aussi à *antiparastase*, rem. 4.

Rem. 3 Célébration et lamentation* s'opposent à euphémisme* et caricature* respectivement. Ceux-ci constituent des façons, mélioratives ou péjoratives, de présenter les choses, en elles-mêmes, tandis que la célébration et la lamentation exposent les sentiments éprouvés.

Rem. 4 Dans le judéo-christianisme, il y avait un genre littéraire, appelé **eucharistie**, développant non l'adoration ni même la gratitude mais plutôt l'admiration collective devant ce qui manifeste l'existence et la présence de Dieu. Pour les premières communautés chrétiennes, ce fut principalement la résurrection de Jésus. (Cf. J.-P. AUDET, *la Didachè*, p. 372 à 398 ou *Revue biblique*, 1958, p. 371 à 399). On peut distinguer trois parties dans les textes du genre. a) Une exclamation* (Béni soit Yahvé) qui est la formule hébraïque de bénédiction ou *berrâkhâh*. Elle se retrouve étoffée dans le *Sanctus*. b) Une *remémoration* ou anamnèse* donnant le motif du cri précédent. Il s'agit le plus souvent d'une suite d'événements concrets. Au canon de la messe, il en reste des traces — non les *mémentos*, qui se rattachent à la supplication* — mais le récit de la Cène et le texte qui suit immédiatement (*Unde et memores*, on se souvient). c) Une *acclamation* ou *doxologie* comme *"alleluia"* (mot qui signifie *Louez, vous, Yahvé*, étant formé de trois mots: hallel, u, Yah) ou comme *"Gloire au Père, au Fils, au Saint-Esprit"*. Elle existe encore à la fin du canon (*Per ipsum...*). Les derniers psaumes de David, chants de triomphe, sont des doxologies.

L'expression *action de grâce* est une traduction d'*eucharistie*. Son sens de *"remerciement"* est un glissement.

Rem. 5 L'**épitaphe**, qui peut se réduire à une simple inscription (nom, lieux et dates de naissance et décès), est souvent accompagnée d'une phrase au moins de célébration (*"Bon époux, bon père"*). **Ex. litt.:** *"IL SUT AIMER / quelle épitaphe"* (APOLLINAIRE, *Fête*, dans *O. poétiques*, p. 238).Autre ex. à *distinguo*.

Rem. 6 V. aussi à *exhortation*, rem. 1, *prière*, rem. 1, et *étymologie*, rem. 1.

CÉSURE Limite des syntagmes*. La césure délimite des ensembles d'un ou plusieurs mots phonétiques, constituant un membre de phrase qui soit un (au point de vue de la fonction syntaxique). Le phénomène est donc constant, en prose (V. à *ponctuation*) comme dans le vers*. Mais il n'est étudié que dans le vers rythmé, parce qu'il y joue un rôle essentiel. L'alexandrin classique, avec sa césure obligée après la sixième syllabe, en est un exemple. Prenons, en contre-épreuve, un dodécasyllabe avec césure à la septième syllabe. *"Les capitaines vainqueurs ont une odeur forte!"* (GIDE, *Romans*, p. 142.) Est-ce un rythme de vers?

L'importance de la place de la césure principale est encore démontrée par le fait que le décasyllabe en 5 5 et celui en 4 6 sont deux vers tout différents.

Les demi-vers délimités par la césure sont appelés **hémistiches** et le premier hémistiche est souvent appelé **l'hémistiche** sans plus.

Même déf. Boileau, *Art poétique (Que toujours dans vos vers # le sens coupant les mots/ Suspende l'hémistiche, # en marque le repos.)*

Déf. analogue Dans une langue à tendance oxytonique comme le français (c'est-à-dire une langue où l'accent tonique se place normalement à la dernière syllabe des mots phonétiques), la césure est précédée d'une longue accentuée. Ceci explique la définition de F. Lotte (Cf. Deloffre, p. 18) de la césure comme syllabe tonique placée à tel ou tel endroit dans le vers.

Autre déf. En typographie, on appelle *césure* la coupure d'un mot se trouvant en fin de ligne (CHAMMELY, *la Composition automatique*).

Rem. 1 Les coupes grammaticales sont aussi nombreuses que les syntagmes. Les coupes plus nettes — celles qui entourent[1] un syntagme "en exclusion" ou celles qui séparent des

---

1 La loi des deux virgules entourant un complément "ambiant" est due à Damourette et Pichon, **Traité moderne de ponctuation.**

éléments de même fonction (V. à *syntagme*, 2) — sont indiquées normalement par une virgule. Aux virgules (et à fortiori aux points-virgules ou aux points) correspondent donc toujours des césures, principales ou secondaires. V. à *monologue*.

De plus, une accentuation expressive peut donner lieu à une virgule "rythmique", en prose comme en poésie. **Ex.:** *"Elle, s'essoufflait, se crispait"* (A. KOUROUMA, *les Soleils des indépendances*, p. 66).

Rem. 2 L'alexandrin de Ronsard est caractérisé par ses nombreuses césures.

Ex. cité par Morier à *tétramètre*: *Lă'grā̆cĕ'dăns să'feū̆ille ĕt l'ă'moūr#sĕ'rĕpōsĕ*
(Comme on voit sur la branche...)

Dans le vers métrique, le rythme* le plus harmonieux s'obtient en plaçant les coupes rythmiques ailleurs qu'aux césures. V. à *coupe*, rem. 1.

Rem. 3 La suppression des virgules dans le vers depuis Apollinaire ajoute à l'incertitude du rythme celle de la place des césures et quelquefois celle du sens. Ainsi on a hésité entre:
a) *Vagues poissons arqués # fleurs surmarines*
b) *Vagues poissons # arques*[2] *fleurs surmarines*
c) *Vagues # poissons arqués # fleurs surmarines*
APOLLINAIRE, *Alcools*.

Rem. 4 Ordinairement, la césure n'est pas marquée graphiquement, mais on peut l'indiquer par un léger trait ondé vertical ou par un trait* oblique (ici, nous utilisons le signe #). La virgule, qui délimite les assertions, coïncide avec une césure, mais il y a des césures sans virgule. En ce qui concerne la marque sonore de la césure, Morier (*Dict. de poétique et de rhétorique*, 2e éd.) a établi que, dans le vers, elle consistait en une chute* d'intensité, accompagnée parfois d'une pause*.

Il est possible de différencier césure et pause graphiquement.

Ex.: *DEMI-CHOEUR, lisant. — C'est écrit # Jeanne — c'est écrit # la sorcière — c'est écrit # hérétique — c'est écrit — sorcière — c'est écrit # ennemie de tout le monde — c'est écrit — c'est écrit — c'est écrit!*
CLAUDEL, *Théâtre II*, p. 1240.

Rem. 5 La présence d'un e caduc, que l'on peut faire entendre plus ou moins, à l'endroit de la césure, entraîne des hésitations.

---

2 Il n'y avait pas d'accent aigu à la première édition et on a pu croire à un adjectif néologique se rapportant à **fleurs.** L'équivoque eût été moins facile avec la virgule.

a) Le **vers syllabique classique** refuse la difficulté. Il n'admet de syllabe en **e** à la césure que dans le cas où une élision est possible.

Ex.: *Mais il me faut tout pēr # dr' ět toujours par vos coups.* RACINE, *Andromaque.* On voit que la césure n'entraîne pas nécessairement une pause.)

b) La **césure épique** (ou **passe**) consiste à escamoter un **e** (syncope*).

Ex.: *Ci falt la gest(e) # que Turoldus declin(et)*
Chanson de Roland, dernier vers.
On voit que le même problème peut se poser à la fin du vers; du reste, tout ce que nous disons ici de la césure à l'hémistiche est vrai aussi, *mutatis mutandis*, de l'articulation en fin de vers: on peut le constater encore à propos de l'enjambement.

c) La **césure lyrique** consiste, inversement, à donner à **e** le plus de valeur possible. **Ex.:** *La verrai-jē # jamais récompensée?* CHARLES D'ORLÉANS, cité par Deloffre, p. 37. Ce **e** muet était, en poésie lyrique (accompagnée à la lyre), le support d'une note chantée, ce qui le rendait tout naturel.

d) Il est encore possible de reporter la syllabe muette dans le second hémistiche, mais l'effet esthétique est douteux. C'est la **césure enjambante. Ex.:** *Que la victoi # rě věnait avec moi* EUSTACHE DESCHAMPS, cité *ib.*)

Rem. 6 Il arrive que l'articulation principale se trouve avant, ou après, la césure obligée, où l'on n'a qu'une articulation secondaire: c'est le *contre-rejet* et le rejet*, respectivement (V. à *enjambement*, rem. 3; et 2).

Rem. 7 Quand l'alexandrin n'a pas de césure à la sixième syllabe, on a un alexandrin romantique (4 # 4 # 4) ou libéré (2 # 6 # 4, 4 # 6 # 2 ou toute autre combinaison). Cf. Morier.

Césure pour l'oeil, V. à *enjambement*, rem. 4.

Césure strophique, V. à *strophe.* V. aussi à *période*, rem. 1.

CÉSURE TYPOGRAPHIQUE Coupe du mot lorsqu'il est trop long pour être justifié en fin de ligne. La coupe a lieu entre les syllabes. Sa marque est le trait d'union.

Syn. *Coupure des mots, division.*

Rem. 1 Règles du découpage en syllabes graphiques: a) devant la consonne unique: co-[lon; b) entre les consonnes s'il y en a deux: col-[lant[1] , Col-[bert; c) mais devant la plus forte si deux

---

1 En réalité, avec deux consonnes identiques, on n'en prononcera qu'une (**/in/té/li/jan/** pour *intelligent*). C'est que notre orthographe reproduit encore une prononciation vieille de huit siècles.

consonnes forment un groupe décroissant (les plus fortes sont les explosives, les plus faibles sont les semi-consonnes puis les liquides *l, m, n, r*): câ-[bler, Al-[sace; d) s'il y a plus de deux consonnes, on coupe devant la plus forte en comptant à reculons à partir de la voyelle de la deuxième syllabe, mais on peut aussi tenir compte de l'étymologie: ac-[clamer, subs-[tantif ou sub-[stantif (GREVISSE, *le Bon Usage*, § 88).

Le découpage graphique et le découpage sonore ont donc leurs convergences et leurs divergences. **ch, gn, ph, th** ne transcrivent qu'un son, ils restent ensemble. En revanche, des voyelles consécutives en hiatus (thé/â/tre) constituent des syllabes entre lesquelles on ne va pas à la ligne (sauf s'il s'agit de préfixes: pré-[avis).

Rem. 2 La commodité de la lecture demande qu'on ne rejette pas à la ligne une syllabe muette (es-[pèrent, mais non espè-[rent) et qu'on ne fasse pas de césure typographique en fin de page. Le bon sens demande qu'on n'isole pas en fin de ligne une seule lettre et qu'on en rejette au moins trois: *absolu, obéi* ne sont donc pas coupés. L'esthétique demande, en fin d'alinéa, un segment plus long que le blanc qui marquera le début du nouvel alinéa.

Rem. 3 On coupe les mots composés au trait d'union qu'ils possèdent déjà. Dans le cas du **t** euphonique, on coupe au premier trait d'union: dira-[t-il. Ne subissent pas la césure typographique: les acronymes (U.N.E.S.C.O.), les nombres ou les dates exprimés en chiffres (1 520 300; 1978), les matricules (7869432).

CHASSÉ-CROISÉ Dans deux séquences verbales syntaxiquement identiques, deux éléments de même fonction ont été permutés.

Ex.: *Oui j'ai une jambe de verre*
et j'ai un oeil de bois
J. PRÉVERT, *la Pluie et le beau temps*, p. 9.

Le procédé tend à produire un sens neuf. **Ex.:** "*Dans le poète: / L'oreille parle, / La bouche écoute*" (VALÉRY, *O.*, t. 2, p. 547). Mais son effet le plus courant est humoristique... **Ex.:** "*J'ai des oreilles pour parler et vous une bouche pour m'entendre.*" (A. JARRY, *Ubu roi*, p. 103).

Autre déf. Déplacement des lexèmes (par exemple celui du verbe dans son extension et inversement) lors d'une traduction; *blown away: emporté par le vent.* Cf. Vinay et Darbelnet, § 88.

Rem. 1 Terme tiré du Larousse du XXe siècle, où il désigne une figure de danse traditionnelle: "*deux couples placés vis-à-vis l'un de l'autre ..... les cavaliers allant sur leur droite, derrière* *leurs dames, pendant que les dames passent devant eux sur leur gauche."*

Rem. 2 Le chassé-croisé est proche de l'hypallage*, du brouillage* syntaxique et de la faute*. **Ex.:** *"Est-ce qu'un nager sait canard?"* (JOYCE, *Ulysse,* p. 301). V. aussi à *permutation.*

Rem. 3 Le procédé est réalisable en narration. O. Henry en offre un merveilleux exemple, que rapporte Breton: la rencontre d'une jeune serveuse se faisant passer pour milliardaire avec un richissime héritier qui fait semblant d'être garçon de café (*Anthologie de l'humour noir,* p. 247). On peut aussi permuter les actants* comme l'a montré P. Maranda (*Sémiotique narrative et textuelle,* p. 133). Il appelle **flip-flop** (terme informatique) cette figure.

CHIASME Placer en ordre inverse les segments de deux groupes de mots syntaxiquement identiques.

Ex.: *Je jouais avec Juliette et avec lui; avec Alissa, je causais.*
GIDE, *la Porte étroite,* p. 23.

Même déf. Marouzeau, Morier, Le Bidois (t. 1, p. 144), Preminger.

Rem. 1 Quillet (§ 1244), Lausberg et Robert rapprochent le chiasme de l'antithèse*, qui en prend quelquefois la forme. **Ex.:** *"Univers nouveau ô nouvelle solitude"* (G. LAPOINTE, *Ode au Saint-Laurent,* p. 40).

Rem. 2 Preminger rapproche le chiasme de l'antimétabole*. Il introduit cependant une distinction entre le chiasme, où il y a croisement des termes avec ou sans répétition des mêmes mots, et l'antimétabole, où l'on répète une paire de mots en ordre inverse.

Rem. 3 Littré ne mentionne pas cette figure. Lausberg (p. 361, n° 1) fait observer que si le mot est ancien, son acception actuelle est récente .

Rem. 4 C'est presque toujours dans le second groupe que se place l'inversion*.

Ex. cont.: *MÉPHISTO* (à Lust).— (Votre coeur) *m'intrigue parfois, comme parfois me déconcertent l'extrême intelligence et la lucidité excessive de Faust.*
VALÉRY, *O.,* t. 2, p. 349 (chiasme double).

Rem. 5 Il y a un chiasme sonore (V. à *antimétathèse,* rem. 2).

CHLEUASME Ironie* tournée vers soi. Moquerie, persiflage*, sarcasme* dont on fait soi-même les frais, mais en attendant de l'interlocuteur au moins un geste de protestation...

Ex. courant: *Suis-je bête!*

Ex. litt.: *Je n'ai encore jamais écrit pour écrire. D'où il apparaît clairement, je le crains, que je ne suis pas un écrivain.*
VERCORS, *Plus ou moins homme,* p. 302.

Même déf. Lausberg, Morier.

Rem. 1 Le chleuasme, qui relève de la simulation*, ne va pas jusqu'à tromper, c'est-à-dire provoquer une dénégation totale. C'est pourtant ce qui arrive dans l'exemple traditionnel: *"Oui, mon frère, je suis un méchant, un coupable, Un malheureux pécheur tout plein d'iniquité."* (MOLIÈRE, *Tartuffe,* III, 6). L'hypocrite manoeuvre jusqu'à faire croire à Orgon qu'il prend le mal sur soi uniquement pour cultiver son humilité, et qu'il n'est pas coupable alors qu'il l'est. C'est un hyperchleuasme.
Rem. 2 Autre type d'*hyperchleuasme:*

dire la vérité ..... mais en pariant secrètement que son énormité — et le caractère inaccoutumé d'un tel aveu — la fera immédiatement tenir pour **"humoristique"** *et mettre en doute.* **"Je suis Méphisto",** *annonce Méphisto, et tous de pouffer. Et lui, sous cape, d'encore plus pouffer.*
D. NOGUEZ, *l'Humour ou la dernière des tristesses* dans *Études françaises,* mai 1969, p. 159. Ceci requiert une expérience d'acteur, car le chleuasme se reconnaît à son intonation.

Rem. 3 Le chleuasme est naturel quand on est amené à parler de soi, car il permet une compensation (V. ce mot, rem. 2). **Ex.:** (Claudel, dans son discours de réception à l'Académie, compare sa vie à un voyage en chemin de fer, où il se voit accompagné d'un autre lui-même, le poète) *"quelqu'un qui reproduit l'âge et, ma foi, à peu près les traits,* **et ce n'est pas ce qu'il pourrait faire de mieux!** *de son vis-à-vis"* (*O. en prose,* p. 635). Dans ce cas, on a aussi une variété d'astéisme*.

CHRONOGRAPHIE Description* qui caractérise le temps d'un événement par des circonstances qui s'y rattachent.

FONTANIER, p. 424.
Dans *la Modification* de Butor, le paysage aperçu par les fenêtres du train, de menus événements, les réflexions même, dans leur succession, marquent l'écoulement du temps. **Ex. bref:** "(On a commandé de la bière) *à quoi que vous passez vot' temps? demanda-t-elle, quelques* **bouteilles** *plus tard"* (QUENEAU, *le Chiendent,* p. 292).

Rem. 1 On voit ce qui distingue la chronographie de la **chronologie,** simple indication du moment, en termes d'ère, siècle, an, mois, jour, heure, minute, seconde, centiseconde... Celle-ci aussi donne lieu à des jeux. Butor la complexifie à plaisir dans *l'Emploi du temps,* où la précision conduit à la confusion.

Rem. 2 Un **chronogramme** est une phrase latine où les I, les V, les X, les C, les D et les M dont on additionne la valeur numérique (1, 5, 10, 50, 100, 500, 1000) fournissent l'indication d'une date.

CHUCHOTEMENT Bruit* de voix qui parlent bas, sans vibration des cordes vocales, de façon à être entendues le moins possible.

Ex.: *Confession. Femme grillant d'envie de. Et je chuchuchuchuchuchu. Et avez-vous chochochochocho?*
JOYCE, *Ulysse*, p. 78.

Analogue chuchotis (mélioratif).

CHUTE Comme les anciens, quelques modernes ont, des finales de phrase ou d'alinéa, un soin particulier. Loin de laisser la pensée s'achever conventionnellement, ils en soulignent quelque trait par métaphore* ou paradoxe*, et font sentir l'achèvement de l'ensemble par un rythme* à part: c'est la chute.

Ex.: (Fin d'un sonnet décrivant le lever du soleil)
Mais auprès de Philis on le prit pour l'Aurore,
Et l'on crut que Philis était l'astre du jour.
VOITURE, *Autre sonnet.*

Autre ex.: *Belle Philis, on désespère*
Alors qu'on espère toujours.
PHILINTE. — La chute en est jolie, amoureuse, admirable.
ALCESTE. — La peste de ta chute, empoisonneur, au diable!
En eusses-tu fait une à te casser le nez!
MOLIÈRE, *le Misanthrope*, I, 2.

Ex. contemporain: (Fin d'*Entre Centre et Absence*) "*C'était à l'arrivée, entre centre et absence, à l'Eurêka, dans le nid de bulles...*"
(MICHAUX, dans *Lointain intérieur*).

Antonyme Épanorthose (V. ce mot, rem. 4).

Syn. Clausule (V. à *période*), apothèse (Lausberg), chute finale[1], cadence* (Littré; Verest, 92; Robert), *désinence*[2] (Marmontel).

Analogues Explicit: "terme de paléographie, mot qui indique qu'un ouvrage est terminé et que l'on trouve à la fin des manuscrits latins du Moyen Age" (Littré). **Cursus:** terme latin désignant la clausule au point de vue du rythme (*cursus planus, velox, tardus*, etc.) Cf. Lausberg, § 1052.

---

1 Ce pléonasme a été rendu utile à partir de l'emploi du mot ***chute*** au sens de ***métaplasme**** par suppression (Marouzeau; ***Dict. de ling.)*** V. à ***apocope***, rem. 1.

2 Désinence, au sens courant du mot: "suffixe ajouté à la racine pour former un verbe conjugué, un nom ou un adj. au féminin."

Rem. 1 On distingue la *cadence mineure,* quand le membre final est plus court; la *cadence majeure,* quand il est plus long.

Ex. de cadence mineure: *J'aurais voulu trouver en moi de quoi récompenser un attachement si constant et si tendre ; j'appelais à mon aide les souvenirs, l'imagination, la raison même, le sentiment du devoir: efforts inutiles!*
B. CONSTANT, *Adolphe,* p. 75.

Ex. de cadence majeure: *"Je n'espère rien, je ne demande rien: mais je dois vous voir s'il faut que je vive".* (*ib.,* p. 47.) V. à *phrase (types de —),* 2 et à *groupe rythmique,* rem. 3.

Rem. 2 Selon Ph. Hamon (*Clausules,* dans *Poétique,* t. 24, p. 509), la clausule (il étend le sens du terme pour en faire non plus seulement le dernier membre de la période mais toute finale d'oeuvre) est ou n'est pas prévisible, accentuée, stéréotypée, conforme au genre littéraire de l'oeuvre, déceptive, ouvrante (créant une attente chez le lecteur), interne (fin d'une partie). **Ex.** (*ib.,* p. 501): Ils vécurent heureux et eurent beaucoup d'enfants (*le conte*). Veuillez agréer... (*la lettre*). Démoulez et servez chaud (la recette*). La morale de la fable. L'envoi (*dans la ballade*).Mon tout est... (*la charade*). Et c'est depuis ce temps-là que... (*récit étymologique*). Amen (*la prière*). La victime fut transportée à l'hôpital, où elle ne tarda pas à succomber (*le fait divers*). Le happy end (*feuilleton*). "Bis" (*la chanson*). Etc. V. aussi à *mot de la fin.*

CIRCONLOCUTION Embarras qu'on éprouve à dire une chose, on tourne autour avant d'y venir. LITTRÉ.

Ex.: *LE CONTRÔLEUR. — Quelle démarche légère est la vôtre, mademoiselle Isabelle! Que ce soit sur le gravier ou les brindilles, on vous entend à peine. Comme les cambrioleurs qui savent dans les maisons ne pas faire craquer l'escalier, en marchant juste sur la tête des pointes qui l'ont cloué, vous posez vos pas sur la couture même de la province.*
ISABELLE. — Vous parlez bien, monsieur le Contrôleur. C'est très agréable de vous entendre.
LE CONTRÔLEUR. — Oui. Je parle bien quand j'ai quelque chose à dire. Non pas que j'arrive précisément à dire ce que je veux dire. Malgré moi, je dis tout autre chose. Mais cela, je le dis bien... Je ne sais si vous me comprenez? (Le lendemain, il se présentera en jaquette et osera lui demander sa main.)
GIRAUDOUX, *Intermezzo,* II, 3.

Même déf. Lausberg (§ 1244), Morier.

Autre nom Ambages (mais dans l'expression *sans ambages* seulement).

Autre déf. Quillet et Robert la rapprochent de la périphrase* (ce qui vaut surtout étymologiquement).

Rem. 1 La circonlocution est à la phrase ce que la périphrase* est au mot; elle étoffe (ainsi une simple phrase peut devenir alinéa) mais n'exprime qu'indirectement son objet.

CITATION Passage emprunté à un auteur qui peut faire autorité. LITTRÉ.

Ex.: *Je vis d'abord, au-dessous d'une date et entre guillemets, cette citation de l'Évangile:* **"Celui qui est fidèle dans les petites choses le sera aussi dans les grandes"**, *puis:* **"Pourquoi toujours remettre au lendemain cette décision que je veux prendre de ne plus fumer."** GIDE, *Romans,* p. 1020.

Même déf. Quillet, Lausberg (§ 1244), Robert.

Autres noms Extrait, péricope (extrait choisi en vue d'en faire une lecture publique ou liturgique). V. aussi à *épigraphe.*

L'art d'introduire dans le discours* les maximes* et les proverbes* idoines fut autrefois si étudié qu'il avait reçu un nom, la *gnomologie.* Le **centon** était un ouvrage entièrement composé de citations. **Ex. actuel:** ÉLUARD, *Premières vues anciennes.* Cf. DU MARSAIS, *des Tropes,* p. 275. Il y en a des recueils alphabétiques récents: celui de Dupré, de P. Oster.

Quand les citations d'auteurs sont plus étendues et qu'on les donne comme *modèles* à imiter, ce sont des **anthologies, morceaux choisis, analectes** (Robert), **catalectes** (Littré). La citation, en effet, servait aux amplifications oratoires.

Autre déf. La définition de Littré s'est élargie. On ne cite plus les *"autorités",* spirituelles ou autres, seulement, mais, par souci d'objectivité, toute sorte de documents.

Jakobson (p. 177) donne à la citation une extension maximale en la définissant de façon structurale: M/M, c'est-à-dire *"message à l'intérieur du message"* voire *"message à propos du message",* ce qu'il explique ainsi: *"Nous citons les autres, nous citons nos propres paroles passées, et nous sommes même enclins à présenter certaines de nos expériences sous forme d'autocitations."*
L'**autocitation** courante (*"...que j'dis"*) est naturelle. Dans un texte publié, elle relève de l'autisme* et risque de paraître déplacée, sauf en certain cas, par exemple s'il s'agit de se justifier dans un procès d'intention (cf. Montherlant, *le Maître de Santiago,* notes). Dans les textes scientifiques, il est courant de donner des références à ses publications antérieures.

Rem. 1 Les marques de la citation sont la mise en exergue ou les guillemets (V. à *assise,* 5) et la **référence** (V. à *notation,* rem. 1). Oralement, elle a une intonation* spéciale. Pour signaler une citation dont on a perdu de vue la référence (ou pour transformer l'énoncé en *fausse citation*) on a la formule *comme on dit*, familièrement *comme dit l'autre"*.

Le texte de la citation doit être conforme; ou, à la rigueur, en style indirect libre. En style indirect, ce n'est plus une citation mais un résumé*. Quand on n'est pas sûr de la conformité, on le signale: *"Je cite de mémoire"*.

Rem. 2 Quand le texte cité est dans une autre langue, il est habituel de la donner en traduction, avec éventuellement l'original en bas de page. La citation en langue étrangère (réelle ou inventée) permet toutes les traductions.

Ex.: (S'inspirant du *Bourgeois gentilhomme*, Jarry caricature une visite officielle en Afrique du Nord) *M. LOUBET (dans la langue du pays). — Ha la ba, ba la chou, ba la ba, ba la da.*
Ce qui veut dire: — La France protège tous ceux, Français ou indigènes, qui résident sur son sol; mais, en retour, elle attend d'eux un dévouement absolu.
A. JARRY, *la Chandelle verte*, p. 371.
C'est la *fausse traduction*, proche du pseudo-langage*.

Rem. 3 Il y a un snobisme de la citation, qui consiste à émailler son discours de noms à la mode, même sans nécessité. **Ex.:** un linguiste cite Jakobson pour dire que *"le décodage va du son au sens"*. Les mots attribués à une autorité reconnue peuvent aussi être utilisés pour couper court à une discussion: c'est l'argument* d'autorité.

Cette autorité de la citation est parfois parodiée. **Ex.:** *"Les chants désespérés etc. (Machin)"* (VIAN, *la Complainte des contribuables*).

Rem. 4 De la simulation, ou d'un changement de contexte, ou simplement de l'actualité, la citation reçoit un sens **accommodatice** (V. à *sens*, 7). C'est l'occasion qui confère de l'intensité et de la force à certaines liturgies, aux hymnes patriotiques, si usées qu'en soient les formules. **Ex.:** "**La Marseillaise** *retrouvait ses cris prophétiques: le jour de gloire, c'était cette libération, la tyrannie, on la connaissait,* "**entendez-vous dans nos campagnes"** *les chars qui se rapprochaient peut-être"* (MALRAUX, *Antimémoires*, p. 257).

Au besoin, les citations sont modifiées, adaptées (V. à *substitution*, rem. 2). Mais un texte peut aussi être cité sans être réassumé, en tant que pur signifiant, pour servir de base à une discussion ou à un vote par exemple; dans ce cas, il n'y a pas d'interprétation, mais seulement autonymie*.

Rem. 5 On distinguera la *fausse citation* (**Ex.** à la rem. 2) de la *demi-citation*, dépourvue de référence, inavouée (V. à *imitation*, rem. 8), inconsciente, qui est la présence en tout discours de tant de textes consommés, c'est-à-dire de l'**intertextualité**.Pour la pseudo-citation, V. à *assise*, 5. V. aussi à *psittacisme*, rem. 1.

Rem. 6 Les **paroles relayées** ou **déplacées** (Bloomfield, cité par Jakobson, p. 177) sont des textes arrachés à leur contexte, sans être pour autant réinsérés dans un nouveau contexte (distinguer de *propos déplacés* : "impertinents, inconvenants". Hors contexte, le sens* devient **plénier** (plus étendu).

Rem. 7 La citation est motivée et le citeur éprouve parfois le besoin d'en souligner certains passages (comme dans le présent ouvrage, en demi-gras). Il est alors d'usage d'avertir le lecteur que ce soulignement* n'est pas au texte originel, par une parenthèse: *c'est nous qui soulignons.* V. aussi à *rejet,* autres déf., 2; à *contre-interruption,* rem. 1.

CLIC Articulation sourde indépendante de la respiration et qui s'obtient *"par des mouvements* (musculaires) *de succion à l'aide des lèvres ou de la langue"* (G. STRAKA, *les Sons et les mots,* p. 30). **Ex.:** le bruit d'un baiser (que "smac" rend de loin); l'explosion latérale au niveau des gencives par laquelle on appelle un animal.

Rem. 1 Le clic est un bruit* humain. Extérieur au système phonologique, il n'entre pas non plus dans le système graphique, d'où la difficulté de sa transcription. En hottentot, où l'on a des clics qui font partie de la structure, il existe des transcriptions.
Certains clics ont en français un sens codé. Par exemple, un claquement de langue exprime la délectation; l'aspiration explosive latérale est racolleuse; l'aspiration explosive dentale centrale est réprobatrice (**ts, ts**). On n'est pas loin du sifflement d'admiration, de l'**s** aspiré exprimant une douleur, du **f** qui accompagne un haussement d'épaules: consonnes expiratoires ou aspiratoires qui sont des quasi-interjections*.

CLICHÉ Idée ou expression trop souvent utilisée... banalité, lieu commun. **Ex.:** *cheveux d'or, lèvres vermeilles.* ROBERT. V. aussi à *image,* 4.

Ex.: *La préface de M. Pierre Loti est lisible, car nous n'y avons relevé qu'une fois en deux pages "exactitude rigoureuse, prime jeunesse, ineffaçable empreinte, arcanes profonds, valeur rare".*
JARRY, *la Chandelle verte,* p. 557.

Même déf. Quillet, Bénac.

Analogues Stéréotype, syntagme* figé (désignation non péjorative).

Rem. 1 La définition de Robert vise aussi bien la banalité de l'expression que celle de l'idée. Bien qu'il ne soit pas toujours possible de les distinguer nettement, le mot *cliché* au sens strict, selon R. de Gourmont (*Esthétique de la langue française*, p. 189) et Marouzeau, désigne plutôt la banalité de l'expression.

La banalité de l'idée est plus souvent appelée **lieu commun**, ce qui est du reste un sens élargi de ce synonyme de *topique* (V. à *argument*). Dans certains cas, on emploiera plus justement le mot **poncif**: *"Thème littéraire ou artistique, mode d'expression qui, par l'effet de l'imitation, a perdu toute originalité."* (Robert). V. aussi à *truisme*, rem. 1, à *imitation*, rem. 7.

Rem. 2 Étant un défaut du style, le cliché, lorsqu'il est conscient, s'emploie pour connoter l'absence de sincérité et la prétention... **Ex.:** *"— Arrière de moi, fille ingrate! Je ne me laisserai plus émouvoir par vos larmes, et vos protestations ont perdu pour jamais le chemin de mon coeur."* (GIDE, *Romans*, p. 655).

Avec une intention ironique, parodique.

Ex.: *L'apparition de cet exécuteur connu-du-monde-entier fut saluée d'une tempête d'acclamations par cet immense concours de peuple, les belles dames de l'entourage vice-royal agitaient des mouchoirs enthousiastes tandis que les délégués étrangers plus excitables encore y allaient d'un frénétique pot-pourri ..... au milieu duquel les sonores* **evviva** *du représentant de la patrie du bel canto ..... se distinguaient facilement.*

JOYCE, *Ulysse*, p. 296.

Ils ont, comme le souligne Bally (*Traité*, § 99), des *"effets par évocation"*. Mais, ajoute-t-il, les clichés peuvent aussi *"dans certains cas, passer pour des créations originales"*. Ils ont en effet l'avantage d'être (ou de passer pour) élégants et de faciliter l'étoffement de la pensée (V. à *amplification*), ce qui explique leur foisonnement dans la parole publique.

Ex.: *"Pour ne pas* **jeter dans l'âme** *du lecteur un* **trouble inutile,** *j'ajouterai ceci..."; "Le captain Cap!* **Tout le monde en parle** *aujourd'hui mais* **combien peu** *le connaissent!* **J'ai l'honneur** *d'appartenir à cette* **petite élite.** *La première fois que* **j'eus le plaisir** *de rencontrer Cap..."* (A. ALLAIS, *la Barbe et autres contes*, p. 124).

Rem. 3 Le problème du cliché est celui de l'originalité des écrivains.Ont-ils le droit de malmener la syntaxe, comme le pensait Proust?

..... ils ne commencent à écrire bien qu'à condition d'être originaux, de faire eux-mêmes leur langue. La correction, la perfection du style existe, mais au-delà de l'originalité, après avoir traversé les faits, non en deçà.

PROUST, *Correspondance générale*, t. 6, p. 94. Quand le souci de correction prime, ajoute-t-il, on aboutit à *"émotion discrète"*, *"bonhomie souriante"*, etc.

Rem. 4 Certains clichés tirent leur origine de *métaphores* (V. ce mot, rem. 2). D'autres sont des comparaisons* entrées dans l'usage comme mode de soulignement* (V. à *comparaison figurative*, rem. 3). Il y a des clichés étendus (V. à *slogan* et à *proverbe*, rem. 1). Ils peuvent prendre un sens très spécifique (dit *extensif*). V. à *sens*, 4. Il y a dénudation* s'ils sont dénoncés par leur sens* propre.

Rem. 5 Le cliché est réveillé notamment par une substitution (V. ce mot, rem. 2), par une incohérence (V. ce mot, rem. 2). Il se met au service de l'ironie (V. ce mot, rem. 5) comme du souhait (V. ce mot, rem. 2).

COLLAGE Procédé inventé par les peintres surréalistes, qui collèrent sur la toile des bouts de papier, de tissu, etc., et que certains poètes ont imité en créant ***"des rencontres saugrenues d'objets disparates"*** (R. CAILLOIS, cité par ROBERT, Supplément, à *collage*).

Ex.: *une grande cuiller en bois, d'exécution paysanne ..... dont le manche, lorsqu'elle reposait sur sa partie convexe, s'élevait de la hauteur d'un petit soulier faisant corps avec elle.*
BRETON, *l'Amour fou*, p. 35; la cuiller est photographiée p. 40.

Syn. Rapprochement incongru, alliance d'objets.

Autre déf. Texte composé de fragments de textes antérieurs. **Ex.:** W. LEWINO, *l'Éclat et la blancheur.*

Rem. 1 Le collage est un type de dissociation* caractérisé par le fait qu'il met en cause deux objets aux sèmes incompatibles. Il peut s'obtenir artificiellement (V. à *reprise*, rem. 3), mais pour être vraiment poétique, doit jaillir de l'inconscient (V. à *dissociation*, rem. 5). **Ex.:** *"Seins ô mon coeur"* (Éluard).

Rem. 2 Il est parfois difficile (et ce n'est pas toujours la faute du lecteur) de départager, dans la poésie surréaliste, ce qui est dissociation proprement dite (deux isotopies* distinctes) et ce qui est *fausse dissociation* ou incohérence* (*une* isotopie possible parce que l'un au moins des objets est pris au sens figuré). **Ex.:** *"il y a des tambours voilés jusque dans les robes claires"* (ÉLUARD, *O. c.*, t. 1, p. 353). Ceci n'est pas un collage, si du moins nous avons raison de prendre *dans les robes claires* comme métonymie* du corps féminin et *tambours voilés* comme métaphore* du deuil.

Rem. 3 Le collage prend la forme d'une juxtaposition*, d'une anaphore (V. ce mot, rem. 1), d'une reprise*, d'un mot-valise*, d'une maxime*, voire d'une simple assertion*. **Ex.:** *"Les avions redoutent les jardins, et pour cause"* (J. LEVY, dans le *Dictionnaire abrégé du surréalisme,* à *avion*). La paternité de ce collage revient d'ailleurs à un peintre, Max Ernst, qui a gravé la chute d'un aéroplane dans un jardin sous le titre insolite de *Jardin gobe-avions* (photographié dans *l'Amour fou* de Breton, p. 112).

COMMUNICATION Afin de mieux persuader ceux à qui ou contre qui l'on parle ..... on a l'air de les consulter ..... et de s'en rapporter à ce qu'ils décideront eux-mêmes. (FONTANIER, p. 414).

Ex., cité par Fontanier: *Je vous demande, qu'eussiez-vous fait dans une circonstance aussi délicate* (Cicéron, à l'adversaire de son client).

Même déf. Du Marsais, Girard, Littré, Quillet, Morier.

Autres déf. 1 Au sens fondamental, "mise en relation des interlocuteurs". V. à *énonciation.*
2 Exposé fait devant une assemblée sur une question spécifique.

3 Scaliger, du Marsais et Littré parlent d'une *communication dans les paroles,* figure où l'on rend commun à plusieurs ce qu'on ne dit que pour quelques-uns, comme quand Orgon dit à son fils: *"Sus, que de ma maison* **on** *sorte de ce pas"* (*Tartuffe*). Fontanier préfère appeler cette figure *association;* Morier, *communion.*

4 *"Tirer des principes mêmes de ceux à qui l'on parle, l'aveu des vérités que l'on veut établir contre eux"* (AMAR, *Rhétorique,* p. 102). C'est un type d'argument ad hominem*.

Rem. 1 La communication fait partie d'un ensemble de figures destinées à *"s'assurer la bienveillance de l'auditeur soit en lui décernant quelques louanges (sans le flatter jamais), soit en lui parlant de ce qu'il connaît et de ce qu'il aime"* (J. FOLLIET, *Tu seras orateur,* p. 59).

Il nous semble donc essentiel à la définition du procédé que ce soit le public ou quelqu'un de réellement présent qui soit pris ainsi comme juge de la cause. V. à *délibération* et *dubitation; question,* rem. 3; *simulation,* rem. 2.

Cicéron (*Rhétorique à Herennius,* p. 31) souligne combien il importe de s'attirer la sympathie. Il recommande, dans les cas difficiles, un procédé qui consiste à inviter les autres à se mettre à votre place et qu'il appelle la **commisération**. Cette attitude, dont on trouve un exemple dans le cas du conférencier qui raconte l'embarras où il s'est trouvé quand on lui a demandé etc. etc., est dangereuse lorsqu'elle usurpe la place des arguments pertinents: elle devient argumentation *ad populum.*

Rem. 2 Il y a une *demi-communication*, qui consiste à prendre comme juge un absent *"qualifié"*. **Ex.:** *"Je défie n'importe quel homme sain de lire les affiches et les proclamations des partis en cause, quels qu'ils soient, sans perdre l'appétit pour huit jours"* (Poulet).
On n'est pas loin de l'argument du témoin fictif (V. à *argument*, rem. 2), à moins que l'on ne prenne pour juge un tiers réel.

Ex.: *Nous aurions pu, pour nous mettre au diapason ordinaire de la grande presse, comparer tout de suite le nouveau professeur à Sainte-Beuve ou à Taine. Mais qu'aurait-il pensé lui-même d'un tel coup d'encensoir?... Il en eût souri, ou il s'en fût fâché, et dans les deux cas il aurait eu raison.*
J. FOURNIER, *Mon encrier*, p. 103.

Rem. 3 Une variété assez exceptionnelle de communication, et qui est l'inverse de la *commisération*, consiste à se mettre soi-même comme auteur à la place de l'interlocuteur (avec ce que cela comporte de risque d'erreur). Ainsi une demande d'emploi pourra-t-elle prendre la forme: *"Vous avez peut-être besoin d'une secrétaire supplémentaire"* (THIERRIN, *la Correspondance commerciale*).

Ex. litt.: *Ô mon ami l'homme, que ne t'ai-je encore entretenu des délices symphoniques de t'entendre m'entendre? Car je t'entends m'entendre. Tu m'entends et c'est comme si tu me parlais. Tu ne m'entends pas à voix basse, tu m'entends à haute voix. Chaque mot que je te dis se répercute en toi comme dans une grotte d'or.*
R. DUCHARME, *le Nez qui voque*, p. 254.

Ce procédé pourrait s'appeler **altruisation**. Il peut s'exercer aussi envers un personnage de roman. Ainsi, le fameux voussoiement de Butor dans *la Modification* marque l'altérité du héros, qui n'empêche pas que l'auteur se place constamment à son point de vue (*focalisation*, V. à *récit*, rem. 3).

Rem. 4 Le procédé a son intonation* (déférence simulée).

COMPARAISON On rapproche deux entités quelconques du même ordre, au regard d'une même action, d'une même qualité, etc. Développée, la comparaison est un parallèle*; limitée à un rôle expressif, c'est la comparaison figurative (V. ci-dessous, rem. 1), avec ses diverses formes poétiques (V. à *image)*, parfois aussi polémiques (V. à *raisonnement*, rem. 3).

Rem. 1 On distingue la *comparaison figurative* de la *comparaison simple*. La première introduit un qualifiant (adj., adv.), la seconde un actant* grammatical supplémentaire (subst.) Seule, la comparaison figurative est une image littéraire.

Comparer: malin comme un singe / malin comme son père.

La vraie comparaison permet de développer le prédicat de la comparaison (malin comme son père, mais plus obstiné, moins paisible) tandis que la fausse, la pure, la rhétorique, n'est possible qu'à un point de vue, et permet de développer les comparants: malin comme un singe, comme *"limaces sortant des fraises"* (Rabelais), etc.

Vian joue adroitement sur la confusion possible: *"Un morceau de pain frais comme l'oeil et, comme l'oeil, frangé de longs cils"* (*Le Loup-Garou,* p. 183).

Rem. 2 La *dépréciation superlative* (Angenot) part d'une comparaison en vue de souligner hyperboliquement un défaut. On choisit un analogue particulièrement médiocre et l'on affirme qu'en comparaison avec ce dont on parle, cet analogue paraîtra appréciable. **Ex.:** *"Je ne rendrai pas compte d'***Impossible n'est pas français,** *émission ..... exécrable qui, par choc en retour, nous ferait de Jean Nohain un modèle de modestie et de dignité pensive."* (B. CLAVEL, *Combat de franc-tireur,* p. 54).
Le même procédé joue en sens inverse. **Ex.:** *"Notre cordon bleu, Vatel, à côté, n'est qu'un bleu"* (AUDIBERTI, *l'Effet Glapion,* p. 240). C'est l'hyperbole* par comparaison.

Rem. 3 Elle fait partie des lieux communs (V. à *argument,* rem. 1) et favorise l'expressivité (V. à *discours* et à *hypotypose,* rem. 1) dans un style tempéré (V. à *grandiloquence,* rem. 1). Elle permet d'étendre un raisonnement (V. ce mot, rem. 3). Elle donne une méthode à l'analyse componentielle (V. à *sens,* n.1). Elle sert à établir des correspondances*, des soulignements (V. à *déception,* rem. 3), des amplifications (V. ce mot, autre déf.), des hyperboles (V. ce mot, rem. 3), des surenchères*. Elle verse dans le baroquisme (V. ce mot, rem. 2).

COMPARAISON FIGURATIVE Comparaison* dans laquelle le choix du comparant (ou *phore*) est soumis à la notion, exprimée ou sous-entendue, que l'on veut développer à propos du comparé (ou thème*).

Ex.: *La parole* ***est comme*** *une rivière qui porte la vérité d'une âme vers l'autre, le silence* ***est comme*** *un lac qui la reflète et dans lequel tous les regards viennent se croiser.*
L. LAVELLE, *la Parole et l'Écriture,* p. 137.

Autre ex.: *"Quand s'ouvre comme une croisée sur un jardin nocturne — la main de Jacqueline X."* (BRETON, *Dict. abrégé du surréalisme,* à *Jacqueline).* V. aussi à *allégorie,* à *apologue.*

Déf. analogue Fontanier, p. 337; Morier.

Rem. 1 La présence du phore est constitutive de l'image* littéraire. La comparaison est une image où thème et phore sont exprimés (ce dernier par un syngtame) *et* syntaxiquement séparés par une marque de l'analogie.

Les marques de l'analogie sont: *comme, tel, même, pareil, semblable, ainsi que, mieux que, plus que, sembler, ressembler, simuler, être,* une *apposition* (V. ce mot, rem. 3) ou encore ce que le groupe mu appelle un *"appariement"*. L'**appariement** consiste à remplacer *comme* par un mot lexical de même effet: soeur, cousin, etc. **Ex.:** *"la terre et moi faisons* **la paire***"* (Audiberti). (Cf. *Rhétorique générale,* chap. IV, 3.2). Si le thème et le phore remplissent des fonctions comme celles de complément du nom / nom ou sujet / verbe, plus rien ne les oppose sur le plan syntaxique et l'on a une métaphore*.

On rencontre parfois, avant *comme,* un *"prédicat de la comparaison"*, ou *"attribut dominant"* (Cf. D. BOUVEROT, *Comparaison et métaphore,* dans *le Français moderne,* 1969 et M. LE GUERN, *Sémantique de la métaphore et de la métonymie,* p. 62), c'est-à-dire un ou des lexèmes indiquant de façon abstraite les sèmes qui fondent la comparaison.

Ex.: *"Elle a passé la jeune fille /* **Vive et preste** *comme un oiseau"* (NERVAL, *Une allée du Luxembourg*). V. aussi à *adynaton,* rem. 1.

Rem. 2 La comparaison est parfois développée dans une proposition assez étendue pour constituer la protase d'une période*.

Ex.: *Comme le sang gonfle les artères, bat aux tempes et pèse sur le tympan quand la pression de l'air ambiant devient moins grande, ainsi la nuit, dans cette atmosphère raréfiée que fait la solitude, le silence — l'angoisse, contenue en nous dans la journée, enfle et nous oppresse.*
N. SARRAUTE, *Portrait d'un inconnu,* p. 120.

C'est ce type, très ample, qu'on appelle *comparaison homérique.* On le fait verser aisément dans le *baroquisme* (V. ce mot, rem. 2). Ou bien on le développe sous forme de mise en scène d'une action avec conversation (V. à *apologue*).

Mais la comparaison qui *"simplement embellit"* (Bénac) est devenue exceptionnelle. La plupart des comparaisons visent à dégager quelque aspect du sens, à pallier l'absence de terminologie établie, à nuancer la nouveauté des concepts, à communiquer.

Ex.: *"Si les animaux qui marchent à la tête du troupeau changent, c'est que la somme des volontés de tous les autres animaux se reporte d'un meneur sur un autre, selon que cet animal les conduit ou non dans la direction choisie par*

l'ensemble du troupeau." Ainsi répondent les historiens qui professent que la somme des volontés des masses se reporte sur les dirigeants.
TOLSTOÏ, *Guerre et Paix*, t. 2, p. 745.

Que les éléments du comparant soient mêlés à ceux du comparé, et on aura une *application* (V. à *allégorie*, rem. 4). Qu'ils les remplacent, on aura une métaphore*.

Rem. 3 Plus de cent comparaisons sont entrées dans la langue et constituent des clichés (V. ce mot, rem. 4) de soulignement*: vif comme la poudre, battre comme plâtre, etc. Une liste a été dressée par M. Rat (*Dictionnaire des locutions françaises*, au mot *vif*).

Remotivés, les proverbes* et clichés* ont la force du texte familier et donc déjà vrai (déjà vrai dans une autre acception, mais telle est la ruse du procédé).

Ex.: *Notre amour reste là*
Têtu comme une bourrique
Vivant comme le désir
Cruel comme la mémoire
Bête comme les regrets
Tendre comme le souvenir
Froid comme le marbre
Beau comme le jour
Fragile comme un enfant
Il nous regarde en souriant
PRÉVERT, *Paroles*, p. 137.

COMPENSATION Neutraliser les connotations péjoratives (ou mélioratives) d'un lexème en lui adjoignant un mot ou un syntagme d'effet contraire.

Ex.: *Conrad aurait-il* **superbement** *méconnu le génie de la langue anglaise, avouant qu'en écrivant il se traduisait du français?*
J.-J. MAYOUX, introduction à BECKETT, *Paroles et musique*, p. 134.

Autre ex.: "**Dans son innocence,** *le Septième se comparait à Martin le Tueur.*" (M.-Cl. BLAIS, *Une saison dans la vie d'Emmanuel*, p. 67).

Autre déf. Quillet: *"mettre en regard la ressemblance et la différence de deux personnes ou de deux objets"*. V. à *parallèle*.

Rem. 1 La compensation est apparemment une alliance. Elle ne porte pas sur les sèmes de dénotation, ni même sur les sentiments (V. à *alliance de sentiments*, rem. 2). Il est donc rare qu'elle produise un effet littéraire (V. cependant l'ex. de Vigneault ci-dessous). Le plus souvent, elle est simplement destinée à éliminer les connotations indésirables de termes qu'on voudrait dépourvus de connotation. Ainsi, pour parler avec sympathie de l'illuminisme de Nerval, on dira: *"un penchant* **sincère** *à l'illuminisme"* (L. Cellier). À défaut de lexème approprié, on a recours à une périphrase* comme *"au meilleur sens du mot"*. **Ex.:** *"Les poèmes de la Résistance ont été, au sens le plus noble du terme, des oeuvres de circonstance"* (*la Littérature en France depuis 1945*, p. 13).

Rem. 2 Le lexème mélioratif est compensé, parfois, afin de soulager l'amour-propre. **Ex.:** "**Petite** *gloire,* **pauvre** *fortune, me voici pour vous conquérir"* (G. VIGNEAULT, *Petite gloire, pauvre fortune,* chanson); *"souvent je me suis senti* **menacé** *d'inspiration par l'instant précis"* (P. PERRAULT, *En désespoir de cause,* p. 15). V. aussi à *chleuasme.*

Rem. 3 Jointe à une implication*, la compensation renverse les connotations. **Ex.:** *"Pour un orgueil meilleur"* (Éluard). Ceci impliquerait que l'orgueil est bon: le lexème devient marqué mélioratívement.

COMPLAINTE Poème* chanté populaire à sujet historique triste. **Ex.:** la complainte du Juif errant.

Rem. 1 La complainte médiévale se caractérise par l'alternance de deux rimes* seulement, dont l'une *"est bien faite pour exprimer les gémissements redoublés"* (Morier).

CONCATÉNATION Mot proposé par Beauzée pour cette gradation où un mot se répète d'un membre dans le suivant, et les enchaîne ainsi les uns aux autres. LITTRÉ.

Ex. cité par Littré: *"Tout renaissait pour s'embellir; tout s'embellissait pour plaire."*

On pourrait croire qu'il s'agit, en somme, de l'anadiplose*; mais il faut en réalité au moins deux anadiploses successives pour faire une concaténation. **Ex.:** *"L'être vulgaire ne se connaît lui-même qu'à travers le jugement d'autrui, c'est autrui qui lui donne son nom, ce nom sous lequel il vit et meurt comme un navire sous un pavillon étranger."* (BERNANOS, *Romans,* p. 860).

Même déf. Lausberg, Morier.

Autre déf. Synonyme de polysyndète* (Claudel; G. Antoine, *les Cinq Grandes Odes de Claudel,* p. 36.)

Autre nom Anadiploses* en chaîne.

Rem. 1 Une variété de la concaténation, typique de la poésie de l'Inde, est le karanamala ou *"chaîne des causes"*. **Ex.:** *"Sans satisfaction, comment y aurait-il apaisement; sans apaisement, bonheur; sans bonheur, plaisir; sans plaisir, béatitude?"* (Asvaghosa, cité par H.R. DIWEKAR, p. 69).
Cette forme doit remonter au mode primitif concret de la généalogie. **Ex.:** *"Abraham engendra Isaac, Isaac engendra Jacob, Jacob engendra Juda et ses frères (etc)"*. **Ex. cont.:** *"La mélancolie et la tristesse sont déjà le commencement du doute; le doute est le commencement du désespoir; le désespoir est le commencement cruel des différents degrés de la méchanceté."* (LAUTRÉAMONT, *Poésies*, 1).

"Le néant a produit le vide, le vide a produit le creux, le creux a produit le souffle, le souffle a produit le soufflet et le soufflet a produit le soufflé..." (CLAUDEL, *le Soulier de satin*, 4, 2).

Rem. 2 Il suffit de peu de chose pour créer un maillon. **Ex.:** *"chagrin, tristesse, tristesse et misère, misère et tourment"* (GOMBROWICZ, *Ferdydurke*, p. 156).

CONCESSION On accorde à son adversaire ce qu'on pourrait lui disputer. LITTRÉ.

Fontanier ajoute: *"pour en tirer ensuite un plus grand avantage"* (p. 415). **Ex.:** ***J'aime le désordre,*** *mais pas la pagaille.*

Même déf. Quillet, Lanham, Lausberg, Morier, Robert.

Analogues Paromologie (Morier, Robert) ou parhomologie (Lanham, Morier); épitrope (Scaliger, Littré, Quillet, Morier, Robert) ou épitrophe (Lamy); l'épitrope est une concession dénudée, on accorde quelque chose en montrant bien que l'on pourrait le contester. Thiebault, cité par le Hir, appelle *synchorèse* une concession purement hypothétique. "Supposons que nous admettions..." et on montre alors les invraisemblances que cela suscite.

Rem. 1 La concession est purement rhétorique, c'est un abandon oratoire, une pseudo-générosité destinée seulement à convaincre le jury de l'étendue et de la force de son droit principal. On y oppose donc la **cession** ou abandon réel d'une prétention que l'on avait. **Ex.:** *"Hélas! je suis tout de même obligé de reconnaître que Rodin était un artiste de génie"* (CLAUDEL, *O. en prose*, p. 274).
La cession, faite à son corps défendant, est facilement agressive. **Ex.:** *"Oui, sans doute, je ne suis qu'un voyageur, un pèlerin sur la terre! Êtes-vous donc plus?"* (GOETHE, *les Souffrances du jeune Werther*, p. 110).
Cependant, elle peut aussi, lorsqu'elle porte sur des faits

reprochés, devenir un **aveu**, une confession, suivie alors d'une excuse. Cf. Foclin, cité par Le Hir, p. 111, avec exemple de Ronsard: *"Je sais bien que je fais ce que je ne dois faire: je sais bien que je suis de trop folles amours; mais quoy?"*
L'aveu libère de la faute. **Ex.:** le titre d'un recueil de Cl. Roy: *Moi je.*

Rem. 2 La plus brève des concessions est *Oui, mais...* Autres marques: *Sans doute, ... / Certes, ...*

Rem. 3 La concession pure est le prétexte d'une réfutation* d'autant plus virulente.

Ex.: *Il est entendu que M. Barbusse est pour nous une prise facile. Cependant, voilà un homme qui jouit, sur le plan même où nous agissons, d'un crédit que rien de valable ne justifie: qui n'est pas un homme d'action, qui n'est pas une lumière de l'esprit, et qui n'est même positivement rien.*
BRETON, *Légitime Défense*, p. 39.

Rem. 4 Proche de la concession est l'**insinuation** que Mestre décrit ainsi: *"lorsque l'orateur paraît d'abord entrer dans les sentiments de l'auditeur, et qu'il les ramène ensuite habilement sur des objets différents".*

Rem. 5 V. aussi à *ad hominem; intonation; transition*, rem. 1.

CONCETTI Formules de la poésie italienne antérieure au XVIIe siècle, qui frappaient par leur sens subtil et leur forme recherchée (antithèses*, images* curieuses, allusions* mythologiques); le mot finit, en France, par désigner toutes les pointes précieuses. BÉNAC.

Ex.: *Encore si vous n'aviez mon coeur, j'aurois le coeur de me défendre; mais j'ay fait par ce présent que je n'oserois pas mesme me fier à vous, à cause que vous avez le coeur double. Songez donc à me donner le vostre.....*
CYRANO de BERGERAC, *Lettres*, p. 214.

Déf. analogues — Littré, Quillet, Lausberg, Robert. Ceux-ci mettent l'accent sur l'aspect péjoratif. Littré dit: *"Pensées brillantes mais que le goût n'approuve pas"* et Montherlant s'excuse avant d'en faire: "(Après avoir dénoncé le "**verbiage creux**" qui sévissait en 1939) *Qu'on me pardonne un* **concetto**[1] : *dans ce creux, la nation s'engouffre."* (MONTHERLANT, *Essais*, p. 906).
— Preminger spécifie la définition: *"métaphore compliquée, qui*

1 Ce singulier en *-o* est italien. Mais le singulier en *-i* n'est pas entré dans le ***"bon usage"***. Ne serait-ce pas préférable, puisque c'est la forme en *-i* qui s'est francisée (cf lazzi, confetti)?

veut provoquer un choc ou un sourire intellectuels. On compare ou juxtapose des éléments qui n'ont pas de lien apparent". Ce n'est là qu'une des formes de concetti, proche du reste de l'image surréelle (V. à *image,* rem. 1).

Analogues Marinisme (Bénac), bel esprit (Payen); conceptisme: variété espagnole représentée par Herrera, "allusion érudite" Bénac); trait d'esprit*.

R. Escarpit (*l'Humour,* p. 40) oppose le *conceptisme* et le *cultisme* (V. à *imitation,* 4). Le premier serait plutôt une recherche de pensée, le second une recherche d'expression.

Rem. 1 Par sa préciosité, le concetti appartient au baroquisme*. Avec moins de préciosité, ce sera le **mot d'esprit,** le **bon mot.**

Ex.: *Je ne possède aucune langue étrangère, hormis la langue française, laquelle n'en est pas une, n'est pas une langue étrangère, sauf, c'est curieux, pour les étrangers.*
AUDIBERTI, *L'Effet Glapion,* p. 142.

Pour d'autres variétés de mot d'esprit, V. à *esprit;* à *non-sens,* rem. 1; à *simulation,* rem. 3 et 4; à *pseudo-simulation,* rem. 4. Le mot d'esprit recourt à la périphrase (V. ce mot, rem. 1); il a ses intonations*.

Rem. 2 Le concetti a une variété toujours actuelle, la pointe*. Il vient en aide au persiflage (V. ce mot, rem. 1).

CONCRÉTISATION L'expression d'une idée est remplacée par un exemple concret.

Ex.: *Autrefois, je n'avais que la liberté à la bouche. Je l'étendais au petit déjeuner sur mes tartines, je la mastiquais toute la journée, je portais dans le monde une haleine délicieusement rafraîchie à la liberté.*
CAMUS, *la Chute,* p. 153.

Ex. courant: Mêle-toi de tes *oignons.* V. aussi à *abstraction,* rem. 5.

Rem. 1 Une idée peut s'exprimer de façon plus abstraite ou plus concrète. **Ex.:** *"Tu auras toujours des difficultés dans ton travail / La fin de tes difficultés sera la fin de tes travaux."* L'*exemple* appartient à l'expression concrète. Mais, comme procédé, la concrétisation, de même que l'abstraction* et la généralisation*, va plus loin. Elle déforme le donné en vue d'un effet.

Rem. 2 Cet effet a souvent quelque chose de comique, parce que l'idée est réduite à une réalité limitée. **Ex.:** *"Ma foi, la lecture, après tout, ce n'est qu'un va-et-vient du nez qui chemine de gauche à droite et qui vole de droite à gauche"* (VALÉRY, *O. c.,* t. 2., p. 355). Ce que l'on gagne en expressivité, on risque de le perdre en crédibilité. **Ex.:** la rhétorique populaire de l'enfer avec ses supplices.

Rem. 3 Métaphore*, métonymie*, synecdoque* sont parfois des concrétisations réduites à un seul mot. **Ex.:** *"Songez que l'anglicisme est répandu partout* **comme un brouillard** *devant nos idées"* (J. FOURNIER, *Mon encrier*, p. 47). L'antonomase* de même: *"Rouletabille remplace Armand Carrel"* (R. DE JOUVENEL, *la République des camarades*, p. 242; pour: Au vrai journaliste se substitue le reporter).

Rem. 4 Mettre un mot abstrait au pluriel suffit à lui conférer un sens concret. Comparer: la bonté / les bontés de Marguerite.

Rem. 5 L'inversion* des lexèmes peut avoir pour effet de concrétiser. V. aussi à *amplification*, rem. 1; *énigme*, rem. 2; *raisonnement*, rem. 2; *tête-à-queue*, rem. 2.

CONTAMINATION Amalgamer en une seule ..... la matière de deux ou plusieurs ..... oeuvres. BÉNAC.

Ex.: Les deux premières publications de Stendhal: *Vies de Haydn, Mozart et Métastase*, et *Histoire de la peinture italienne*. Ces ouvrages sont le fruit de la compilation d'ouvrages antérieurs.

Analogues Compilation, plagiat.

Autre déf. V. à *mot-valise*, rem. 3.

CONTINUATION Élévation du ton à la fin d'un syntagme*, de façon à indiquer simplement que la phrase va continuer. Cette marque mélodique, très courante, est définie par P. Delattre comme un passage du médium (V. à *ponctuation expressive*, rem. 1) à l'aigu pour une continuation mineure, au suraigu pour une continuation majeure. (Cf. P. R. LÉON, p. 51 à 53). L'élévation est d'abord rapide, puis elle diminue progressivement, alors que la mélodie de la question* s'élève d'abord lentement puis de plus en plus rapidement, pour atteindre le même niveau maximal très aigu. (V. cependant à *ponctuation expressive*, rem. 1 & 2.)

Delattre distingue encore de la continuation majeure l'*implication*, pour laquelle la courbe se prolonge en redescendant légèrement après s'être élevée.

On peut assimiler aux continuations deux mélodies rectilignes que Delattre dénomme *écho* et *parenthèse*, caractérisées la première par son élévation, la seconde par son abaissement. Elles accompagnent un énoncé qui s'insère dans la phrase sans y participer directement.

Les autres intonations fondamentales, suivant Delattre, sont la **finalité**, où la mélodie baisse du médium au grave; l'exclamation*, inverse de la question*, où l'on passe du suraigu au grave d'abord lentement puis de plus en plus vite, et le commandement, où la même descente est abrupte. (V. à *injonction*).

CONTRE-INTERRUPTION On supprime, non la fin, mais le début d'un texte.

Ex.: *PORTRAIT DES MEIDOSEMS*
D'ailleurs, comme toutes les Meidosemmes, elle ne rêve que d'entrer au Palais de Confettis.
H. MICHAUX, *la Vie dans les plis.*

Ce trait *final* en dit assez sur la jeune personne; c'est pourquoi le reste, qui précédait, ne vaut plus la peine d'être mentionné.

Rem. 1 Les points de suspension au début d'un texte sont la marque graphique de la contre-interruption. **Ex.:** *"... à mon troisième verre de kirsch, un sang plus chaud commença de circuler sous mon crâne"* (GIDE, *les Nourritures terrestres,* 5e livre).
Quand c'est dans une citation* que l'on supprime le début d'un texte, il est préférable de mettre les points de suspension entre parenthèses ou entre crochets.

Rem. 2 Le sens* d'une contre-interruption dépend chaque fois du contexte, qui laisse supposer quelque chose du texte non mentionné. Éluard donne une ampleur particulière au procédé lorsqu'il met, au début de *Poésie ininterrompue,* une ligne de points (V. à *assise,* 6). Selon Raymond Jean, il veut dire par là que la voix du poète est *"le prolongement et l'écho d'une sorte de voix plus ..... universelle .....à la fois celle du poète dans ses oeuvres antérieures et celle de tous ceux qui l'ont précédé."* (R. JEAN, *Éluard,* p. 104).

CONTRE-LITOTE Hyperbole* destinée à dégonfler une idée.

Ex.: *Ne fumez pas, pensez à l'incendie du Bazar de la Charité. (En dessous, au crayon) Ne crachez pas, pensez aux inondations de la Seine.*
JEAN-CHARLES, *les Perles du facteur,* p. 68.

Ex. litt.: (Les feuilletonistes) *donnaient bénignement à entendre que les auteurs étaient des assassins et des vampires, qu'ils avaient contracté la vicieuse habitude de tuer leur père et leur mère, qu'ils buvaient du sang dans des crânes, qu'ils se servaient de tibias pour fourchette et coupaient leur pain avec une guillotine.*
TH. GAUTIER, préface à *Mlle de Maupin.*

Rem. 1 La litote* dit moins pour faire entendre plus. Dire plus pour faire entendre moins, ce sera donc une *contre-litote.*

Rem. 2 Il y a, au moins implicitement, dans la contre-litote, une réfutation* de type ironique, avec reprise de l'argument* adverse mais sous une coloration différente, donc une sorte d'antanaclase*.

Rem. 3 Le soulignement* peut avoir pour effet secondaire de diminuer l'exclusive d'une assertion*. **Ex.:** *"Madeleine et lui se sont laissés glisser vers le mariage surtout par conformisme"* (A. LANGEVIN, *Poussière sur la ville*). *Surtout* implique d'autres raisons possibles, contrairement à une affirmation sans soulignement*. On peut donc souligner dans le but de nuancer sans en avoir l'air... Contre-litote subreptice.

CONTREPÈTERIE Métathèse* suggérée de deux sons appartenant à deux éléments d'un syntagme*, ce qui produirait un nouveau syntagme, qui représente souvent quelque gauloiserie*. L'exemple classique est celui de Rabelais dans *Pantagruel* (chap. 17). *"Il disait qu'il n'y avait qu'une antistrophe entre **femme folle à la messe** et femme molle à la fesse."*

Même déf. Marouzeau, Robert, Angenot (p. 157)

Autre nom Contrepet (verbe : contrepéter). Robert, se fiant à Rabelais, donne aussi *antistrophe*, mais à tort semble-t-il.

Rem. 1. — Il s'agit d'une ambiguïté*, variété raffinée de l'à-peu-près*. Les permutations peuvent toucher de nombreux sons ou groupes de sons. Cf. L. ÉTIENNE, *l'Art du contrepet*.

Rem. 2. — Les surréalistes, laissant de côté l'aspect trivial, ont su plier le procédé à leurs thèmes. **Ex.:** *"Martyr, c'est pourrir un peu"*, *"Clanche de Bastille"* (PRÉVERT, *Paroles*, p. 3 et 27).

Rem. 3. — Quand le nouveau syntagme n'offre aucune intelligibilité, on n'a qu'un *pseudo-contrepet*, proche du bredouillement comme la métathèse*. **Ex.:** *"— Fougrement bort, dit Lenehan"* (JOYCE, *Ulysse*, p. 131), *"Le boème de Panville intiluté : Ma Lère"* (R. DUCHARME, *l'Avalée des avalés*, p. 83)

On pourrait aussi appeler ceci brouillage* lexical.

Rem. 4. — Involontaire, le contrepet rejoint la nigauderie* comique . *"Un acteur qui devait dire : Sonnez, trompettes! s'écria : Trompez, sonnettes!"* (*Larousse du XXe s.*). Littré et le *Grand Larousse encyclopédique* ne distinguent pas la permutation* de syllabes entières, comme dans cet exemple, de celle de deux lettres, plus subtile.

CONTRE-PLÉONASME Au lieu de rapprocher des signifiants différents dont les signifiés sont identiques, ce qui est le propre du pléonasme (V. ce mot, rem. 1), on utilise des signifiants identiques dont les signifiés diffèrent, au moins par la fonction.

Ex.: *Être à la recherche de son être, pour Valéry c'est... On ne peut **pas ne pas** le savoir. Ne tenir compte que des **effectifs effectivement** en place. On n'attend **que qu'**ils s'en aillent.*

Rem. 1 Le contre-pléonasme est le défaut inverse du pléonasme*, d'où son nom.

Rem. 2 Quand il porte sur des lexèmes, ils sont de sens différent, ce qui le distingue de l'isolexisme*. De plus, il ne vient pas d'un souci d'expressivité, mais d'un manque de vocabulaire. Il rend l'expression confuse. On y remédie ordinairement par la synonymie*.

Ex.: *Être à la recherche de son moi...(ou: de son essence) On ne peut pas l'ignorer. ...des effectifs réellement en place. On attend seulement que... ou: On n'attend que ça, que...*

On peut aussi changer le tour syntaxique, substituer des mots grammaticaux, etc. **Ex.:** *Comment calculer le nombre de nombres à un nombre donné de nombres? (Calculer* **combien** *il y a de* **nombres** *à* **n chiffres**)

Rem. 3 Éviter les contre-pléonasmes, c'est utiliser le langage en conformité avec les postulats du structuralisme de Saussure.

Nous pouvons nous représenter la langue comme une série de subdivisions contiguës dessinées à la fois sur le plan indéfini des idées confuses et sur celui non moins indéterminé des sons ..... chaque terme linguistique est un petit membre où une idée se fixe dans un son et où un son devient le signe d'une idée. Cours de linguistique générale, p. 155-6.

Il est sans doute possible d'exprimer des idées différentes par les mêmes ensembles de sons: les cas de polysémie et de polymorphie sont fréquents. Mais l'hypothèse de la clarté du système en souffre autant que la communication immédiate. Aussi les surréalistes se sont-ils plu à dénoncer les failles de de l'idiome. **Ex.:** *"Il était une fois un rein et une reine"* (DESNOS, *Domaine,* p. 211, cité par ANGENOT).

Rem. 4 Le contre-pléonasme volontaire ou **épizeuxis** (Foclin, Lanham) est utile parce qu'il vient rappeler, par une allusion* sonore, le lexème principal de l'assertion*. **Ex.:** *Malheureusement, le Brie — brille par son absence.* Il tend à se rapprocher de l'isolexisme*. **Ex.:** *"le dancing était désert et les voyantes ne voyaient rien venir"* (QUENEAU, *Pierrot mon ami,* p. 9).

Rem 5 Réduit, le contre-pléonasme devient un jeu* de mots allusif. **Ex.:** — Maman, où est-ce qu'il **est**? (la mère comprend qu'il s'agit du lait). V. aussi à *dénudation,* rem. 4.

CONTREPOINT Plusieurs isotopies* distinctes se poursuivent en alternance.

Ex.: Dans l'*Antiphonaire*, H. Aquin mène de front deux récits, l'un du 15e et l'autre du 20e siècle. Les deux isotopies ont leurs coïncidences, mais restent perceptibles séparément.

Jules-César Beausang ne semble avoir eu aucune espèce de piété pour ce grand réformateur que fut Zwingli. Gomariste ardent, il l'est demeuré toute sa vie qui ..... s'est terminée abruptement à Chivasso ..... quand je suis passée à Chivasso (avec Jean-William ..... nous allions vers Turin) je n'ai pas reconnu la Via Santa Clara, ni l'auberge où Jules-César Beausang connut les affres de l'agonie. Toutefois, à Turin, je me souviens encore de San Fernando sopra San Tomaso (église moderne construite sur la base ancienne de l'église paroissiale de San Tomasso) ainsi que du quartier ..... où devait se tenir la foire où la pauvre Renata rencontra un jour son amie Rosalita ..... Mais Jean William n'avait alors qu'une chose en tête: remonter le cours de la Sesia.

H. AQUIN, *l'Antiphonaire*, p. 129-130.

En revanche, les limites des isotopies peuvent ne pas être indiquées, et l'on risque alors de donner au lecteur l'impression qu'il se trouve devant un **brouillage sémantique** (procédé cryptographique qui consiste à substituer à un nombre suffisant de lexèmes des lexèmes relevant d'une tout autre isotopie). C'est ce qui se produit par endroits à la lecture rapide des *Chemins de la liberté.* Sartre y mêle des épisodes éloignés et indépendants mais simultanés. Ainsi, au début du t. 2, il y a les Tchèques en butte aux persécutions allemandes (héros: Milan), un pédéraste qui vient de se marier par masochisme (Daniel), un blessé qu'on évacue suite aux menaces de guerre (Charles), etc. Milan a peine à s'empêcher de répondre aux provocations, sa femme lui ayant rappelé ses responsabilités familiales.

il enfonca ses mains dans ses poches et il se répéta: **"Je ne suis pas seul. Je ne suis pas seul."** *Daniel pensait:* **"Je suis seul"**..... *des larmes de rage montèrent aux yeux de Milan, et Daniel se retourna vers Marcelle ..... Fait comme un rat! Il s'était redressé sur les avant-bras et regardait défiler les boutiques* (Cette fois, il s'agit du blessé, Charles.)

SARTRE, *le Sursis*, p. 56-7.

Le contrepoint est possible au théâtre. M. Tremblay, dans *À toi pour toujours, ta Marie-Lou,* entrecroise les répliques de deux époux avec celles de leurs deux filles, qui ont eu lieu plusieurs années après. L'effet est remarquable, tant au point de vue de la communication qu'au point de vue esthétique. Aucun brouillage, les deux paires d'antagonistes étant bien distinguées par la mise en scène d'A. Brassard (les parents sont dans la pénombre).

Rem. 1 Le contrepoint est parfois inverse, ou implicite. **Ex.:** Jean Valjean, dans la ville de Digne, se rend à la mairie, à l'auberge, puis devant l'imprimerie. Ce sont, dans l'ordre inverse, les lieux du passage de Napoléon en cette ville, six mois plus tôt, *"comme s'il y avait interaction entre la montée de Napoléon et la chute de Valjean"* (A. BROCHU, *Thèmes et structures des Misérables,* chap. 2.)

Rem. 2 Quand le mélange des isotopies est involontaire, on a un contrepoint délirant ou surréel. **Ex.:** H. Aquin, dans *l'Antiphonaire,* énumère des villes européennes et québécoises, sans ordre, ce qu'il explique dans *Point de fuite* (p. 101) en disant que c'est *"comme si son propre souvenir de ce voyage se détraquait"*.

COQ-À-L'ÂNE Passage d'une idée à une autre n'ayant aucun rapport avec la première. J. COHEN, *Structure du langage poétique,* p.167.

Ex.: *MONIQUE. — Il me plairait de compter des pirates blonds dans mes aïeux ..... À bord de mon voilier je manifesterais l'énergie qu'ils me léguèrent. De plus, je mépriserais les embruns.*
BLAISE. — Combien de mâts?
MONIQUE. — Pardon?
AUDIBERTI, *l'Effet Glapion,* p. 171.

Syn. Parler à bâtons rompus (loc. courante).

Déf. analogues Quillet: propos sans suite; Robert: on saute sans transition d'un sujet à un autre; Preminger.

Autre déf. Bénac: *"discours sans suite, sans liaison et .....* **parfois sans aucun sens".** Il s'agit du coq-à-l'âne comme genre littéraire ancien. V. à *verbigération,* rem. 2.

Rem. 1 Le coq-à-l'âne diffère de la digression* parce que, dans celle-ci, on se retrouve (ou l'on croit se retrouver) hors du sujet sans que le fil du discours* ne soit rompu (exemple à *verbiage,* rem. 5).

Rem. 2 Habituellement, le coq-à-l'âne se produit dans un dialogue* et il peut donner lieu à des jeux de mots*. Il peut être feint: on *"répond à côté"* comme si l'on ne comprenait pas (V. à *antanaclase*).

Ex.: *HOMME. — ..... L'argent ou je tire.*
BLAISE. — Je vous préviens. Ça fera du bruit.
HOMME. — Je compte jusqu'à trois.
BLAISE. — C'est tout votre bagage intellectuel? Vous n'irez pas

loin.
AUDIBERTI, *l'Effet Glapion*, p. 154.

Dans un monologue*, il se combine avec l'inconséquence* et la dissociation* pour former le genre littéraire ancien du coq-à-l'âne (V. ex. à *verbigération*, rem. 2).

Rem. 3 Le coq-à-l'âne n'est pas seulement un procédé. Michaux a pu l'observer comme phénomène dans le flux même de la conscience, avivée par une drogue (le chanvre).

Des pelles volent
puis des cris
je me dégage
l'instant d'après, Naples

Chaque instant ..... apparaît net, sans coulée, sans liaison ni avec le précédent ni avec le suivant. À l'état brut absolument. La ligne en coq-à-l'âne ..... sera son style.
MICHAUX, *Connaissance par les gouffres*, p. 121.

Rem. 4 Le coq-à-l'âne est très courant quand la conversation n'est pas un dialogue* mais l'interférence de deux monologues*.

Ex.: *LE PROFESSEUR. — Comment dites-vous Italie, en français?*
L'ÉLÈVE. — J'ai mal aux dents!
IONESCO, *la Leçon*, p. 100.

La transition* manquante se remplace par une locution passe-partout: *à propos*.

Ex.: *Mme MARTIN. — Grâce à vous, nous avons passé un vrai quart d'heure cartésien.*
LE POMPIER. — À propos, et la Cantatrice chauve?
IONESCO, *la Cantatrice chauve*.

Rem. 5 Le discours* normal se développe en évitant aussi bien la redondance* que le coq-à-l'âne. Ducrot (*Dire et ne pas dire*, p. 88) montre que deux lois, l'une *"de progrès"*, l'autre *"de cohérence"* président à l'enchaînement des phrases. Il dénoue par sa distinction du posé et du présupposé leur apparente contradiction.
Il est considéré comme normal de répéter un élément sémantique déjà présent dans le discours antérieur, pourvu qu'il soit repris sous forme de présupposé... Quant au progrès, c'est au niveau du posé qu'il doit se faire...
Il y aurait donc coq-à-l'âne (au sens large) quand les présupposés d'une phrase contredisent le posé ou les présupposés des précédentes, tandis qu'on tomberait dans la redondance quand le posé de la phrase ne fait que reproduire le posé ou les présupposés des précédentes. Comparer: Elle n'est pas polie. Tu le sais. / Tu sais qu'elle n'est pas polie. Elle l'est. / Tu sais qu'elle n'est pas polie. Elle ne l'est pas.

CORRESPONDANCE Emploi corrélatif de deux images* symboliques, dont le phore appartient à deux ordres sensibles distincts, mais dont le thème est identique.

Tout en chantant sur le mode mineur .....
Et leur chanson se mêle au clair de lune
Au calme clair de lune, triste et beau
VERLAINE, *Clair de lune,* dans les *Fêtes galantes.*
Chanson et *clair de lune* peuvent se mêler non parce que l'un est symbole de l'autre mais parce que tous deux sont représentatifs, dans leur ordre, du même sentiment intime (*"mode mineur"* et *"triste et beau"*).

La théorie et le nom du procédé viennent d'un poème de Baudelaire intitulé *Correspondances:*
Les parfums, les couleurs et les sons se répondent Il est des parfums frais comme des chairs d'enfants Doux comme les hautbois, verts comme les prairies.
Sous forme de comparaison*, Baudelaire tente d'établir la parenté de sensations distinctes.

Même déf. Bénac.

Rem. 1 La correspondance s'établit entre deux images* ou plus précisément entre deux phores; on risque donc de la confondre avec l'analogie qui unit le thème au phore. Il arrive même que les deux phores estompent le thème, surtout quand on fait place à l'énoncé, plus abstrait, de l'analogie (qui fonde la correspondance). **Ex.:** *"Elle a la voix de ses cuisses. D'une finesse! D'une élégance! D'une fraîcheur!"* (AUDIBERTI, *l'Effet Glapion,* p. 216).

Rem. 2 Morier, après Rimbaud, a cherché à fonder les correspondances sur certaines valeurs tirées des sonorités des termes employés. Le **a** ouvert serait d'un rouge éclatant, le **a** fermé d'un rouge sombre, etc. (p. 128-9).

COUPE (RYTHMIQUE) Division du vers en mesures (V. à *vers métrique*).

On marque le passage d'une mesure à la suivante:
a) Gestuellement, en battant la mesure en rond (V. à *rythme,* rem. 1), au moment où l'on passe au point le plus bas du cercle;
b) Graphiquement, au moyen de traits verticaux ou obliques appelés *barres de scansion.* On place ceux-ci au-dessus du texte car la coupe rythmique n'implique aucune espèce de pause* ni de césure*. Elle indique seulement les limites à l'intérieur desquelles longues, brèves et silence peuvent s'étendre de manière à former des mesures c'est-à-dire des segments de durée égale.

À la différence des pauses* et des césures*, les coupes rythmiques n'ont donc rien de tangible et restent arbitraires: on peut souvent couper un même vers de plusieurs façons (V. à *rythme,* rem. 4). On tiendra compte des accents*, de l'expressivité et surtout de l'*arabesque* générale du vers* et de la strophe*.

Ex.: *Ĕt lĕ'pālĕ dĕśērt#rōúlĕ sŭr sŏn'ĕnfānt*
Le flot silencieux de son linceul mouvant
MUSSET, cité par SOURIAU, p. 208. *Roule sur son enfant,* avec ses quatre brèves entre deux longues, reproduit le mouvement d'enveloppement. V. à *harmonie imitative,* rem. 1.

Rem. 1 Divers rythmiciens semblent préconiser que la coupe vienne toujours immédiatement après l'ictus, lui-même nécessairement placé sur la tonique finale de mot phonétique. Dans ce cas, les ictus (ou les accents* rythmiques) coïncident avec les coupes et l'on a un vers* rythmique.

Dans ce type de rythme, la césure coïncide nécessairement avec la coupe, comme en prose. Souriau argumente ab absurdo en citant un vers d'Hugo *"dont le moins qu'on puisse dire est qu'il n'est pas un objet d'art":*

Ni beau ni laid, ni haut ni bas, ni chaud ni froid.

Pour assouplir et lier le rythme*, il y aura donc à éviter ces coïncidences et à placer les coupes, précisément, *ailleurs* qu'aux césures*.

COURT-CIRCUIT Le langage, étant un sous-ensemble de l'univers qu'il a pour fonction de dire, a la faculté de se désigner lui-même, non seulement de façon abstraite, par des lexèmes appropriés (métalangue, jargon* des linguistes) mais aussi immédiatement, par **autonymie**.

Ex.: Mot *est un mot. Le mot* **mot.** *Je dis* **mot** *et pas* **maux**...
L'autonymie est marquée, oralement, par une pause* (ou un coup de glotte) et une intonation* spéciale; graphiquement par les italiques, parfois les guillemets (V. à *assise,* 2).

Toutefois, on observera que comme prédicat d'un verbe d'appellation, le nom est autonyme sans avoir besoin de marque. **Ex.:** *Elle s'appelait Agnès.* De même si le nom est le thème d'un prédicat appellatif. **Ex.:** *Agnès était son nom de baptême.*

Cette faculté de se désigner soi-même, c'est-à-dire de détourner la visée dénotative du signifié vers le signifiant, vaut pour des segments même étendus (citation*, discours* rapporté). Cf. J. Rey-Debove, *Autonymie et métalangue,* dans les *Cahiers de lexicologie,* 11.

En littérature, des effets comiques, ironiques, absurdes ont été tirés de cette particularité qui tient à la nature même du langage. Il s'agit toujours d'un jeu sur la distance qui peut s'établir entre signifié et signifiant, soit qu'on les donne l'un pour l'autre, ou qu'ils soient donnés comme identiques (la phrase ayant alors deux sens suivant qu'on prend les termes de façon autonymique ou non), ou comme contradictoires. Une étincelle se produit entre les deux pôles du signe, d'où le nom de **court-circuit** qui pourrait désigner ces procédés.

Ex.: *Ce personnage lui aussi lisait un journal, le* **Journal**.
QUENEAU, *le Chiendent*, p. 25.

Quel est celui de ces deux pronoms démonstratifs qui est le meilleur: cela, ça? Si c'est **ça** *ce n'est pas* **cela** *et si c'est* **cela** *ce n'est pas* **ça**.
R. DUCHARME, *le Nez qui voque*, p. 8.

Ex. transphrastique[1] : Certains chapitres des *Faux-Monnayeurs* de Gide sont les pages d'un roman qu'écrit un personnage, Édouard; roman qui s'intitule *les Faux-Monnayeurs*, naturellement.

Rem. 1 Le court-circuit s'établit aussi entre ce qui est dit et ce qui est fait. **Ex.:** "*LE POMPIER. — ..... Je veux bien enlever mon casque, mais je n'ai pas le temps de m'asseoir. (Il s'asseoit, sans enlever son casque)*" (IONESCO, *la Cantatrice chauve*, p. 45). Ce type de court-circuit peut n'être que fortuit, "faux*", c'est-à-dire rhétorique.

Ex.: *GARCIN. — Eh bien, continuons.*
RIDEAU
SARTRE, *Huis clos*, fin.

Rem. 2 Plus subtile, la contradiction entre le signifiant et le signifié du personnage. Un personnage peut représenter quelqu'un (notamment l'auteur, voire l'auteur dans son rôle de romancier) ou n'être que lui-même.

Ex.: — *J'observe un homme.*
— *Tiens. Romancier?*
— *Non. Personnage.*
QUENEAU, *le Chiendent, p. 25.*

Rem. 3 L'éditeur André Morel n'est ni le seul ni le premier à avoir étendu le court-circuit à la dimension de l'oeuvre, en publiant une célébration du silence... qui ne contient que des feuillets immaculés. Il y a aussi les *Mémoires d'un amnésique, le Livre du lecteur*, etc.

---

1 ***Transphrastique***, adj.: "portant sur un texte de dimension plus grande qu'une phrase".

Rem. 4 L'autonymie supprime la *tautologie* (V. ce mot, rem. 2).

CRASE Contraction de deux syllabes en une.

Ex.:

C'est pour Mame Foucolle (=Madame)
QUENEAU, *le Dimanche de la vie,* p. 18.

Même déf. Littré, Quillet, Preminger.

Syn. Contraction.

Ant. Diphtongaison*.

Rem. 1 La synérèse (V. à *diérèse,* rem. 3) est, comme l'élision*, un phénomène phonétique portant sur la rencontre de deux voyelles. La crase peut concerner, de plus, la consonne intermédiaire; d'autre part, son résultat peut être transcrit. Prononcer */u/* le mois d'août est une synérèse (on prononçait naguère *a-ou*), l'écrire *out* serait une crase. V. à *métaplasme.*

Rem. 2 Littré appelait *synalèphe* l'ensemble des phénomènes réduisant deux syllabes à une seule: synérèse, crase, élision*. C'est de l'ancienne grammaire.V. aussi à *haplologie,* rem. 2.

Rem. 3 On a une **contrecrase**, qui se marque par un **h** entre les deux voyelles, afin de les séparer nettement. **Ex.:** luguhubre. *"J'adore l'alcohol"* (JARRY, O., t. 1, p. 152, conforme d'ailleurs à l'étymologie*).

CRYPTOGRAPHIE Écriture codée (ou chiffrée) que l'on peut déchiffrer (ou décrypter) si l'on en possède la clé.

On peut distinguer deux types de cryptographie. Dans le premier, le message chiffré a une signification apparente.
Ex.: *"Une bicyclette à deux roues est étendue dans la cave"*. Message envoyé par radio durant la guerre de 40 et cité dans le film *le Matin d'Albert Camus.*
Dans le second, il n'en a pas.
Ex.: *jo un ve ur mi rs su di ap rl te la rm fo* (etc.)
QUENEAU, *Exercices de style,* p. 100.

Permutations de l'ordre des signes, par groupes de deux lettres. Il suffit de permuter le premier et le second groupes, le troisième et le quatrième, et ainsi de suite, pour retrouver la phrase originale. Le travail de décodage s'appelle **cryptanalyse.**

Rem. 1 Pour la formation des cryptogrammes argotiques, cf. G. ESNAULT, *Dictionnaire historique des argots français,* à *largonji.* **Ex.:** *"Un lourjingue vers lidigème sur la lateformeplic arrière d'un lobustotem"* etc. (R. QUENEAU, *Exercices de style,* p. 123).

V. aussi *ib.*, à *javanais* **Ex.:** *Unvin jovur vevers mividin suvur unvin vautobobuvus* ou à *vers-l'en* (inversion des syllabes). **Ex.:** *brelica* (calibre); *Sequinzouil* (Louis XV). C'est le *back-slang* des Anglais.

Rem. 2 Une forme atténuée de la cryptographie pourrait être appelée *encodage*. Il s'agit de remplacer certains lexèmes clés, de façon à dissimuler seulement l'isotopie*. Éluard en donne un exemple de Péret, avec la clé:

Ah! quelle douceur, mon pope (ami)! C'était comme une mince (danse) nouvelle et tout minçait (dansait) en moi. Jamais je n'aurais douillé (imaginé) cela. Et je t'assure que maintenant c'est bien fini avec les culottes (femmes). Tu ne sais pas! Tu ne sais pas!

Après cela le brûleur (soleil) disparut dans un poussant (arbre)

ÉLUARD, *O. c.*, t. 1, p. 1169.

Certains de ces termes sont tropologiques, d'autres ont été pris à l'argot*, mais avec un autre sens. On peut encore cacher occasionnellement un message dans un autre par acrostiche*, anagramme*, allographie*, paragramme*, brouillage*.

Rem. 3 La *stéganographie* est une cryptographie utilisant aussi des chiffres, des dessins, etc. Cf. É. SOURIAU, *Esthétique et cryptographie*, dans la *Revue d'esthétique*, 1953, p. 32 à 53. V. aussi à *contrepoint*.

DÉCEPTION Procédé surréel consistant à annoncer magnifiquement et à terminer sur presque rien. Le texte tourne court et finit "en queue de poisson".

Ex.: *Mme MARTIN — ..... une chose extraordinaire. Une chose incroyable ..... J'ai vu, dans la rue, à côté d'un café, un Monsieur, convenablement vêtu, âgé d'une cinquantaine d'années, même pas, qui... Eh bien vous allez dire que j'invente ..... Il nouait les lacets de sa chaussure qui s'étaient défaits.*

IONESCO, *la Cantatrice chauve*, sc. 7.

Autre ex.: *Le soir de la reddition de Breda, Roger de la Tour de Babel prit sa canne et s'en alla.*

R. DUCHARME, *le Nez qui voque*, p. 9.

Rem. 1 La déception est une variété de la **surprise**. Celle-ci consiste à préparer le lecteur à autre chose que ce qui se produit.

Rem. 2 Le procédé joue sur la nature linéaire (axe syntagmatique) du langage. Le lecteur ne peut pas savoir ce qui va suivre. On s'arrange pour qu'il s'attende à des merveilles. On l'étonne encore plus en le décevant. Ce rapprochement d'extrêmes inverses est l'un des modes de l'*image surréaliste* (V. à *image*, rem. 1).

Rem. 3 Diverses figures, notamment la gradation* (V. à *bathos*), la chute (V. ce mot, rem. 2), la surenchère (V. ce mot, rem. 4), se doublent d'une déception et deviennent donc *"déceptives"*. *La devinette (V. à énigme*) déceptive est facile à composer. **Ex.:** Tu sais ce que l'on fait en Chine avec les peaux de bananes? — ?... — On les jette.

Le truisme employé comme comparaison* de soulignement* produit aussi une déception surréelle. **Ex.:** *"La vélocité est à sa place dans l'être intérieur. Elle y est plus naturelle que dans la patte d'une tortue atteinte de paralysie."* (MICHAUX, *Mouvements de l'être intérieur*, dans *Un certain Plume*). *"Deux piliers ..... s'apercevaient dans la vallée, plus grands que deux épingles. En effet, c'étaient deux tours énormes."* (LAUTRÉAMONT, *les Chants de Maldoror*, 4).

Rem. 4 La déception a son intonation*.

DÉCHRONOLOGIE Dans le déroulement de la narration, on revient en arrière.

Ex.: *La boue était si profonde qu'on enfonçait dedans jusqu'aux chevilles mais je me rappelle que pendant la nuit il avait brusquement gelé et Wack entra dans la chambre en portant le café disant Les chiens ont mangé la boue, je n'avais jamais entendu l'expression.*
CL. SIMON, *la Route des Flandres.*

Analogues Flash back (cinéma), analepse (Genette), rétro-récit.V. aussi à *rappel.*

Antonyme Anticipation*.

Rem. 1 On distingue la déchronologie de la simple référence à un événement passé, où le présent du narré, l'ancrage allocentrique (V. à *récit*) ne change pas. (V. à *anamnèse* par exemple). Dans le texte de Simon, *"je me rappelle"* entraîne un nouvel ancrage, marqué par le passé simple *"entra"*, par rapport auquel se situent les autres temps (en particulier *"je n'avais jamais entendu"*, qui est placé au moment où Wack parle et non au moment où l'on enfonce dans la boue, moment auquel on se rappelle l'avoir pensé alors). C'est dire que la déchronologie suppose que le récit présente l'épisode antérieur comme scène revécue. V. à *réactualisation*, 7.

Cette scène est souvent présentée comme une courte réminiscence (**flash**) intercalée entre deux actions et attribuée à un personnage. Ainsi, par une sorte d'hallucination rêveuse, Élisabeth, étendue sur le lit de sa servante Léontine, glisse vers le passé de son enfance et se croit revenue chez les tantes qui l'ont élevée:
C'est très étrange. Les objets de Léontine eux-mêmes changent

doucement ..... L'appareil des saintes vieilles filles riches se déploie maintenant sur la commode de Léontine ..... Les trésors de mes tantes, les trois petites Lanouette, s'étalent sur le marbre noir, veiné de blanc.
A. HÉBERT, *Kamouraska,* p. 41-2.

Si le mouvement rétrospectif n'est pas attribué à un personnage, c'est à l'auteur à le prendre en charge, se dévoilant plus ou moins explicitement, comme dans les contes, où les interventions du conteur sont essentielles.

Dans *À la recherche du temps perdu,* l'auteur se présente comme personnage et constitue une sorte de **narrateur intermédiaire**. Comme le récit se met parfois au point de vue du lecteur, et que celui-ci prend place dans un personnage qui se pose les questions auxquelles les épisodes déchronologiques (ou anticipés) répondent, il existe aussi un **lecteur intermédiaire**. C'est habituellement le cas dans les romans d'aventure pour la jeunesse.

Dans le policier, au contraire, où le suspense* doit durer, il est courant de dérober au lecteur les intuitions justes du héros. Ainsi, quand Lemmy Caution, narrateur intermédiaire de *la Môme vert-de-gris* (P. Cheyney), pénètre seul dans la maison de la bande à Rudy, il sait déjà pouvoir compter sur Carlotta, maîtresse de Rudy, mais omet soigneusement d'en rien laisser voir au lecteur. L'omission dans un épisode raconté a reçu le nom de **paralipse**[1] (Genette).

Rem. 2 La déchronologie qui remonte à un épisode déjà raconté est répétitive et constitue un **rappel.**

Rem. 3 La déchronologie est rarement désordre, elle substitue à l'ordre chronologique un ordre logique, psychologique, etc. **Ex.:** *"À cette heure, Florentine s'était prise à guetter la venue du jeune homme qui, la veille, entre tant de propos railleurs, lui avait laissé entendre qu'il la trouvait jolie."* (G. ROY, *Bonheur d'occasion).*
La scène de la veille est rappelée au moment où Florentine *"se surprend"* elle-même et découvre ensuite la cause de son mouvement.

DÉCOUPAGE Le texte graphique est présenté tout découpé, en mots, unités de combinaison théorique[2], et en **lettres,** unités de graphie. Le découpage est susceptible de porter sur les syllabes (V. à *césure*

---

1 Autre sens. V. à ***prétérition.***

2 Aux nombreuses tentatives de définition du mot, on propose donc de joindre celle-ci: le mot est un groupe de phonèmes doté d'un sens* et qui ne se laisse plus diviser en parties entre lesquelles il soit possible d'introduire un autre "mot".

typographique, rem. 1); sur les mots phonétiques, unités de rythme; sur les syntagmes*, unités de fonction; sur les assertions*, unités d'énonciation; sur les phrases, les alinéas, les paragraphes, les chapitres.

Ex. de procédé modifiant le découpage en mots: *deux tu l'as eu (elle prononce tulazu)* AUDIBERTI, *l'Effet Glapion,* p. 166.
V. à *logatome.*

Le texte sonore, surtout quand il y a des liaisons, expose à des métanalyses*. Le découpage de /tropeureu/ est *trop heureux* ou *trop peureux* : il n'y a, en effet, normalement, qu'un seul mot phonétique ici (V. à *groupe rythmique*).

Ex. de découpage graphique inattendu: V. à *juxtaposition graphique,* rem. 2.

Analogue Délimitation.

DÉFINITION Assertion* dont le thème est une chose ou un mot et le prédicat une périphrase* qui l'explicite, en désignant les sèmes génériques (*classification*), les sèmes spécifiques (définition *stipulative*) ou les sèmes virtuels (*exemple*).

Ex.: *IRIS. 1° Nom d'une divinité de la mythologie grecque, qui était la messagère des dieux. Déployant son écharpe, elle produisait l'arc-en-ciel.*
R. CHAR, *les Matinaux,* p. 97.

La définition de mot (**lexicale**) relève de la fonction métalinguistique (V. à *énonciation,* 6). Elle regroupe divers sens possibles, la polysémie étant d'autant plus grande que le mot est plus fréquent (loi de Zipf). En littérature, on rencontre surtout la définition *exemplative,* qui concrétise, et la définition *stipulative,* qui précise la pensée. **Ex.:** *"le génie (si toutefois on peut appeler ainsi le germe indéfinissable du grand homme) doit..."* (BAUDELAIRE, *O.,* p. 1133).

Autre ex.: *Notre corps est une machine à vivre, voilà tout. Et comme il* (Napoléon) *s'était lancé sur la voie des définitions, qu'il aimait, il en fit à l'improviste une nouvelle:* **"Savez-vous, Rapp, ce qu'est l'art de la guerre? demanda-t-il. C'est d'être à un moment donné plus fort que l'ennemi."**
TOLSTOÏ, *Guerre et Paix,* t. 2, p. 235.

Il suffit de franchir les limites, assez étroites, de la définition, pour obtenir des effets humoristiques. **Ex.:** Par *carte blanche,* on entend une carte non perforée, même si elle est rouge (Informatique).

PIROGUE. "Un long creux qui préserve de l'eau" disait cet explorateur. (MICHAUX, *Ecuador*, p. 180). *Le chat, c'est leur chien?* (dans *Frimousset*).

Rem. 1 Mestre (p. 13 à 15) distingue la définition *"philosophique"*, qu'il qualifie de "sèche et courte", et la définition *oratoire* (V. aussi Le Clerc, p. 214; Lausberg, § 78): *descriptive* (V. à *description*), énumérant les parties (V. à *énumération*), accumulant les propriétés, assortie des causes, des effets, des circonstances, voire de comparaisons*. On a une **pseudo-définition** quand le prédicat n'explicite pas les sèmes du thème, mais qu'il lui attribue des connotations nouvelles, par métaphore* ou par synecdoque*. Ainsi, la définition peut devenir un argument* déguisé, d'autant plus péremptoire qu'il se donne des allures de définition linguistique ou logique. **Ex.:** *"Ce troupeau de chiens qu'on nomme armée"* (L. TAILHADE, *Imbéciles et gredins*, p. 219). *"L'effroyable translation de l'utérus au sépulcre qu'on est convenu d'appeler cette vie."* (L. BLOY, *Belluaires et porchers*, p. 29).
Il y a des pseudo-définitions elliptiques, qui donnent à l'idée la force d'une maxime*. **Ex.:** *"L'enfer, c'est les autres"* (SARTRE, *Huis clos*). Signalons aussi la définition **opératoire,** qui débouche sur une méthode de différenciation commode des cas concrets. **Ex.:** V. à *assertion*, rem. 4.

Rem. 2 La définition peut aller jusqu'à une **identification**. En écrivant à un ami: *"J'ai vu ta femme"*, Apollinaire aurait pu ajouter: elle est laide et belle; assertion simple. Si on remplace les adj. par des subst., on a: C'est à la fois une horreur et une beauté; définition par classification. Il a préféré écrire: *"Elle est la laideur et la beauté"*, conférant à cette femme la noblesse d'un type, par le seul tour syntaxique, qui fait de la définition une identification.

L'identification à du concret est également possible et d'autant plus frappante.

Ex.: *Car j'ai vécu de vous attendre*
Et mon coeur n'était que vos pas
VALÉRY, *Charmes*, p. 54.

Rem. 3 Hugo met ses définitions en forme de question* / réponse*. **Ex.:** *"— Qu'est-ce que la pieuvre? — C'est la ventouse."* (*O. romanesques c.*, p. 1052).

Rem. 4 L'essai de type scientifique fait un large usage de la définition, qui permet d'éviter la néologie tout en spécifiant à l'extrême la pensée. Ainsi, G. Genette (*Figures III*, p. 157), étudiant la fréquence dans le récit, appelle *détermination* d'une série d'événements *"ses limites diachroniques"; spécification, "le rythme de récurrence"* des événements et *extension*, la durée de chaque événement...

Rem. 5 L'usage de termes abstraits élargit souvent les définitions jusqu'à les rendre imprécises. **Ex.:** V. à *ambiguïté,* rem. 2. Mais définir les termes d'un problème est un moyen de trouver de bons arguments (V. ce mot, rem. 1). Quant aux définitions dans les mots croisés, elles ne sont pas loin d'être parfois des devinettes.

DÉLIBÉRATION Feindre de mettre en question pour en faire valoir les raisons ..... ce qu'on déjà décidé. FONTANIER, p. 412.

Ex.: *La révolution ayant échoué partout ailleurs, que pouvaient faire les Bolcheviks? Attendre? Se faire "hara-kiri" devant l'énormité de la tâche? Ou construire le socialisme dans un seul pays? Ils ont choisi cette voie.* ELLEINSTEIN, dans *le Monde,* 2 août 73.

Rem. 1 On imite rhétoriquement les discussions d'une assemblée délibérante. Chaque option est résumée sous forme de question*. On n'est pas loin de la communication*, de l'interrogation oratoire (V. à *question,* rem. 3) et de la dubitation*.

DÉNOMINATION PROPRE Le nom propre est celui qu'on attribue à un être, un lieu, un organisme, un objet afin de le désigner de façon exclusive, par un mot qui lui appartienne ***"en propre"***, parce que son nom ***"commun"*** ne le distinguerait pas des autres êtres identiques.

Analogues L'étude des noms propres a été conduite d'après la classe des référents. La *réonymie* étudie les objets: noms de bateau, de restaurant, etc. On étudie aussi les *hydronymes* : noms de fleuve; les *ethnonymes* : noms de peuple; les *phytonymes* : noms de plante; les *oronymes* : noms de montagne; les *odonymes* : noms de route ou rue; les *zoonymes* : noms d'animal (*Thésaurus de linguistique française*).

Rem. 1 La marque du nom propre est la majuscule. **Ex.:** la Terre (comme astre). De plus, l'appropriation du lexème rend inutile tout déterminant (absence d'article, sauf dans certains cas limites). De même, la marque du pluriel n'est utile que si l'appropriation est très atténuée. **Comparer:** des Matisse / des Fords; les *Amphitryon* de Molière et de Giraudoux / ils se prennent pour des don Juans. On voit que le **s** du pluriel apparaît chaque fois que le nom propre est utilisé en fait comme nom commun. *Ford* n'est plus l'inventeur de l'automobile mais le générique de nombreuses séries d'objets identiques, d'où aussi l'article, *une* Ford. Des don Juans, parce que ce sont plusieurs individus ayant en commun le caractère de ce héros. De même pour les noms de nationalité: *un* Suisse.

Quand la majuscule disparaît, c'est que le nom propre est devenu nom commun, qu'il n'y a plus aucune appropriation. L'article et le *s* du pluriel sont alors réguliers. **Ex.:** des amphitryons (hôtes), des airs donjuanesques (adj.).

En revanche la majuscule suffit à transformer la périphrase même: *"Puis* **Celui qui est sans péché** *peut se permettre..."* (GIDE, *Romans,* p. 646).

Rem. 2 En français, les noms sont constitués, pour les individus, du **prénom** (**analogues** *petit nom, nom de baptême*), du nom de famille ou **patronyme** (littéralement *nom du père,* sur le modèle, fréquent dans l'antiquité, courant encore en Russie, en Acadie, etc. de *"fils de N",* remplacé par un nom de lieu d'origine ou un ancien surnom: Dupont, Legris) et parfois d'un surnom (on dit ironiquement **sobriquet**) tiré de quelque caractère individuel. **Ex.:** *"M. de la Béquille"* (Alarica, au roi son père, boiteux, dans AUDIBERTI, *Le mal court,* p. 96), *"la puce".*

Dans certains groupes fermés, on *"rebaptise"* les membres dans l'univers créé, à l'aide de sobriquets ou même de titres (noms de religion, totems scouts, titres des membres du Collège de Pataphysique, etc.) La collation du titre* est du reste un procédé expressif et courant.

Le **pseudonyme** remplace le nom propre réel par un nom de fantaisie. Par ex., Ringuet (nom de plume de Philippe Panneton). Le faux nom sous lequel travaille l'espion ou le détective s'appelle aussi **cryptonyme** ou nom de guerre. Tiré du nom de la mère, le nom de famille est un **matronyme**.

Si les noms de personne peuvent avoir des origines anciennes, les noms de lieux remontent à un substrat linguistique antique. Quant aux surnoms, ils appartiennent à la langue et conservent l'article. **Ex.:** Charles le Chauve. Devenus patronymes, ils incorporent l'article. **Ex.:** Lécuyer, Langlois.

Les noms d'organismes sont tirés de noms communs (la Faculté de médecine, la Compagnie de la Baie d'Hudson, l'Électricité de France) ou sont des acronymes*. Les noms d'objet, vocables industriels, marques de fabrique, sont soit des mots* composés (aéroglisseur), soit des *dérivés* (réacté), soit des mots forgés* par onomatopée* (Psscht), étymologie* (Clairol, shampooing), métanalyse* (Sanka, café *sans ca*féine), mot-valise* (Yoplait, *"le yogourt qui plaît"*).

C'est en informatique que la dénomination propre est le plus constamment utilisée, chaque *"programme", "sous-routine", "fichier"* et jusqu'à la moindre variable recevant un sigle plus ou moins significatif. Elle joue parfois un rôle important en littérature, le nom des héros ayant diverses connotations. Ainsi, dans *les Chambres de bois,* A. Hébert utilise constamment de *"beaux"* prénoms, *Catherine, Michel, Lia.* É. Labiche, pour trouver des noms comiques mais vraisemblables, mêlait toponymie et anthroponymie, il compulsait l'indicateur des chemins de fer (É. SOURIAU, dans la *Revue d'esthétique*, 1965, p. 27). Certains choisissent des noms d'animaux: *Lebeuf* (Bessette, dans *la Bagarre*), *Colombe* (prénom, Anouilh). D'autres bénéficient de la grande liberté de choix qu'offre le surnom. **Ex.:** *"Nous garderons* **la Petite** *ici. Bien à l'abri avec ses enfants"* (A. HÉBERT, *Kamouraska*, p. 99; ce sont les tantes qui parlent d'Élisabeth, qui restera toujours pour elles *"la Petite"*). Dona Musique, Tête d'or (personnages de Claudel). V. aussi à *sarcasme*.

L'appropriation peut d'ailleurs s'appliquer, en principe, à n'importe quel segment de texte: lexème, syntagme, ou même morphème. **Ex.: 1.** *"Je m'appelle Neurasthénique"* (R. DUCHARME, *le Nez qui voque*); **2.** Gide, s'inspirant peut-être du nom de l'architecte de la basilique de Marseille, Espérandieu, invente pour un des personnages des *Faux-Monnayeurs* un nom savoureux: *Profitendieu*; **3.** quant à Hugo: *"Je suis Tous, l'ennemi mystérieux de Tout"* (appropriation de morphèmes grammaticaux).
Même le calembour* aide à créer des noms propres, chez R. Ducharme: *Ines Pérée et Inat Tendu*; et le demi-palindrome (V. à *palindrome*, rem. 3).

Rem. 3 À la différence de la personnification*, la dénomination propre n'opère que sur le signifiant.

La tendance générale est de créer des noms propres *"motivés"*, voire de remotiver des noms propres (V. à *annomination*).

Dans l'antonomase*, le nom commun fait fonction de nom propre sans perdre sa nature (il garde l'article).

Le surnom peut prendre la marque *"dit"*. **Ex.:** Blaise Cendrars, dit *Sans-bras* parce qu'il en avait perdu un à la guerre.

DÉNUDATION Pour qu'un procédé soit ***dénudé*** (Tomachevski, p. 300), il faut d'abord qu'il soit faux au sens rhétorique du mot (V. à *faux* —); ensuite que l'artifice soit montré par l'auteur lui-même, souligné avec complaisance comme ficelle du métier.

Ex. fourni par Tomachevski: Pouchkine écrit dans le chapitre 4 d'*Eugène Onéguine*:
Et voilà que déjà il gèle à pierre ***fendre***
Et que s'argentent les champs environnants
(Le lecteur attend déjà la rime ***tendre***[1]
Tiens, voilà, saisis-la vitement.)
C'est une dénudation du procédé de la rime*.

1 En russe: ***morozy*** et ***rozy***.

Autre ex.: *Et voici la vampire ..... bouche au baiser de sa bouche.*
Là. Prenons ça au vol, vite. Mes tablettes. Bouche à son baiser. Non. Il en faut deux. Collons-les bien. Bouche au baiser de sa bouche.
JOYCE, *Ulysse*, p. 47. Il s'agit cette fois de la dénudation d'un tactisme*.

Rem. 1 Le procédé est fréquent en littérature contemporaine. Cf. GIDE, *les Faux-Monnayeurs.* **Ex.:** À propos de la construction du roman, Robbe-Grillet se demande: *"Que fera la servante de son chien au moment où elle entre dans l'appartement?"* et cette difficulté l'amène à décider la suppression de l'épisode.

Rem. 2 Même la faute* peut faire l'objet d'une dénudation!

Ex.: *Que sur vous l'envie d'être ailleurs*
Jamais plus pour votre malheur
N'étende une aile... polychrome
(Quelques instruments de l'orchestre émettent des doutes sur cette expression, mais cette critique est aussitôt étouffée par l'approbation générale.)
CLAUDEL, *Protée*, dans *Théâtre*, t. 2, p. 407.

Rem. 3 La dénudation peut porter sur le procédé d'autrui. *"On cherche à ridiculiser l'école littéraire opposée, à détruire son système créateur, à le dévoiler"* (TOMACHEVSKI, *ib.*, p. 301). C'est le **pastiche** (V. à *parodie*).

Ou bien on ironise sur les hyperboles* faciles des journaux. **Ex.:** "*La plus forte marée du siècle (C'est la quinzième que je vois) ..... Toutes les plus fortes marées du siècle brisent mon pauvre coeur.*" (A. ALLAIS, *la Barbe et autres contes*, p. 111 - 112)

Rem. 4 La dénudation du cliché (V. ce mot, rem. 4), est la forme la plus ordinaire du **jeu* de mots. Ex.:** "*C'est un pas en avant de l'esprit humain, à supposer que l'esprit de l'homme soit bipède comme son corps et comme lui susceptible de réaliser des pas.*" (QUENEAU, *Saint-Glinglin*, p. 25). La façon la plus simple de former une **devinette** est de dénuder une expression figurée. *"Quand je parle du* pied d'une montagne..... *cela devient une devinette si je demande: "Qu'est-ce qui a un pied et qui ne sait pas marcher?"* A. JOLLES, *Formes simples*, p. 115-6.

Rem. 5 Mais il y a des dénudations involontaires, qui passeraient pour de bons mots si elles étaient intentionnelles.

Ex.: "*La cannabis pousse à l'état sauvage sur plusieurs pentes de l'Himalaya: il sera bien difficile d'extirper le mal (la culture du chanvre) à sa racine.*" C'est le cas de le dire! (V. à *contre-pléonasme*).

Toutefois, il suffirait de montrer que l'on est conscient, même d'une faute, pour que cela *"passe"*. **Ex.:** "*Un garçon qui avait un* *si bel avenir devant lui. Devant lui, naturellement, pas derrière."* (QUENEAU, *Saint-Glinglin*, p. 55). *Devant lui* était redondant, Queneau ironise ici sur une locution courante. On dénude aussi les citations*. V. à *substitution*, rem. 2.

DESCRIPTION On montre de l'extérieur un lieu, un objet, une action (V. à *hypotypose* et *diatypose*), une personne (V. à *portrait*).

Ex.: *Les deux côtés du grand triangle que formait le mur du pignon étaient découpés carrément par des espèces de marches.*
BALZAC, *la Maison Claes* dans *la Recherche de l'absolu*, p. 10.

Rem. 1 La **topographie** est, en rhétorique classique, la description du lieu (Fontanier, p. 422); la **prosopographie**, celle de la personne; il y avait aussi la chronographie*, la *géographie*, *l'hydrographie*, la *dendrographie*, l'*anémographie*... (Lanham).
L'oeuvre entièrement descriptive et pourtant littéraire n'est pas impossible, comme l'a montré E. A. Poe avec *le Cottage Landor* et *le Domaine d'Arnheim*. Mais l'excès de description était déconseillé et l'on peut penser que, dans le nouveau roman, il est parfois la caricature* d'une obsession d'objectivité.

Ex.: *Sur le plancher ciré, les chaussons de feutre ont dessiné des chemins luisants, du lit à la commode, de la commode à la cheminée, de la cheminée à la table. Et, sur la table, le déplacement des objets est aussi venu troubler la continuité de la pellicule (de poussière); celle-ci, plus ou moins épaisse suivant l'ancienneté des surfaces, s'interrompt même tout à fait çà et là: net, comme tracé au tire-ligne, un carré de bois verni occupe ainsi le coin arrière gauche, non pas à l'angle même de la table, mais parallèlement à ses bords, en retrait d'environ dix centimètres. Le carré lui-même mesure une quinzaine de centimètres de côté. Le bois, brun-rouge, y brille, presque intact de tout dépôt.*
A. ROBBE-GRILLET, *Dans le labyrinthe*, p. 12.

Rem. 2 De même qu'en sciences un schéma vaut plusieurs pages de texte, une photographie *"dit"* évidemment beaucoup plus qu'une description, comme l'a compris Breton dans *Nadja*, E. Triolet dans *Regardez-voir*, et d'autres. Mais la photographie peut aussi en dire trop, ou mal dégager l'essentiel.

Rem. 3 Dans la description, le rôle du verbe est facilement factice: *"un riz au lait entamé* **croulait**; *des oeufs* **emplissaient** *un saladier à fleurs; un lapin* **étalait** *le violet visqueux de son foie; une tour de soucoupes* **s'élevait**" (J.K. HUYSMANS, *En ménage*). Aussi certains préfèrent-ils les phrases nominales. **Ex.:**

"Landes, mais sans âpreté. — Fougères rousses" (GIDE, *Romans*, p. 209). Les notations*, notamment de décor théâtral, prennent régulièrement cette forme.

Pour l'importance du signifiant, V. aussi à *irradiation; parallélisme*, rem. 3; *réactualisation*, 6.

Rem. 4 La description, qui joue un grand rôle dans le récit* naturaliste, se heurte au risque du conventionnel (V. à *épithétisme*, rem. 2), d'où ce conseil donné par Maupassant et qui a largement pénétré depuis en pédagogie:

La moindre chose contient un peu d'inconnu. Trouvons-le. Pour décrire un feu qui flambe et un arbre dans une plaine, demeurons en face de ce feu et de cet arbre jusqu'à ce qu'ils ne ressemblent plus, pour nous, à aucun autre arbre et à aucun autre feu.

Préface à *Pierre et Jean*, dans *Anthologie des préfaces*, p. 378.

C'est l'**observation**. Elle s'intègre au récit en prenant les valeurs connotatives de l'ensemble, comme l'a montré notamment G. Bollème à propos de tel passage de *Madame Bovary*, où Emma se souvient de ses après-midi avec Léon: **le vent frais de la prairie faisait trembler les pages du livre et les capucines de la tonnelle...**

Le vent, la fraîcheur, le soleil, la campagne environnante, sa gaieté, l'entente parfaite, la complicité, la douceur de l'amitié qui est presque l'amour, tout y est.

G. BOLLÈME, *la Leçon de Flaubert*, p. 158.

Quand la description a pour rôle de fixer un moment unique par son intensité affective, Morier propose de l'appeler **fixation** ou *clou d'or*. **Ex.:** *"Elle se tut... La pelouse était couverte de faibles vapeurs, condensées (etc.)"* (NERVAL, *Sylvie*). Plus modestement, la description joue souvent un rôle de mise en perspective de l'action. On parlera ici de **cadrage** (par analogie avec la terminologie du cinéma). *"Par le cadrage, le metteur en scène oblige le spectateur à partager sa vision du champ"* (*Dict. des media*). Le **rétrécissement du champ** *"conduit le regard d'une vue d'ensemble vers un seul personnage, un seul objet"* (ib.)

On peut aussi décrire par les yeux d'un personnage, avec lequel le lecteur peu à peu s'identifie. C'est la *"vision avec"* (J. POUILLON, *Temps et roman*, p. 65) ou **focalisation** (Genette).

Ex.: *Pensant: ne pas se dissoudre, s'en aller en morceaux Où, comment? Récapitulation: sièges tubes d'acier nickelé, moleskine, paroi de marbre dans mon dos, sol recouvert de linoléum caoutchouc, devant moi paroi de verre dépoli*

CL. SIMON, *Histoire*, p. 89. V. aussi à *actant*, rem. 1.

Rem. 5 Faute de terme propre, on aura recours à une périphrase* qui pourra n'être que descriptive (*une petite boîte verte* quand on a oublié le nom du produit). C'est ce que fait aussi B. Pingaud dans l'*Avis au lisant* qui accompagne *la Disparition* de G. Perec:
Motus donc, sur l'inconnu noyau manquant — **"un rond pas tout à fait clos finissant par un trait horizontal".** V. à *lipogramme.*
La description est aussi un mode de l'amplification*, ainsi que de la définition (V. ce mot, rem. 1).

Rem. 6 La description transpose une *"vision"* par le souvenir (authentique ou imaginé), adroitement dénommée par Butor **cinéma intime** (*Intervalle,* p. 71). Quand elle sert à donner la caution de réalité à l'ensemble, on a ce que Barthes appelle **effet de réel.** On montre en faisant oublier qu'on montre. Si l'on montre au contraire en montrant qu'on montre (dénudation*), on a la description-prétexte du nouveau roman.

DEUX-POINTS Signe de ponctuation* marquant une articulation du sens. Alors que le point et le point-virgule définissent les limites de segments isolables comme phrases, alors que la virgule signale les ruptures dans le déroulement syntagmatique, le deux-points marque l'existence d'une relation entre les segments qu'il sépare. Son rôle est spécifique.

Cette relation, c'est, par exemple, que, dans une partie du texte, il est question d'énonciation* et que, dans une autre, on donne l'énoncé correspondant. **Ex.:** *"Il faut retourner la phrase de Bonald: l'homme est une intelligence* ***trahie*** *par des organes"* (E. et J. de GONCOURT, *Journal, 30-7-61*).
Le retour au niveau du texte d'énonciation, en revanche, s'effectue par une simple virgule. **Ex.:** *Je suis fatiguée,* dit-elle.

C'est souvent le passage du fait à la cause qu'on lui attribue: *"Plus j'acquiers d'expérience dans mon art, et plus cet art devient pour moi un supplice: l'imagination reste stationnaire et le goût grandit."* (FLAUBERT, *Correspondance,* 4-11-57).
Parfois, c'est seulement une relation vague: *"Il n'y a réellement ni beau style, ni beau dessin, ni belle couleur: il n'y a qu'une seule beauté, celle de la vérité qui se révèle..."* (RODIN, dans le *Nouveau Dict. de citations fr.,* 12088).

Quand les segments séparés par le deux-points ne sont pas des propositions mais des syntagmes*, on a une assertion* dont le deux-points remplace la copule (verbe *être* ou analogue). **Ex.:** *"Total: six cantines", "un seul patron, un seul capitaliste: Tout le monde!"* (J. GUESDE, dans le *Nouveau Dict. de citations fr.,* 12414). V. à *apposition,* rem. 2.

Normalement, le thème précède et le propos suit. **Ex.:** *"LICENCES POÉTIQUES: Il n'y en a pas."* (TH. DE BANVILLE, *Petit Traité de poésie française*). V. à *apposition*, rem. 2.
Si la phrase contient déjà une assertion*, le deux-points introduit une *assertion adjacente* (c'est-à-dire). **Ex.:** *Il s'appuya sur deux documents: un imprimé et un manuscrit.* V. à *énumération*, rem. 1.

DIALOGUE Échange de répliques entre deux personnes ou groupes assumant alternativement le rôle de locuteur (*je*, ***nous***) et d'allocutaire (***tu, vous***).

Ex.: *MONIQUE. — **Vous** m'expédiez, si **j**'interprète correctement.*
*BLAISE. — **Je vous** rappelle que c'est l'heure où **je** reçois.*
AUDIBERTI, *l'Effet Glapion*, p. 135.

Analogue Échange verbal (*Dict. de ling.*).

Antiphonie: "chant (religieux) exécuté en alternance par deux choeurs."

Rem. 1 Les marques de l'inversion* des rôles sont, oralement, extérieures au langage (d'où vient la voix, timbres); graphiquement, un tiret (V. à *assise*, 3). La référence aux personnes qui se parlent est parfois implicite.

Ex.: — *Cet hiver est très froid le vin sera très bon*
— *Le sacristain sourd et boiteux est moribond*
APOLLINAIRE, *les Femmes*, dans *Alcools*.

On voit qu'il peut y avoir du dialogue jusque dans les poèmes* (**poèmes-conversations**, évocation d'une ambiance de chaumière villageoise).

Rem. 2 Le dialogue est le mode le plus naturel de la parole lorsqu'elle accède au stade de l'échange. En littérature, la plupart des dialogues tentent de reproduire des conversations réelles ou supposées telles. Ils constituent ainsi des **mimèses**. Les oeuvres théâtrales sont le plus souvent mimétiques, les acteurs imitant des types (jeune premier, dame, employé, etc.) assez courants, malgré la diversité, grâce à la stylisation possible. On voit les acteurs se spécialiser dans certains **rôles** qui conviennent à leurs caractères physiques et moraux.

Rem. 3 Le dialogue peut s'installer dans un discours*, où il prend la place de l'énoncé en style indirect. Dans ce cas, un *je* du personnage vient se superposer au *je* initial implicite de l'auteur; un *tu* (*vous*) d'un autre personnage se superpose au *tu* (*vous*) initial implicite du destinataire. Il y a double actualisation (V. à *réactualisation*). Le dialogue devient un moyen de diversifier et de faire vivre l'exposé.

C'est un dialogue au 2e degré, qui n'est pas sans artifice, même s'il tend vers le réalisme. Dès lors, il s'agit d'une figure: le **dialogisme**, dont parlent Fontanier (p. 375), Littré, Lausberg, Robert.

Ex.: *Les jeunes poètes auraient un argument préliminaire à faire valoir, pour éluder ma question.* "**Notre obscurité, pourraient-ils nous dire, est cette même obscurité qu'on reprochait à Hugo, qu'on reprochait à Racine. Dans la langue, tout ce qui est nouveau est obscur .....**" *Mais nous, nous leur dirions:* (etc.)
PROUST, cité dans *les Textes litt. généraux,* p. 297.

La marque du passage d'un degré de dialogue à un dégré plus élevé (du *je* attribuable à l'auteur au *je* attribuable au personnage) est la phrase d'introduction à verbe déclaratif (*dire, annoncer,* etc.), et, graphiquement, les guillemets. En conversation familière, kidi, kèdi servent de guillemets ouvrants; kidi, kèdi, de guillemets fermants. **Ex.:** "*Là-d'sus, è lui dit: Vous avez eu des trucs à régler ensemble, et elle cligna de l'oeil. L'aut', i dit qu'i n'comprenait pas. — Et Théo, qu'elle dit. — J'l'connais pas, qu'il répondit d'un air furieux.*" (QUENEAU, *le Chiendent,* p. 115).
On distinguera les guillemets introduisant une citation* et les guillemets introduisant le discours* direct.

Le personnage mis en scène peut, à son tour, mettre en scène d'autres personnages; on voit alors le *dialogisme* prendre place dans une réplique, à l'instar du récit qui prend place dans un autre récit... On parlera de dialogue au 3e degré.

Ex.: *DON BALTHAZAR* (racontant à son alférès une conversation qui est en réalité celle qu'il vient d'avoir avec Prouhèze au sujet de Rodrigue). — *Me baiser les mains comme si cela pouvait servir à quelque chose!* «**— Quel mal y a-t-il à ce que j'aille la voir**» *le voir veux-je dire* «**maintenant qu'il va mourir? — Pas un autre si ce n'est que c'est défendu**» *quoi?* «**— Mais je vous dis qu'il m'appelle! — Je n'entends pas. — Par la madone, je jure de revenir! — Non!**» *Qu'auriez-vous fait à ma place?*
CLAUDEL, *le Soulier de satin*[1] .

Rem. 4 Le dialogue consistant, formellement, à remplacer des pronoms de la 3e personne par des pronoms de la 1re ou de la 2e, il n'est guère surprenant qu'il se soit étendu à des objets ou à des idées (V. à *prosopopée*), avec une personnification* factice. V. aussi la *subjection* et le *cheretema.*

---

1 Les guillemets sont ajoutés.

Rem. 5 La double actualisation qui caractérise le dialogisme* se rencontre aussi sans dialogue (sans réponse de l'allocutaire) et même avec un monologue* (sans allocutaire). **Ex.:** "*Celui-là s'adressa en ces termes à celui-ci:* "**Dites donc, vous, on dirait que vous le faites exprès de me marcher sur les pieds!**" (QUENEAU, *Exercices de style*, p. 63).

Autre ex.: ..... *et comme il n'avait aucun héritier, il s'est dit:* "**Tiens, j'ai contribué à la naissance de ce petit-là, je vais lui laisser ma fortune.**"

MAUPASSANT, *Pierre et Jean*, p. 60.

On voit que même le dialogisme tend vers la mimèse, qui constitue, avec la comparaison*, le principal procédé du style homérique.

Rem. 6 Les interlocuteurs peuvent être constitués par deux instances du moi: c'est le **dialogue intérieur**, autrefois *sermocination* (Scaliger, III, 48; Littré, Lausberg).

Ex.: *Et je me dis que cette captivité de mes vingt ans, je me dis Tinamer, ma pauvre Tinamer, tu as lancé un peu vite, il me semble, les bouledozeurs en arrière de la maison, dans le petit bois enchanté et bavard.*

— Je n'y peux rien, c'est fait.

— Tu tenais le fil du temps, pourquoi cette hâte à te hisser jusqu'à tes vingt ans comme une petite chèvre de montagne?

J. FERRON, *l'Amélanchier*, p. 152.

Autre ex.: "*ALVARO (seul). — Ô mon âme, existes-tu encore? Ô mon âme, enfin toi et moi!*" (MONTHERLANT, *le Maître de Santiago*, I, 7).

La sermocination reste fréquente dans les méditations morales.

Rem. 7 Autre dialogue de pure forme, le *dialogue de sourds*, qui est l'enchevêtrement de deux monologues*, où chacun poursuit sa pensée.

Ex.: *Grisée et Eésirg ne s'étaient jamais compris ..... Grisée disait:* "**J'ai très faim, mangeons du poivre.**" *Eésirg répondait:* "**Coraux en thé**".

DUCHARME, *l'Avalée des avalés*, p. 213.

Rem. 8 Un dialogue oratoire où l'on présente un sujet sous forme de question* / réponse* est signalé par Fabri (t. 2, p. 166) sous le nom de *cheretema*. On le distinguera de la *subjection*, où l'interlocuteur n'est pas fictif. À l'issue des plaidoiries, les Grecs avaient une période de questions et contre-questions appelée *altercation*, dont s'inspirèrent les tragiques pour écrire notamment leurs *stichomythies*, où chaque réplique a la longueur d'un vers. (CHAIGNET, *la Rhétorique et son histoire*, p. 104, n. 3; Bénac, Robert). **Ex.:** CORNEILLE, *le Cid*, vers 215 à 224; cf. aussi SPITZER, *Études de style*, p. 264-5, qui cite

RACINE, *Andromaque: "PYLADE. — Vous me trompiez, Seigneur. ORESTE. — Je me trompais moi-même."*

Rem. 9 D'après leur fonction, on peut distinguer au moins trois types de dialogues: le *dialogue d'exposition* (destiné à renseigner le destinataire initial, c'est-à-dire le public (V. à *explication*)), le *dialogue de ton* (destiné à camper un personnage) et le *dialogue de scène* (confrontation des héros). Cf. MALRAUX, dans *Verve,* 1940, cité par MERLEAU-PONTY, *Sens et non-sens,* p. 99-100. Pour l'interrogatoire, V. à *question,* rem. 4.

Rem. 10 Un dialogue peut se présenter sous la forme d'un monologue*, comme lorsqu'on assiste à une conversation téléphonique, le discours d'un des interlocuteurs permettant de reconstituer à peu près celui de l'autre. Cocteau a construit ainsi toute une saynète, *le Bel Indifférent*; Camus, un récit, *la Chute.* **Ex.:** *"Belle ville, n'est-ce pas? Fascinante? Voilà un adjectif que je n'ai pas entendu depuis longtemps."*

Inversement, le dialogue passe à la conversation généralisée quand il y a un bon nombre d'interlocuteurs. Le *brainstorming* (anglais, "assaut de cerveaux") est une *"technique destinée à faire produire par un groupe le maximum d'idées en un minimum de temps" (Dict. des media).*

Rem. 11 V. aussi à *énonciation,* rem. 3; *antanaclase; apocalypse,* rem. 1; *apostrophe; coq-à-l'âne,* rem. 4; prière, rem. 1; *prolepse,* rem. 1; *répétition,* rem. 2; *réponse,* rem. 2; *soulignement,* rem. 1; *verbigération,* rem. 4; *portrait,* rem. 3; *rythme de l'action,* rem. 1.

DIAPHORE On répète un mot déjà employé en lui donnant une nouvelle nuance de signification. LITTRÉ.

Ex.: *Le coeur a des raisons que la raison ne connaît pas* PASCAL, *Pensées,* IV, 277.

Même déf. Lausberg, Morier.

Autres noms Antanaclase*. Traduction (V. ce mot, autres déf., 2).

Rem. 1 Variété d'ambiguïté* relevant du baroquisme*. Les deux sens sont perçus comme distincts à cause de leur contexte immédiat. **Ex.:** *"Le pays de la mesure est devenu le pays de la mesure discriminatoire"* (L.-M. Tard).

Rem. 2 La diaphore diffère de l'homonymie (V. ce mot, rem. 1). Elle constitue souvent un jeu* de mots, qui peut d'ailleurs s'étendre sur plusieurs mots. **Ex.:** *"il est notoire que les sujets sérieux exigent d'être traités par des sujets sérieux"* (B. VIAN, *Approche discrète de l'Objet*).

Rem. 3 Les syntagmes* figés peuvent réaliser de *fausses diaphores.* **Ex.:** *"Qu'il essaie au moins de la voir. Il verra bien."* (SARTRE, *l'Âge de raison,* p. 314).

Rem. 4 À la limite, la diaphore peut jouer sur des *homonymes,* sans qu'il y ait nécessairement jeu de mots.

Ex.: *il dit Je crois que nous sommes plus ou moins cousins, mais dans son esprit je suppose qu'en ce qui me concerne le mot devait plutôt signifier quelque chose comme moustique insecte moucheron, et de nouveau je me sentis rougir de colère*
CL. SIMON, *la Route des Flandres,* p. 8.

Rem. 5 La diaphore peut aussi jouer sur les *antonymes.* **Ex.:** Quand je serai grande, est-ce que je serai encore petite? (de taille)

Rem. 6 Il y a des diaphores par changement, non de sens, mais d'actualisation.

Ex.: *Le roi est mort. Vive le roi* (le nouveau roi).
Ou par changement de modalité de phrase.

Ex.: — *Maraud, faquin, butor de pied plat ridicule!*
— *Ah?... Et moi, Cyrano-Savinien-Hercule...*
ROSTAND, *Cyrano de Bergerac,* I, 4.

Rem. 7 La plupart des *tautologies* (V. ce mot, rem. 2) sont factices parce qu'il y a diaphore. V. aussi à *distinguo,* rem. 2.

DIATYPOSE Hypotypose* réduite à quelques mots.

Ex.: *Le salut que nos sirènes échangent avec trois grands cris d'animaux préhistoriques*
CAMUS, *Essais,* p. 883.

Même déf. Littré, Lausberg.

Syn. Trait.

Rem. 1 Il y a entre la *diatypose* et l'hypotypose*, la même différence qu'entre la métaphore* et l'allégorie*: moins de mots et donc moins de choses visualisées, la scène n'est qu'à peine évoquée, la comparaison* reste allusive.

Du reste, comme pour l'hypotypose, on trouve des diatyposes plus visuelles et d'autres plus rhétoriques. **Ex. courant:** Avoir un oeil qui dit zut à l'autre (loucher).

Rem. 2 Voici une diatypose descriptive par négations: *"Ô vers! noirs compagnons sans oreille et sans yeux"* (BAUDELAIRE, *le Mort joyeux*).

DIÉRÈSE Prononcer deux voyelles là où on a une syllabe formée d'une semi-consonne et d'une voyelle, de manière à obtenir dans le vers un pied de plus.

Ex.: *Patience, patience*
VALÉRY, *Palme,* dans *Charmes.*

Prononcez pati-ence pour avoir un vers syllabique de sept pieds. Pour marquer graphiquement la diérèse, Morier a recours au **tréma**. **Ex.:** *Les sanglots longs / Des vïolons...*

Même déf. Littré, Marouzeau, Quillet, Bénac, Lausberg (§ 486), Morier, Robert.

Syn. Division (selon Lausberg).

Rem. 1 Le fait de prononcer des **e** muets qui, dans la diction courante, s'amuiraient augmente aussi le nombre de pieds (**Ex.:** Patienc**e**). Ce phénomène, comme celui de la diérèse, est un archaïsme de prononciation. Ces archaïsmes s'expliquent par le prestige dont a bénéficié le syllabisme en versification (V. à *vers*).

Rem. 2 La diérèse est un métaplasme*. Elle peut devenir un mode de soulignement* dans le parler relâché. **Ex.:** *"J'demande à vôhar, interrompit Saturnin"* (QUENEAU, *le Chiendent,* p. 293; pour *voir*).

Rem. 3 Littré prononçait *diamant* en trois syllabes. De nos jours, il n'y en a plus que deux. Le phénomène inverse à la diérèse s'est donc produit: on a passé insensiblement de deux syllabes à une seule, formée d'une semi-consonne et d'une voyelle.
C'est la **synérèse** (Littré, Marouzeau, Quillet, Bénac, Lausberg, Robert, Morier) ou *synizèse* (Lausberg). **Ex.:** le mot *extraordinaire.* Selon P. Fouché (*Traité de prononciation française,* p. 38), le **a** se prononce dans le langage soigné. Le groupe **ao** se réduit, pourtant, à un seul son, dans le parler courant.

DIGRESSION Endroit d'un ouvrage où l'on traite de choses qui paraissent hors du sujet principal, mais qui vont pourtant au but essentiel que s'est proposé l'auteur. GIRARD, p. 203.

Ex.: *Un jour que, entièrement dégoûté de Paris... et voici pourquoi j'étais dégoûté de Paris: ma bonne amie* (etc.) A. ALLAIS *Plaisir d'humour,* p. 99. V. aussi à *parabase.*

Même déf. Littré, Quillet, Robert, Morier, Lausberg.

Syn. Égression (Lausberg), épisode (Girard), excursus (Lanham; pour Quillet, toutefois, l'excursus est une digression *"sur un point d'archéologie ou de philologie, à propos d'un texte d'auteur ancien"*).

Rem. 1 La digression, même longue, peut aller entre parenthèses*.

Ex.: (Un ivrogne, prétendument explorateur, vient de relater bizarrement des moeurs de sauvages; voici comment réagit Bloom à ce récit) *Quoiqu'il n'eût pas une foi aveugle en cette sombre histoire (et pas davantage en cet épisode du tir aux oeufs, malgré Guillaume Tell et l'aventure Lazarillo-Don César de Bazan racontée dans* **Maritana** *et où on nous montre la balle du premier passant à travers le chapeau du second) pour avoir remarqué la différence entre le nom qu'il se donnait (en admettant qu'il fût bien la personne qu'il disait être et ne naviguât point sous faux pavillon après s'être gréé de neuf dans quelque havre discret) et le destinataire fictif de la missive, ce qui lui faisait nourrir quelques soupçons sur la bonne foi de notre ami, néanmoins sa pensée en fut pour ainsi dire ramenée au projet ..... de voyager jusqu'à Londres en faisant la côte...* JOYCE, *Ulysse,* p. 549.
On voit que le procédé ne favorise pas spécialement la clarté. Il jouxte le coq-à-l'âne (V. ce mot, rem. 1) et peut d'ailleurs tourner au verbiage (V. ce mot, rem. 5).

Rem. 2 La digression, souligne Morier, est parfois une suspension*, destinée à faire languir l'interlocuteur (et donc une "*sustentation*"). **Ex.:** V. E. ROSTAND, *Cyrano de Bergerac,* III, 13.

DISCOURS Au sens large, le discours est un ensemble syntagmatique, parole ou texte, qui constitue aux yeux du locuteur, un ensemble cohérent. Ce sens large, fréquent en linguistique, n'est pas récent: on lit dans Richelet *partie du discours* pour désigner les catégories grammaticales; ce qui n'est du reste qu'une traduction littérale du latin *partes orationis.*

Toutefois, ce n'est que par catachrèse* que *discours* peut vouloir dire *phrase.* Le discours est un ensemble organisé de phrases. Ce sont des phrases qui en constituent les éléments, (les parties !), comme l'a montré Benvéniste. Mais, dira-t-on, ne serait-ce pas plutôt des ensembles de phrases (préambule, péroraison, etc.)?

En rhétorique, il y a lieu de considérer autant de types de discours (au sens large) qu'il y a de genres d'oeuvres, c'est-à-dire de fonctions linguistiques (V. à *énonciation*).

Le *discours* au sens strict tend à agir sur autrui par la communication d'idées, de sentiments ou d'une volonté d'agir; il s'efforce de dominer des situations concrètes et actuelles. Cette fonction, qu'on peut appeler *injonctive* (V. à *énonciation,* 3), entraîne:
— Une certaine durée (comparer avec la maxime*)
— Une exigence poussée de cohérence interne (V. à *plan*)
— Une argumentation convaincante (V. à *argument,*

communication, etc.)
— Des figures expressives (V. à *répétition, comparaison*, etc.)
— Une langue accessible et claire (V. à *faute*)
— Le caractère oral (il est normalement prononcé, bien qu'on l'écrive d'avance ou qu'on le transcrive ensuite; sans texte, c'est une *improvisation*)
— De nombreux auditeurs (au moins imaginaires)
— Une tendance à élever le ton

Comme le sublime court toujours le risque de paraître (et d'être) artificiel (V. à *grandiloquence*), il ne peut se montrer, surtout de nos jours, qu'allié à la simplicité. **Ex.:**

Pourquoi voulez-vous que nous dissimulions l'émotion qui nous étreint tous, hommes et femmes, qui sommes ici, chez nous, dans Paris debout pour se libérer et qui a su le faire de ses mains. Non! nous ne dissimulerons pas cette émotion profonde et sacrée. Il y a là des minutes qui dépassent chacune de nos pauvres vies.

Paris! Paris outragé! Paris brisé! Paris martyrisé! mais Paris libéré! libéré par lui-même, libéré par son peuple avec le concours des armées de la France, avec l'appui et le concours de la France toute entière, de la France qui se bat, de la seule France, de la vraie France, de la France éternelle.

DE GAULLE, *Allocution du 25 août 1944*, début.

Analogues *Discours relativement bref:* allocution, laïus, speech.
Prise de position du locuteur: manifeste, déclaration, discours-programme.
Annonce publique: avis, message, proclamation.
Accusation: réquisitoire, philippique, catilinaire.
À la défense ou à la louange de quelqu'un: plaidoyer, apologie, éloge, compliment[1], panégyrique, oraison funèbre.
Encouragement à certaines dispositions: harangue, exhortation*, conseil, parénèse[2] (exhortation morale), admonestation, objurgation (exhortation à ne pas faire qqch.), ordre du jour, briefing (définition du travail et répartition des tâches), placet (archaïsme, "demande écrite, aux plus hauts personnages").
Sujet religieux: prêche[3], prône[4], homélie[5], sermon, prédication, oraison.

---

1 Les compliments, "harangues d'apparat", y compris les harangues parlementaires ou ***adresses*** et les ***placets*** font, dit Mestre (p. 132) "un éloge délicat des personnes, mêlé parfois à d'utiles conseils habilement présentés".

2 Adj.: ***parénétique.***

3 Péj. et familier: ***prêchi-prêcha.***

4 Plus familier, plus court que le sermon, plus spécifique (dogme) que l'homélie, dit Mestre, p. 153.

5 Explication de l'Écriture, ne se fait pas du haut de la chaire, peut comporter des questions de l'auditoire. C'est le plus ancien type de discours de l'Église (MESTRE, *ib.*).

Sujet didactique: cours, conférence, causerie, exposé, topo (familier).
Péj.: boniment, baratin.

Rem. 1 Il peut entrer dans le discours des moments de récit*: c'est la *"narration"* (V. à *plan*), c'est-à-dire *"l'exposition du fait mais sous des couleurs avantageuses à la cause"* (Le Clerc, p. 102). Le récit* risque de perdre toute précision en s'imprégnant d'élévation dans le discours.

Ex.: *Anne [d'Autriche] dans un âge déjà avancé, et Marie-Thérèse [d'Autriche] dans sa vigueur ..... nous sont enlevées contre notre attente, l'une par une longue maladie, et l'autre par un coup imprévu. Anne, avertie de loin par un mal aussi cruel qu'irrémédiable, vit avancer la mort à pas lents, et sous la figure qui lui avait toujours paru la plus affreuse; Marie-Thérèse .....*
BOSSUET, *Oraison funèbre de M.-Th. d'Autriche.*

Ce que Bossuet aurait pu dire en récit* mais non en discours, c'est qu'elle mourut d'un cancer du sein, *"cette maladie si effroyable à sa seule imagination"* comme elle l'écrivait à Mme de Motteville (citée par J. Truchet, dans l'éd. Garnier des *Oraisons funèbres* de Bossuet, p. 235). On remplace le terme propre par une **évocation atténuée**.(V. à *allusion,* rem. 4).
Inversement, le discours peut à son tour entrer dans un récit* ou dans un dialogue*. Ce sont les **tirades**. (Nombreux exemples dans Calderon, Shakespeare, Corneille; rappelons aussi la fameuse *"tirade du nez"* dans ROSTAND, *Cyrano de Bergerac,* I.)

Rem. 2 Trait caractéristique du discours: nommer noblement les auditeurs aux grandes articulations du texte.

Ex.: *Je ne puis cependant vous cacher, Messieurs les Philosophes (à qui, du reste, l'on ne pourrait cacher grand-chose), que cette manière de voir ..... Ne croyez pas, Messieurs, que je sois à présent fort loin de notre Descartes...*
VALÉRY, *O.,* t. 1, p. 798 et 799.
Le protocole détermine un ordre de préséance pour les auditeurs que l'on veut désigner nommément avant de prendre la parole, comme pour les remercier d'être là. *"Monsieur le Président de la République, Monsieur le ministre, Mesdames, Messieurs"* (*ib.,* p. 792). L'impression en capitales, sans abréviation*, est une coutume qui remonte à l'Ancien Régime. Comparer, à la Révolution: Citoyens; à certaines assemblées politiques: Camarades. Ainsi, dès le départ, l'orateur détermine son auditoire qualitativement.

Rem. 3 V. aussi à *aposiopèse; apostrophe,* rem. 1; *argument,* rem. 1; *atténuation,* rem. 3; *célébration; citation,* rem. 3 *et 5; coq-à-l'âne; dialogue,* rem. 3; *gradation,* rem. 1; *hyperbole,* rem. 6; *monologue,* rem. 4; *niveau de langue, rem. 2; plan; question,* rem. 3; *récapitulation,* rem. 3; *récit,* rem. 5; *sens, 8.*

DISJONCTION Construction syntaxique dans laquelle les éléments communs à plusieurs propositions parallèles sont en quelque sorte "mis en facteur" de façon à ne pas devoir être répétés.

Ex.: *Le juste rapport avec Dieu est, dans la contemplation, l'amour, dans l'action, l'esclavage.*

S. WEIL, *la Pesanteur et la grâce,* p. 57.

Autre déf. V. à *asyndète.*

Rem. 1 La disjonction est une forme élaborée du zeugme*.

Rem. 2 Le terme commun n'est parfois qu'un syntagme* subordonné. **Ex.:** "*J'éprouve la résistance et j'entends la rumeur des distances traversées.*" (PROUST, *Du côté de chez Swann,* II; *la Madeleine*). Au lieu de: J'éprouve la résistance des distances traversées et j'en entends la rumeur. V. aussi à *énumération,* rem. 4; *sériation,* rem. 1.

On rencontre même, sous l'influence de l'anglais (qui interrompt facilement après la préposition), une mise en facteur de lexème actualisé après deux prépositions, conjonctions ou locutions. **Ex.:** (l'Église protestante irlandaise) "*qu'il avait abandonnée plus tard en faveur du catholicisme à l'époque de, et pour faciliter, son mariage en 1888.*" (JOYCE, *Ulysse,* p. 636).

Le procédé est fréquent chez Cl. Simon: "*debout sur (ou plutôt penché hors d') une tribune*", "*acheté avec (ou échangé contre) de l'argent*", "*à la surface de mais se confondant en quelque sorte avec le sol*" (*Histoire,* p. 107, 70, 104).

Jarry alla plus loin, disjoignant les préfixes: "*au sommet d'une colline de sable de thébaïde, où ap- et disparaît la spirale des ermites processionnaires*" (*O. c.,* t. 1, p. 979).

Rem. 3 Adjonction* et disjonction, loin de s'opposer (comme on pourrait s'y attendre vu les préfixes *ad-* et *dis-*) ont parfois la même structure apparente: $y\ (x^1\ s^1/x^2\ s^2)$ Cf. Lausberg, § 739 et § 743.

Mais dans l'adjonction le membre parallèle ($x^2 s^2$) n'est pas requis syntaxiquement, il est adjoint à une structure syntaxique déjà équilibrée. Comparer l'ex. de Weil ci-dessus et celui de Queneau, à *adjonction.* V. aussi à *membres rapportés,* rem. 2.

DISLOCATION Procédé de mise en relief de tout membre de phrase, au moyen de représentants (pronoms personnels ou démonstratifs) qui autorisent soit l'anticipation*, soit la reprise*.

Ex.: *Ils sont si orgueilleux, les Corses.*
L'autre voiture, d'où vient-elle?
LE BIDOIS, t. 2, p. 59.

Ex. litt.:
Et il a ajouté que d'ailleurs, il le méritait, qu'il soit fermé, mon établissement, pourquoi? parce qu'il était immoral. Ils ont mis du temps pour s'en apercevoir qu'il l'était, immoral, mon établissement. En tout cas, il l'est, fermé, mon établissement, et bien fermé .....
R. QUENEAU, *Pierrot mon ami,* p. 116.

Autres noms — *Phrase segmentée* (J.-C. CHEVALIER et coll., *Grammaire Larousse du français contemporain,* p. 100).
— Prolepse* (Wagner et Pinchon, p. 504-5), ce qui n'est pas le sens habituel du terme (V. à *prolepse*).

Autre déf. Bally (*Traité,* § 285) prend *dislocation* dans un sens plus large. Il s'agit d'une parataxe*, ou plutôt d'une **hyperparataxe**, où non seulement les rapports de dépendance des propositions restent implicites, mais encore, les propositions elles-mêmes sont scindées en plusieurs mots-phrases, grammaticalement assez indépendants. **Ex.:** *"Vous ne pouvez pas songer sérieusement à une chose pareille"* devient: *Une chose pareille! Voyons! sérieusement, y songez-vous?*

Ex. litt. de Beckett, V. à *monologue.*

Rem. 1 La *dislocation* sépare les éléments (le plus souvent grâce à des pronoms) alors que l'adjonction* greffe sur un segment autonome de nouveaux segments elliptiques.

Rem. 2 La dislocation semble répondre à un souci d'isoler syntaxiquement le thème du prédicat.

Ex.: *Elle le lui a pris // Clotilde, à Agnès, son ruban* (mise en évidence du prédicat) en face de: *Clotilde, à Agnès, son ruban // elle le lui a pris* (mise en évidence du thème). V. aussi à *soulignement,* rem. 1; *thème,* rem. 3; *isolexisme,* rem. 4.

DISSOCIATION Rupture systématique de l'articulation ..... au niveau de la phrase même, dont on dissocie sémantiquement le sujet et le prédicat, en les choisissant parmi des séries de termes aux classèmes incompatibles.
P. ZUMTHOR, *Essai de poétique médiévale,* p. 141.
Il faut étendre la définition à n'importe quelle combinaison syntaxique *"conforme au code"* imposant l'association de

termes sémantiquement inassociables (cf. Angenot, p. 127 et 176).

Ex. cités par Angenot, p. 185 à 206: *Poisson soluble. Avalanche morganatique.* (Non-pertinence de l'adj.). *Le revolver à cheveux blancs* (Breton, collage) *Ma soeur / divine comme moi / qui suis son frère de temps en temps* (B. Péret, non-pertinence de l'adverbe). *Un battant de cloche parapluie* (Tzara, *locution nominale, collage).*

Syn. Discordance (Angenot), contraste (PORTER, *la Fatrasie et le Fatras*), discontinuité (RICHARD, *Onze études sur la poésie moderne*).

Autre déf. Distinguo*.

Rem. 1 Il s'agit, semble-t-il, d'un concept assez nouveau. Certes, la dissociation a des ancêtres dans la fatrasie, le coq-à-l'âne*, etc. (V. à *verbigération,* rem. 1) mais la rupture sémantique ne s'était pas produite systématiquement au niveau des éléments de signification des mots dans la langue. Ainsi, les amphigouris de Voltaire, par exemple, se contentent de mélanger les lieux, de faire des anachronismes*, des rapprochements sonores.

Ex.: *Au Japon*
Le jupon
D'Artémise
Sert au Grand Seigneur Persan
Quand à Rome il va sans
Chemise.

La nouveauté du concept explique la multiplicité des termes proposés. Nous avons préféré *dissociation* à *discordance* parce que l'on voit mieux dans *dissociation* la séparation foncière concomitante avec une association syntaxique.

Rem. 2 On distingue la dissociation* de l'alliance de mots (V. cet article, rem. 1) et de la dissonance*, qui concerne les ruptures de ton (ou de niveau de style).

Rem. 3 Certaines dissociations ont pour termes des objets et constituent des collages*. D'autres sont tirées de locutions et sont des télescopages*.

Rem. 4 Il est important, pour *"traduire"* Breton et d'autres, de savoir que leurs *"images"* ne doivent pas être décodées en tant que métaphores* (sinon exceptionnellement), mais comme des dissociations, c'est-à-dire avec une double isotopie*, les termes incompatibles rapprochés étant tous à prendre au sens propre. V. à *image,* rem. 1.

Rem. 5 La dissociation n'est pas aussi gratuite qu'on pourrait le croire à lire certains écrits théoriques. Il y a deux isotopies*, aussi distantes que possible, mais qui ont un fondement psychologique dans le sujet créateur. Michaux en relate l'expérience. Ayant écrit, sous l'effet du chanvre: *"Paolo! Paolo! / crié d'une voix bordée de rouge"* (*Connaissance par les gouffres*, p. 94), il commente, plus loin:

"Voix bordée de rouge." *De la littérature? Non, nullement, phénomène précis, courant dans l'ivresse du chanvre, qui dit bien ce qu'il doit dire et qui — j'y songe — justifierait bien un certain procédé littéraire, pas si procédé que cela alors.*

Lorsque deux sensations, deux de ces hyper-sensations apparaissent, également fortes et outrées, gênantes, ayant mis **ipso facto** *dans l'ombre les sensations concomitantes, on est pour les énoncer conjointes ainsi qu'elles se présentent, débouchant violemment,* **ex aequo,** *et fonçant.*
ib., p. 127-8.

Rem. 6 Il suffit que l'un des termes soit pris au figuré pour que la *dissociation* entre les termes pris au propre soit abolie par l'isotopie* sous-jacente, qui devient unique. Il n'y a plus de rupture qu'au niveau de la figuration et l'on parlera donc de *fausse dissociation* (V. à *incohérence;* ex. à *collage*, rem. 2).

Rem. 7 Il y a des dissociations dans le langage courant, mais ce sont des négligences. **Ex.:** Les enfants peuvent travailler, de 14 à 65 ans. V. à *cacologie.*

Rem. 8 Au lieu de dissocier les lexèmes, on peut défaire le lien qu'établit spontanément le public entre le discours et le réel supposé, de façon que le discours* se mette à signifier n'importe quoi.

Ex.: *Mme SMITH. — Et la tante de Bobby Watson, la vieille Bobby Watson pourrait très bien, à son tour, se charger de l'éducation de Bobby Watson, la fille de Bobby Watson. Comme ça, la maman de Bobby Watson, Bobby, pourrait se remarier. Elle a quelqu'un en vue?*
Mr SMITH. — Oui, un cousin de Bobby Watson.
Mme SMITH. — Qui, Bobby Watson?
Mr SMITH. — De quel Bobby Watson parles-tu?
IONESCO, *la Cantatrice chauve*, sc. 1.

Rem. 9 La dissociation présente un degré de dissolution plus élevé que l'adynaton*, l'équivoque*, la syllepse*, l'amphibologie*, l'à-peu-près*, etc. Elle ne force pas seulement le sens*, mais l'isotopie*, en sorte qu'elle évolue vers le non-sens*.

DISSONANCE Mélange des tons.
ARAGON, *Traité du style*, p. 22-3. Par ex., à propos de ses ouvrages antérieurs, Aragon écrit:

Parmi de grandes beautés qu'on y démêle, certains propos hâtifs et qui sont plus le fruit de l'inconsidéré que du pli au pantalon, ne doivent pas être pris pour l'expression dernière de ma pensée. Ib.

Autre ex.: *Ils s'en allèrent les premiers, les pompiers, puis s'en furent les sergents de ville.*
R. QUENEAU, *Pierrot mon ami,* p. 113.
Le premier membre, avec sa dislocation*, est du langage parlé; le second, avec une inversion* et un archaïsme* lexical, est du style noble. Joyce a fait alterner les paragraphes en style soutenu et en argot* (*Ulysse,* p. 280 à 333).

Même déf. Voltaire parle de mélange des styles; Littré (sens 2), Lausberg, Preminger (déf. restreinte: éléments poétiques qui ne s'accordent pas avec leur contexte).

Autres déf. *"Réunion de sons qui ne s'accordent pas"* (Littré, sens 1), V. à *cacophonie. "Rupture d'une habitude métrique, en parallèle avec une brusque modification d'état d'âme"* (Morier).

Rem. 1 Parler en termes nobles de sujets triviaux ou l'inverse est une variété de la dissonance. **Ex.:** *"Monsieur, que voulez-vous? Fichez le camp, vous me fatiguez"* (JARRY, *Ubu roi,* p. 43). Dans *l'Ironie,* Jankélévitch montre que ce type de dissonance, malsonnante aux yeux de la société, vient parfois d'un effort de sincérité.

DISTANCIATION Terme proposé par Spitzer (*Études de style,* p. 209 et sv.) pour désigner une actualisation qui introduit "un certain éloignement".

— La première personne (pronom ou adj.) sera remplacée par un nom propre, un nom commun, un pronom à la troisième personne, un article.

Ex.: *JOAS. —* ***Joas*** *ne cessera jamais de vous aimer* (RACINE, *Athalie,* 4.4)

Autre ex.: *CLYTEMNESTRE. — C'est doux, à vingt ans, de voir* ***une mère?***
ORESTE. — Une mère qui vous a chassé, triste et doux.
CLYTEMNESTRE. — Tu ***la*** *regardes de bien loin.*
GIRAUDOUX, *Électre,* p. 82.

Quels charmes ont pour vous ***des yeux*** *infortunés?*
RACINE, *Andromaque,* I, 4.

— Un nom, un pronom à la troisième personne seront remplacés par un démonstratif[1], un neutre, le pronom *on.*

---

1 V. à ***négation,*** rem. 4.

Ex.: *Nous regardions tous deux* **cette** *reine cruelle.* (RACINE, *Athalie,* 2.2).

Autres ex.: *Une nuit, ils furent attaqués..... En secteur pour la première fois depuis cinq jours,* **cela** *se battit comme des diables, lançant la grenade avec les cris, l'excitation, les bousculades d'hier, quand* **ça** *se bombardait de boules de neige à l'école.*
MONTHERLANT, *Romans,* p. 78.

PHÈDRE. — **On** *me déteste* (elle parle d'Hippolyte).
RACINE, *Phèdre,* 3.2.

Rem. 1 Dans ces deux catégories d'exemples, la distance s'obtient par généralisation*. Le remplacement du singulier par un pluriel, que signale aussi Spitzer, est plus ambigu. Le pluriel dit *"de majesté"* (*HERMIONE.* — **Prenons** *quelque plaisir à leur être importune*) intensifie plutôt qu'il n'éloigne. Il concrétise aussi. (*Je tremble qu'Athalie / N'achève enfin sur vous* **ses vengeances** *funestes.* RACINE, *Athalie,* I, 1.) Spitzer signale encore l'emploi des abstraits:
*Pardonnez à l'***éclat d'une illustre fortune**
Ce reste de **fierté** *qui craint d'être importune.*

RACINE, *Andromaque,* III, 6.
Il parle enfin du *"pays de majesté"* (*PYRRHUS.* — *l'Épire sauvera ce que Troie a sauvé;* au lieu de **je** *et* **vous.** *Ib.,* I, 2). Ce sont des métonymies*.

DISTINGUO On fait éclater une notion tenue pour homogène en deux termes opposés (ANGENOT).

Ex.: *"L'égoïsme le plus profond n'est pas égoïste"* (M. PAGÈS, *la Vie affective des groupes,* p. 336). *"Il voulait tout savoir, mais il n'a rien connu"* (épitaphe de Nerval).

Syn. Paradiastole (Quillet), distinction, dissociation* (Lalande; cf. aussi Perelman, p. 556).

Rem. 1 Le distinguo diffère de la dissimilitude, où les notions opposées appartiennent respectivement à deux comparés. Dans le distinguo, on se contente d'écarter l'une des notions. **Ex.:** *"Qu'on comprenne donc bien: il ne s'agit pas pour Bergson de s'installer réellement dans l'individuel mais de trouver le moyen d'individualiser le produit du formalisme."* (POLITZER, *le Bergsonisme,* p. 51).

Rem. 2 La forme la plus élémentaire de la *distinction* est la coordination du lexème répété, ce qui implique une diaphore*. **Ex.:** Oh! il y a mensonge et mensonge... Une forme facile est l'autocorrection (V. ce mot, rem. 4).

Rem. 3 Le **distinguo oratoire** ou faux* prétend opposer deux notions alors qu'il oppose deux principes, deux attitudes, qui ne sont pas sur le même plan. C'est une variété de l'antithèse*. **Ex.:** *"Je ne prends pas la défense de l'Allemagne. Je prends la défense de la vérité"* (M. BARDÈCHE, *Nuremberg*, p. 9).

Rem. 4 Le procédé est renforcé au moyen d'un isolexisme*. **Ex.:** *"Quelque jour, j'écrirai l'histoire de cette descente aux enfers; et vous verrez qu'elle n'a pas été entièrement dépourvue de raisonnement, si elle a, toujours, manqué de raison."* (NERVAL, *les Filles du feu*.)
Ou du moins à l'aide d'une paronomase*.

Ex.: *LUST. — Je n'ai pas ma* **réponse**. *Maître... Je n'ai que des* **répliques**.

FAUST. — Comprenez ce que je vous **dis**, *et ne vous mêlez pas de comprendre ce que je vous* **dicte**.
VALÉRY, *O.*, t. 2, p. 289 et 280.

DOUBLE LECTURE Procédé (typo)graphique permettant de proposer un choix de diverses lectures simultanées, le plus souvent au moyen de parenthèses qui excluent un segment, même très court, ce qui entraîne un sens nettement distinct. **Ex.:** *"accusé d'avoir assassiné sa propriétaire ..... à fin de v(i)ol"* (G. RIMANELLI, dans *Change*, n° 11, p. 183).

"Paludes e(s)t son double" (titre d'un article de D. VIART dans *Communications*, 19).

On emploie aussi le trait oblique.

L'image sexuelle est à la fois abritée et découverte par l'écriture qui la restitue dans le secret sexuel / textuel de sa totalité vécue.

R. JEAN, *Les signes de l'Éros*, dans Cl. SIMON, *Entretiens*, p. 129.V. aussi à *apposition*, rem. 3.

DUBITATION [On] semble hésiter entre plusieurs mots, plusieurs partis à prendre, plusieurs sens à donner à une action. LITTRÉ.

Ex.: *Cela manque de trouble... d'un certain... comment dirais-je... de tremblement... On y sent trop d'assurance ... de certitude satisfaite... de... de... suffisance...*
N. SARRAUTE, *Portrait d'un inconnu*, p. 200.

Même déf. Quillet, Lausberg (§ 1244), Morier.

Déf. analogue Fontanier (p. 444 à 447) restreint le sens. C'est l'hésitation passionnée *"d'une âme qui ..... veut tantôt une chose, tantôt une autre ou, pour mieux dire, ne sait ni ce qu'elle* *veut ni ce qu'elle ne veut pas"* Par ex., le trouble d'Hermione après qu'elle a envoyé Oreste la venger de Pyrrhus, tandis qu'il serait encore temps de le sauver (RACINE, *Andromaque*, début de l'acte 5). On est plus près de l'**égarement** que de l'indécision.

Autre déf. *"Suspicion simulée, résultant d'une ignorance également simulée, en vue de prévenir l'objection"* (Suberville, p. 202-3) Par ex., dans l'*Iphigénie* de Racine (IV, 6), Achille sait qu'Agamemnon va immoler sa fille. Il interroge celui-ci, feignant de ne pas croire à un tel crime.
Cette définition rattacherait le procédé à la simulation*.

Analogues Hésitation, doute, indécision, irrésolution.

Rem. 1 Un doute limité est une forme de communication*, comme le souligne Chaignet (p. 506). Cela *"donne à l'orateur la présomption de la sincérité et de la bonne foi; il ..... s'en remet à la conscience, à l'intelligence, au jugement ..... de l'auditoire"*. Ainsi, dans le roman, l'auteur paraît s'effacer devant les faits quand il hésite à les expliquer avec précision.

Ex.: (Elle) *regardait droit devant soi, en direction du mur nu où une tache noirâtre marque l'emplacement du mille-pattes écrasé la semaine dernière, au début du mois, le mois précédent peut-être, ou plus tard.*
ROBBE-GRILLET, *la Jalousie*, p. 27.
Elle sert de déguisement à des objections (V. à *question*, rem. 3).

Rem. 2 La dubitation n'est pas toujours un procédé oratoire (V. à *assertion*, rem. 1). L'intonation* véhicule toujours un degré plus ou moins élevé d'assurance. Le doute est très naturel dans le monologue* intérieur. **Ex.:** *"Quoique cette* — **dois-je dire expérience?** *puisse être reprise par bien des gens ....."* (MICHAUX, *Mouvements*, postface). Elle redouble ou bifurque suivant le cours de la pensée.

Ex.: *encore que je ne sois même pas sûr de pouvoir me vanter plus tard de quelque chose d'aussi glorieux que d'avoir été blessé par un de mes semblables parce que ça devait plutôt être quelque chose comme un mulet ou un cheval qu'on a dû fourrer par erreur dans ce wagon, à moins que ce ne soit nous qui nous y trouvions par erreur .....*
CL. SIMON, *la Route des Flandres*, p. 84-5.

Rem. 3 Poussé trop loin, le doute a un effet surréel ou ridicule. Par ex., Lautréamont compare des piliers et des baobabs: *"ces formes architecturales... ou géométriques... ou l'une et l'autre... ou ni l'une ni l'autre... ou plutôt formes élevées et massives"* (*les Chants de Maldoror*, 4).

Autre ex.: *Des gens dans un autobus. Mais il y en avait un (ou deux?) qui se faisait remarquer, je ne sais plus très bien par quoi. Par sa mégalomanie? Par son adiposité? Par sa mélancolie? Mieux... plus exactement... par sa jeunesse ornée d'un long... nez? menton? pouce? non: cou.*
QUENEAU, *Exercices de style*, p. 20.

Rem. 4 L'interrogation n'est pas la seule forme de la dubitation. Elle se marque encore dans des formes grammaticales, le conditionnel, la conjonction *ou;* dans des syntagmes, *se pourrait-il que, je me demande si*, etc., dans les prétéritions (V. ce mot, rem. 4); dans les variations (V. ce mot, rem. 2).

Rem. 5 La dubitation peut porter sur le choix de l'interlocuteur (V. à *apostrophe*, rem. 3). Elle peut néantiser (V. à *négation*, rem. 3).

ÉCHOLALIE Répétition* de la dernière syllabe d'un mot, en écho...

Ex.: *Comment vous appelez-vous? — Vous*
BRETON, *Manifeste du surréalisme*, p. 48.

Syn. (À la rime) rime* couronnée, rhétorique à double queue (Morier, à *queue*).

Autre déf. Variété de palilalie ou de palimphrasie (V. à *répétition*), qui consiste à répéter le dernier mot ou la dernière phrase de l'interlocuteur (Cf. *Dict. de ling.*). C'est ce que l'on appelle couramment "faire **le perroquet**".

Rem. 1 L'écholalie est une variété de la paragoge*.

Rem. 2 Il y a une palilalie intérieure. Celle-ci masque peut-être un vide de conscience momentané.

Ex.: *emportée si jeune si brutalement et maintenant — emportée emportée — ces deux enfants que vous allez devoir parce que bien sûr pour tant qu'il fasse un homme seul — homme seul homme seul — ce sera au moins une consolation — consolation consolation — maintenant tous vos petits-enfants ici près de .....*
Cl. SIMON, *Histoire*, p. 27.

On pourrait recommander cela aux orateurs qui restent "à quia", mais il serait trop évident qu'ils ont un trou de mémoire. On leur recommande plutôt de dire *en fin de compte*.

ÉCHO RYTHMIQUE Le rythme d'un groupe* est repris dans le suivant, parfois à plusieurs reprises.

Ex.: *Ma mère qui se laisse abattre comme la première venue; mon père qui n'est pas là; Sébastien qui fait la brute; Isabelle qui prend des airs.*
A. HÉBERT, *le Temps sauvage*, 2e tableau, fin.

On a: 21/2/2/2. L'écho est simplement le retour des groupes de deux mots phonétiques. V. aussi à *triplication,* rem. 1.

Syn. Parallélisme rythmique; équalité (Fabri); cadence (V. ce mot, rem. 1).

Rem. 1 Cet écho est dans les alexandrins réguliers, s'ils sont rythmiques. Ils ont le schéma 22 ou 2/2. **Ex.:** V. à *groupe rythmique,* rem. 2. Ainsi s'explique la fréquence relative des alexandrins dans la prose ou dans le vers libre.

Rem. 2 Un troisième syntagme peut jouer le rôle de pivot par rapport aux segments qui se répondent. **Ex.:** "*Se plaire sur le toit, c'est peut-être à cause de la cave.*" (H. MICHAUX, *Tranches de savoir*).
On a: 212. Morier appelle ceci *rythme polaire.*

Rem. 3 Quand il porte sur des membres de phrase ou des phrases entières, l'écho rythmique peut créer des parallélismes.

Ex.: *Joyeux compère macchabée gaudrioleur à fantômes! Ménestrel pour tous précipices, lieux envoûtés, abords maudits! Le premier bonhomme Casse-la-Pipe n'ayant pas vécu pour de rien, ayant enfin surpris, compris toutes les grâces du Printemps!*
CÉLINE, *Guignol's band,* p.159. Autrement dit: 223/43//323/4/4 et 323/53//422/44.

ÉCHO SONORE Deux ou plusieurs syntagmes*, hémistiches ou vers* sont associés par le retour de quelques phonèmes identiques.

Ex.: *Immenses mots dits doucement*
ÉLUARD, *la Halte des heures.*

L'écho peut venir surtout des consonnes. **Ex.:** "*Dans les corridors des os longs et des articulations*" (MICHAUX, *Emportez-moi*). Ou principalement des voyelles. **Ex.:** "*Je suis allé au marché aux oiseaux*" (PRÉVERT, *Pour toi mon amour).*
La probabilité des répétitions* de phonèmes purement fortuites augmente avec la longueur du vers*. Il n'y a écho sonore que si le réseau présente une certaine structure, qui ne doit pas nécessairement tenir compte de toutes les répétitions. On retiendra celles qui sont groupées et placées de façon à associer certains segments.

Ainsi Mallarmé associe les deux hémistiches que voici par les voyelles, et les deux mots de chaque hémistiche par les consonnes.
Aboli bibelot d'inanité sonore
Aboli bibelot d'inanité sonore

Rem. 1 On distingue l'écho sonore de l'harmonie (V. ce mot, rem. 1), ainsi que de l'harmonie* imitative. Celle-ci rappelle quelque son naturel, à l'instar de l'onomatopée*. En revanche, on a longtemps rangé les échos sonores parmi les allitérations*, dans lesquelles un ou deux sons se détachent par leur fréquence, ce qui est un procédé plus fruste.

Si les phonèmes reviennent ensemble dans le même ordre, l'écho sonore est proche de la paronomase* ou se combine avec la rime* léonine. **Ex.:** "*Qui ramène au doux musée / Où musarde l'âme usée*" (R. BODART, *Semaine,* dans *le Chevalier à la charette*).
On voit ici l'écho rapprocher deux vers, avec une quasi-saturation. Si le son prenait le pas sur le sens*, on aurait une musication*. V. aussi à *solécisme,* rem. 1.

Rem. 2 Bien que rien n'empêche, en principe, de le combiner avec la *rime* (V. ce mot, rem. 4), l'écho sonore semble destiné à remplacer celle-ci dans le vers* libre. La poésie japonaise, par exemple, le préfère et exclut la rime*, dont la musique est trop martiale pour son goût. Cf. J. ROUBAUD, *Sur le Shinkokinshu,* dans *Change,* 1, p. 75 à 106.

Rem. 3 L'écho sonore peut s'étendre de vers en vers et jusqu'à emplir tout un poème. Morier a montré que, bien souvent, il répercutait alors, par une sorte d'allusion* sonore, la métaphore* ou le thème* essentiels (Cf. Morier à *thème,* 2 et à *harmoniques.)* H. Michaux, avec *Dans la nuit,* en offre un exemple frappant. Les voyelles **a, ã** et **ẅi** reviennent sans cesse ("Nuit de naissance / Qui m'emplis de mon cri ..... Toi qui m'envahis"). On peut dénombrer huit **a,** trente **a** nasalisés, trente-deux **i** dont quinze sont précédés de la semi-voyelle labio-palatale, soit 70 voyelles qui incantent le titre, sur un total de 117.

EFFACEMENT D'OBJET Le romantique allemand Georges Christophe Lichtenberg semble être l'inventeur de ce procédé, qui consiste à circonscrire l'objet du discours de telle sorte qu'il n'en reste rien. Il passe pour un humoriste avec son "couteau sans lame auquel il manque le manche", mais tout cela répond en lui à une pensée profonde. "J'étais mort avant de naître". Cf. A. BÉGUIN, *l'Âme romantique et le rêve,* p. 10 à 20.
Les surréalistes l'ont imité.

Ex.: *Absence pour le moment des oeufs sur le plat sans le plat.*
S. DALI, cité Éluard, *O.,* t. 1, p. 1173.

Phrase sans les mots, sans le son, sans le sens. MICHAUX.

Rem. 1 Le procédé relève du non-sens*.

EFFACEMENT LEXICAL Utiliser, au lieu du nom propre, du nom commun spécifique, ou même de la proposition, des démonstratifs, des indéfinis, des outils grammaticaux, des formes lexicales sans compréhension (truc, faire), voire un signe algébrique ou un blanc.

Ex.: *Tu as l'air drôle, Untel, lui dit-elle.*
QUENEAU, *le Chiendent*, p. 13.

Autres ex.: "*Deux promeneurs ..... échangèrent quelques paroles. Puis chacun reprit son chemin, A vers la ville, B à travers des régions qu'il semblait mal connaître...*" (BECKETT, *Molloy*, p. 10). "*Quelque chose contraint quelqu'un*" (MICHAUX, *la Ralentie*, dans *Lointain intérieur*). *...rait* (titre d'un poème dans *Face aux verrous*).

"*Ses pensées filaient comme des flèches enflammées: il ne fallait pas oublier ceci; il fallait penser à parler de cela; de ceci; et de cela aussi!*" (SOLJENITSYNE, *le Premier Cercle*, p. 162).

Rem. 1 C'est à un mathématicien devenu écrivain qu'on doit la théorie de ce procédé.

Il arrive à Lewis Carroll de conseiller aux timides de laisser en blanc certains mots dans les lettres qu'ils écrivent... Ou bien (de mettre) *des noms tout à fait indéterminés: aliquid, it, cela, chose, truc ou machin.*
G. DELEUZE, *Logique du sens*, p. 59.

Rem. 2 "*L'emploi de nombres sans spécifier ce qu'ils déterminent*" (DIWEKAR, *les Fleurs de rhétorique dans l'Inde*, p. 63), comme on le voit dans les textes hermétiques, cela appartient aussi à l'effacement lexical. **Ex.:** "*Il garda les cinq, obtint la triade, comprit la triade, connut la paire et se désista de la paire.*" (RAMAYANA). "*L'un devient le deux, le deux devient trois, et le trois retrouve l'unité dans le quatre. Axiome de Marie la Copte.*" (Épigraphe au roman d'H. Aquin, *l'Antiphonaire*).

Rem. 3 Dans le langage courant, on a un effacement lexical qui a pour effet d'élargir la portée des assertions*. **Ex.:** "*Ça va tout de suite (l'air) vous faire du bien, dit Bloom, voulant aussi parler de la marche dans une minute.*" (JOYCE, *Ulysse*, p. 584).

V. aussi à *parataxe*, rem. 2.

Rem. 4 C'est une forme de l'allusion (V. ce mot, rem. 2) ainsi que de l'euphémisme (V. ce mot, rem. 2). Dans l'aphasie amnésique, ou simplement quand on ne trouve pas ses mots, le procédé est involontaire.

ÉLISION Effacement d'une voyelle pour éviter l'hiatus*. L'élision est régulière dans certains cas (e muet final suivi d'un mot commençant par une voyelle principalement)

mais elle ne se marque par l'**apostrophe** (signe ') que dans les quelques cas déterminés par l'usage graphique[1].
En dehors de ces cas, l'élision soulignée par l'apostrophe est un procédé apte à transcrire du langage parlé.

Ex.: *Moi j'm'en fous. J'les ai volés.*

MONTHERLANT, *Romans,* p. 832.

Tout l'monde va s'demander pourquoi vous épousez l'vieux Taupe qu'a pas un rond.

QUENEAU, *le Chiendent,* p. 157. V. encore à *apocope,* rem. 4.

Rem. 1 L'élision est un métaplasme*. Lorsqu'un e tombe devant un mot commençant par une consonne, on a une apocope*. V. aussi à *crase,* rem. 2.

Rem. 2 Pour les problèmes de l'élision à la césure, V. ce mot, rem. 5.

Rem. 3 La **contre-élision** consiste à insister sur les e muets. *Uneu lettreu.*

ELLIPSE Suppression de mots qui seraient nécessaires à la plénitude de la construction, mais que ceux qui sont exprimés font assez entendre pour qu'il ne reste ni obscurité ni incertitude. FONTANIER, p. 305.

Ex.: *L'ai reconnue tout de suite, les yeux de son père.*

JOYCE, *Ulysse,* p. 143.
On rétablit sans peine *je* et *elle a,* qui ont pour rôle d'indiquer le rapport entre le lexème et son environnement (les "actualisateurs"). Dans le langage parlé, quand l'environnement crève les yeux, de telles ellipses sont courantes.

On peut rétablir en outre un lien entre les deux propositions (*parce que*), ce qui montre que l'effacement des actualisateurs a lieu après celui des taxèmes (V. à *parataxe*).

Même déf. Marouzeau, Quillet, Morier, Robert, Preminger, Le Bidois (t. 1, § 6).
Littré donne une définition plus générale: *"On retranche quelque mot dans une phrase".* Cela englobe le zeugme*, l'adjonction*, la parataxe* et la brachylogie*.

Autres déf. 1 Un récit* elliptique observe strictement l'unité d'action, évitant tout épisode oiseux, rassemblant tout l'essentiel en quelques scènes.

---

1 Ne s'élident que ***de, ne, le*** et ***la*** (articles ou pronoms atones), ***je, me, te, se, que, jusque;*** devant voyelle et **h** sauf: **h** aspiré, ***huit, onze, oui, un*** (chiffre ou numéro), les lettres de l'alphabet, les mots cités et certains mots commençant par **y.** Ajoutons ***ce*** devant ***en*** ou un auxiliaire; ***lorsque, puisque, quoique*** devant ***il, elle, on, un, une, ainsi; quelqu'un*** et ***presqu'île;*** quelques composés de ***entre*** et ***si*** devant ***il(s).***

2 C. Bureau (*Linguistique fonctionelle et stylistique objective*) distingue ellipse et "non-répétition". Dans *Il nous reconnaît, nous aborde, nous demande...* **Il** actualise, dit-il, les trois syntagmes verbaux. Nous proposerions de distinguer une *ellipse "de performance"*, due au contexte et destinée à éviter une répétition (Paul a 4 ans et Pierre 10); et une *ellipse "de compétence"*, qui est dans la langue. **Ex.:** *Un documentaire (film), un steak aux pommes (de terre).*

Rem. 1 L'ellipse caractérise le style télégraphique. **Ex.:** "*Mère décédée. Enterrement demain. Sentiments distingués*" (A. CAMUS, *l'Étranger*, p. 9).
Ou les notes prises au vol (c'est le *style calepin*). **Ex.:** "*Attendre trois jours prochain camion, demander conseil au chauffeur, sûrement mécanicien*" (J. HÉBERT, *Blablabla du bout du monde*, p. 61).
Combinée avec l'abrègement*, l'ellipse se retrouve, toujours pour des raisons pratiques, dans les petites annonces. **Ex.:** "*Jeune fille hon. (Catho.) désire situation dans fruiterie ou charcuterie.*" (JOYCE, *Ulysse*, p. 152).

Rem. 2 Le style coupé, celui de la domination autoritaire, recourt aussi au laconisme de la parataxe* et de l'ellipse. **Ex.:** "*Vous remercie votre franchise. Pouvez disposer.*" (BERNANOS, *Romans*, p. 771).

Rem. 3 Le texte le plus elliptique surgit dans un type d'aphasie appelé *agrammatisme*.
Les phrases sont réduites aux lexèmes mais conservent leur sens grâce aux intonations. **Ex.** (cité *ib.*): "*ambulance... Messieurs Vildé... bon! opérer... mais où? plein... plein... plein...*"
Une connaissance insuffisante des outils grammaticaux du français provoque aussi un discours où le lexème domine. On pourrait parler d'*effacement morphologique*. **Ex.:** "*Pat sourd déplumé apporte buvard raplaplat plume et encre. Pat dépose avec encre et plume le buvard raplaplat. Pat remporte assiette plat couteau fourchette. Pat s'en va.*" (JOYCE, *Ulysse*, p. 267).
Ainsi procède également le *parler-bébé* (Cf. H. Hörmann, *Introduction à la psycholinguistique*, p. 256). On peut en tirer certains effets littéraires.

Ex.: *Baobabs beaucoup baobabs*
baobabs
près, loin, alentour
Baobabs, Baobabs.
MICHAUX, *Télégramme de Dakar*, dans *Plume*, p. 94.

Le chinois écrit, qui se passe d'actualisants, dispose de milliers de signes (un par concept), qui limitent son destin à un groupe de doctes. De même, la mathématique moderne avec son jargon de lexèmes nominaux correspondant à des symboles: "A union B. A inter(section) B". C'est aussi un effacement morphologique.

Rem. 4 Le monologue* intérieur est facilement elliptique.

Ex.: *revues pour prendre patience comme chez le dentiste, Terre et Progrès, couverture illustrée représentant tracteur en action dans champ labouré, mottes de terre encore hérissées de chaumes comme fragments de torchis adhérant coincées entre les saillies disposées en chevron des énormes pneus, boue assimilée elle aussi transmutée en papier glacé, imputrescible et non salissante dans la pénombre climatisée*
CL. SIMON, *Histoire*, p. 89.

Rem. 5 Fontanier (p. 342 à 344) appelle *abruption* l'ellipse des verbes déclaratifs quand on passe du récit* aux discours*. Il cite *la Henriade: "une femme égarée et de sang dégouttante: "Oui, c'est mon propre fils"* et ajoute: *"Mettez: "Qui leur dit avec fureur"..... vous n'aurez plus cet effet magique."*
Le phénomène opère une *focalisation* (V. à *récit*, rem. 3). Le segment supprimé nous aurait laissés dans l'optique du narrateur. Le discours* direct, en revanche, procure au lecteur une sorte de contact avec le personnage, de l'extérieur ou de l'intérieur.

Rem. 6 Pour l'ellipse du thème* ou du prédicat, V. à *assertion* et à *notation*, rem. 6. Pour l'ellipse de la copule, V. à *deux-points* et à *apposition*, rem. 2. Notons aussi que de nombreuses *métonymies* (V. ce mot, rem. 2) disparaissent si on développe les implications de leurs lexèmes, en sorte que l'on peut dire que la métonymie* (procédé sémantique) est souvent créée par une ellipse (procédé grammatical). Il en va de même pour l'énallage (V. ce mot, autres déf., 1). Pour l'*ellipse diégétique*, V. à *rythme de l'action*, rem. 1.

Rem. 7 L'ellipse est un procédé de la dénomination* quand elle réduit une définition à son premier terme. Ex.: *Alliance* pour alliance* de mots contradictoires. De même, permutation (V. ce mot, rem. 1). L'ellipse est une forme possible pour l'euphémisme (V. ce mot, rem. 2) et pour le soulignement (V. ce mot, rem. 1). V. aussi à *phébus*, rem. 4.

ÉNALLAGE Échange d'un temps, d'un nombre ou d'une personne contre un autre temps, un autre nombre, ou une autre personne. FONTANIER, p. 293.
En voici trois exemples, l'un portant sur le temps du verbe, le second sur la personne, le troisième sur le pronom et le nom.

Je mourais ce matin digne d'être pleurée;
J'ai suivi tes conseils: je meurs déshonorée.
RACINE, *Phèdre*
Vous ne répondez point?... perfide! je le voi,
Tu comptes les moments que tu perds avec moi.
RACINE, *Andromaque.*
(Néron à Narcisse) ..... *Néron est amoureux*
RACINE, Britannicus.

On voit qu'il ne s'agit pas de *fautes* de morphologie (V. à *solécisme*), même si ce n'est pas la forme attendue.

Même déf. Dict. de Trévoux, Académie fr., Lausberg (§ 515), Morier (sens 1).

Autres déf. 1 Littré, citant comme exemple La Fontaine: *"Ainsi dit le renard et flatteurs d'applaudir"*, envisage l'infinitif, non comme échangé (et les flatteurs applaudirent) mais comme complément d'un verbe conjugué sous-entendu (et les flatteurs commencèrent d'applaudir). Il définit dès lors l'énallage comme ellipse*, influencé semble-t-il par une note du *Dictionnaire de Trévoux.*
2 Marouzeau, Quillet, Robert rangent aussi parmi les énallages les changements de construction, qui constituent plus exactement des hypallages*.
3 Morier (sens 2) parle d'échanges d'adjectifs, s'inspirant du vers de Virgile: *Ibant obscuri sola sub nocte.* Sans doute Lausberg a montré (§ 682, 2) qu'en latin on pouvait considérer l'hypallage* d'adjectifs comme l'équivalent de l'énallage d'adjectifs (*obscuri* au lieu d'*obscura, sola* au lieu de *soli*), mais il n'en va plus de même en français, où l'échange des adjectifs, procédé purement syntaxique, ne peut constituer qu'une *double hypallage.* **Ex.:** *"Neiger de blancs bouquets d'étoiles parfumées"* (MALLARMÉ, *Apparition:* pour: des bouquets parfumés d'étoiles blanches).

Ce type d'*hypallage* facilite la création d'isocolons, notamment en cas de pléonasme* (étoiles blanches).

Rem. 1 Il existe aussi une énallage des propositions, lorsque la proposition principale quant au sens arrive sous la forme d'une subordonnée. C'est ce que Wagner et Pinchon (§ 595) appellent *subordination inverse.* Cf. aussi Grevisse, § 1017, rem. 2 et n° 5.
Marouzeau offre l'exemple suivant: *"On ne l'attendait plus quand, tout à coup, il arriva."*

Ex. litt.: *Il y avait déjà bien des années que, de Combray, tout ce qui n'était pas le théâtre et le drame de mon coucher n'existait plus pour moi, quand, un jour d'hiver, comme je rentrais à la maison, ma mère, voyant que j'avais froid, me proposa de me*

faire prendre, contre mon habitude, un peu de thé.
M. PROUST, *Du côté de chez Swann.*

La construction tourne autour de la conjonction *quand,* mais la subordonnée temporelle qui suit est une principale au point de vue du sens, puisque la principale, qui précède, introduit en réalité une circonstance temporelle ou plutôt une situation temporelle de l'événement.

Toutefois, si l'on considère l'ensemble du récit, toute la phrase apparaît comme une mise en situation de ce qui va suivre, la dégustation de la madeleinette et la réminiscence que cela suscitera. De ce point de vue, la temporelle est donc bien une temporelle, mais la principale, *"il y avait déjà bien des années etc."* est une sous-temporelle.

Aussi vaut-il mieux prendre les choses du point de vue de la sous-temporelle promue au rang de principale, comme le fait Marouzeau, qui l'appelle proposition *surordonnée* et la définit comme suit: *"la proposition principale est considérée comme secondaire pour le sens." (Lexique de la terminologie linguistique*).

ENCHÂSSEMENT Insérer dans un syntagme* un autre syntagme ou une phrase.

Ex.: *trouvant avec des mots le chemin de leurs oreilles attentives, les coeurs attentifs de leurs, chacun la sienne, existences passées.*
JOYCE, *Ulysse,* p. 262.

"Je me promène, dit-elle, j'ai oublié de vous dire? longuement chaque jour." (M. DURAS, *le Ravissement de Lol V. Stein,* p. 150).

Autres déf. Récit au 2e degré (V. à *miroir,* rem. 5); V. à *escalier.*

Rem. 1 Si le syntagme* est insécable, on a une tmèse*.

ÉNIGME 1. Les pythies rendaient autrefois leurs oracles (V. à *prophétie*) sous forme d'allégories dont le sens demeurait caché. Aussi, pour Quintilien, l'énigme est une allégorie* obscure (Cf. Lausberg, § 899).

Ex.: (Crésus consulta la pythie de Delphes au sujet d'une guerre qu'il voulait entreprendre contre Cyrus.) *La Pythie répondit: quand un Mulet sera roi des Mèdes, alors ..... fuis ..... ne reste pas en place et n'aie pas honte d'être lâche"..... Crésus s'en réjouit ..... pensant qu'il était impossible à un Mulet de régner sur les Mèdes... Et que par conséquent ni lui ni ses descendants ne cesseraient jamais d'être les maîtres.* (Vaincu, Crésus envoya un messager) *déposer ses chaînes sur le seuil du temple et demander aux dieux s'ils ne rougissaient pas de l'avoir*

encouragé". (La Pythie répondit qu'il récriminait sans raison): *"C'est Cyrus qui était ce Mulet; car il était né de deux parents de races différentes, d'une mère plus noble, d'un père plus modeste."*
HÉRODOTE, *Histoires*, I, 55 et 90-1.

2. C'est dans le roman policier que l'énigme, quittant le texte bref pour gagner le récit et l'action, est aujourd'hui florissante. **Ex.:** L'énigme du *local clos*, inventée par Edgar Poe (*Double assassinat dans la rue Morgue*). *"Le local clos, c'est l'endroit gardé, le lieu défendu où l'assassin ne pouvait pas pénétrer et où il a tué, cependant. Le local clos, c'est le problème par excellence"* (BOILEAU-NARCEJAC, *le Roman policier*, p. 48).

3. La composition et le déchiffrement d'énigmes sont aussi un jeu* littéraire, un "jeu de société".
L'énigme n'est guère autre chose qu'une devinette. Contrairement au logogriphe, à la charade et au rébus, où l'esprit est soutenu et guidé par des symboles et des définitions, l'énigme doit être trouvée en partant d'un texte aussi obscur et inattendu que possible, dont elle est le sujet principal.
Cl. AVELINE, *le Code des jeux*, p. 303.

Ex.: *"Un Monsieur avec le cou, et sans tête, avec deux bras et sans jambes? — La chemise."* (ÉLUARD, *Poésie involontaire et Poésie intentionnelle*, dans *O.*, t. 1, p. 1168).
Aveline, p. 303-4, distingue l'*énigme cocasse*, l'*énigme double*, l'*énigme homonymique*, etc.
Rimbaud lance le lecteur sur la piste d'un décodage: *"Trouvez Hortense"* (*O.*, p. 151). Pour l'*énigme sonore*, V. à *métanalyse*, rem. 4.

Signalons aussi la *fausse énigme*, destinée à être devinée, et qui est une forme de soulignement*. **Ex.:** *Elles battent encore leur plein et pour quelques semaines. Quoi donc? Les vacances!* (dans un hebdomadaire).

La **charade** est *"une énigme qui donne à deviner, non pas une chose, mais un mot, par l'analyse du mot lui-même"* (Marmontel). **Ex.:** *"Absolu-ment. C'est une charade. Ce que ne qualifie pas le premier mot est le sujet du second. Tout dans l'univers se définit par ce verbe ou cet adjectif"* (JARRY, *O.*, p. 951).
La **charade à tiroir** est une charade doublée de devinettes avec jeu* de mots. **Ex.:** Mon premier est un assassin. Mon second est un assassin... La réponse est **Victor** parce que *victuailles* et *tortue*. Cf. L. ÉTIENNE, *l'Art de la charade à tiroir*.

La charade est une variété de **logogriphe**, énigme où l'on donne à deviner un mot. **Ex.:** *"N—N, marin héroïque"* (JOYCE, *Ulysse*, p. 272; Nelson).

Les mots croisés sont souvent l'occasion d'accumuler d'amusants logogriphes. **Ex.:** *heureusement, il ne manque pas de tact* (Aveugle). *On peut le prendre sans nuire à quiconque* (élan).
Cf. A.-J. GREIMAS, *l'Écriture cruciverbiste,* dans *Du sens,* p. 290. V. à *syllepse de sens,* rem. 2.

L'énigme comme devinette a fait partie de l'intrigue des contes. Comme l'explique Queneau (*Histoire des littératures,* t. 1, p. 8): *"Les devinettes font appel à l'intelligence et à l'habilité du héros, et l'intelligence, comme le courage physique, est un moyen de remporter l'épreuve initiatique".*

Le proverbe*, élevé à la dignité de genre littéraire par Musset, était à l'origine une énigme sous forme de comédie improvisée. Les spectateurs devaient deviner un proverbe que la comédie illustrait.

4. Il y a une énigme littéraire, proche du phébus*, et qui sert à atténuer, à souligner, à singulariser. **Ex.:** *"Le ciel s'était éloigné d'au moins dix mètres."* (Elle a sauté le mur de la prison). (Début de *l'Astragale* d'A. Sarrazin).

Rem. 1 L'**aporie**, problème insoluble, réfute une hypothèse par l'absurde, enseignant l'inverse. **Ex.:** L'âne de Buridan. Placé devant deux bottes de foin identiques, il se laisserait mourir?! (Ceci pour prouver que la volonté n'est pas mue de l'extérieur exclusivement.) **Autre ex.:** *"La terre est bleue comme une orange."* Ce vers d'Éluard prouve, à notre avis, que la virgule ne peut pas être supprimée sans inconvénients. En effet, on le verrait perdre toute sa force (image surréelle d'une orange bleue) rien qu'en supposant la suppression d'une virgule après *bleue.* La terre est bleue, comme une orange = elle est bleue et elle est comme une orange (c'est-à-dire ronde). C'est en gardant *les autres* virgules qu'on pourra marquer qu'on n'en veut pas ici.

Il convient de placer l'*aporie* soit au début, soit à la fin du texte (V. à *pointe*). **Ex. didactique:** *"Pour l'inconscient contemporain, le Père est châtré par la mère"* (G. MENDEL, *la Crise des générations,* p. 193). Ainsi est rendue frappante l'idée qu'une toute-puissance technique a métamorphosé, aux yeux de la nouvelle génération, le pouvoir social, jadis d'essence paternelle, en le rattachant aux images maternelles de l'enfance.

Rem. 2 L'énigme se crée par un double mouvement: abstraction* puis, à l'inverse, concrétisation*, ce qui la place près des tropes.

Rem. 3 Le **schibboleth** est une formule d'épreuve à l'énoncé de laquelle se classe le locuteur. Par exemple, aux "matines brugeoises", le peuple massacre les occupants, identifiés par leur prononciation des mots flamands *schild en vriend.*

Rem. 4 Il y a des devinettes déceptives (V. à *déception,* rem. 4).Le caractère énigmatique d'un énoncé marque l'existence d'un sens* intentionnel. (V. à *symbole,* 1, rem. 1). L'énigme a son intonation*.

ENJAMBEMENT La phrase enjambe sur le vers* sans qu'on puisse marquer un temps d'arrêt. MAROUZEAU.

Ex.: *Et le sourd tintement des cloches suspendues*
Au cou des chevreaux dans les bois

LAMARTINE, cité par Marouzeau. (Prononcer avec pauses après *cloches* et *chevreaux,* mais en liant *suspendues au cou.*)

Même déf. Martinon, Preminger.

Déf. analogue Morier.

Rem. 1 L'enjambement est proscrit par les théoriciens du vers* classique. On sait quel tollé provoquèrent, en 1830, les deux premiers vers d'*Hernani:*
Serait-ce déjà lui? C'est bien à l'escalier
Dérobé.

De fait, lorsque *"le sens ne permet aucun arrêt à la fin du vers"* (PH. MARTINON, *Dictionnaire des rimes françaises,* p. 34), le rythme*, qui fait le vers*, est mis en péril.

L'enjambement peut se produire à l'hémistiche: *"le premier groupe syntaxique déborde sur le second hémistiche"* sans qu'il y ait de césure possible (Grammont, p. 43).

Rem. 2 Le rejet* est un enjambement avec pause* rythmique ou césure* maintenues en dépit du fait que la phrase continue. **Ex. en fin de vers:** *"..... car l'huître tout d'un coup*(Prononcer avec pause après *coup.*) *Se referme."* (LA FONTAINE, cité par PH. MARTINON, *Dict. des rimes françaises,* p. 35).

Ex. à l'hémistiche: *"Tout à l'heure on ira plus loin, bannière au vent"* (HUGO, cité par M. GRAMMONT, *Essai de psychologie linguistique,* p. 128). On n'a qu'une articulation secondaire à l'endroit où devrait prendre place la césure principale.

Le rejet isole un syntagme* entre une articulation rythmique et une articulation grammaticale, ce qui a pour effet de le mettre en évidence. *Se referme,* ainsi placé, exprime la soudaineté; *plus loin* fait allusion à une fuite.

Rem. 3 Le *contre-rejet* est, comme son nom l'indique, l'inverse du rejet*. La césure principale apparaît avant la fin du premier hémistiche ou du vers. Le syntagme isolé entre les deux césures (l'une pour le sens, l'autre rythmique) est mis en évidence.

En voici un exemple double, contre-rejet à la fois à l'hémistiche et à la fin du vers.

Ils atteindront le fond de l'Asturie, avant
Que la nuit ait couvert la sierra de ses ombres.

HUGO, cité par GRAMMONT, *Essai de psychologie linguistique,* p. 129.

"Le fond" et *"avant"* sont mis en évidence, ce qui répond aux intentions expressives d'Hugo: il s'agit de se mettre en lieu sûr et d'échapper à des poursuivants.

Rem. 4 Si on ne marque pas oralement la fin du vers, il y a enjambement, mais le rythme du vers ne sera plus perçu. Si on fait une pause, le mot est coupé en deux. Ce rejet artificiel est un faux rejet.La *césure pour l'oeil* est un enjambement à l'hémistiche qui transforme en vers romantique l'alexandrin classique. **Ex.:** *"L'ombre des tours faisait / la nuit dans les campagnes"* (Hugo, cité par Morier).

Rem. 5 L'apparition d'une articulation rythmique au beau milieu d'un syntagme transforme l'enjambement en un *rejet forcé.* C'est ce que Morier a appelé *rime d'attente.* Il apporte cet exemple de Verlaine:

De ça, de là,
Pareil à la
Feuille morte.

H. MORIER, *le Moment de l'ictus,* dans *le Vers fr. au 20e s.,* p. 98.
La rime invite à une pause inattendue après *la,* ce qui exprime l'hésitation, l'abandonnement.

Rem 6 Aragon notamment a tenté de renouveler la rime (V. ce mot, rem. 3) en terminant le vers au milieu du syntagme* voire au milieu du mot graphique. **Ex.:** *Je vais te dire un grand secret*
Le temps c'est toi
Le temps est femme Il a
Besoin qu'on le courtise .....
ARAGON, *Elsa,* début.

Parler d'amour, c'est parler d'elle et parler d'elle
C'est toute la musique et ce sont les jardins
Interdits où Renaud s'est épris d'Armide et l'
Aime sans en rien dire absurde paladin
ARAGON, *le Crève-coeur,* p. 78. Il appelle cela la "rime complexe", "faite de plusieurs mots décomposant entre eux le son rimé" (ib.)

Ne parlez plus d'amour. J'écoute mon coeur battre
.....Ne parlez plus d'amour. Que fait-elle là-bas
Trop proche et trop lointaine ô temps martyrisé
C'est ce qu'il appelle "l'enjambement moderne ..... où le son la rime se décompose à cheval sur la fin du vers et le début du suivant" (*ib.,* p. 77).

ÉNONCIATION Acte d'énoncer, de produire un ensemble de signes linguistiques. Chaque énonciation est sémelfactive (ne se fait qu'une fois). Même si plusieurs énonciations produisent le même énoncé (*Bonjour!*), elles ne coïncident pas, étant chacune en son propre point "nunégocentrique" (point d'intersection d'une date, d'un lieu, d'une personne).
L'énonciation comporte sept pôles susceptibles de l'orienter. Ce sont les pôles du schéma de la communication, à savoir le locuteur(1), le contact(2), le destinataire(3), la situation(4), le contenu du message ou énoncé(5), la langue utilisée(6) et la forme esthétique donnée au message(7).
Ces pôles déterminent ce que Jakobson[1] a appelé les fonctions linguistiques, auxquelles correspondent des types de phrases nettement différenciés ou "modalités de phrases", ainsi que sept genres d'oeuvres.

1. Quand l'énonciation est centrée sur le locuteur, le texte a une fonction émotive (ou ***expressive***); la phrase a la forme d'une exclamation* (interjection ou phrase plus ou moins achevée); l'oeuvre est un monologue*.

2. Avec une énonciation centrée sur le contact entre les interlocuteurs, le texte a la fonction "phatique" ou de ***contact***; la phrase, la forme de l'appel (V. à *apostrophe**); l'oeuvre est un *dialogue** ou une *conversation générale.* **Loc.** *N'est-ce-pas? Hein?* V. aussi à *pseudo-langage.*

3. Avec une énonciation centrée sur le destinataire, la fonction est dite "conative" ou ***injonctive;*** la modalité de phrase est l'injonction* car il s'agit d'obtenir quelque chose de l'interlocuteur; l'oeuvre est un discours* au sens étroit du mot (discours suivi).

4. Si l'énonciation est centrée sur le cadre réel, souvent implicite, de la communication, c'est la fonction de ***situation***, où l'on donne des coordonnées de temps et de lieu; la modalité de phrase est la simple notation*. Les oeuvres de ce type sont des recueils bibliographiques, des annuaires, index, tables, etc., où l'on se situe, à un point de vue donné.

5. Énonciation centrée sur le contenu du message, fonction dénotative ou ***référentielle***[2] ; modalité:

---

1 Aux six fonctions de Jakobson, nous avons joint la fonction de situation (V. à ***notation***).

2 Le référent est l'objet du message, souvent implicite. Considéré dans sa réalité, il appartient toujours à la fonction de situation, ce qui n'empêchera pas de parler encore de fonction référentielle à propos de la fonction de dénotation, si l'on

l'assertion; genre d'oeuvre: le récit* (action située hors du présent du destinataire) ou l'explication*.

6. Énonciation centrée sur la langue comme ensemble structuré ou usages expressifs, fonction ***métalinguistique***; modalité: la définition lexicale (où le thème est la vedette autonymique); genre d'oeuvre: dictionnaires, glossaire, nomenclature, thesaurus, exercices, grammaires.

7. Énonciation centrée sur la forme esthétique; fonction ***poétique***, modalités: tous types de transformations artistiques; genre d'oeuvre: toute oeuvre littéraire.

Analogue Narration (par opposition au narré; V. à *récit*).

Rem. 1 Outre les "fonctions" des ensembles de signes, le *Dict. de ling.* énumère divers modes d'approche de la relation auteur / lecteur établie par les textes.
Il y a la position relative des locuteurs (égalité, supériorité, infériorité), le degré d'engagement pris (prévision, intention, promesse), le degré d'assertion* (prédictions, constats), la manière dont la proposition se relie à des attitudes attendues ou admises (mettre en garde, informer), la distance prise par le sujet et la transparence ou possibilité pour le destinataire de lire comme s'il était l'auteur (ex.: le texte des manuels), les modalités d'adhésion (possible, nécessaire), l'appartenance ou la non-appartenance à un groupe (connivence, simulation* ou "masquage"), enfin des types d'arguments* (objection, réfutation*, etc.) On voit qu'il y a là tout un monde de procédés largement utilisés, non seulement en littérature, mais dans la vie sociale, politique et en psychologie.

Rem. 2 Il arrive que l'énoncé coïncide avec l'énonciation. On a appelé **performatifs** les verbes susceptibles de réaliser, en somme, sur le champ, entre les deux pôles personnels de la communication, le concept qu'ils évoquent. **Ex.:** *je dis, je jure, je promets... excusez-moi, pardon,* etc. Il y a donc un "effet de sens", un effet qui s'ajoute au sens et qui est engendré par l'énonciation, non par l'énoncé. Il concerne les êtres visés par les embrayeurs (morphèmes dont le référent dépend du contexte). La promesse existe du fait que le locuteur, hic et nunc, a dit: Je promets. C'est l'acte **illocutoire**, dont la valeur tient au fait que la parole est adressée à telle personne dans telle circonstance. V. à *implication, litote*, etc.

Ducrot (*Dire et ne pas dire*) a montré qu'il y avait quelque chose de juridique dans l'illocution. C'est la coutume du groupe social qui confère à telle formule son poids d'obligation pour les

---

considère que c'est le référent qui suscite son énoncé.

énonciateurs. Ainsi le **serment** (cf. Fontanier, p. 442) engage sans retour la sincérité. Le fait de jurer sur quelque chose de sacré (la *Bible*, la tête de sa mère) ou d'ajouter des malédictions* hypothétiques (*que je meure si je n'ai pas dit la vérité*), ne fait que souligner le caractère définitif de cet engagement.

On distingue l'illocutoire du **locutoire** (acte simple de production d'un énoncé) et du **perlocutoire**, qui concerne les intentions non avouées du locuteur, sujettes à conjecture et interprétation (*Dict. encyclopédique des sciences du langage*, p. 428-9). **Ex.:** *"C'est moi que je suis le directeur"* dit celui-ci pour essayer de faire sourire un visiteur guindé (connivence de collectionneurs de perles). *"Voilà. On peut dire que ça va suffiser"* dit un étranger, pour laisser croire par une faute voulue que ses solécismes* éventuels sont peut-être voulus (cas de masquage de sa non-appartenance au groupe francophone).

Rem. 3 Marques de l'énonciation dans l'énoncé.

Dans les discours*, les dialogues* spontanés, voire les soliloques, l'énonciation est très proche de l'énoncé et tous deux renvoient à un même univers présent (*Pensez-vous que... Il me semble que...*). Les "embrayeurs" (Jespersen, Jakobson) établissent les pôles de l'énonciation.

L'**intonation*** est la principale marque de l'illocutoire et du perlocutoire. Une proposition principale, un adverbe explicitent l'intonation (Il est *déjà* 11h). Souvent, c'est de là que les connotations tiennent leur excès d'importance: elles définissent des attitudes du locuteur et peuvent créer des obligations de convenance (répondre à une question, admettre une implication*). Les marques dans l'énoncé du point de vue de l'énonciateur ont été étudiées sous le nom de **modalisation** (*Dict.de ling.*). **Ex.:** *"Justement, c'est..."* introduit une révision de point de vue, l'affirmation implicite que le locuteur voit les choses de façon plus juste que son opposant. On trouve donc ce tour dans l'antanaclase*.

L'énonciation se révèle aussi quand l'auteur en dit trop peu ou trop. **Ex.:** *"j'essayais de dédicacer l'exemplaire à M.H. (Mounir Hafez, tiens .....)"* (MICHAUX, *Façons d'endormi, façons d'éveillé*, p. 110-1).

Il suffit que ce dont on parle soit moins immédiat pour que l'énonciation se distingue de l'énoncé, appartienne à un autre univers. Dès lors, ou bien elle est effacée, ou bien il y a double actualisation. (V. à *monologue*, rem. 2). Les marques de l'énonciation sont alors:

— L'emploi d'un temps passé qui caractérise le récit*.
— Les adj. *prétendu, soi-disant* ou des guillemets qui mettent en cause la pertinence d'un terme, aux yeux du conteur.
— La mention de l'auteur ou du public (V. à *parabase*). **Ex.:** *"Aux*

abords d'un village, dont j'ai oublié le nom ..... vivait une veuve qui ne pensait qu'à convoler" (J. FERRON, *l'Été*, dans *Contes*).
— La mention du texte comme *récit*, ou oeuvre littéraire quelconque. **Ex.:** *" L'historiette qui suit indiquera, pour la partie intelligente de ma clientèle, ce qu'on doit prendre du baudelairisme et ce qu'il conviendrait d'en laisser."* (A. ALLAIS, *Plaisir d'humour*, p. 21). Autre ex. à *litote*, rem. 1.

— La mention du texte comme texte (fonction métalinguistique).

Ex.: *Bois-Lamothe était la terreur de tous les maris des voisinages. Je dis des voisinages, au pluriel, car le marquis, alors grand propriétaire foncier en même temps que nature frivole et baladeuse, changeait de voisinage comme de chemise.*
A. ALLAIS, *Plaisir d'humour*, p. 142.

Ex. oral: *"un début d'infractus* **oui, oui ça se prononce mieux qu'infarctus"** (M. BEAULIEU, *Je tourne en rond, mais c'est autour de toi*, p. 18).

Rem. 4 L'énoncé peut aussi (sans perdre l'énonciation qui lui est corrélative) engendrer un autre énoncé par rapport auquel il joue le rôle d'énonciation. On a alors trois niveaux d'actualisation. C'est le cas pour le récit au 2e degré, par exemple (V. à *récit*, rem. 4).

Rem. 5 Quand l'énoncé et l'énonciation s'actualisent sur deux plans distincts, on peut, par maladresse plus ou moins volontaire, ironie*, élégance outrée, affecter de les confondre. Ainsi Ferron se faisant contredire par un de ses personnages (*la Barbe de Fr. Hertel*, p. 105) ou passant du *sens figuré* au *sens propre*, ce qui donne à son intrigue des rebondissements inattendus (le lapin de *l'Amélanchier*, appelé M. Northrop, devient un personnage qui, tout en grignotant la carotte, discourt sur la marine anglaise et caricature l'humour de cette nation). Autre jeu sur l'énonciation, V. à *prétérition*, rem. 1.

Rem. 6 Pour d'autres ressources de l'énonciation, V. à *apocalypse*, rem. 1; à *assise*, 5; *deux-points; excuse*, rem. 1; *nominalisation*, rem. 1; *parenthèse*, rem. 4; *personnification*, rem. 1; *prophétie*, rem. 1; *prosopopée*, rem. 2 et 3; *rappel*, rem. 2.

ÉNUMÉRATION Passer en revue toutes les manières, toutes les circonstances, toutes les parties... LITTRÉ.

Ex.: *Alors circulèrent dans la ville les premières brochures contenant des conseils sur la manière de se protéger le mieux possible contre la bombe atomique. Premièrement: il fallait se jeter à plat ventre par terre. Deuxièmement: se cacher le visage. Troisièmement:*

éviter les éclats de verre...
G. ROY, *Alexandre Chenevert*, p. 288.

Autre mot Liste.

Déf. analogues Lamy (cf. Le Hir, p. 135), Lausberg, Robert.

Rem. 1 L'énumération constitue un mode de définition* propre aux ensembles, ce qui la distingue de l'accumulation (V. ce mot, rem. 2). Aussi est-elle souvent précédée d'un terme englobant. Elle peut alors être introduite par deux-points, *savoir, à savoir* (F. BRUNOT, *la Pensée et la langue*, p. 83).

Rem. 2 L'énumération est un mode d'amplification* particulièrement bien venu car il passe de l'abstrait au concret, du général au particulier. Jakobson y voit un étalement du paradigme, ce qui ne relève pas de la fonction poétique. Elle sert donc surtout à montrer, assez brièvement.

Rem. 3 Quand elle vise l'exhaustivité, l'énumération est un **inventaire** (Barry, t. 1, p. 76, parle de *"dénombrement"*).

Ex.: ..... *divers instruments ..... Pièges à anguilles, casiers à homards, cannes à pêche, hachette, balance romaine, meule, casse-mottes, botteleuse, chancelière, échelle plainte, râteau à 10 dents, des socques, une fourche à foin, trident, une serpe, un pot de peinture, un pinceau, une serfouette et coetera.*
JOYCE, *Ulysse*, p. 633-4.
Partielle, elle rejoint l'exemple*. On peut aussi indiquer seulement les limites extrêmes de l'énumération, ce qui implique le reste. **Ex.:** *"Femmes, moines, vieillards, tout était descendu"* (La Fontaine); les hommes et les enfants a fortiori.

Rem. 4 Quand les parties sont rapportées respectivement à d'autres éléments — ce qui s'opère par une disjonction* — on a une énumération distributive ou **distribution** (Bary, cité par Le Hir, p. 128; Littré, Lausberg).

Ex.: *Peut-être les Chapdelaine pensaient-ils à cela et chacun à sa manière; le père avec l'optimisme invincible d'un homme qui se sait fort et se croit sage; la mère avec un regret résigné; et les autres, les jeunes, d'une façon plus vague et sans amertume...*
L. HÉMON, *Maria Chapdelaine*, p. 40. V. aussi à *sériation* et à *apposition*, rem. 2.

Rem. 5 L'énumération superfétatoire relève du baroquisme*.

Ex.: (L'ambition actuelle de Bloom) *Ce n'était ni d'hériter par droit de primogéniture ou par partage égal ou par privilège au dernier-né, ni de posséder à perpétuité un vaste domaine comprenant un nombre respectable d'acres, de verges et de perches* (etc.)
JOYCE, *Ulysse*, p. 632.

La *fausse énumération* relève du soulignement*. **Ex.:** *"Trois raisons pour lesquelles la cigarette XXX est la meilleure: son goût, son goût, son goût."* Les éléments sont parfois mis en *gradation* (V. ce mot, rem. 2).
Pour l'énumération chaotique, V. à *accumulation*, rem. 3 et à *verbigération*, rem. 3. L'Orient a une tradition d'énumérations non systématiques.

Ex.: *Il y a sept façons de s'enrichir par le commerce: la tromperie sur la marchandise, la vente en commission, le commerce en association, la vente au client fidèle, la falsification des prix, l'usage des faux poids et mesures, le commerce à l'étranger.*
R. DAUMAL, *Bharata*, p. 163.

Borges la dénude:

"Les animaux se divisent en: a) appartenant à l'empereur, b) embaumés, c) apprivoisés, d) cochons de lait, e) sirènes, f) fabuleux, g) chiens en liberté" (*Otras inquisiciones*, cité en préface à *Fictions*, p. 13).

Rem. 6 Les points énumérés peuvent être numérotés sans pour autant constituer des paragraphes*, à moins qu'on n'aille à la ligne (auquel cas le segment débute par la majuscule).

Rem. 7 Autres emplois de l'énumération, V. à *gradation*, rem. 2; *homéotéleute*, rem. 3; *célébration*, rem. 1; *récapitulation*, rem. 2; *synonymie*, rem. 3; *télescopage*, rem. 2.

ÉPANADIPLOSE Lorsque, de deux propositions corrélatives, l'une commence et l'autre finit par le même mot. DU MARSAIS (t. 4, p. 139), cité par LITTRÉ.

Ex.: *La mère est enfin prête; très élégante, la mère.*
R. QUENEAU, *le Chiendent*, p. 38.

Même déf. Scaliger (IV, 30), Lausberg, Morier.

Autres noms Épanastrophe (Littré, Lausberg, Morier), inclusion* (selon Marouzeau), épanalepse* (selon Morier, comme sens 2).

Rem. 1 Les épanadiploses ont un effet de soulignement*, voire de ressassement*. **Ex.:** *"L'enfance sait ce qu'elle veut. Elle veut sortir de l'enfance."* (J. COCTEAU, dans le *Nouveau dict. de citations fr.*, nº 14530); *"L'homme peut guérir de tout, non de l'homme."* (G. BERNANOS, *Nous autres Français*, p. 158).
Mais certaines semblent dues au hasard. **Ex.:** *"Un âne immobile sur un terre-plein, pareil à une statue d'âne."* (G. CESBRON, *Journal sans date*, p. 166).

ÉPANALEPSE Répéter un ou plusieurs mots, ou même un membre de phrase tout entier. LITTRÉ.

Ex.: *L'ombre d'elle-même! l'ombre d'elle-même! la malheureuse a vieilli de cent ans! de cent ans!*
COLETTE, *Chéri.*

Autre ex.: *GÉRONTE. — Que diable allait-il faire dans cette galère?* (réplique qui revient jusqu'à sept fois, avec un effet de comique très sûr).
MOLIÈRE, *les Fourberies de Scapin,* II, 11, cité par Morier.
Ce qui distingue l'*épanalepse* des autres types de répétition*, c'est qu'elle porte sur un fragment de texte autonome qui est lié à l'assertion*. Réduit, le segment répété contiendra l'essentiel de l'assertion, c'est-à-dire le **posé**. **Ex.:** *...de cent ans! cent!*

Même déf. Lausberg, Morier, Preminger.

Autres déf. 1 Morier et Preminger ajoutent un deuxième sens: *"reprendre en fin de vers ou de phrase le mot qui se trouvait au début".* Cette définition est celle de l'épanadiplose* ou de l'inclusion*.

2 Marouzeau: reprise d'un terme ou d'une expression soit au début, soit à la fin de groupes successifs, soit à la fin de l'un et au début du suivant... (je l'ai *vu,* de mes yeux *vu, vu* comme je vous vois). Cette définition réunit l'anaphore*, l'épiphore* et l'anadiplose*...

Rem. 1 L'épanalepse, quand elle ne porte que sur un mot, rejoint la réduplication*. Selon Lausberg (§ 616), la réduplication devient épanalepse dès qu'un mot sépare les deux termes identiques. **Ex.:** *"Craignez, Seigneur, craignez .....",* ce qui est corroboré par le fait que dans un tel cas le mot équivaut à un syntagme qui contient le posé.

Rem. 2 Quand l'épanalepse est inutile, c'est une battologie*. **Ex.:** *"Mais ils ne sont pas là où je suis quand j'ai les yeux fermés. Là où je suis quand j'ai les yeux fermés, il n'y a personne, il n'y a que moi."* (R. DUCHARME, *l'Avalée des avalés,* p. 8-9).

Rem. 3 La reprise au début d'un chapitre ou d'un poème, du titre de ce chapitre ou de ce poème, constitue également une épanalepse. Beaucoup de poèmes ont pour titre leur *incipit.* **Ex.:** *"Emportez-moi dans une caravelle"* (H. MICHAUX, *Emportez-moi,* dans *l'Espace du dedans,* p. 74).

Rem. 4 L'épanalepse peut jouer, entre les ensembles étendus (paragraphes, chapitres, etc.), un rôle de liaison analogue à celui de l'anadiplose* entre les phrases et les alinéas.

Ex.: *Si le beau temps continue, dit la mère Chapdelaine, les bleuets*[1] *seront mûrs pour la fête de sainte Anne.*

---

1 Myrtilles du Québec.

Le beau temps continua et, dès les premiers jours de juillet, les bleuets mûrirent...
L. HÉMON, *Maria Chapdelaine,* p. 67-8. V. aussi à *réamorçage,* rem. 1.

Rem. 5 L'épanalepse peut se produire à intervalles plus ou moins réguliers, comme un refrain*.

Ex.: (Dominique sort d'une longue contemplation de son corps athlétique). **Toute peine était bannie.** *La pensée d'Alban lui revint. Elle sut que cette pensée devait être plutôt triste, mais n'en sentit pas la tristesse...* **Toute peine était bannie.** *Les sentiments, les pensées, les paroles étaient des ombres sans chair. Ce bien comblait au point d'en être un peu oppressant. Elle était débordée par son corps.* **Toute peine était bannie.**
MONTHERLANT, *Romans,* p. 45.

Rem. 6 La *demi-épanalepse,* en introduisant des variations* dans les répétitions*, peut rejoindre l'anaphore*, l'épiphore* et la symploque*.

Ex.: *Je suis allé au marché aux fleurs*
Et j'ai acheté des fleurs
Pour toi
mon amour
Je suis allé au marché à la ferraille
Et j'ai acheté des chaînes
Pour toi
mon amour
J. PRÉVERT, *Paroles,* p. 41.

ÉPANORTHOSE Revenir sur ce qu'on dit, ou pour le renforcer, ou pour l'adoucir, ou même pour le rétracter tout à fait. FONTANIER, p. 408.

Ex.: *C'est en effet la première fois dans l'histoire du monde que tout un monde vit et prospère, paraît prospérer contre toute culture.*
Qu'on m'entende bien. Je ne dis pas que c'est pour toujours. Cette race en a vu bien d'autres. Mais enfin c'est pour le temps présent.
PÉGUY, *Notre jeunesse.*

Même déf. Thibault, Lamy, Littré, Quillet.

Syn. Expolition (Morier), rétroaction (Fontanier).

Rem. 1 L'épanorthose est une parastase* agrémentée de l'une des marques de l'autocorrection*. L'autocorrection est moins étoffée:Fontanier oppose l'épanorthose, figure de pensée, à la correction, figure de style.

Rem. 2 La **rétractation** n'est qu'une des formes possibles de l'épanorthose. **Ex.:** *"Je soufflerais volontiers dessus (une vitre) mais elle est trop loin. Ce n'est pas vrai. Peu importe, mon souffle ne la ternirait pas."* (BECKETT, *Malone meurt,* p. 39). Le procédé peut s'étendre aux dimensions d'une oeuvre, dans laquelle on fait son autocritique: c'est la **palinodie. Ex.:** *Errata,* de R. Queneau. (L'auteur revient sur sa théorie de la promotion imminente de la langue parlée.)

Solennelle, soulignée en prenant à témoin qqch. de sacré, la rétractation est une **abjuration**.

Rem. 3 Le procédé peut, lui aussi, être de pure forme. Il y a des **pseudo-rétractations** agressives. **Ex.:** *"Je ne m'en suis jamais laissé conter sur votre intelligence, et, pourtant, cette petite saloperie* **montre quelque finesse"** (B. FRANK, *le Dernier des Mohicans,* p. 38).

Rem. 4 Il n'est pas rare qu'un poème soit contenu comme en germe dans son vers initial, que les suivants explicitent. **Ex.:** *Emportez-moi dans une caravelle* de Michaux. On aurait là une sorte d'épanorthose ou de régression*, d'où l'importance des *incipit* (la chute* est le phénomène inverse).

ÉPELLATION Nommer successivement chacune des lettres qui composent un mot. ROBERT.

Ex.: *C'est de la part de M. Boris. Il ne peut pas venir.*
— M. Maurice? dit la voix.
— Non, pas Maurice: Boris. B comme Bernard, O comme Octave.
SARTRE, *l'Âge de raison.*

Rem. 1 L'épellation rapide est un moyen de communiquer secrètement malgré la présence d'un tiers: c'est un *brouillage sonore.*

Rem. 2 Leiris a su en tirer un type d'équivoque* qui est l'inverse de l'allographe alphabétique (V. à *allographie,* rem. 3). Il fait la métanalyse* de la chaîne obtenue par épellation et obtient de nouveaux mots, qu'il arrive à douer d'un sens vaguement pertinent au terme initial. **Ex.:** *"Lueur: aile eue, oeufs eus, air"* (cité par ÉLUARD, *Dictionnaire abrégé du surréalisme,* à *lueur*).

Rem. 3 L'épellation peut se doubler de la **syllabisation**[1], qui consiste à *"épeler en décomposant par syllabe"* (Littré). C'est une manière de souligner. **Ex.:** *"et puis n i* **ni** *fini"* (JOYCE, *Ulysse,* p. 120).

La dictée comporte en outre des indications diverses.

---

1 Proche de la ***syllabation*** qui consiste à décomposer (éventuellement par écrit, V. à ***trait d'union***) un mot en syllabes.

Ex.: *une épître enfantine, datée, dublin petit dé, teneur: Petitpère, grand pé, virgule. Comment grand cé, allez-vous point d'interrogation Je grand ji, vais très bien, point, alinéa suivant* (etc.)
JOYCE, *Ulysse*, p. 640.

ÉPENTHÈSE Addition, insertion d'une lettre, ou même d'une syllabe au milieu d'un mot. LITTRÉ.

Ex. courant: *lorseque.*

Même déf. Marouzeau, Quillet, Lausberg (§ 483).

Déf. analogues *"Apparition à l'intérieur d'un mot d'un phonème non étymologique".* **Ex.:** chanvre, venant de *cannabis* (Robert). *"Son parasite"* (*Dict. de ling.*). *"phonème qui surgit pour des raisons de mécanique articulatoire"* (Morier).

Analogues Paremptose (addition d'une lettre, non d'une syllabe), selon Littré et Lausberg; diplasiasme (redoublement d'une lettre – *rettulit* pour *retulit* – selon Le Clerc, p. 272).

Rem. 1 Terme de l'ancienne grammaire, qui correspond à un procédé actuel. **Ex.:** *"Merdre"* (JARRY, *Ubu roi*), *"Proêmes"* (Fr. PONGE), "Urlysse" (R. DUCHARME, *l'Avalée des avalés*, p. 265).

Pons (p. 10) appelle **saupoudrage** des épenthèses multipliées. Il pense que Swift a confectionné ainsi ses *"Houyhnhnms"*, (à partir de *hom*(me) prononcé par des chevaux, naturellement). Voici un saupoudrage de Joyce: *"Mon eppripfftaphe. Soit épfrite"* (*Ulysse*, p. 245; pour: Mon épitaphe soit écrite).

Le procédé est connu des psychiatres sous le nom d'**embololalie** ou *embolophasie. "Immixtion de lettres dans le corps des mots ou de mots dans le corps des phrases"* (Marchais).

Rem. 2 Le phénomène est naturel quand il s'agit de soutenir une consonne, par un **e** *épenthétique.* **Ex.** "Monsieur Malbrouk est mort", où l'on prononce /more/.

Rem. 3 L'épenthèse est un métaplasme*. V. aussi à *euphémisme*, rem. 2.

ÉPIGRAMME (fém.) Poème* très bref que termine une pointe* satirique. BÉNAC.

Ex.: *L'autre jour au fond d'un vallon*
Un serpent piqua Jean Fréron.
Que pensez-vous qu'il arriva?
Ce fut le serpent qui creva.
VOLTAIRE.

Analogues Blason (V. à *célébration*), pasquin, pasquinade (Robert).

Rem. 1 Guillaume Colletet (*Traitté de l'épigramme,* section 8) donne le madrigal comme un équivalent espagnol ou italien de l'épigramme. Le **madrigal** se termine par une pointe* ingénieuse et il est surtout destiné à divertir.

Rem. 2 Du XVe au XIXe siècle, l'épigramme s'est élevée d'abord au rang de genre littéraire, puis est tombée en désuétude. Elle avait une fonction: critiquer habilement les gens en place. Or la critique est devenue, avec la démocratisation, plus théorique, et elle est descendue des salons à la place publique. Si l'on se souvient qu'épigramme veut simplement dire *inscription,* on pourra considérer que la forme actuelle du genre, ce sont les inscriptions, comme genre littéraire, genre qui fut particulièrement à l'honneur durant la "contestation" de 1968. Celles-ci ne sont plus de simples **graffiti**, comme on en trouve sur les bancs d'écoliers ou dans les toilettes publiques, mais des formules proches du *slogan** et dont l'incidence est politique. **Ex.:** *Dépensez. Ne pensez pas* (contre la société de consommation).

Rem. 3 V. aussi à *négation,* rem. 7; *jeux littéraires,* n. 1; *sarcasme,* rem. 3.

ÉPIGRAPHE Citation* placée en exergue au début d'une oeuvre ou d'un chapitre pour en indiquer l'esprit. BÉNAC.

Ex.: *Votre oeuvre peut-elle faire vis-à-vis à la pleine campagne et au bord de la mer? WALT WHITMAN* (Texte mis avant *le Serpent d'étoiles* de Giono).

Rem. 1 L'intention générale de l'écrivain s'en trouve éclairée. G. Perec, par exemple, a placé le texte de son roman *les Choses* entre deux épigraphes qui le transforment en une sorte de témoignage véridique.

Rem. 2 V. aussi à *imitation,* et à *effacement lexical,* rem. 2.

ÉPIPHANIE Quelque chose de réel est perçu par l'auteur comme significatif et transcrit tel quel dans sa nudité. **Ex.:** le ***mot*** qui révèle un caractère, les "Perles récoltées dans la Grande et Bonne Presse" (*Cahier I du Collège de pataphysique,* p.43).

Rem. 1 Le terme est dû à Joyce, qui y consacra un carnet (publié par O. A. Silvermann, Univ. of Buffalo, 1956).

Ex. (cité par J.-J. MAYOUX, *Joyce,* p. 71): *LA JEUNE FEMME* (d'une voix languide, discrète). — *ah oui... j'étais... à la... cha...pelle... LE JEUNE HOMME* (indistinct). — *je...* (toujours

indistinct). *LA JEUNE FEMME* (doucement). — *Oh... mais vous êtes... très vi...lain*
L'épiphanie est naïve ou féroce, sinon les deux, comme dans le cas du personnage de Marie-Chantal, prototype de la snob.

Rem. 2 V. à *faute*, rem. 4.

ÉPIPHONÈME Exclamation* sentencieuse par laquelle on termine un récit*. LITTRÉ[1].

Ex.: *De Dieppe ..... on m'a permis de revenir à la Vallée-aux-loups, où je continue ma narration ..... j'écris comme les derniers Romains, au bruit de l'invasion des Barbares ..... la nuit, tandis que le roulement du canon lointain expire dans mes bois, je retourne ..... à la paix de mes plus jeunes souvenirs.* ***Que le passé d'un homme est étroit et court, à côté du vaste présent des peuples et de leur avenir immense!***
CHATEAUBRIAND, *Mémoires d'outre-tombe*, 1re partie, 2, 7.

Ex. cont.: *Lequel des deux influait sur l'autre? La moderne lycéenne fabriquait-elle ainsi un aïeul ou était-ce l'aïeul qui fabriquait une moderne lycéenne? La question était plutôt vaine et sans grand sens. Mais comme il est étrange de voir des univers entiers se cristalliser entre les mollets de deux personnes différentes!*
GOMBROWICZ, *Ferdydurke*, p. 149.

Même déf. Bary, Lamy (cité dans Le Hir, p. 135), Le Hir, Girard (p. 299), Quillet, Willem (p. 34), Lausberg (§ 879), Robert.

Autres déf. 1 Fontanier (p. 386 et sv.) trouve la définition classique trop restreinte et dit: *"une réflexion vive et courte ..... à l'occasion d'un récit ..... mais qui s'en détache absolument par sa généralité ..... et le précède, l'accompagne, ou le suit."*
On aura donc un épiphonème *"initiatif, terminatif ou interjectif"*. Il se distinguerait de la parenthèse ordinaire par son tour vif ou sentencieux, avec un changement de ton impliquant une généralisation* et une "leçon". **Ex.** les moralités des fables; ou: *"N'avoir pas parlé du rhinocéros... Au moins, pour excuse passable, aurais-je dû mentionner avec promptitude (et je ne l'ai pas fait!) cette omission."* (LAUTRÉAMONT, *les Chants de Maldoror*, § 36).

2 Marouzeau: *"énoncé qu'on ajoute pour fournir l'explication d'un énoncé antérieur (je ne lui ai rien dit, tant il était préoccupé)"*.
C'est plutôt une épiphrase*, rationalisée.

---

1 Il donne, comme presque tous les auteurs, l'exemple du v. 33 de ***l'Énéide***, chant I: ***Tantae molis erat romanam condere gentem.***

Rem. 1 L'épiphonème est une demi-parabase*. Cependant, si la "réflexion vive et courte" ne se détache pas "absolument ..... par sa généralité", si elle appartient au personnage, on n'a plus de demi-parabase; on se rapproche alors de l'épiphrase*. **Ex.:** "*Demain lundi, je confesserai les vieux et les vieilles. Ce n'est rien. Mardi, les enfants. J'aurai bientôt fait.*" (A.DAUDET, *le Curé de Cucugnan).* Ce sont des *demi-épiphonèmes.*

ÉPIPHORE Placer le même mot ou groupe à la fin de deux ou plusieurs membres de phrase ou phrases.

Ex.: *Les courtes plaisanteries sont les meilleures,* ***Monsieur.*** *La justice aura le dernier mot,* ***Monsieur.***
BERNANOS, *O. romanesques,* p. 829.

Même déf. Littré, Lausberg.

Autres noms Épistrophe (Littré, Lausberg, Morier, Preminger); antistrophe (Littré, Quillet); conversion (Fontanier, p. 330); Le Clerc, p. 267, Quillet; mais selon Fabri (t. 2, p. 161), la *conversion* consistait à reprendre trois fois la même phrase à intervalles réguliers, tandis que selon Girard (p. 281) la *conversion* consiste en des répétitions faites symétriquement, comme: *"Il m'a fait trop de bien pour en dire du mal, il m'a fait trop de mal pour en dire du bien"* (V. à *antimétabole*).

Rem. 1 Nous avons préféré *épiphore* à *épistrophe* parce que ce terme se compare mieux à celui d'*anaphore**. V. à *épanalepse,* rem. 6.

Rem. 2 L'épiphore appartient au style périodique* (V. à *période*) mais on la rencontre aussi en poésie.

Ex.: *Musique de l'eau*
Attirance de l'eau
Trahison de l'eau
Enchantement de l'eau
ANNE HÉBERT, *l'Eau* dans *les Songes en équilibre.*

ÉPIPHRASE Partie de phrase qui paraît ajoutée spécialement en vue d'indiquer les sentiments de l'auteur ou du personnage.

Ex.: *Demain lundi, je confesserai les vieux et les vieilles.* ***Ce n'est rien.*** *Mardi, les enfants.* ***J'aurai bientôt fait.*** (Etc.)
A. DAUDET, *le Curé de Cucugnan.*

Autre ex.: *Monde mort, sans eau, sans air...* **En voilà des effusions.**

S. BECKETT, *Malone meurt,* p. 44.

Autre déf. Fontanier, p. 399, parle d'addition ..... d'idées accessoires; Littré et Morier reprennent ces termes. Cette définition rapprocherait l'épiphrase de l'hyperbate*, de la proposition incidente[1] (dont parle aussi Fontanier, p. 318), etc. Elle est moins précise.

Rem. 1 L'épiphrase est une demi-parabase*. Elle prend volontiers la forme d'une parenthèse ou d'une proposition incidente (Cf. CHEVALIER, *Grammaire,* § 3), voire d'une incidente dans une parenthèse: *"Il n'est sculpteur, en vérité, qui ne fasse penser à la mort (quoique nombre de sculpteurs,* **tant pis pour eux,** *n'y aient point pensé du tout)."* (A. PIEYRE DE MANDIARGUES, dans le *Nouveau Dict. de citations fr.,* 15836).

Moyennant l'intonation appropriée, la parenthèse peut ne contenir qu'une réduplication*. **Ex.:** *"L'expression que prit le visage de M. Octave en voyant de la fumée* (de cigarette) *dans sa chambre (sa chambre!...), et de la cendre sur son tapis (son tapis!...), fut digne du théâtre."* (MONTHERLANT, *les Célibataires,* p. 861).

Rem. 2 L'épiphrase n'est pas loin de l'épiphonème*. Morier observe qu'elle apporte souvent une restriction. V. ex. à *allusion,* rem. 2.

Rem. 3 La poésie grecque ajoute au groupe strophe et antistrophe deux vers lyriques inégaux, qui constituent l'**épode**. Celle-ci, parfois satirique, n'est pas sans rapport avec l'épiphrase.

Rem. 4 Le moderne **nota bene** signale une remarque en dehors du déroulement du texte. Il est orienté vers la compréhension du lecteur. Il se place parfois en marge ou en bas de page. Abréviation: N. B.

ÉPITHÉTISME Emploi d'épithètes rhétoriques avant tout, utiles à l'expressivité mais inutiles au sens.

Ex.: *Vous me donnâtes (mathématiques) la prudence* ***opiniâtre*** *qu'on déchiffre à chaque pas dans vos méthodes* ***admirables*** *de l'analyse, de la synthèse et de la déduction. Je m'en servis pour dérouter les ruses* ***pernicieuses*** *de mon ennemi mortel...*
LAUTRÉAMONT, *les Chants de Maldoror,* 24.

Même déf. Littré. Les grammairiens d'autrefois opposaient *épithète* à *adjectif* plutôt qu'à *attribut;* ils désignaient ainsi la qualité rhétorique et non la fonction (Cf. encore dans PH. MARTINON, *Dictionnaire des rimes françaises,* p. 53). Ce n'est pas l'accumulation des adjectifs (comme semble le penser Lausberg, pour qui le style épithétique est un style rempli

---

1 Ou *incise.*

d'épithètes) mais leur emploi comme ornement sans plus, que vise Littré. L'accumulation d'adjectifs est une autre figure, c'est l'accumulation* plutôt que l'*épithétisme.*

Autre déf. Fontanier distingue *épithète* (p. 324) et *épithétisme* (p. 354-7). *L'épithète* est, pour lui comme pour Littré, un adjectif *"qui ne sert qu'à l'agrément ou à l'énergie du discours"* et qu'on pourrait supprimer sans changer le sens; l'épithétisme, l'emploi de compléments prépositionnels qui jouent le même rôle. **Ex.:** *"un héros aux larges épaules, à la vaste poitrine, aux membres robustes, aux yeux francs, aux cheveux roux (etc)."* (JOYCE, *Ulysse,* p. 284). C'est une parodie* de l'épithète dite homérique.

Rem. 1 L'épithétisme sert le sublime (V. à *grandiloquence,* rem. 1). En revanche, suivant Le Clerc, il est le plus souvent un défaut. *"Toutes les fois qu'elle* (l'épithète) *ne sert pas à caractériser le substantif ou à le modifier ..... proscrivez-la comme un pléonasme."* Il donne cet exemple: "(Crevier) *s'est moqué avec raison de Chapelain qui loue* **les doigts inégaux** *de la belle Agnès."*
Pour le rôle de cheville de l'épithète dans la période*, V. à *phrase,* 5.

Rem. 2 L'ancienne distinction, d'ordre rhétorique, entre adjectif et épithète, a reparu dans la terminologie critique sous une autre forme. Lausberg (§ 680,1) oppose *épithètes caractéristiques* et *épithètes oiseuses.* Marouzeau distingue *épithète de nature* (un ciel immense) et *épithète de circonstance* (un joli visage). Les épithètes de nature sont celles qui conviennent indépendamment des circonstances. **Ex.:** *"Les doux zéphirs conservaient en ce lieu une délicieuse fraîcheur"* (FÉNELON, *Télémaque*); *"La mer, la vaste mer"* (BAUDELAIRE, *Moesta et errabunda*). L'épithète de nature tend à faire voir l'objet, à *"peindre"*. C'est pour remédier à sa banalité possible que les Goncourt préconisent que le rôle soit tenu par un mot rare.

Le syntagme* qualifiant est lui aussi *"de nature"* ou *"de circonstance"*, qu'il se rapporte à un nom ou à un verbe. C'est le cas de l'*épithète homérique* (Achille au pied léger). **Ex. récent:** *"Un train remontant passa à grand fracas sur sa tête,* **wagon après wagon**" (JOYCE, *Ulysse,* p. 75).

Rem. 3 L'épithétisme diminue ce que Morier appelle la **densité** d'un texte, c'est-à-dire la *"proportion des concepts ..... relativement au nombre de mots"*. *"La concision recherche une forte densité conceptuelle par le moyen de l'ellipse, de l'allusion ..... La prolixité au contraire ..... préfère ..... le pléonasme et la périphrase"*.

ÉPITROCHASME Accumulation* de mots courts et expressifs. Elle est fréquente dans l'invective: *"Traître! lâche!"* C'est une figure de rythme*. MORIER.

Ex. (donné par Morier): *"et son esprit,* ***strict, droit, bref, sec*** *et* ***lourd,*** *ne subissait aucune altération dans la soirée."* (VIGNY, *Stello,* chap. 17).

Autre déf.: *"Quand les questions se pressent, s'accumulent"* (CHAIGNET, p. 505.) C'est ramener l'épitrochasme au synathroïsme. Le Larousse du XXe siècle propose un compromis entre les deux déf.: "accumuler des idées fortes sous une forme concise".

Rem. 1 Cette figure n'est pas signalée par Fontanier, Littré, Marouzeau, Lausberg.

Rem. 2 On reconnaît dans le mot *épitrochasme* le *trochée,* qui est une *mesure rythmique** rapide, formée d'une syllabe longue suivie d'une brève, — brève que l'on peut d'ailleurs supprimer (trochée catalectique). Il faut prendre garde que le *vers monosyllabique* (Cf. Lausberg, *lexique*) ne s'identifie pas nécessairement à l'épitrochasme, par conséquent. **Ex.:** *"Le jour n'est pas plus pur que le fond de mon coeur"* (Racine).
Il faut que l'on ait des trochées, c'est-à-dire une série de syllabes longues, susceptibles de recevoir un accent.
Dans l'exemple suivant, de L. Hémon, on peut accentuer la clausule comme suit: ..... *gagnant quelques arpents chaque fois au printemps et à l'automne, année par année,*

ă trăvērs/tōūte̕/ūne̕/lōngue̕/vīe̕/tērne#ĕt/dūrĕ.
Maria Chapdelaine, chap. 13. En accentuant ainsi, c'est comme si Maria titubait dans son effort.

ÉQUIVOQUE Par une modification, graphique ou autre, on introduit, dans une phrase qui avait déjà un sens complet, un deuxième sens, distinct et complet lui aussi (ou presque).

Ex.: (Un cancre récite *l'Art poétique* de Boileau devant un maître à la complexion plutôt rondelette) — *C'est en vain qu'au Parnasse un téméraire auteur / Pense de l'art* (il semble arrêté) *Pense de l'art...* Hilarité. La classe a compris *"panse de lard"...*

Autres ex.: *"— Veux-tu ..... que nous additionnions nos âges? — Est-ce que tu as vu les oignons dans additi***onnions?***"* (DUCHARME, *le Nez qui voque,* p. 85). *"Pauvre Mille Milles! tout dépaysagé, tout désorientalisé, tout désillusionnismisé!"* (Ib.) *"Décochons, décochons, décochons — des traits — et détrui, et détrui — détruisons l'ennemi — C'est pour sau, c'est pour sau, — c'est pour sau-ver la patri-e!"* (JARRY, cité par le *Dictionnaire abrégé du surréalisme,* à *Porc*).

Syn. double *sens.*

Analogue Calembour (V. ce mot, *autre déf.*)

Ant. Univoque.

Rem. 1 L'équivoque est une ambiguïté de grande extension. Elle va de l'allographe*, significatif ou non, à la syllepse* de sens, où la phrase n'a pas besoin de recevoir une modification pour évoquer le second sens. Elle peut venir d'une liaison. **Ex.:** *Il sut aimer / il sut t'aimer.* Elle peut venir d'une césure (V. l'ex. cité à ce mot, rem. 3), ou encore d'un pronom (V. à *apposition,* rem. 4).

Rem. 2 L'à-peu-près* est une équivoque ne portant que sur un mot. La contrepèterie*, une équivoque par antimétathèse*. Le kakemphaton*, parfois par *brouillage* (V. ce mot, rem. 1), une équivoque parasitaire. V. aussi à *dissociation,* rem. 9.

Rem. 3 Le *distique holorime* est une équivoque sonore (mais pas rythmique), que sa double graphie décode. **Ex.** cité par Morier, p. 350:
Dans ces meubles laqués, rideaux et dais moroses,
Danse, aime, bleu laquais, ris d'oser des mots roses.
Si le phénomène ne se produit qu'en fin de vers, on a une *rime équivoque.* Cf. Littré, Robert, avec l'exemple: *Je viens de faire un vers alexandrin / Qu'en penses-tu, mon cher Alexandre, hein?*
L'holorime n'est pas réservé au vers. On l'appelle ailleurs homophonie. **Ex.:** *LE CONFÉRENCIER. — Mais voyons maintenant comment la question doit être posée. UNE VOIX. — à tête reposée!*

Rem. 4 L'**équivoque rétrograde** ou *rime* enchaînée* consista, pour les rhétoriqueurs, à reprendre au début du vers le mot (ou une partie du mot) de la fin du vers précédent, en lui donnant un autre sens. (Morier). V. aussi à *épellation,* rem. 2 et *métanalyse,* rem. 2.

Rem. 5 Dans la vie courante, une équivoque inconsciente est parfois un lapsus* révélateur.

Rem. 6 V. aussi à *annomination,* rem. 3; à *sens,* 9; à *phébus,* rem. 4.

ERGOTERIE Argument* trop mince, par lequel on tente de se donner raison à tout prix.

Ex.: *PÈRE UBU. — Quant aux baraques* (les pavillons de l'Exposition universelle)*, je n'y ai point pénétré: je n'ai aucune envie de contempler aucune des curiosités qu'on les disait recéler, parce que j'entends par* "curiosité" *un objet que je découvre tout seul, en mes*

explorations individuelles chez les peuplades barbares, je veux qu'on me le laisse découvrir tout seul! Tandis que le plus bel objet d'art se banalise dès qu'il est mis à la portée de plusieurs.
JARRY, *O. c.*, t. 1, p. 586.

Même déf. Robert.

Syn. Ergotage, argutie, ratiocination (au sens actuel[1]), byzantinisme (ergoterie abstraite), coupage de cheveux en quatre.

Rem. 1 L'ergoterie se décèle à son intonation*.

ÉROSION Répétition* dans laquelle, à chaque reprise, une partie du texte disparaît.

Ex. (avis communiqué aux clients d'un ordinateur): *Les fichiers dont la date d'expiration sera dépassée depuis dix jours seront éliminés ... élimin... élim... éli... é... ...*

Ex. litt.: *"Nous nous détériorions. Tériorions. Riorons."* (DUCHARME, *le Nez qui voque*).

Rem. 1 J. Dubois (t. 2, p. 26) donne une règle de non-achèvement selon laquelle, quand le syntagme initial ne change pas de sens, il peut remplacer la phrase entière. (C'est l'emploi *"absolu"*).

Ex.: *Il abandonne le combat / il abandonne.*
Mais il s'agit là d'une règle linguistique. En rhétorique, les érosions successives semblent destinées à souligner, à faire écho, ou même à faire apparaître de nouveaux sens. **Ex.:** *"aux étapes de ces longs voyages que nous faisions séparément, je le sais maintenant, nous étions vraiment ensemble, nous étions vraiment, nous étions, nous."* (ÉLUARD, *Poèmes*, p. 127).

Rem. 2 On trouve chez Joyce un procédé inverse, qu'on appellera naturellement **alluvion**. *"les piqueurs pilant, pilant du, pilant du poivre"* (*Ulysse*, p. 230). **Ex. publicitaire:** *Dubo, Dubon, Dubonnet.*

ESCALIER On reproduit plusieurs fois un lien de subordination syntaxique. Le cas le plus simple est celui de la relative dont un substantif est déterminé par une nouvelle relative, et ainsi de suite.

Ex.: *Mon beau-frère avait, du côté paternel, un cousin germain dont un oncle maternel avait un beau-père dont le grand-père paternel avait épousé en secondes noces*

---

1 Pour Littré, la ratiocination est l'usage de la raison (sans connotation péjorative). Le Clerc, lui, l'assimile à la ***subjection*** et au ***dialogue* intérieur***.

une jeune indigène dont le frère avait rencontré, dans un de ses voyages, une fille dont il s'était épris et avec laquelle il eut un fils qui se maria avec une pharmacienne intrépide qui n'était autre que la nièce d'un quartier-maître inconnu de la Marine Britannique et dont le père adoptif (etc. etc. etc.)
IONESCO, *la Cantatrice chauve,* p. 51.

Autre nom Enchâssement* (J. DUBOIS, *Grammaire structurale du fr.,* t. 3, p. 14-5).

Rem. 1 De soi, la figure peut continuer indéfiniment, mais il faut bien qu'elle s'arrête, à moins d'un retour au point de départ, qui permet d'imaginer une boucle*.

Rem. 2 Il y a de petits escaliers, purement formels.

Ex.: *la main gauche met la fourchette dans la main droite, qui pique le morceau de viande, qui s'approche de la bouche, qui se met à mastiquer avec des mouvements de contraction et d'extension qui se répercutent dans tout le visage*
ROBBE-GRILLET, *la Jalousie,* p. 111.

Rem. 3 Quand le lien suivant entame la nature du précédent (exception à une exception, est-ce retour à la règle?) on a un escalier plutôt branlant. C'est le cas dans les phrases à multiple *mais.*

Ex.: *J'aurais pu naturellement me faire un bâton, avec une branche, et continuer à avancer, malgré la pluie, la neige, la grêle, appuyé là-dessus et le parapluie ouvert au-dessus de moi. Mais je n'en fis rien, je ne sais pourquoi. Mais quand il tombait de la pluie, et les autres choses qui nous tombent du ciel, quelquefois j'avançais toujours, appuyé sur le parapluie, me faisant tremper, mais le plus souvent, je m'immobilisais, ouvrais le parapluie au-dessus de moi et attendais que cela finisse.*
S. BECKETT, *Molloy,* p. 228.

Rem. 4 Escalier d'intrigue (intrigue en escalier): le récit bifurque sur un épisode secondaire, abandonnant au fur et à mesure les diverses intrigues amorcées. **Ex.:** le film de Bunuel *le Fantôme de la liberté.*

ESPRIT Être spirituel, faire de l'esprit, c'est provoquer l'esprit d'autrui en exerçant, en exposant le sien. Et pour cela, on sort de l'habituel, du vrai, des structures[1] ou du moins du souhaitable, on refuse qqch., et c'est une manière de le reconnaître implicitement.

1 Celles du réel ou celles du langage.

Nous classons ces procédés en huit catégories mais celles-ci ne sont guère exclusives l'une de l'autre.

Le *mot d'esprit* ou concetti* est plutôt un raisonnement*. Sa logique, gratuite ou même fausse (V. à *sophisme* et *paralogisme*) introduit du jeu entre l'intelligence et son objet.

Le non-sens*, forme obscure du précédent, remplace le raisonnement* par les sentiments.

La simulation* induit en erreur et la pseudo-simulation* a son effet comique car personne n'est dupe.

Le persiflage*, raillerie ou moquerie, consiste à se payer la tête de quelqu'un ou à le ridiculiser pour rire.

Le jeu de mots* surexploite la langue par les divers sens auxquels prêtent les segments sonores, modifiés ou non.

L'ironie* et la pointe* créent des défis à la sagacité du lecteur.

L'humour* souligne les limites et les faiblesses de l'esprit, et rend au réel sa suprématie.

Le burlesque* est un comique vulgaire et excessif.

Rem. 1 L'esprit a souvent pour but de faire rire et s'appelle alors **facétie, plaisanterie, drôlerie.** Mais le rire peut avoir des fonctions très diverses et jaillir indépendamment de toute plaisanterie:

— Montrer qu'on a vu l'erreur, l'astuce, l'absurdité, le *jeu de mots* voire la simple allusion*.

— Se défendre d'une attaque voilée sans riposter. C'est le cas devant l'ironie* mais aussi devant le persiflage et même l'injure, la menace... qui sont alors prises en tant que simulations taquines, *"pour rire"*.

— Refoulement. Les contradictions libèrent le moi, qui n'en est pas responsable. *"Le rire fait abandonner les positions de trop de contrainte"* (MICHAUX, *Connaissance par les gouffres,* p. 24).

— Satisfaction, plaisir de constater que d'autres pensent comme nous, qu'une idée ou qu'une expression est juste, que le trait (d'esprit ou de plume) a réussi à fixer un type.

— Surprise.

— Manifestation de soi en société (V. à *jeux littéraires*). Etc.

Rem. 2 Pour l'esprit gaulois, V. à *gauloiserie.* **Autres ex. d'esprit:** V. à *lipogramme,* rem. 1; *métanalyse,* rem. 2.

ÉTIREMENT Allongement démesuré d'un phonème en vue de rendre plus sensible l'objet ou le mouvement.

Ex.: *"Méééétéééoooorooooolooogie"* (TZARA). *"Jazz jazz jazzzzz"* (R. DUGUAY, *Ruts,* p. 19).

Rem. 1 La figure est essentiellement sonore et connaît des transcriptions diverses. Elle s'accompagne de mélodies et d'inflexions impossibles à écrire et que le comédien retrouve ou

recrée selon son génie. *"On flo—-tte! On cha—-vire"* (CLAUDEL, *Théâtre,* t. 1, p. 775). *"vous êtes devenu ri.........che!"* (*ib.,* p. 791).
N. Sarraute tente d'aller jusqu'à la mimologie*. *"Elle le disait en ricanant, avec son accent gouape, cet accent mordant et mièvre... çaa.. fé... cli-i-ché..."* (*Portrait d'un inconnu,* p. 48). V. aussi à *paragoge,* rem. 2.

Rem. 2 Certains étirements sont des soulignements*. **Ex.:** *"Docteur, c'est atrôôôce, un vrai martyre".* (A. SARRAZIN, *l'Astragale,* p. 55).
Il arrive que la voyelle étirée soit redoublée. **Ex.:** *"Fouous-moi la paix"* (JOYCE, *Ulysse,* p. 121). C'est ce qu'on appelle au théâtre le **hoquet lyrique.**

Rem. 3 Le *chant grégorien* est souvent un récitatif sur une même note (plain-chant) suivi d'une mélodie placée sur la dernière syllabe accentuée. On appelle *chant mélismatique* celui *"dans lequel plusieurs notes sont chantées sur la même syllabe"* (P. GUÉRIN, *Dict. des dictionnaires*). Les troubadours avaient un signe graphique conventionel (*mélisme*) indiquant la mélodie à chanter sur telle ou telle syllabe de leurs chansons. Cf. TH. GÉROLD, la *Musique au Moyen Âge.* **Ex. actuel:** *"Glanerai tout vibrato de tes pau pau pau pau pau pau paupières"* (R. DUGUAY, *Ruts,* p. 21). (Il faudrait ici entendre l'auteur chanter ses poèmes.) *"Ô ma Molly d'Irlan-an-de!"* (JOYCE, *Ulysse,* p. 257).

Rem. 4 Une variété de l'étirement est le *trémolo.* **Ex.:** *"Mououourririr"* (R. DUCHARME, *le Nez qui voque,* p. 116). *"Nous rihihihirions un peu de rahahahage ah"* (R. DUGUAY, *le Stéréo,* dans *Culture vivante,* nº 12, p. 32).

ÉTYMOLOGIE L'étymologie au sens strict (dite étymologie savante) consiste à revenir à l'origine (ou *étymon*) d'un mot pour en commenter ou en modifier le sens.

Ex.: *"L'objectivité, c'est-à-dire la parfaite conformité à l'objet, n'existe pas"* (H. BEUVE-MÉRY).

Autre ex.: le titre du recueil de poèmes de Valéry, *Charmes,* choisi notamment parce que *charme* vient du latin *carmina, "poème".* De même, le v. 135 du *Cimetière marin* parle de *"mille et mille idoles de soleil".* Il s'agit de décrire le miroitement de la mer et *idole* est donc pris au sens de son étymon grec, *eidôlon, "image",* reflets du soleil sur les ondes.
En ce sens, relativement rare, l'étymologie se confond avec l'*archaïsme* de sens.* Mais elle peut aussi être utilisée comme argument*. **Ex.:** *"L'ìnconscient, l'ìrrationnel, l'ìnstantané, qui*

sont — et leurs noms le proclament — des privations ou des négations des formes volontaires et soutenues de l'action mentale..." (VALÉRY, *O.*, t. 1, p. 1241).
C'est la preuve par le langage, *preuve formelle* s'il en est... Platon, Aristote même l'ont considérée comme légitime et, durant des siècles, la philosophie pensa pouvoir tirer l'essence des choses de la composition ou des sonorités des mots (Cf. les *Etymologiae* d'Isidore de Séville et, au XVIIe siècle encore, les rapprochements du français avec l'hébreu).

Avatar récent d'une telle méthode, les variantes graphiques des existentialistes. À l'exemple de Heidegger, ils glissent dans les mots usés des pensées inédites. **Ex.:** *"Nous sommes ainsi toujours amenés à une conception du sujet comme* **ek-stase** *et à un rapport de transcendance active entre le sujet et le monde."* (MERLEAU-PONTY, *Phénoménologie de la perception*, p. 491).
Un simple trait d'union suffit parfois: *"pro-jeter"*, *"à-venir"*, *"ex-sistance"* (*ib.*, p. 473, 470, 485); déjà Claudel: *"co-naissance"*...

Dans un mince traité, *la Preuve par l'étymologie*, Paulhan tente de saper la confiance naïve du lecteur dans ce type de preuve, proche, dit-il, du calembour. Certes, il s'agit presque toujours d'étymologies non scientifiques, *"vulgaires"*, d'**attractions paronymiques** comme celle qui a fini par donner à *souffreteux* le sens de *"habituellement souffrant"* alors que l'étymologie ne le rattache nullement au lexème *souffrir*. Et l'application de la méthode sans discernement aboutit à des absurdités humoristiques. **Ex.:** *"le pays appelé Germanie, ainsi nommé parce que les habitants de ce pays sont tous cousins germains"* (JARRY, *Ubu roi*, p. 179).

Mais ce type de pseudo-preuve n'est-elle pas expressive, ne se grave-t-elle pas dans la mémoire, quand Valéry écrit par exemple: *"L'anthrope ne peut faire qu'anthropomorphisme"* (*O.*, t. 2, p. 212). Et ne vaut-il pas mieux créer des néologismes* qui paraissent entrer dans les structures antérieures du lexique[1], comme ce *transhumance* auquel Saint-John Perse donne le sens de *"ce qui est au-delà de la mesure humaine"*, plutôt que d'en forger de toutes pièces?

En rhétorique, l'étymologie est presque toujours *fausse* et, même si elle prend la forme d'un argument*, qui ne prouve rien, elle dit beaucoup.

Les enfants le savent, qui explorent le lexique au moyen d'étymologies rhétoriques irréfutables. **Ex.:** *"Si c'était la*

---

1 A. Henry les a baptisés ***néologismes récurrents***. Cf. P. Guiraud, ***Langage et versification d'après l'oeuvre de P. Valéry***, p. 181 et sv.

blanchisseuse qui avait fait ta chemise, elle ne serait pas bleue, elle serait blanche." Et même les noms propres. **Ex.:** *"Jeanne d'Arc s'appelait ainsi parce qu'elle tirait beaucoup de flèches"* (JEAN-CHARLES, *Hardi! les cancres,* p. 28). Ainsi découvrent-ils à la fois le monde et le langage, c'est-à-dire les modalités de leur (in)adéquation. Dans *Biffures* et *Fourbis,* M. Leiris reconstitue cet univers enfantin (encore latent chez l'adulte) où l'on apprend par les mots et leurs motivations, même fantaisistes.

Autre déf. Réunir dans une même construction des mots apparentés par l'étymologie (vivre sa vie) ou par le sens (dormez votre sommeil), selon Marouzeau. C'est ce que la grammaire appelle plus souvent **complément interne**, mode de soulignement* du lexème, pléonasme* mais non périssologie*.

Rem. 1 Quand elle s'attaque aux noms propres, l'étymologie (c'est-à-dire, habituellement, la fausse étymologie) est un mode du persiflage*, ou de l'éloge. Par ex., H. Rochefort appelle un ministre de Napoléon III, Fourcade de la Roquette, *"Fourcade de toutes les prisons";* on sait que la Roquette est une prison parisienne. **Ex. flatteur:** *Mlle Rossignol... Elle en a en effet la voix* (cité par Paul, qui appelle le procédé **notation du nom**). V. à *annomination.*

Rem. 2 L'étymologie est le mode principal de la *remotivation.* (V. ce mot, rem. 1). **Ex.:** le mot *dissémination* chez Derrida, au sens d'"éclatement des sèmes".V. aussi à *battologie,* rem. 1 et à *homonymie,* n. 2.

Rem. 3 V. aussi à *dénomination propre,* rem. 2; *crase,* rem. 3; *césure typographique,* rem. 1; *paraphrase,* rem. 3; *rythme,* n. 1; *syllepse grammaticale; paronomase,* rem. 1; *sens,* 1.

EUPHÉMISME On déguise des idées désagréables, odieuses ou tristes sous des noms qui ne sont point les noms propres de ces idées. Du Marsais, *Des Tropes,* II, 5.

Ex. courant: *tumeur (cancer), supprimer (tuer), chatouiller les côtes (battre).*

Ex. litt.: FIGARO *(qui vient de se faire injurier par le comte).* — *Voilà les bontés familières dont vous m'avez toujours honoré.* (BEAUMARCHAIS, *le Barbier de Séville,* début).

Même déf. Marouzeau, Quillet, Lausberg, Morier, Robert.

Syn. Transumption (Fabri, II, 157). V. aussi à *ironie.*

Rem. 1 L'euphémisme est une atténuation*. Antonyme: V. à *caricature.* Il se distingue de l'*exténuation* (V. ce mot, rem. 1). V. aussi à *célébration,* rem. 3. Il appartient au sublime (V. aussi à *grandiloquence,* rem. 1).

Rem. 2 Formes de l'euphémisme.
a) Métonymie* et métaphore*. Fréquent dans les expressions courantes. **Ex.:**une vie de bâton de chaise; mettre la puce à l'oreille; faire danser l'anse du panier (griveler sur les commissions). V. aussi à *métalepse.*
b) Double négation* ou négation* du contraire. **Ex.:** *"La République, dernière forme, et non la moins malfaisante, des gouvernements autoritaires"* (G.-A. LEFRANÇAIS).
c) Allusion*. **Ex.:** (madrigal pour une femme enceinte, par Isaac de Bensérade) *"Je serai dignement d'Amour récompensé / Quand ma peine sera finie / Par où la vôtre a commencé."*
d) Implication*. **Ex.:** *"— Ses études? Il travaille beaucoup..."* (Sous-entendu: Voilà le plus qu'on peut en dire).
e) Métaplasme*. **Ex.:** le juron* québécois *"maudit"* déformé par épenthèse en *"mautadi"* (V. aussi à *interjection,* rem. 5).
f) Mot* composé. **Ex.:** *"un sous-doué (on possède maintenant des vocables suaves pour désigner le crétinisme)"* (G. BESSETTE, *le Libraire,* p. 152).
g) Ellipse* ou effacement lexical*. **Ex.:** *Il a marché dans ce que je pense.*L'effacement est parfois compensé par un geste. **Ex.:** *"J'aurais tenté de l'empêcher de se... enfin, avec vous, là..."* (AUDIBERTI, *Le mal court,* p. 85).
Il emprunte encore la forme de la métalepse (V. ce mot, rem. 1), de la périphrase (V. ce mot, rem. 1). Il est plus clair moyennant une implication* ou des italiques.

Rem. 3 À distance, l'euphémisme peut susciter des contresens. **Ex.:** *"Marie et Joseph ne se connaissaient même pas avant de se marier. C'est écrit dans la Bible, Papa".* Aussi l'euphémisme a-t-il parfois besoin, pour que personne ne s'y trompe, d'être montré. **Ex.:** (Hugo) *"m'abrutit des références les plus extraordinaires, qui ne me laissent aucun doute sur son érudition. Des noms qu'on n'a jamais vus ni connus."* (PÉGUY, *Victor-Marie, comte Hugo,* p. 71).

Rem. 4 L'euphémisme est un facteur de détérioration sémantique. À force de dire, non *une situation inquiétante* ou *grave,* mais, pour qu'on ne s'inquiète pas, *une situation sérieuse,* sans plus, on a fait perdre au mot *sérieux* son sens intermédiaire entre tragique et comique, il est devenu synonyme de *grave.* De même autrefois *garce* n'était que le féminin de *garçon.* L'usage compromet la structure. L'euphémisme, quand il n'est plus perçu comme tel, aboutit à une péjoration.

Rem. 5 En revanche, si l'euphémisme est trop clairement perçu, son effet, au lieu d'être adoucissant, s'inverse: c'est le phénomène de litote*. **Ex.:** *"De fâcheux bruits circulaient en ville sur la qualité* **peu granitique** *des moeurs de la belle tailleuse."*

(A. ALLAIS, *A la une!*, p. 153).
Métaphore* et double négation* n'empêchent pas l'euphémisme de jouer comme soulignement*. Il peut aussi être dénudé par une prétérition (V. ce mot, rem. 1).

Rem. 6 Il y a un contre-euphémisme, sorte d'antiphrase qui recourt au péjoratif pour conjurer la prétendue malchance qui s'attacherait au terme mélioratif. **Ex. courant:** *"Les cinq lettres!"*, c'est-à-dire le mot de Cambronne, à la place d'un "Bonne chance!" qui passe pour maléfique.

EXCLAMATION Variété de l'assertion* caractérisée graphiquement par le point d'exclamation (V. à *ponctuation expressive*), oralement par une élévation[1] de la voix (nette, mais moins forte que pour l'interrogation). Elle répond principalement à la fonction émotive (ou expressive au sens strict) du langage (fonction centrée sur le locuteur; V. à *énonciation*, 1).

L'exclamation est souvent elliptique, utilise les interjections* et remplace certains lexèmes par des adj., pronoms ou adv. de même forme que les interrogatifs.

Ex.: *"Vrai, nous sommes idiots!" riait le plus jeune. — "Ah! idiots! si on pouvait, toujours! toujours!" jetait avec passion le malheureux Alban...*

MONTHERLANT, *Romans*, p. 30-1.

Autre ex.: *"Quoi! Il ne s'est pas trouvé un seul de mes confrères pour expliquer mon livre, sinon pour le défendre!"* (ZOLA, Préface à *Thérèse Raquin*).
On observe dans ce second exemple que la limite entre interrogation et exclamation n'est pas toujours nette et qu'il est possible parfois de les remplacer l'une par l'autre sans que le sens général en souffre.

Déf. analogues Du Marsais, Fontanier (p. 370), Littré, Lausberg (§ 809) et Robert définissent l'exclamation par un mouvement du coeur, une émotion; ce sens est plus restreint.

Marouzeau présente une définition plus formelle: mot interjectif (holà!) ou phrase élémentaire où l'intonation supplée à l'insuffisance grammaticale.

---

1 Cette élévation porte sur la première voyelle du posé (accent antithétique). Elle est donc habituellement suivie d'une chute rapide au grave (mélodie conclusive). Delattre (V. à ***continuation***) a vu dans cette chute le trait caractéristique de l'exclamation. Cela permet, en effet, de l'opposer à la ***question***, où l'élévation porte sur la tonique. Toutefois, il semble que cette chute soit due à la présence de syllabes après l'accent antithétique. Ce qui distingue la question de l'exclamation serait seulement la place de l'accent.

Rem. 1 N'importe quelle phrase, dotée du point d'exclamation ou, oralement, d'un accent* de phrase même seulement intensif se transforme en exclamation: injonction*, menace*, supplication*, sarcasme*, caricature*, souhait*, célébration* injure, excuse* et juron (V. à *blasphème,* rem. 1).

Même l'exclamation pure, sans contenu explicite, est possible. Ce sont les applaudissements, sifflements divers, ovations indistinctes.

Rem. 2 L'apostrophe* s'accompagne d'une exclamation dont la fonction est surtout conative. Comparer: *Jeanne!* comme appel / comme exclamation de surprise lors d'une rencontre imprévue.

Rem. 3 L'exclamation se maintient dans le discours indirect libre. Négative, elle peut avoir un sens positif. V. à *négation,* rem. 2. Elle souligne (V. à soulignement, rem. 3). Elle a ses intonations*.

EXCUSE Argument* touchant la bonne foi ou la bonne volonté du locuteur, allégué contre un reproche possible.

Ex.: *Si je parle ici d'eux* (L. Bouilhet et Flaubert) *et de moi, c'est que leurs conseils, résumés en peu de lignes, seront peut-être utiles à quelques jeunes gens.* MAUPASSANT, préface de *Pierre et Jean.* **Autre ex.:** V. à *concetti,* autres déf.

Rem. 1 L'excuse s'adresse au lecteur, elle est un procédé d'énonciation* et constitue souvent une parabase*. Mais elle peut aussi devenir purement rhétorique.

Ex.: *Il faut tout le parti pris d'aveuglement d'une certaine critique pour forcer un romancier à faire une préface. Puisque, par amour de la clarté, j'ai commis la faute d'en écrire une, je réclame le pardon des gens d'intelligence, qui n'ont pas besoin pour voir clair, qu'on leur allume une lanterne en plein jour.* ZOLA, fin de la préf. à *Thérèse Raquin.*

Le *"pardon"* suppose un regret, mais celui-ci peut aussi être l'occasion d'une récrimination* ou d'une réfutation*, comme on le voit dans la locution *"Pardon!"* au sens de *"Mais pas du tout".* Le **regret** est une excuse sans justification. **Ex.:** *"La philosophie — excusez mon propos sur mon ignorance — me semble dans un état critique"* (VALÉRY, *O.,* t. 1, p. 799). Il y a des **justifications** non accompagnées d'excuses. **Ex.:** *"Si nous n'avons pas décrit plus fortement les sentiments de M. de Coantré au cours de cette nuit, c'est que ces sentiments n'étaient pas plus forts."* (MONTHERLANT, *Romans,* p. 853). Ainsi l'objectivité est-elle liée à un effacement de toute

intervention personnelle, tandis que l'excuse libère la responsabilité, et que le regret étreint le sujet; c'est lui qui est au centre de ce groupe de procédés.
Le **faux regret** prend place en compagnie d'un refus, et sur le ton du plaisir ironique. Loc.: *Je regrette mais...*

Il y a une **pseudo-justification,** qui consiste à s'excuser sans donner de raison. **Ex.:** *"Et ce n'est pas ma faute si ce mot a aussitôt réveillé en moi un souvenir de Rimbaud"* (CLAUDEL, *O. en prose,* p. 258). Elle est naturelle justement parce que le sujet sent qu'il devrait pouvoir n'être que sujet, pure activité, et qu'il est en tort dès qu'il s'objective, qu'il doit s'excuser de parler de soi, fût-ce par un sourire ironique, un geste, un point d'exclamation* entre parenthèses. **Ex.:** *"Un ami m'ayant téléphoné pour des renseignements sur mon oeuvre (!) écrite"* (MICHAUX, *Connaissance par les gouffres,* p. 60, n. 1).

Rem. 2 L'excuse porte souvent sur le choix d'un terme, et prend place dans une incise qui le suit. **Ex.:** *"Vulgairement amouraché / c'est comme ça qu'on dit / d'un modèle"* (CL. SIMON, *Histoire,* p. 351); *"et mon derrière — puisqu'enfin c'est son nom"* (MICHAUX, *l'Espace du dedans,* p. 132). **Loc.** *si j'ose dire, comme on dit, si l'on peut dire...*

L'hésitation peut introduire et excuser un mot trop savant. **Ex.:** *"On voit du corail vivant, des... des... comment appelez-vous cela? — des madrépores"* (GIDE, *Romans,* p. 969).

Rem. 3 Autrefois, l'excuse figurait à la fin de l'oeuvre, en guise d'adieu. *"Excusez les fautes de l'auteur"* et, pour les textes de piété, *"Priez, frères, pour le copiste"*. Ou bien elle trônait dans un prologue, comme c'est encore le cas pour le *Don Quichotte,* mais ironiquement. Elle peut suivre un aveu (V. à *concession,* rem. 1). Elle a son intonation*. Elle se doit de précéder un retour sur les présupposés (V. à *impasse,* rem. 1).

Rem. 4 Il y a des demi-excuses, V. à *prétérition,* rem. 1 et à *licence,* rem. 1 (la *demande*); et des excuses anticipées, V. à *prolepse,* rem. 1.

EXHORTATION Discours* par lequel on engage l'auditeur à une action présentée comme méritoire.

Ex.: *Méditons donc aujourd'hui, à la vue de cet autel et de ce tombeau, la première et la dernière parole de l'Ecclésiaste... Que ce tombeau nous convainque de notre néant, pourvu que cet autel ..... nous apprenne en même temps notre dignité.*
BOSSUET, *Oraison funèbre d'Henriette d'Angleterre.*

Analogues *Conjuration* (requête instante, au nom de qqch. de sacré); *adjuration* (sommation; le demandeur peut aller jusqu'à parler au nom de la divinité).V. aussi à *souhait,* rem. 2.

Rem. 1 On peut s'exhorter soi-même. **Ex.:** *"Un sentier..... Je m'y engage..... et marche, petit Frédéric"* (Mistral). Le verset: *"Bénis Yahvé, mon âme"* est une exhortation de ce type, et non une bénédiction. Si l'on avait: *"Bénis, Yahvé, mon âme"*, ce serait une requête (V. à *supplication*).

EXORCISME Formule ou geste capable d'agir à distance.

Ex. courant: *Abracadabra.* **Ex. litt.:** *LE CARDINAL. — Si seulement je me rappelais de l'exorcisme. Excipiens... Ex planeta... De cordibus... Chimera... Retro... Retro...*
AUDIBERTI, *le Mal court*, p. 54.

Analogues Formule magique, incantation, mantra[1] ; péj.: sortilège, sort jeté.

Autre déf. Conjuration (V. à *exhortation*) par laquelle sont chassés les esprits mauvais.

EXPLICATION On joint à certaines assertions* un discours*, souvent bref, dans le but d'éclaircir un mot, une action, etc.

Ex.: *La seule chose qu'il voulait encore savoir, c'était quelles troupes au juste il y avait là; et dans ce dessein, il devait s'emparer d'une* **"langue"** *(c'est-à-dire d'un homme de la colonne ennemie).*
TOLSTOÏ *Guerre et Paix*, t. 2, p. 543.

Autre ex.: *Il ..... lui dit* **"vous, Sonia"**. *Mais leurs yeux se croisèrent et se dirent* **"tu"**, *et échangèrent un tendre baiser. Le regard de Sonia lui demandait pardon d'avoir osé lui rappeler ..... sa promesse ..... Le regard de Nicolas la remerciait de lui avoir offert la liberté et disait qu'il ne cesserait jamais de l'aimer car il était impossible de ne pas l'aimer.*

TOLSTOÏ *Guerre et Paix*, t. 1, p. 396.

Analogue Scolie (V. à *paraphrase*). Ce type d'explication, qui porte sur le signifiant, peut voiler autre chose, par exemple une menace, comme dans l'échantillon, de Robbe-Grillet, cité à *antiphrase*.

Rem. 1 L'explication est l'un des ressorts du roman classique. Dans le roman moderne, l'existence ayant pris le pas sur l'essence, le héros agit et s'interroge ensuite, parfois vainement. L'absurde dispense d'explication.

---

1 ***Une grande partie de ce qui passe pour des pensées philosophiques ou religieuses (en Inde) n'est autre chose que des mantras ou prières magiques, ayant une vertu comme "Sésame ouvre-toi".*** MICHAUX, ***Un barbare en Asie,*** p. 26.

Camouflée dans les paroles attribuées aux personnages, l'explication est appelée **dialogue d'exposition**. **Ex.:** *"Oui, c'est Agamemnon, c'est ton roi qui t'éveille"* (RACINE, *Iphigénie*). V. aussi à *réponse*, rem. 2; à *épiphonème*, autres déf.; à *rythme de l'action*, rem. 1.

Rem. 2 L'explication peut prendre les dimensions d'un chapitre ou d'un traité, mais aussi se réduire à un lexème entre parenthèses.

Ex.: *"Il avait dû pourtant en connaître bien d'autres (femmes) à Londres"* (G. BESSETTE, *l'Incubation*, p. 10). Elle sous-tend divers genres littéraires, notamment le mythe*.

Rem. 3 Les sous-entendus ont besoin d'être explicités. **Ex.:** *"Zola était Zola, c'est-à-dire un artiste un peu massif, mais doué de puissants poumons et de gros poings"* (J.-K. HUYSMANS, préface d'*À rebours*). V. à *tautologie*, rem. 2. Formule de demande d'explication: Qu'est-ce à dire?

Rem. 4 En récit* comme en énoncé, la parenthèse* explicative est au présent général. L'article a alors une extension synthétique (l'homme est un noeud de relations). Avec un présent actuel ou historique, ou un passé de récit, l'article aurait une extension anaphorique (l'homme est trapu, basané... **l' = cet**).

Rem. 5 V. aussi à *interjection*, *mot-valise*, n. 1; *prophétie*, rem. 1; *raisonnement*, rem. 5; *réponse*, rem. 2; *traduction*, rem. 3.

EXTÉNUATION Substituer à la véritable idée de la chose dont on parle, une idée du même genre, mais moins forte. LAUSBERG. **Ex.:** *dans un poème, c'est-à-dire une page*
DEGUY, *Figurations*, p. 27.

Ex. courant: Il faut le dire vite [avant que n'arrive la preuve du contraire] (exténuation d'une dénégation).

Même déf. Scaliger (III, 81), Le Clerc (p. 300), Littré.

Syn. Diminution (Littré, Quillet); tapinose (Paul, p. 172).

Ant. Hyperbole*[1] .

Rem. 1 L'exténuation est une atténuation*. Elle diffère de l'euphémisme*, où ce sont les connotations péjoratives plutôt que la vigueur, qui s'atténuent. Mais elle constitue souvent une litote*. **Ex.:** *"La contestation ..... traduit des nostalgies ou des aspirations, des regrets ou des espérances,* **en tout cas un malaise***"* (R. ARON, *la Révolution introuvable*, p. 93).

---

1 L'hypobole, qui pourrait être étymologiquement l'inverse de l'hyperbole et donc servir de synonyme à ***exténuation***, est, dans l'ancienne rhétorique, synonyme de subjection (cf. Lausberg)

Rem. 2 L'exténuation peut se localiser dans l'intonation seule, comme c'est le cas dans certains essais de théâtre moderne, avec Beckett notamment.

Rem. 3 À force de museler l'expressivité, on dépasse le degré zéro de la banalité, on va au-dessous du truisme*. **Ex.:** *"Le langage ne se refuse qu'à une chose, c'est à faire aussi peu de bruit que le silence"* (PONGE, *le Parti pris des choses*, p. 136). Ce procédé offre un minimum de prise à la critique, ce qui est un avantage. L'évidence est un refuge.

Rem. 4 L'exténuation est classique quand on doit parler de soi.

Ex.: *À l'égard de mon humeur, je crois être en droit de me plaindre de ceux qui m'accusent de misanthropie et de taciturnité: c'est qu'apparemment aucun d'eux n'a jugé que je valusse la peine d'être examiné d'un peu plus près .....*

J.-J. ROUSSEAU, *Correspondance*, éd. Dufour, t. 1, p. 378.

FANTASTIQUE Présenter comme réel un épisode incompatible avec le réel.

Ex.: *À ces mots, il voulut l'embrasser; mais .....* (son nez) *acquit instantanément une longueur immense et se projeta avec un bruit violent contre la muraille ..... — Maudit magicien!*
HOFFMAN, *Contes fantastiques*, p. 316.

Le fantastique trouve facilement sa justification dans quelque présence surnaturelle.

Ex.: *Un archange, descendu du ciel et messager du Seigneur, nous ordonna de nous changer en une araignée unique, et de venir chaque nuit te sucer la gorge, jusqu'à ce qu'un commandement venu d'en haut arrêtât le cours du châtiment.*
LAUTRÉAMONT, *les Chants de Maldoror*, p. 49.

Il prend alors le nom, plus spécifique, de **merveilleux**, même dans le cas d'épisodes horrifiques.

Outré, le fantastique devient **fantasmagorie**. V. à *adynaton*, rem. 1. Évanescent, c'est du fantomatique, des hallucinations, des apparitions.

Ex.: *Mais la relation de Malachias commençait à les pénétrer d'horreur. Il fit apparaître la scène à leurs yeux. Le panneau secret à côté de la cheminée s'ouvrit en glissant et dans le retrait apparut... Haines! Il tenait à la main un portefeuille bourré de littérature celtique, de l'autre un flacon avec le mot Poison.*
JOYCE, *Ulysse*, p. 400.

Rem. 1 On distingue fantastique et pure fiction. Celle-ci ne prend pas la peine de se donner pour fidèle à la réalité. **Ex.:** A. Allais fait raconter à un Suédois une noyade occasionnée par les débordements ...d'une aquarelle, représentant la mer et peinte, il faut l'ajouter, à l'eau de mer (*la Barbe et autres contes,* p. 112).

Rem. 2 La **féerie**, qui désignait autrefois une *"oeuvre dramatique fondée sur le merveilleux"* (Bénac), a glissé du fantastique à la simple fiction en désignant aujourd'hui un *"univers irrationnel et poétique"* (Cocteau). Les surréalistes y sont chez eux. **Ex.:** *"Or, il n'y a personne dans Paris, plus personne sauf une vieille épicière morte dont le visage trempe dans un plein compotier de sourires à la crème."* (DESNOS, *Pénalités de l'enfer).*
Ainsi mirages et illusions, analogiques ou simulés, rejoignent-ils le rêve qui, se donnant pour tel, n'est pas vrai fantastique. **Ex.:** *"Je suis transformé en chiffre. Je tombe dans un puits qui est en même temps une feuille de papier, en passant d'une équation à une autre."* (DESNOS, *Rêves).*

Rem. 3 Les Anglais ont développé l'histoire **gothique**, spécification du fantastique, avec sorcières, bois moussus, arbres tordus, toiles d'araignées, châteaux plus ou moins hantés.

Rem. 4 V. aussi à *image,* rem. 1; *prosopopée,* rem. 3.

FAUTE Il y a une faute à tel ou tel endroit du texte quand l'auteur y a méconnu — par inadvertance ou ignorance — un usage ou une structure fermement établis, que ce soit de forme ou de fond.

Ex.: *La femme de Jupiter s'appelait Jupon*
JEAN-CHARLES, *Hardi! les cancres,* p. 19. V. aussi à *lapsus* et à *nigauderie.*

Syn. Erreur, bourde, bévue, gaffe, perle (faute amusante).

Rem. 1 De nombreux types de faute ont reçu un nom spécifique, notamment les suivants.
La **faute d'orthographe** ou *cacographie,* qui a son rôle en littérature réaliste. **Ex.:** *"À l'aupital le plus petite des deux"* (M.-Cl. BLAIS, *Une saison dans la vie d'Emmanuel,* p. 102. Lettre d'Armandin Laframboise).
Les **fautes d'impression** typographique: **coquille** (V. à *paragramme*); **doublon**, répétition d'une lettre, d'une syllabe, d'un mot; **loup**, lacune; **bourdon**, omission d'un segment; **mastic**, mélange des lignes; **moine**, endroit resté blanc faute d'encrage.

Achoppement syllabique ou *faute de prononciation.* La substitution d'un phonème à un autre s'appelle parfois **translittération**. **Ex.:** *oneille* pour *oreille,* dans *Ubu.* V. à *paragramme.* Le pataquès* est une faute de liaison. Pour les

défauts de prononciation, V. ci-dessous, rem. 2.
Le barbarisme* ou faute de vocabulaire.
Le solécisme* ou faute de grammaire.
La cacologie*, faute contre l'usage ou contre la logique d'expression. Le discours* doit être exempt de tout cela. Pour les fautes de traduction, Valéry Larbaud a proposé le nom de *Jhon-le-toréador,* où l'on voit le *h* de John mal placé, et le mot *toréador* utilisé à la place de torero (*Sous l'invocation de saint Jérôme,* p. 220).

Rem. 2 Il y a de nombreuses fautes sans gravité, simple maladresse, double sens involontaire, manque d'harmonie, difficulté de communication: ce sont les **déficiences** ou **défauts** des textes.
Les défauts de prononciation occasionnels relèvent de la performance. Ce sont le bégaiement*, le **bredouillement** (articulation précipitée et indistincte), le **bafouillage** (sons incohérents), le **balbutiement** (diction faible et hésitante), le **marmottement** et le **marmonnement** (parole dite entre les dents et incompréhensible). D'autres défauts de prononciation sont constants. Les **sigmatismes** déforment l'**s** ou une autre fricative, le **rhotacisme** est une prononciation vicieuse de l'**r** (Littré) ou la substitution d'un **r** à un autre phonème (Darmesteter et Hatzfeld), le **lambdacisme** un redoublement de l'**l**, une mouillure, ou la substitution d'un **l** à un **r** (Lexis). Le **blèsement, zozotement** ou **zézaiement** vient de la langue placée entre les dents. Le **schlintement** est dû à une constriction latérale et non centrale.
L'**assourdissement**, qui rapproche **b, d, g** de **p, t, k** et **j, z, v,** de **ch, s, f,** provient d'un excès de tension musculaire. La **rhinolalie fermée** où l'on donne l'impression de nez bouché, est l'inverse des rhinolalies ouvertes, qui touchent les sons autres que **n, m, gn.** Le **nasonnement** est l'aggravation du timbre par adjonction de la cavité nasale. Le **nasillement** a une timbre plus aigu. La **raucité** vient d'avoir trop crié. **Ex.** de voix rauque: celle de Fr. Mauriac dans ses dernières années. Cf. *le Langage,* p. 370 à 374.

Parmi les troubles psycholinguistiques, signalons: l'**agrammatisme** (phrase réduite aux mots lexicaux), l'**ataxisme** (la fonction des syntagmes n'est pas indiquée; néol.), l'**aphasie** (dans l'aphasie d'expression, dite de Broca, le sujet répète inlassablement des monosyllabes), l'**amélodie** et l'**arythmie** (mais quand rythme et mélodie sont modifiés ou amplifiés, on dit seulement qu'il s'agit d'un *"accent"* étrange ou étranger), le pseudo-langage*, le **mutisme** ou refus de parler, la **tachylalie** ou parole incontrôlée (V. à *verbigération*), la **paragraphie**, substitution* de lettre, la **paraphasie**, *substitution* de mot, le **paragrammatisme,** *substitution* de construction. Cf. P. Marchais, passim.

La diction du texte lu est rarement aussi naturelle qu'on le souhaiterait. Si le débit est trop hésitant, c'est l'**anonnement**. Il y a un **débit professoral** qui consiste à détacher les mots.

Rem. 3 Le **laisser-aller**, qui consiste à écrire n'importe comment, est à peine un défaut. **Ex.:** *"Louis Gillet fit la connaissance de Romain Rolland à l'École normale, où ce dernier était, assez vaguement, à ce que je comprends, professeur."* (CLAUDEL, *O. en prose,* p. 654).

Rem. 4 La faute est un concept difficile à manier. Le romancier doit faire parler ses personnages selon leur caractère et leur faire faire des fautes typiques (V. à *épiphanie* et *mimologie*). Un chef-d'oeuvre du genre est *la Vie devant soi* d'É. Ajar. À côté du bon usage, il y a les *usances,* régionalismes de bon aloi, les *disances,* langues de métier, les *parlures,* langues d'un niveau social, les jargons*, langues de cénacles (cf. Damourette et Pichon, *Des mots à la pensée,* § 33 et sv.), enfin les *idiotismes,* usages purement individuels. La notion d'usage est donc peu délimitée. Même les *hapax* (tours qui n'apparaissent qu'une fois, qui n'appartiennent pas au système) ont leur intérêt: il en va des textes comme de la princesse Bolkowsky dont les *"défauts même — la lèvre trop courte, la bouche entrouverte — semblaient la rendre plus attrayante en lui conférant un charme bien à elle."* (TOLSTOÏ, *Guerre et Paix,* t. 1, p. 51).
Supposons toutefois que le choix d'un terme, d'une construction, d'une graphie ou d'un accord entraîne une obscurité voire un contresens, autrement dit que la structure graphique, sonore, syntaxique, lexicale soit ébranlée. Le concept de faute, qui évoque la baguette du maître, est présent à tous les esprits. Mais il est plus pertinent d'évoquer la distinction entre *performance* (réalisation concrète, située *hic et nunc*) et *compétence* (connaissance de la langue comme système). **Ex.:** *"dire qqch. entre quatre-z-yeux"*; pas d'**s** à quatre, certes, mais n'assiste-t-on pas au surgissement (G. Antoine dirait à l'émergence) d'une structure nouvelle, un **z** initial comme marque du pluriel des mots à initiale vocalique? Comparer: un nez aquilin / des nez-z-aquilins. (ROGIVUE, *le Musée des gallicismes,* p. 126).
Concluons qu'il sera toujours hasardeux de souligner une "faute" en dehors de la relation maître / élève, relation qui caractérise l'essai d'acquérir une compétence plus poussée, en fonction des critères socio-culturels du temps.

Rem. 5 Fautes, défauts, lapsus*, quand ils ne sont pas voulus, sont peut-être des formes mais non des procédés. Est-ce à dire que la faute admise est impossible en littérature? Écrire suppose tant de choix interdépendants qu'il est impossible parfois de ne pas sacrifier certaines régions, comme disent les chirurgiens, pour en atteindre d'autres. L'*automatisme* en est l'exemple le plus évident. Ainsi Aragon déclare: *"Je ne veux plus me retenir des erreurs de mes doigts, des erreurs de mes yeux. Je sais maintenant qu'elles ne sont pas que des pièges grossiers, mais de curieux chemins vers un but que rien ne peut me révéler, qu'elles"* (*le Paysan de Paris*). De toujours, la validité d'une faute qui permet de faire passer autre chose a été reconnue, c'est la **licence* poétique**. Il appartenait aux surréalistes de la pousser plus loin par l'**écriture automatique,** sous la dictée de l'inconscient.

Rem. 6 V. aussi à *chassé-croisé,* rem. 2; *dénudation,* rem. 2; *énonciation,* rem. 2; *truisme,* rem. 2.

FAUX— La plupart des procédés ayant une forme et un sens, il est possible de les séparer. On effectue la forme, mais avec un autre sens. Tel est l'artifice. **Ex.:** L'interrogation, qui est dite **oratoire** (ou fausse) quand elle cache une affirmation. L'étymologie*, par laquelle on transforme le sens* d'un mot en feignant de remonter le cours de son évolution sémantique: fausse étymologie, étymologie vulgaire, au dire du linguiste. La citation*, qu'on peut forger de toutes pièces pour les besoins de la cause. La personnification*, toujours fausse puisqu'elle donne pour personnes des objets inanimés, des idées. La permission*, fausse permission, au sens ordinaire de ce terme. La **lettre ouverte,** qui n'a que la forme d'une lettre à destinataire unique puisque c'est en réalité un écrit public.

Antonyme Tautégorie (absence de figure). Cf. JANKÉLÉVITCH, *Traité des vertus,* p. 100.
Syn. pur (V. à *concession,* rem. 3), rhétorique, figuratif (V. à *comparaison* rem. 1), oratoire.

Rem. 1 Certaines figures fausses ont reçu un nom spécifique. La prétérition* est une fausse réticence; la prosopopée*, une fausse *apostrophe**; la subjection, un faux dialogisme; la litote*, une fausse *atténuation**; la licence*, un faux encouragement que l'on se donne; l'astéisme*, une fausse injure* ou un faux sarcasme*; la parodie*, une fausse imitation*; l'adynaton, une pure hyperbole; le prétexte*, une fausse raison.

Rem. 2 La découverte de ces feintes innombrables a pu faire penser que tout le rhétorique en faisait partie et qu'il n'y avait de mise en oeuvre que par ce type d'écart qui prive le texte de la vérité naturelle des formes. Ainsi, Valéry rapporte ce propos de table de Mallarmé: *"L'Art, c'est le faux! et il explique comment un artiste ne l'est qu'à ses heures, par un effort de volonté."* (VALÉRY, *O.,* t. 2, p. 1226).

De là à condamner rhétorique et poétique, il n'y a qu'un pas, souvent franchi au cours des âges, et déjà par Bouddha, à qui l'on prête ce propos désabusé: *"Les Sutras faits par les poètes, poétiques, de syllabes et de phonèmes artistiques, exotériques* (et non **"supra-mondains, enseignant la vacuité"**), *les gens les croiront. Et les autres Sutras disparaîtront."* (LAMOTHE, *Histoire du bouddhisme indien,* p. 180).

Mais il se fait que ladite fausseté elle-même, le plus souvent, est fausse. Elle n'a que l'air d'avoir l'air. L'artifice qui ne trompe personne est honnête, comme la simulation* quand elle tourne à la pseudo-simulation*.

Il existe toutefois des procédés vraiment faux, comme le sophisme*, destiné à tromper. À l'argument* spécieux correspond alors la réfutation* apparente (fausseté simulée). *"Il y a imprudence et naïveté à réfuter sérieusement un argument qui n'est pas sérieux"* (CHAIGNET, *la Rhétorique et son histoire,* p. 152).

Il existe aussi des procédés vrais, exigés par le sens, et qui sont donc l'inverse des procédés purs. La prosopopée vraie (V. ce mot, rem. 2) est exaltation délirante. L'hypotypose devient "évocation" (V. à *prosopopée,* rem. 3). Mais tous les moyens ne sont-ils pas bons, qui atteignent leur fin (puisqu'il y en a toujours une)?

Rem. 3 Le faux devenu valeur en soi, érigé en objet d'art, est le **kitsch** (Cf. A. MOLES, *Psychologie du kitsch*). Le faux montré est la dénudation*.

Rem. 4 Le procédisme (V. à *baroquisme,* rem. 5) et ses avatars récents, la substitution* surréelle, la littérature potentielle, la dissémination systématisent les transformations formelles. On peut s'attendre à un curieux développement de ce côté par l'intervention des ordinateurs.

FIL (du discours) Déroulement (unidimensionnel) d'un texte, que ce soit au point de vue graphique (V. à *coupure, blanc, haplographie*), au point de vue sonore (V. à *interruption, in petto*), au point de vue grammatical (V. à *anacoluthe*), au point de vue de l'énoncé (V. à *déchronologie,* rem. 1) ou à celui de l'énonciation*.

Analogues Axe syntagmatique, axe de combinaison (combinaison des éléments à l'un des points de vue énumérés).

GAULOISERIE Anecdote d'esprit gaulois, c'est-à-dire d'une gaîté franche et libre.

Ex.: *Et moi j'ai le coeur aussi gros*
Qu'un cul de dame damascène
APOLLINAIRE, *Alcools,* p. 26.

Autres noms Gaillardise, gaudriole, grivoiserie. Adj.: égrillard, leste, licencieux, cru, gaulois.

Rem. 1 V. à *argot*, rem. 1; *contrepèterie; intonation; mot gras*, rem. 1.

GÉMINATION Redoublement de la syllabe initiale dans les formations du type ***bêbête, fifille...*** MAROUZEAU (sens 2 du terme).

Ex.: *il donnerait un gros bécot à sa petite fafemme adorée.*
JOYCE, *Ulysse*, p. 340.

Même déf. Robert.

Autres déf. 1. *"Redoublement, soit dans l'écriture, soit dans la prononciation,* (de voyelles ou de consonnes)" (Marouzeau, sens I). Ce concept pour lequel Marouzeau propose d'ailleurs les termes de *dittographie* ou *dittologie* suivant le cas, semble surtout grammatical. On sait les difficultés que créent, dans l'orthographe du français et parfois dans la prononciation, les consonnes doubles. Il n'est guère utile de l'envisager en rhétorique. Sans doute, il correspondrait à un exemple comme: *"La ffine efflorescence de la cuisine ffrançouèze"* (QUENEAU, *Zazie dans le métro*, p. 125). Mais il paraît plus simple de ranger cet exemple parmi les nombreux graphismes* de soulignement*.
2. *"Répétition d'un mot"* (Robert). C'est plutôt la réduplication*.

Rem. 1 La gémination, comme l'aphérèse*, caractérise le langage enfantin (dodo, neznez). **Ex.:** *"Tutute, le train entre en gare"* (Queneau). Aussi constitue-t-elle le mode ordinaire de formation des diminutifs (*Cricri* pour Christine, mais plus souvent c'est la syllabe finale, *bébert* pour Hubert ou Albert, etc.) **Ex.:** *"Hector (Totor) et Dagobert (Bébert) passèrent: — Dis, Cloclo* (c'est Clovis), *tu viens avec nous sur le chantier?"* (QUENEAU, *le Chiendent*, p. 97).

Rem. 2 La gémination a facilement une valeur péjorative (ou dépréciative). **Ex.:** *"Gnognote de jésuite"* (JOYCE, *Ulysse*, p. 6); le nom du démon Goungoune dans le *Faust* de Valéry; *"Espèces de glouglouteurs"* (IONESCO, *la Cantatrice chauve*, p. 64).

Rem. 3 La gémination doublée d'abrègement* fait plus enfantin que la gémination simple. Comparer *mémé / mémère.*

GÉNÉRALISATION On généralise, au sens courant du mot, quand on étend à un grand nombre de cas une observation qui n'a été vérifiée que sur un petit nombre, parfois un seul. (***Ab uno disce omnes***).

Ex.: *Il fait tout à fait nuit. Ça change.* ***Tout change.***
R. DUCHARME, *l'Avalée des avalés*, p. 82.

Rem. 1 Une généralisation adroite relève de l'induction scientifique et entraîne le roman dans la direction de la psychologie appliquée.

Ex.: *"Il n'y a pas à dire, on nous fiche bien la paix!" ricana Léon avec un rire forcé ..... Mais maintenant, cette paix, elle lui faisait peur. C'est là un mouvement classique. Les "sauvages" de la trentième année sont les amers de la cinquantaine.*
MONTHERLANT, *Romans*, p. 813.

Mais en rhétorique aussi bien que dans la conversation courante, c'est l'induction abusive qui domine, entraînée par la passion.

Ex.: (La vieille dame craint que l'effet d'une porte que les menuisiers viennent de poser ne soit pas aussi sublime qu'elle l'escomptait) *Les ordres, c'est tout ce qu'ils comprennent... des automates, des machines aveugles, insensibles, saccageant, détruisant tout...*

N. SARRAUTE, *le Planétarium*, p. 11.

Autre ex.: "(Après la récitation des leçons en classe) *J'en ai assez de répondre ce qu'il veut, ce que la chimie veut, ce que la terre veut.*" (R. DUCHARME, *l'Avalée des avalés*, p. 196).

Rem. 2 Poussée jusqu'à l'absurde, elle est artifice d'expression, procédé de soulignement*: c'est la *pseudo-généralisation*. **Ex. courant:** Quand on aime on a toujours vingt ans.

Ex. litt.: *"Que donnerait une distillation du monde?" demandait, émerveillé, un homme, ivre pour la première fois.*
MICHAUX, *Tranches de savoir.*

Rem. 3 C'est souvent en généralisant un sujet personnel que s'effectue une distanciation*. V. aussi à *épiphonème*, autres déf. et à *monologue*, rem. 1.

Rem. 4 La généralisation s'obtient par un actualisant (*les, tout, chaque*) mais aussi par un lexème abstrait. **Ex.:** *"Le temps, c'est toi qui dors à l'aube où je m'éveille"* (ARAGON, *les Yeux d'Elsa*, p. 9).
Il s'obtient encore par une image* concrète. **Ex.:** *"Lacet d'ambassadeur ne casse que devant Altesses Royales"* (MICHAUX, *Tranches de savoir*).
Inversement, on obtient une **particularisation** en commençant la phrase par *Je crois que, Il me semble que.* Mais *Selon moi...* ne suffit pas, la proposition qui suit gardant sa portée générale.

Rem. 5 La généralisation permet de présenter aussi les choses de façon réductrice. **Ex.:** *" Toute la Phénoménologie de l'esprit de Hegel n'est que la description et l'histoire des différentes figures de la conscience malheureuse."* (J.-M. PALMIER, *Sur*

Marcuse, p. 122-3). Ce n'est pas une simple atténuation*. Comme dans la concrétisation (V. ce mot, rem. 1), il y a déformation du donné.

Rem. 6 Il y a une généralisation *diégétique,* qui consiste à ne raconter qu'une fois ce qui s'est passé plusieurs fois. G. Genette a montré la fréquence, chez Proust, de ce qu'il appelle *"récit itératif".* **Ex.:** *"Longtemps, je me suis couché de bonne heure".* L'aspect *itératif* ou *fréquentatif* est marqué en français par des adverbes, qui déterminent la durée globale, le rythme de récurrence et l'extension des unités des répétitions*. (L'année dernière / un jour sur deux / chaque été). L'imparfait dit *"de répétition",* assez fréquent, marque le passage du récit à l'énoncé direct (V. à *récit*), dans le cadre duquel le verbe devient un passé général.

GESTE Mouvement signifiant, susceptible d'annoncer, d'illustrer ou de remplacer une phrase, ou de faire l'objet d'une description* et d'une interprétation.

Ex.: — ..... *C'est promis.*
Zazie haussa les épaules.
— Les promesses, moi...
QUENEAU, *Zazie dans le métro,* p. 119.

Autres ex.: *LÉON. — On fait jouer la loi de l'offre et de la demande, n'est-ce pas...*
AUDUBON — **(ne pige rien mais veut faire croire).** *Ah oui, la loi... parfaitement. On la fait jouer... Comme ça...,* **(Geste de balançoire)**
LÉON. — Pas du tout... Comme ça **(Geste d'accordéon).**
B. VIAN, *Théâtre I,* p. 223.

La figure de Legrandin exprimait une animation, un zèle extraordinaire; il fit un profond salut avec un renversement secondaire en arrière, qui ramena brusquement son dos au delà de la position de départ et qu'avait dû lui apprendre le fils de sa soeur, Mme de Cambremer. Ce redressement rapide fit refluer en une sorte d'onde fougueuse et musclée la croupe de Legrandin que je ne supposais pas si charnue; et je ne sais pourquoi cette ondulation de pure matière, ce flot tout charnel, sans expression de spiritualité, et qu'un empressement plein de bassesse fouettait en tempête, éveillèrent tout à coup dans mon esprit la possibilité d'un Legrandin tout différent de celui que nous connaissions.
PROUST, *Du côté de chez Swann,* p. 152-3.

Rem. 1 Il y a des *"gestes"* qui ne concernent que le visage: **mimiques.** D'autres qui sont trop distants du sujet pour signifier autrement que dans l'esprit de l'observateur.

Ex.: *Et une lavallière à pois qu'agitait le vent de la Place continuait à flotter sur Legrandin comme l'étendard de son fier isolement et de sa noble indépendance.* (ib.)

Rem. 2 Le **mime** est un théâtre sans paroles. Quand son action est bouffonne (théâtre italien), c'est un *lazzi* (premier sens du terme, emprunté à l'italien; *lazzi* a pris de là un sens plus étendu: moquerie). Entre le geste et le mot, on trouve l'interjection*. V. aussi à *monologue,* rem. 1; *parataxe,* rem. 2; *symbole,* 2.

Rem. 3 Une certaine codification des gestes semble s'établir comme un langage plus ou moins international, particulièrement dans le cas de gestes *"pré-linguistiques",* attitudes sous-jacentes à une phrase: V. à *monologue,* rem. 1. C'est ainsi que le lecteur de Zazie imagine assez aisément ce que peuvent être les nombreux gestes signalés par l'auteur sans aucune description. **Ex.:** (Comme Zazie refuse de croire à ses explications, Gabriel) *"se sent impuissant (geste)"* (p. 14; on peut penser qu'il laisse tomber les bras).

Rem. 4 Le moindre geste, s'approcher, s'écarter, regarder, détourner les yeux, modifie la situation respective des interlocuteurs. **Ex.:** V. à *célébration,* rem. 1. V. aussi à *euphémisme,* rem. 2; *excuse,* rem. 1; *exorcisme; réactualisation,* 2.

GLOSSOLALIE Verbigération* à caractère religieux. Elle s'accomplit dans un cadre et avec un public qui lui confèrent des fonctions de prière* ou de prophétie*. Bien que ce discours soit dépourvu de structures et inintelligible, cette inintelligibilité se transforme en intelligibilité au niveau de l'***énonciation****, tant du point de vue de la production que de celui de la réception. La perception d'un sens à ce discours est un signe d'appartenance au mouvement charismatique. W. SAMARIN

Loc. *Parler en langues* (Paul de TARSE, *Épîtres*).

Rem. 1 Il semble que certains textes poétiques, ceux de Gauvreau notamment, si anticléricaux, soient proches de la glossolalie, même quand ils semblent porter un sens.

Ex.: *Un rire inonde l'éponge / Un glaçon âpre insensibilise le pneu de la folie / Les seins de la nostalgie jouent au cricket avec l'âme de Napoléon / Sur les dessins animés de mon ivresse, Job a fait son nid / Un creux descend sur les paperasses de l'aube incarnée*
GAUVREAU, *Étal mixte,* p. 30.

Cette poésie, proche de la paraphasie, magnifique jusque dans le mot* forgé, est, suivant son auteur, pleine de sens* nouveau.

Rem. 2 V. aussi à *baragouin*, rem. 2 et 3; à *pseudo-langage*, rem. 3.

GRADATION Présenter une suite d'idées ou de sentiments dans un ordre tel que ce qui suit dise toujours ou un peu plus ou un peu moins que ce qui précède, selon que la progression est ascendante ou descendante. FONTANIER, p. 333.

Ex.: *Quand on m'aura jeté, vieux flacon désolé*
Décrépit, poudreux, sale, abject, visqueux, fêlé
BAUDELAIRE, *le Flacon.*

Autre ex.: "*Ah! Oh! Je suis blessé, je suis troué, je suis perforé, je suis administré, je suis enterré.*" (A. JARRY, *Ubu roi*, p. 126).

Même déf. Littré, Marouzeau, Morier, Robert, Preminger.

Syn. — Pour une gradation ascendante: climax (Lausberg, Preminger), progression, boule de neige (BERGSON, *le Rire*, p. 61).
— Pour une gradation descendante: anticlimax (Quillet, Preminger), contregradation (Quillet), dégression.

Autre déf.: V. à cadence (gradation rythmique).

Rem. 1 La gradation est un procédé fondamental d'amplification* dans le discours périodique. Elle appartient au style sublime (V. à *grandiloquence*, rem. 1 et à *période*, rem. 4). **Ex.:** "*Tu ne peux rien* **faire,** *rien* **tramer,** *rien* **imaginer***, que non seulement je ne l'entende, mais même que je ne le* **voie,** *que je ne le* **pénètre** *à fond, que je ne le* **sente.**" (Cicéron à Catilina cité par FONTANIER, p. 333).

Rem. 2 C'est aussi un moyen d'ordonner les énumérations*, voire les accumulations*. **Ex.:** "*L'amour, l'honneur, la vanité, l'intérêt, l'ambition, la jalousie, la paillardise, le Roi, le mari, Pierre, Paul, Jacques et le diable / Tout le monde aurait eu sa part.*" (CLAUDEL, *le Soulier de satin*, dans *Théâtre*, t. 2, p. 771).

Rem. 3 Pour utile qu'elle puisse paraître, la distinction entre gradation ascendante et descendante est souvent en porte-à-faux parce qu'elle s'applique au signifiant aussi, et parfois à l'inverse du signifié, comme le montre Spitzer (*Études de style*, p. 282) à propos d'un vers de Racine. "*Je le vis, je rougis, je pâlis à sa vue*" (RACINE, *Phèdre*, I, 3). Le crescendo stylistique sert à dépeindre le decrescendo des forces de Phèdre.
Au point de vue de l'intensité expressive, on ne rencontre pratiquement que des gradations.

Rem. 4 Morier distingue divers types de gradation, notamment une gradation *rythmique* (**Ex.:** la période rhopalique); *numérique* (**Ex.:** *des paquets de deux, trois, dix...*); *intensive* (*aimer, chérir, adorer*); *référentielle* dans ce cas, la gradation prédispose le lecteur à certains termes trop originaux): *on ne dirait pas un* **"navire fluidifié"**, *mais la gradation l'autorise dans:* **"un navire absorbé et fluidifié par l'horizon"** (Proust, cité par Morier).

Rem. 5 La gradation expose à la surenchère*. Mais si le dernier terme est de valeur contraire, on a une gradation *déceptive* (V. à *déception*), autrement dit un bathos*. On peut déguiser en gradation une transition (V. ce mot, rem. 1). V. aussi à *variation*, rem. 2.

GRANDILOQUENCE Ton sublime affecté.

Ex.: (Le rayon) *des livres profanes,* ***"aux destinées duquel je préside"*** *comme me l'a expliqué M. Chicoine, est le plus confortable des quatre.*
G. BESSETTE, *le Libraire,* p. 26.

Analogues Emphase, pompe, enflure, boursouflure (Girard). Adj.: grandiloquent, emphatique, pompeux, enflé, boursouflé, ampoulé, déclamatoire, guindé.
Le *pathos* est une émotion enflée. V. aussi à *amplification.*

Ant. Concinité, anticicéronisme. La *concinitas* est un idéal latin (celui de Cicéron) opposé aux fioritures. L'*anticicéronisme,* mouvement lancé par Juste-Lipse et Étienne Dolet, est une réaction contre l'imitation parfois gratuite de Cicéron par les humanistes. L'anticicéronisme est un refus de tout ce qui n'est pas fonctionnel. Il ne va pas jusqu'au laconisme. C'est un idéal tautégorique.

Rem. 1 Les anciens distinguaient trois tons dans le discours*: le *sublime,* le *tempéré*[1] et le *simple* (sans parler du *bas* et du *grossier*[2]). Les rhéteurs enseignaient, pour arriver au sublime, l'anaphore*, l'allégorie*, la prosopopée*, l'épithétisme*, l'euphémisme*, la gradation*, l'hyperbole*. **Ex.:** *"Je n'ai pas cherché la sécurité dans la richesse" devient par prosopopée: "Je n'ai pas dit à l'or: Tu es ma sécurité!"* (Job, 31.24).
Pour le tempéré, on se contentait de l'anadiplose*, de la comparaison*, de l'apostrophe* et l'on ne cherchait pas à embellir ni à magnifier.
Pendant longtemps, l'*emphase* ne fut que l'excès dans le sublime (Littré: *emphase,* "exagération"). Encore faut-il pouvoir sentir où commence l'excès. Du XVIIe au XIXe siècle, un ton très

---

1 Le soutenu, "élevé et noble", semble à mi-chemin entre le sublime et le tempéré. La linguistique n'a retenu que trois niveaux* de langue, éliminant le sublime au profit du soutenu.

2 Ils étaient mentionnés mais jugés indignes d'examen.

élevé passa pour normal dans les grandes circonstances. Voici, à titre d'exemple, une période* proposée comme modèle dans une anthologie parue vers 1830, en parlant justement de l'éloquence:
Semblable à un torrent qui, ayant rompu ses digues, renverse et entraîne tout ce qui s'oppose à son passage, déjà je vois cette fidèle interprète de la religion, armée du glaive victorieux de la grâce, soutenue par la force de la vérité, appuyée par des prodiges innombrables, subjuguer le monde entier, porter la foi jusqu'aux deux pôles et sur les débris de l'idolâtrie, élever le christianisme.
De GÉRARD DE BENAT, cité par J. SENGER, *l'Art oratoire*, p. 53-4.

La disparition progressive du style oratoire classique fait aujourd'hui considérer tout sublime comme grandiloquent. Déjà Jaurès reprochait à Danton des images comme: *"Je sortirai de la citadelle de la raison avec le canon de la vérité"* (cité par Robert, à *grandiloquence*).

Rem. 2 La grandiloquence est la façon la plus simple d'obtenir une redondance* sans répétition*, c'est-à-dire une *macrologie*. Cf. l'ex. de Joyce à *verbiage, rem. 2.* **Autre ex.:** *"Je ne fus pas peu surpris ce matin-là d'entendre le facteur me convier à la réception d'une lettre."* (QUENEAU, *Pierrot mon ami*, p. 71).

Rem. 3 Il suffit que la grandiloquence ne puisse se soutenir pour qu'elle se ridiculise. V. à *incohérence*, rem. 3 et *persiflage*, rem. 1.

Rem. 4 Pluriel emphatique, V. à *synecdoque*, rem. 3.

GRAPHIE Mode ou élément de représentation de la parole par l'écriture.
Graphies phonétiques, adaptées aussi exactement que possible à la prononciation; **graphie usuelle; graphie traditionnelle,** quand elle ne correspond plus à la prononciation (*sculpter*); **graphie étymologique** (*Lefebvre*, dont le **b** est destiné à rappeler le latin *fabrum*). MAROUZEAU.

Ex. littéraire: V. à *équivoque*, rem. 3; à *onomatopée*, rem. 1; à *interjection; à faute*, rem. 4.

Analogues Orthographe, avec une connotation normative; **Graphème**: "élément du système graphique" (**qu** par exemple) **Graphie littéraire**: modification expressive de l'orthographe usuelle. **Ex.:** le remplacement de **il** par **y** en vue de souligner la disparition de l'**l** de **il** dans la langue parlée courante. (Il serait plus normal de mettre **i'** comme le fait M. Tremblay).

Rem. 1 La graphie distingue les homonymes*. Littéraire, elle fait allusion* à qqch. et relève de l'à-peu-près*. **Ex.:** *"cette voix hidéaliste"* (PRÉVERT, *Paroles*), *"le voiturin à phynances"* (JARRY, *Ubu roi*, p. 93; par analogie à *physique*, Ubu ayant pour prototype un professeur de physique).

Rem. 2 Certaines graphies tentent de franciser, parfois par dérision, des pérégrinismes*. **Ex.:** *"bisness"* (MONTHERLANT, *Romans*, p. 908), *"piqueupe"* (QUENEAU, *Pierrot mon ami*, p. 77). V. à *anglicisme*, rem. 1.

Rem. 3 Dada, s'attaquant aux mots, a inséré dans ses poèmes des *"motscollésensemble"*. V. à *juxtaposition graphique*.

Rem. 4 Le trait d'union* est une graphie utilisable en dehors de l'usage **Ex.:** *être là / être-là*, ce qui montre que le système graphique a une certaine autonomie vis-à-vis de la parole. Le rôle sémiotique de certaines dispositions graphiques a été étudié par J. Bertin, dans *Sémiologie graphique*. V. aussi à *vers graphique*.

Rem. 5 Certains jeux typographiques permettent d'insister sur la valeur des mots. **Ex.:** *"Le caniche* grossit **grossit grossit grossit"** (cité par ANGENOT, p. 510). V. à *variation typographique;* à *pictogramme;* à *assise*, 1.

Rem. 6 Pour la polygraphie, V. à *paragramme*, rem. 4. Il y a une remotivation* graphique.

GRAPHISME Caractère particulier d'une écriture individuelle. ROBERT.

Ex.: les différentes façons de barrer le *t*, l'inclinaison des lettres. **Ex. litt.:** *"Se rappeler d'écrire des e grecs"* (JOYCE, *Ulysse*, p. 267). Bloom songe à déguiser son écriture.

Analogues Écriture manuscrite, idiographème (*Dict. de ling.*), idiographie (ensemble des idiographèmes), *"scription"* (MICHAUX, *les Grandes épreuves de l'esprit*, p. 155). Le texte *autographe* est entièrement de la main de son auteur.

Rem. 1 La forme des lettres* de l'alphabet a évolué au cours des temps et semble bien dériver de pictogrammes*. **Ex.:** la lettre **A**, qui était couchée en phénicien, était inversée en crétois, ce qui correspondait exactement à une tête de boeuf; or *"boeuf"* se disait ALF, (cf. hébreu *alef*) et commençait donc par le son **a**. L'alphabet se serait constitué de la même façon qu'on l'enseigne aujourd'hui en disant aux enfants: *"C'est le* **p** *de pipe"*.

La forme des caractères s'est stylisée, d'abord dans les ateliers de copistes, puis, grâce à l'imprimerie, précisée et dès lors diversifiée davantage. On trouve des modèles d'environ

1500 séries différentes dans JASPERT, BERRY & JOHNSON, *Encyclopedia of type faces.* Dans chaque série, on peut aussi choisir divers *"corps"* (dimension des caractères, mesurée en points), minuscules (bas de casse) ou majuscules (grandes ou petites capitales), romains ou italiques, normal ou gras... Cf. le *Spécimen général des fonderies Deberny et Peignot,* 2 vol. in-4°.

Il y a donc un graphisme de l'imprimé. La Cie LETRASET offre des transparents avec lesquels on décalque aisément des caractères variés, des symboles*, etc.

La lumitype, qui peut imiter n'importe quelle forme de caractères, permettrait de composer des volumes entiers à partir d'une page specimen de l'écriture manuscrite de l'auteur. Cf. J. PEIGNOT, *De l'Écriture à la typographie,* p. 147.

Rem. 2 Le graphisme par excellence est la signature. Certains artistes la réduisent à un paraphe ou *"chiffre",* c'est-à-dire à quelques lettres, habituellement les initiales du prénom et du patronyme. Littré précise que *"dans le chiffre, on peut suivre distinctement toutes les parties de chaque lettre".* Il n'en va pas de même du **monogramme**. Dans celui-ci, *"le même jambage ou la même panse sert à deux ou trois lettres différentes"* (Littré); les lettres du nom propre sont *"entrelacées en un seul caractère"* (Robert).
Voici des échantillons de chiffres et de monogrammes tirés de Fr. GOLDSTEIN, *Monogram Lexicon:*

W. W. W.W. W W W WW WW

De nombreuses institutions, maisons d'édition, revues, firmes commerciales ont leur monogramme ou leur chiffre (jadis leur blason et leur sceau).

Ex.:

Ces dessins stylisés deviennent des emblèmes de l'institution. Ils la désignent en propre. Ils ont une forte iconicité. **Analogue Logotype**: "groupe de lettres fondues en un seul bloc" (Lexis). Cf. Fr.-M. RICCI & FERRARI, *Top symbols & Trade mark of the world,* 1973, 7 vol. D'autres sont plus gratuits et occasionnels, comme on en voit dans la typographie actuelle avant-gardiste, ou jadis dans les **lettrines**, initiales décorées des manuscrits.

Rem. 3 L'idiographie n'exclut pas l'esthétique, comme l'a montré Chiang Yee pour les caractères chinois (*l'Écriture et la* *psychologie des peuples,* fig. 4). Le graphisme peut aussi opérer une remotivation*. **Ex.:** Créu.

Rem. 4 On a appelé **patarafe** (fém.) les traits individuels d'écriture qui étaient informes et illisibles (mot-valise*, de *patte* et *paraphe*). Les *pattes de mouche* sont de demi-patarafes.

Rem. 5 V. à *gémination,* autre déf.; *juxtaposition graphique,* rem. 1; *onomatopée,* rem. 2; *pictogramme.*

GROS MOT Mot bas (V. à *argot)* destiné à choquer.

Ex.: *Au bout d'un moment, il dit avec une grossièreté appliquée: "**Allez vous faire foutre**".*
SARTRE, *la Mort dans l'âme,* p. 171.

Autre déf. Robert: *"exprime quelque chose de grave"* (le *Petit Robert* donne cet exemple d'Anouilh: *"L'honneur... Avec toi, tout de suite les gros mots!"*). Cet emploi pourrait résulter d'une antiphrase*.

Analogue: mot* gras.

Rem. 1 Le gros mot ne s'imprime généralement pas. **Ex.:** *"Je lui dis qu'il avait une* **sale g...**" (A. ALLAIS, *la Barbe,* p. 121). V. à *abrègement,* rem. 4.

Rem. 2 Il y a une fonction du gros mot, injonctive (V. à *injonction*), performative et anti-sociale. Michaux note que "le mot *m...* garde une valeur certaine de démoralisation et d'effondrement" (*Passages,* p. 171). Barthes commence ainsi son *Degré zéro de l'Écriture:*
Hébert ne commençait jamais un numéro du **Père Duchêne** *sans y mettre quelques* **foutre** *et quelques* **bougre.** *Ces grossièretés ne signifiaient rien, mais elles signalaient. Quoi? Toute une situation révolutionnaire.*
Le mot bas, en effet, est destiné à choquer, à mettre en pièce le système social, fondé sur un certain respect, au moins apparent, d'autrui, il rompt avec l'interlocuteur (V. à *injure*), clame les droits du moi (V. à *interjection,* rem. 5), ou du nous. **Ex.:** *"Merde pour ces sacrées brutes de Saxons et leur patois"* (JOYCE, *Ulysse,* p. 313).

Rem. 3 V. aussi à *astéisme.*

GROUPE RYTHMIQUE Sans être aussi élaboré que celui du vers*, le rythme* de la prose est loin d'être quelconque. Soumis à l'élan de l'acte, il porte sur des unités plus étendues que les syllabes ou les mesures: les mots phonétiques.

La division d'un texte en mots (graphiques) est une convention d'écriture. Phonétiquement, les mots sont liés; d'où les élisions* et les liaisons*. Sans doute, il est possible — et même efficace, du point de vue didactique — de prononcer chaque mot séparément (V. à *faute*, rem. 2, le *débit professoral*); mais ce n'est pas naturel. Il faut d'autres critères pour diviser la chaîne orale.

Tandis que le mot graphique correspond à une unité d'agencement (c'est un segment insécable), le **mot phonétique** est un ensemble (un ***syntagme**** détachable). Sa longueur varie de une à neuf syllabes (habituellement trois ou quatre). La voyelle finale, sans tenir compte des muettes, reçoit un accent de longueur[1]; les autres syllabes sont d'autant plus brèves qu'elles sont plus éloignées de la finale, avec un allongement possible pour l'antépénultième (avant-avant-dernière), dans le cas des mots phonétiques d'au moins quatre syllabes. C'est donc la présence d'un ou deux ***accents****, le prétonique[2] étant moins fort que le tonique, qui délimite le mot phonétique.

Les mots phonétiques s'enchaînent, séparés parfois par des articulations du texte (on pourrait ici parler de césure* comme en poésie). Ils forment ensemble des **groupes rythmiques**, séparés par des pauses*.

La phrase est dite nombreuse (ou rythmée) lorsque le nombre de mots phonétiques de ses groupes présente une certaine régularité, une structure caractéristique.

Ex.: *Tous les jours, à la même heure, le maître d'école, en bonnet de soie noire, ouvrait les auvents de sa maison, et le garde champêtre passait, portant son sabre sur sa blouse.*
FLAUBERT, *Madame Bovary.*

Si l'on remplace par un chiffre le nombre de mots phonétiques de chaque groupe rythmique, et qu'on ajoute une "césure" à la pause principale, on fait apparaître la structure rythmique:

11223 32

et l'on peut ainsi rendre compte de l'impression de régularité dans la diversité que procure la phrase de Flaubert.

Bien entendu, la formule rend compte d'*une* diction[3] possible; on pourrait en donner de différentes.

---

1 Morier l'appelle, pour cette raison, accent "horizontal".

2 On l'appelle encore ***contre-tonique*** ou ***nebenton*** (J. Mazaleyrat, ***Éléments de métrique française***, p. 110.

3 Littré et Morier parleraient de ***prolation*** plutôt que de diction, dans ce cas-ci (prolation ou plutôt ***profération***, si l'on veut marquer le lien de ce terme avec le français ***proférer*** et non avec le latin ***proferre***).

Rem. 1 P. Servien le premier a proposé une analyse du rythme par mots phonétiques et groupes rythmiques, mais il tient compte de toutes les syllabes, ce qui alourdit le schéma. Selon son système (dont on trouvera un exposé détaillé dans notre *Étude des styles,* p. 34-5), l'échantillon ci-dessus donnerait: 3/4/23/33/233/322/44.
Le schéma serait plus aisé à déchiffrer avec des textes courts. Aussi la méthode peut-elle servir à la transcription d'un vers* rythmique proche du vers* syllabique.

Ex.: *Et bientôt vous verrez mille auteurs pointilleux*
Interdire chez vous l'entrée aux hyperboles
Et dans tous vos discours, comme monstres hideux
Huer la Métaphore et la Métonymie
Grands mots que Pradon croit des termes de Chimie
BOILEAU, *Épître X.* Ceci donnerait: 33/33 33/24 15/33 24/15 24/24
L'accent prenant place à la fin de chaque mot phonétique, on voit à la fois comment il se dispose par rapport aux syllabes et combien de syllabes contiennent les "mesures".

Rem. 2 De nombreux phonéticiens emploient l'expression *groupe rythmique* ou *mesure* dans le même sens que mot phonétique. Ainsi Morier décèle une *mesure* **majestative** caractérisée par sa longueur (cinq syllabes) et qui convient particulièrement aux clausules (Lemaistre de Sacy recommandait à Racine la clausule de 5 ou de 7 syllabes). **Ex.:** *"Et le regard des enfants est plus pur que le bleu du ciel, que le laiteux du ciel, et qu'un rayon d'étoile dans la calme nuit".* 4335/6/65 (PÉGUY, *le Porche,* dans *O. poétiques,* p. 150).

Quand la phrase se termine sur une mesure de trois syllabes, elle peut laisser l'impression d'un manque, ou d'un prolongement indéfini. C'est ce que Morier appelle **nombre suspensif.**

Rem. 3 L'analyse par groupes rythmiques débouche sur la caractérisation formelle d'un grand nombre de "styles".

Ex.: *Quand il eut atteint l'âge et prouvé sa vaillance, Agaguk prit un fusil, une outre d'eau et un quartier de viande séchée, puis il partit à travers le pays qui était celui de la toundra sans fin, plate et unie comme un ciel d'hiver, sans horizon et sans arbres.*

Y.THÉRIAULT, *Agaguk,* début. Ceci donne: 45/4443.
Le groupe de quatre mots phonétiques paraît convenir au souffle de l'épopée, ainsi que la cadence* majeure, avec clausule plus courte.

HAPLOGRAPHIE Faute* de copiste, qui saute un segment de texte (de quelques lettres à plusieurs lignes).

trompé par l'identité de l'élément initial et de l'élément final du segment.

Ex.: ..... *ce que je dois à votre solitude* **(sollicitude)**; *il préfère le classisme* **(classicisme)**.

Analogue *Homéotéleute*, V. ce mot, autre déf.

Le *desiderata* est une lacune (quelconque) dans la copie d'un manuscrit.

Rem. 1 L'haplographie est proche de l'*haplologie* (V. ce mot, rem. 1).

Rem. 2 Il y a une **contre-haplographie**, qui consiste à redoubler un segment en remontant deux fois au même élément. **Ex.:** *statisistiquement* **(statistiquement)**.

HAPLOLOGIE N'énoncer que l'une de deux articulations semblables.' MAROUZEAU.

Ex. cité par Morier: le mot *implicité*, au lieu d'*implicitité*, qui serait le résultat de l'union d'*implicite* et du suffixe *-ité*. Mais *adaptatif* n'a pas été ramené à *adaptif*, ni *haplologie* à *haplogie*!

Rem. 1 Il y a des haplologies purement graphiques, qui ne résisteraient pas à la pronciation (prononciation). Ce sont des haplographies*.

Rem. 2 L'haplologie est proche de la crase* dans la mesure où les syllabes réunies ont qqch. de semblable. **Ex. québécois:** *On en a parlé t'à l'heure* (tout à l'heure). Certaines réductions de ce type sont régulières. **Ex.:** *ce qui vient d'autres personnes* (pour *de d'autres*).

Rem. 3 L'haplologie à distance appartient au jeu de mots*. **Ex.:** *Installons-nous confortement à cette table* (confortablement).

Rem. 4 Valéry fait une haplologie esthétique quand il évite *en en*: "*Je ne sépare plus l'idée d'un temple de celle de son édification.* **En voyant un,** *je vois une action admirable, plus glorieuse encore qu'une victoire*" (VALÉRY, *O.*, t. 2, p. 83).

Rem. 5 V. à *paréchème*, rem. 4.

HARMONIE Effet produit sur l'oreille par certaines correspondances de sons groupés. Si les groupes qui se correspondent se suivent immédiatement ou sont disposés d'une façon symétrique, une oreille délicate et un peu exercée perçoit leur correspondance et est satisfaite. M. GRAMMONT, *le Vers français*, p. 386.

Ex.: *Ariane, ma soeur! de quel amour blessée*
Vous mourûtes aux bords où vous fûtes laissée!
RACINE, *Phèdre*.

Même déf. Morier.

Rem. 1 Dans l'écho* sonore, les rapprochements sont créés par des sons identiques; dans l'harmonie, tous les sons vocaliques entrent en jeu et peuvent combiner les harmoniques[1] de leurs formants. Ils constituent des "dyades" (deux voyelles) ou des "triades" (trois voyelles) de sons partiellement différents. Grammont conçoit surtout la mise en correspondance des groupes par un son commun. Le groupe est "progressif" si le son commun est le dernier (*Et ce fut là-dessus*); *"régressif" s'il est le premier (La comtesse à son bras s'appuyait...); "embrassé" s'il est au milieu (C'est que l'un est la griffe et que l'autre est la serre*).

L'accent rythmique donne la prépondérance à la voyelle qui le porte (*Nos nuits, nos belles nuits! nos belles insomnies!*). Il est musical de faire suivre un groupe progressif d'un groupe dégressif (*Déjà la nuit en son parc amassait*). On regroupe deux dyades en une "tétrade" (**Où rien** *ne tremble,* **où rien** *ne pleure,* **où rien** *ne souffre*); deux triades en une "hexade" (*Quelque croix de bois noir sur un tombeau sans nom*). On les combine (*Le blé, riche présent de la blonde Cérès*). Etc.

Ainsi l'esprit peut-il, sans doute, expliquer ce qu'une oreille plus exercée percevra comme mélodie. À titre de contre-exemple, donnons aussi deux vers sans harmonie: *Pense de l'art des vers atteindre la hauteur;* et même: *Fuyez des mauvais sons le concours odieux* (BOILEAU, *Art poétique*). *V. à faute,* rem. 2.

Rem. 2 Il y a aussi une harmonie due au rythme. V. à *cadence* et à *période*, rem. 2 et 4. Si l'harmonie prévaut sur le sens, on a de la musication*.

HARMONIE IMITATIVE Arrangements de mots par le son desquels on cherche à imiter un bruit* naturel. LITTRÉ.

Ex.: *Les colombes volaient* ***autour des tourelles*** *et le retour des* ***tourterelles*** *était si proche qu'elles* ***roucoulaient*** *dans mon âme.*
H. de RÉGNIER, *Tel qu'en songe*, p. 201.

Autre ex.: "*Et découvrit son propre tendre visage éclatant parmi les larmes*" (A. HÉBERT, *Poèmes*, p. 96). Un rythme comme suspendu et l'alternance des consonnes plosives et liquides reproduisent le mouvement de la jeune fille.

Même déf. Fontanier (p. 392), Le Clerc (p. 186 & sv.), Marouzeau, Quillet, Morier, Robert.

Syn. Harmonisme (selon Fontanier), phonométaphore (Guiraud).

---

1 Harmoniques: "sons dont les fréquences sont des multiples entiers d'une même fréquence fondamentale" (*Lexis*).

Rem. 1 Cette figure peut être réalisée par des allitérations*, onomatopées*, coupes*, constructions de la phrase*, cacophonies*... Elle peut se renforcer de jeu graphique: calligramme*, effets variés comme on en voit dans les *ballons* des bandes dessinées. **Ex.:** *"fiente qui flaque et choit"* (JOYCE, *Ulysse*, p. 55), *"il aboiboie"* (ÉLUARD, *O.*, t. 1, p. 1155).

Rem. 2 Quand c'est le tempo qui est imité, on dira plus exactement **rythme imitatif. Ex.:** *"Lĕ chăgrīn mŏntĕ en crōupe ĕt gălōpe ăvĕc lūi"* (Boileau). Cela donne un bruit de galop.

HENDIADYN[1] Dissocier en deux éléments, coordonnés, une formulation qu'on aurait attendue normalement en un seul ***syntagme**** dans lequel l'un des éléments aurait été subordonné à l'autre.

Ex.: *Avec un sourire hardi, elle tendit une pièce et son poignet massif*
JOYCE, *Ulysse*, p. 55.

Autre ex.: *"Elle et ses lèvres racontaient"* (ÉLUARD, *Dict. abrégé du surréalisme*, à *lèvres*).
Même si chacun des éléments implique déjà l'autre, le procédé les met en lumière séparément.

Même déf. Marouzeau, Morier, Robert, Preminger.

Rem. 1 La reformulation n'est pas toujours en un seul syntagme* avec subordination directe, mais la coordination a toujours un caractère quelque peu gratuit. **Ex.:** *"C'était ce matin-là dimanche, et l'inauguration du jardin zoophilique de Chaillot"* (R. QUENEAU, *Pierrot mon ami*, p. 209). On attendrait: C'était ce dimanche matin-là... ou: ...dimanche, le jour de l'inauguration... mais pas *et*.

Rem. 2 L'inverse de l'hendiadyn (formuler en un seul syntagme avec subordination l'énoncé de deux éléments qu'on attendrait coordonnés) est possible. On le rencontre dans certaines hypallages*. **Ex.:** *"l'épaisseur raidie des jupons* (de grand-mère Antoinette)*"* (M.-Cl. BLAIS, *Une saison dans la vie d'Emmanuel*, p. 80) au lieu de: l'épaisseur et la raideur...

HIATUS Rencontre de deux voyelles (surtout si elles sont semblables ou proches).

Ex.: *"Et toi, qui en misères as abondance"* (MICHAUX, *Épreuves, Exorcismes*, p. 19). On remarque que celui de **a-a** heurte plus que celui de **i-an. Ex.** de cinq hiatus: *Chacun a eu et a à l'égard de l'événement sa propre responsabilité.*

---

1 Prononcer ***indyadinne;*** n. masc., on rencontre aussi ***hendiadys*** et **hendiadyoin,** cette forme étant la plus proche du grec **εν δια δυοιν** qui signifie ***un*** au moyen de ***deux*** (Marouzeau).

Autre déf. *"Discontinuité, rupture de continuité du récit"* (*Dict. des media*). C'est un emploi figuré.

Rem. 1 Bien que l'interdiction de l'hiatus en poésie classique jouisse encore d'une grande célébrité, ce phénomène n'a guère fait l'objet d'observations de la part des grammairiens. Il se produit du reste dans les syntagmes* lexicalisés (*broc à eau* présente même un double hiatus puisqu'on ne fait pas entendre le **c**) et même à l'intérieur des mots (*brouhaha,* hiatus double aussi). Cela montre assez que la langue tolère l'hiatus.

Rem. 2 Le premier à dénoncer l'hiatus comme *cacophonique* (V. à *cacophonie,* rem. 3) serait le Grec Isocrate (4e siècle av. J.-C.), suivi par les latins, imités à leur tour par nos académistes, du XVIIe au XXe siècle.

Rem. 3 Le recul récent du phénomène de liaison* a fait disparaître complètement nombre de consonnes finales (sauf dans les monosyllabes), ce qui multiplie les hiatus. Morier indique (au mot *hiatus*) dans quels cas il peut encore choquer ou produire un effet.

Rem. 4 V. à *pataquès,* rem. 2; à *césure,* rem. 1; à *vers* syllabique.

HOMÉOTÉLEUTE On place à la fin des phrases ou des membres de phrase des mots de même finale. LITTRÉ.

Ex. cité par Littré: *bradypsepsie... dyspepsie... apepsie... lienterie*[1] *... dyssenterie... hydropysie... privation de la vie* MOLIÈRE, *le Malade imaginaire,* III, 5.

Autre ex.: *"au delà, dans tout le reste de l'Uni-park, il y avait cette rumeur de foule qui s'a**muse** et cette clameur de charlatans et tabarins qui **rusent** et ce grondement d'objets qui s'**usent**."* (QUENEAU, *Pierrot mon ami,* p. 22).

Syn. Consonance (Fabri, t. 2, p. 169; Littré, Robert); prose rimée (Morier).

Autre déf. À la copie d'un texte, il peut arriver qu'un passage compris entre deux apparitions du même mot soit sauté. Cette haplographie* est appelée, en paléographie, *homéotéleute,* par métonymie* de la cause (*Grand Larousse encyclopédique*). Cet inconvénient disparaît avec les **duplicata** (doubles, copies d'un **original**).

Rem. 1 L'homéotéleute n'est rien d'autre que la rime* ou l'assonance* (V. ce mot, rem. 2) introduites dans la *prose.* Martin (*les Symétries du français littéraire,* p. 67) a montré qu'on pourrait disposer en vers* certaines phrases de Hugo dans *Notre-Dame de Paris.* *"Seulement ici / cette tour était la flèche*

---

1 *Lienterie:* "espèce de diarrhée".

la plus hardie / la plus ouvrée / la plus menuisée / la plus déchiquetée / qui ait jamais laissé voir le ciel / à travers son cône de dentelle." V. à *antithèse*, rem. 4.

Rem. 2 La plupart (du Marsais, Fontanier, Littré, Lausberg...) reprennent la distinction antique entre l'*homéoptote* (ou homoioploton) et l'homéotéleute. L'**homéoptote** consiste à terminer par des *cas* ou des *temps* semblables (bell**is** ac castr**is**). V. à *isolexisme* et à *reprise*.

Rem. 3 L'homéotéleute met en relief les énumérations*. **Ex.:** *"Tiens, Polognard, soulard, bâtard, hussard, tartare, calard, cafard, mouchard, savoyard, communard!" Tiens, capon, cochon, félon, histrion, fripon, souillon, polochon!* (A. JARRY, *Ubu roi*).

Rem. 4 Marmontel déconseille l'homéotéleute intempestive. *"Dans nos vers, on fait une loi d'éviter la consonance de deux hémistiches; la même règle doit s'observer dans les repos des périodes*" (O.,* t. 8, p. 31).

HOMONYMIE Environ mille mots français[1] ont deux, trois, quatre... homonymes (autres mots, de prononciation identique). La graphie, habituellement, permet de les distinguer. **Ex.:** *Caen, camp, khan, quand, quant.*

Ces coïncidences donnent lieu à des procédés divers.
Comptines: *"Il était une fois un p'tit bonhom' de Foix"* etc.
Échos: *"Des méduses, des lunes, des halos / Sous mes doigts fins, sans fin, déroulent leurs pâleurs"* (ARAGON, *les Yeux d'Elsa*, p. 42).
Rapprochements surréels: *"Les* **lits** *faits de tous les lys"* (homonymie partielle; A. BRETON, au *Dict. abrégé du surréalisme*).
Rapprochements comiques: *"Votre tâche est digne; vous êtes revêtu d'un uniforme qui est le garant d'une vie disciplinée et sans taches"* (B. VIAN, *le Dernier des métiers*, p. 57).
Mot d'esprit: V. à *antanaclase* le remerciement de Colletet; à *énigme*, 3.

Rem. 1 L'homonymie diffère de la diaphore*, où l'on passe, non d'un mot à un autre, mais d'un sens à un autre pour le même vocable. V. cependant à *diaphore*, rem. 4.

Rem. 2 Si l'identité de prononciation se réalise sur deux syntagmes* (V. à *métanalyse*), il n'y a plus homonymie, mais simplement **homophonie** (au sens large[2]). **Ex.:** *"Je la vois*

---

1 Cf. le tableau alphabétique que donne Quillet.

2 Sens restreint: ***"Deux signes sont dits homophones quand ils sont employés pour noter un même son. Ex. s*** et ***t*** dans ***torsion*** et ***portion."*** MAROUZEAU. Au

comme je voulais la voir, l'ai comme je voulais l'avoir" (R. DUCHARME, *l'Avalée des avalés,* p. 127); *"on la tirait, on l'attirait"* (R. QUENEAU, *Pierrot mon ami,* p. 13). V. à *jeu de mots.*

Rem. 3 Les noms propres n'échappent pas à l'homonymie. **Ex.:** *Hubert Juin, écrivain belge, homonyme de l'académicien.* Si qqun ne porte pas votre nom mais vos traits, c'est un **sosie.** On peut avoir aussi des phrases homophones. V. à *équivoque,* rem. 3, le vers* holorime. Pour l'homonymie partielle, V. à *à-peu-près* et à *paronomase,* rem. 2.

Rem. 4 L'homophonie (et l'homonymie) est possible également à partir de fragments de ruban sonore appartenant à d'autres langues. **Ex.:** *"les* **bogas** (rameurs) *étaient de beaux hommes mais de médiocres bogas"* (H. MICHAUX, *Ecuador,* p. 131; calembour* avec beaux gars).

Rem. 5 Le jeu sur l'homonymie est un trait de préciosité (V. à *baroquisme,* rem. 2).

HUMOUR Si l'humour est difficile à définir, c'est qu'il est le sentiment des limites de l'esprit et de la banalité des choses. On peut le décrire comme une acceptation consciente de la différence entre l'idéal et le réel, différence que l'on n'hésite pas à souligner, ce qui est une façon de se dégager.

Ex. courant: *Quand le conjoint a mis les voiles.*
Ex. litt.: *"une cour gravillonnée au milieu de laquelle agréablement prospèrent de grosses tulipes hollandaises en matière plastique naturelle."* (AUDIBERTI, *Dimanche m'attend,* p. 237). V. aussi à *chassé-croisé,* rem. 3; *hyperbole,* rem. 4; *portrait,* rem. 2; *substitution; truisme,* rem. 2.

Rem. 1 L'humour appartient à l'esprit*. Il s'exerce contre tout idéal, les grands sentiments (V. la poésie de J. Laforgue), les grandes pensées. **Ex.:** *"Pierrot poursuivit sa route et ne pensait à rien,* **ce à quoi il parvenait avec assez de facilité, même sans le vouloir;** *c'est ainsi qu'il arriva jusque sur le quai."* (QUENEAU, *Pierrot mon ami,* p. 75).
Allusion* sans doute aux voies dites *négatives* de la méditation, notamment le nirvâna. Il s'exerce aussi, par substitution*, sur les grands textes. **Ex.:** *"L'homme est un zozo, le plus faible de la nature, mais c'est un zozo pensant"* (J. TARDIEU, *Un mot pour un autre,* p. 112). Et sur les grandes langues (V. à *macaronisme*).

---

sens étymologique, ***homophone*** veut dire ***"de même son"*** et les homonymes sont aussi des homophones.

Rem. 2 Il n'est pas incompatible avec l'ironie* et emprunte, par exemple, les voies de la pseudo-simulation*. **Ex.:** *"Nous avons une statue à Londres — nous aussi nous empaillons nos grands hommes — qui le représente dans ce beau geste vocal"* (JARRY, *la Chandelle verte,* p. 375). V. aussi à *chleuasme,* rem. 2.

Rem. 3 L'humour va bien avec une certaine naïveté, une maladresse visible. **Ex.:** Quand le Père Ubu menace les paysans de *"décollation du cou et de la tête"* (JARRY, *Ubu roi,* III, 5). Il suffit d'une balourdise sonore pour connoter une scène péjorativement.

Ex.: *Cependant la salle s'est remplie des différents* **fonctionnaires, militaires, dignitaires, et plénipotentiaires, nécessaires** *à constituer une espèce de tableau vivant qu'on pourrait appeler* **la Cour du roi d'Espagne.**
CLAUDEL, *Théâtre,* t. 2, p. 891.

Rem. 4 Quand c'est du tragique ou du macabre que l'humour envisage, on a de l'**humour noir**, que J. Vaché propose d'appeler *umour* (Cf. BRETON, *Anthologie de l'humour noir,* p. 377).

Ex.: (l'officiant) *avait brusquement baissé la tête comme décapité absorbé à présent dans une mystérieuse occupation que je ne pouvais pas voir (peut-être en train de la tenir sanglante entre ses mains comme cet évêque, ce martyr qui la portant parcourut Oh dit-elle que ce soient dix ou cinquante mètres quand on est dans cet état vous savez il n'y a que le premier pas qui coûte).*
Cl. SIMON, *Histoire,* p. 17. Du reste, le surréalisme aime tout humour (V. à *image,* rem. 1).

Rem. 5 Le **zwanze**, humour typiquement bruxellois, est à base de *pseudo-simulation** et de truisme*.

Ex.: *LE VÉTÉRINAIRE. — T'ourais mieu su qu'soigneie des bêtes! Y ripondait, zwanzeur:* **"No non, j'préfèr acor mieu des bêt' coupeie mort' que des z'hommes."**
R. KERVYN, *les Fables de Pitje Schramouille,* p. 7.

HYPALLAGE (fém.) On paraît attribuer à certains mots d'une phrase ce qui appartient à d'autres mots de cette phrase, sans qu'il soit possible de se méprendre au sens. LITTRÉ.

Ex. cité par Littré: *Enfoncer son chapeau dans sa tête,* pour *enfoncer sa tête dans son chapeau.*

Ex. courant: *Son discours menace d'être long.* **Loc.:** *de guerre lasse.*

Même déf. Du Marsais (p. 203), Le Clerc (p. 262), Académie française, Marouzeau, Quillet, Lausberg, Morier, Robert, Le Bidois (t. 1, p. 187), Preminger.

Rem. 1 L'exemple fourni par Littré contient une *double hypallage.* (V. à *énallage,* autres déf., 3.) Quillet en propose une simple: *"Trahissant la vertu sur un papier coupable"* (Boileau). **Ex. contemporain:** *"mais je ne vais pas raconter la pièce, boulot transpirant"* (J. AUDIBERTI, *Dimanche m'attend,* p. 31).

Rem. 2 Comme l'*énallage* (V. ce mot, autres déf., 3), l'hypallage est en apparence un défaut. Tout changement de fonction grammaticale n'est pas valable comme hypallage. Du Marsais le souligne vigoureusement (*Des Tropes,* p. 203). **Ex.:** *Sa correspondance comprend la première partie du livre* (au lieu de: *La première partie du livre comprend sa correspondance*).

L'erreur devient figure quand elle porte, à sa façon, le sens. Selon Guiraud (p. 197), *"le procédé relève de l'esthétique du vague; il tend, en supprimant tout caractère de nécessité entre le déterminé et le déterminant, à libérer ce dernier"*. L'hypallage devient ainsi une variété de l'irradiation*. **Ex.:** *"La terre imagine en mon corps"* (G. LAPOINTE, *Ode au Saint-Laurent,* p. 86).

Rem. 3 Le procédé n'a pas échappé aux surréalistes, qui l'utilisent pour créer des discordances irréfutables (Angenot, p. 223). **Ex.:** *"Le lit dormait d'un sommeil profond"* (ARP, *Rire de coquille*). *"Larguez les continents. Hissez les horizons"* (R. DUCHARME, *l'Avalée des avalés,* p. 13).

Rem. 4 V. à *chassé-croisé,* rem. 2; *irradiation,* rem. 2; *métaphore,* rem. 3; *mot-doux,* rem. 2; *hendiadyn,* rem. 2.

HYPERBATE Alors qu'une phrase paraît finie, on y ajoute un mot ou un syntagme* qui se trouve ainsi fortement mis en évidence.

Ex.: *La nuit m'habitera et ses pièges tragiques*
A. GRANDBOIS.

Autre ex.: *Sur ces entrefaites, une vieille otite, qui dormait depuis trois ans, se réveilla et sa menue perforation dans le fond de mon oreille.*

H. MICHAUX, *Lointain intérieur, Magie,* IV.

Même déf. Quintilien, 9, 4; Morier.

Autre déf. *"Libre disposition des mots, où ceux qui vont grammaticalement ensemble sont séparés par d'autres"*. **Ex. de Cicéron:** *animadverti ..... orationem in duas divisam esse partes* (E.-R. CURTIUS, *la Littérature européenne et le Moyen Âge latin,* p. 333). V. à *rejet* et à *brouillage syntaxique.* Les *cicéronismes* de ce genre ne sont possibles de façon régulière que dans les langues à flexion comme le latin, où l'ordre des mots ne détermine guère les fonctions syntaxiques. Ce ne sont que des *demi-brouillages,* par souci d'élégance...

Rem. 1 Le mot *hyperbate* a reçu dès l'Antiquité un sens très élargi puisqu'il englobait l'anastrophe*, la synchise, la tmèse* et même la parenthèse* (FORCELLINI, *Lexicon*). La plupart des théoriciens (Marouzeau; Quillet; Lausberg, § 716 à 719; Robert; Preminger) se sont contentés de revenir comme Lamy, Le Clerc (p. 265) et Littré, à la définition de l'hyperbate comme inversion* *"pour exprimer une violente affection de l'âme"* (Littré).

Sans doute, on peut considérer l'hyperbate comme le résultat d'une inversion*, puisqu'il est possible de remodeler la phrase de façon à intégrer le segment rajouté. Mais l'effet propre à l'hyperbate tient plutôt à une spontanéité qui impose l'*ajout* de quelque vérité, évidente ou intime, dans une construction syntaxique qui paraissait close. On a toujours une assertion* adjacente (V. ce mot, rem. 3) dans l'hyperbate. Celle-ci apparaît d'autant plus nettement que le lien grammatical paraît plus lâche, d'où la virgule et le *et.* **Ex.:** *"Albe le veut, et Rome"* (CORNEILLE, *Horace*).

Rem. 2 La plupart des hyperbates — celles dont la fonction grammaticale est déjà représentée dans la phrase par un autre mot — sont, au point de vue syntaxique, des adjonctions*. Rien n'empêche, cependant, de reprendre dans cette adjonction un segment déjà exprimé pour le mettre plus en évidence. **Ex.:** *Ça n'est arrivé qu'une fois et une seule.*

Rem. 3 V. aussi à *épiphrase; soulignement,* rem. 3.

HYPERBOLE Augmenter ou diminuer excessivement la vérité des choses pour qu'elle produise plus d'impression. LITTRÉ.

Ex. courant: *un bruit à réveiller un mort.* **Ex. litt.:** Aquin traitant les vieux téléphones d'*engins pré-cambriens* (*Trou de mémoire,* p. 153)

Autre ex.: *"d'énormes, de gigantesques flamboyants monuments gothiques fusants, exaspérés, énergumènes à accélération, à élancements gothiques à gammes gothiques à balistique gothique jet-gotic"* (MICHAUX, *Paix dans les brisements,* p. 37).

Même déf. Marouzeau, Bénac, Lausberg, Robert, Preminger, Bally (*Traité,* t. 1, p. 295).

Autre déf. *"Figure de mentir"* (Fabri).

Autres noms Emphase (Bénac), exagération (Robert), charge (Robert), superlation (Fabri, t. 2, p. 158), auxèse (Barthes, p. 220). Adj.: hyperbolique, outré.

Rem. 1 Une partie de la définition de Littré devrait faire considérer certaines hyperboles (celles qui *"diminuent"* etc.) comme des litotes* (dire moins pour faire entendre plus). Mais y a-t-il des hyperboles qui *"diminuent"*? Nous opposons plutôt les hyberboles aux atténuations*, procédés caractérisés par une diminution, alors que l'hyperbole consiste au contraire à augmenter, fût-ce jusqu'à l'impossible (V. à *adynaton*). On peut cependant observer un emploi ironique de l'hyperbole dont le résultat est une diminution. Mais on est loin de la litote*, car c'est dire plus pour faire entendre moins... C'est la contre-litote*.

Rem. 2 Il n'est pas toujours possible de dire si l'hyperbole porte seulement sur l'expression ou plutôt sur le contenu.

Ex.: *"Léon dut prendre en main la maison..... Un président du Conseil se sent moins accablé"* (MONTHERLANT, *Romans,* p. 767). Est-il purement rhétorique de comparer les ennuis d'un célibataire aux soucis d'un homme d'État?

Le **grand guignol** est hyperbole du sens*, plus précisément des instincts fondamentaux. **Ex.:** l'histoire de M. Delouit, venant défiguré — parce qu'il est tombé par la fenêtre — demander au concierge le numéro de sa chambre (BRETON, *Nadja,* p. 147-8).

L'hyperbole de sens, si elle est vraie, est utilisable comme argument*. Ainsi, quand Bernanos dénonce que *la Libre Parole,* journal antisémite, est commanditée par un juif, c'est un **comble** par rapport à la thèse sous-jacente des *Grands Cimetières,* à savoir: les juifs sont partout (ex. fourni par Angenot, *Rhétorique du surréalisme*).

Rem. 3 L'hyperbole est marquée par des affixes **augmentatifs** *(Dict. de ling.):* préfixes (hyper-, extra-, maxi-) ou un suffixe (-issime); par des périphrases de comparaison* *"une sorte d'effroi rance et misérable auprès duquel la peur épaisse d'un meurtrier n'était que bagatelle"* GOMBROWICZ, *Ferdydurke,* p. 190); par des accumulations* de superlatifs, d'expressions exclusives. Ainsi, Mallarmé et Valéry ont un faible pour *"le seul"*. **Ex.:** *"Mon jeu, mon seul jeu, était le jeu le plus pur: la nage"* (VALÉRY, *O. c.,* t. 1, p. 1090). L'ultime ressource est de dénoncer les insuffisances de la langue. **Ex.:** *"Sous la pression d'une horreur et d'une terreur inexplicables, pour lesquelles le langage de l'humanité n'a pas d'expression suffisamment énergique, je sentis les pulsations de mon coeur s'arrêter"* (POE, *Ligeia).*

Rem. 4 L'hyperbole renforcée à l'excès rend compte d'une pensée accélérée artificiellement, comme l'a montré Michaux avec la mescaline (*Connaissance par les gouffres*, p. 15, 92, etc.), ou bien vise à l'humour*. **Ex.:** *"rouquin comme un Irlandais peint par Van Gogh"* (SAN ANTONIO, *Fleur de Nave Vinaigrette*, p. 18), analogue au "combat de nègres dans un tunnel la nuit".

Rem. 5 La langue courante foisonne en hyperboles plus ou moins *"endormies"*. **Ex.:** *C'est à se casser la tête contre les murs. Du coupage de cheveux en quatre. Conte à dormir debout. Clouer le bec.*

Rem. 6 L'hyperbole est de rigueur dans le discours* public qui s'adresse aux grands, plus encore sous l'ancien régime et dans certaines cours orientales. Encore faut-il savoir éviter l'excès qui pourrait tourner au ridicule. **Ex.:** *L'abatteur de forêts* (car il fut marchand de bois) *a été mêlé aux gens de négoce.* Quand l'hyperbole n'est destinée qu'à flatter, elle appartient à la grandiloquence*.

HYPERHYPOTAXE Insérer des subordonnées en trop grand nombre.

Ex.: *Car de toutes les végétations familières et domestiques qui grimpent aux fenêtres, s'attachent aux portes du mur et embellissent la fenêtre, si elle est plus impalpable et fugitive, il n'y en a pas de plus vivante, de plus réelle, correspondant plus pour nous à un changement effectif dans la nature, à une possibilité différente dans la journée, que cette caresse dorée du soleil, que ces délicats feuillages d'ombre sur nos fenêtres, flore instantanée et de toutes les saisons qui, dans le plus triste jour d'hiver, quand la neige était tombée dans la matinée, venait quand nous étions petits nous annoncer qu'on allait pouvoir aller tout de même aux Champs-Élysées et que peut-être bien on verrait déboucher de l'avenue Marigny, sa toque de promenade sur son visage étincelant de fraîcheur et de gaîté, se laissant déjà glisser sur la glace malgré les menaces de son institutrice, la petite fille que nous pleurions, depuis le matin qu'il faisait mauvais, à la pensée de ne pas voir.*
M. PROUST, *Contre Sainte-Beuve*, VI, p. 125.

Rem. 1 Selon Thérive (cité par L. SPITZER, *Études de style*, p. 468, n. 3), l'hyperhypotaxe est une période* destinée, non plus à être prononcée, mais à être lue. Son développement épouse la diversité et la multiplicité des rapports perceptibles lors d'une lecture, alors que la période* classique correspond au rythme* du style soutenu oral.

Rem. 2 Mal bâtie, l'hyperhypotaxe est une *synchise* (V. à *brouillage syntaxique*).

Rem. 3 En classant les divers types de phrases selon leur complexité, dans un ordre décroissant, on rencontre l'*hyperhypotaxe*, l'*hypotaxe* (V. à *période*), la phrase* moyenne, la parataxe* et l'*hyperparataxe* (V. à *dislocation* et à *monologue*).

Rem. 4 Spitzer (*Études de style*, p. 407) repère trois types parmi les périodes* hyperhypotaxiques: *"à explosion", "à superposition" et "en arc".*

HYPOTYPOSE L'hypotypose peint les choses d'une manière si vive et si énergique, qu'elle les met en quelque sorte sous les yeux, et fait d'un récit* ou d'une description*, une image, un tableau, ou même une scène vivante. FONTANIER, p. 390.

Ex. cité par Fontanier: *Son coursier écumant sous son maître intrépide,*
Nage, tout orgueilleux de la main qui le guide. Boileau

Autre ex.: *"Des gens arrivaient hors d'haleine; des barriques, des câbles, des corbeilles de linge gênaient la circulation; les matelots ne répondaient à personne; on se heurtait."* (FLAUBERT, *l'Éducation sentimentale*, p. 37).

Même déf. Quintilien, du Marsais (II, 9), Littré, Quillet, Lausberg (§ 400), Robert.

Syn. Image (Boileau), peinture (Fénelon), tableau (Fontanier, p. 431), image peinte (Ed. de Goncourt), mise en scène, énergie (Du Bellay).

Rem. 1 On peut distinguer une hypotypose *descriptive* (ex. ci-dessus) et une hypotypose *rhétorique*, où l'action est un artifice de représentation de l'idée. La force de l'artifice éclate dans le rapprochement, qu'effectue Diwekar (*les Fleurs de rhétorique de l'Inde*, p. 36), entre une strophe du *Ramayana* (I, 63.20): *"Le fils aîné est généralement le favori du père, ô roi, et le plus jeune celui de la mère"* et un verset de l'*Aitareya Brahmana* (VII, 3): *"Saisissant le fils aîné, il dit:* **"Pas celui-ci — Pas celui-ci"**, *dit la mère (en saisissant) le plus jeune."*

L'hypotypose est donc un développement de l'image* au double sens du terme: image visuelle et image rhétorique (métonymie* ou métaphore*). **Ex.:** *"La vie sociale est une sorte de fermentation, elle extrait le puissant de la masse, comme le foie produit le suc, elle élimine peu à peu les faibles qui l'encombrent, à la manière du rein les résidus de la digestion."* (BERNANOS, *Nous autres Français*, p. 157).
Comparaisons*, allégories*, applications seront souvent des hypotyposes, lorsqu'elles *"font image"*.

Rem. 2 Le contraire de l'hypotypose est la schématisation*.

Rem. 3 L'essentiel est-il, dans l'hypotypose, d'*"orner"*, de *"peindre"*, comme l'ont pensé les théoriciens du classicisme? Cette figure n'est-elle là que pour le lecteur? Des expériences-limites comme celles de Michaux lui désignent une autre origine, d'ordre hallucinatoire. Situations, personnages, actions peuvent jaillir d'une conscience qui ne se contrôle plus et fournir une illustration, sentie comme réelle et vécue, au sentiment initial.

Assez! ..... **"Ne plus écrire!"**..... *Et voilà que dans l'obscurité de derrière ses paupières closes, il voit surgir, soudain, des hommes violents, faisant de grands gestes de dénégation, puis une troupe, puis un défilé de gens mécontents, avec pancartes, cortège protestataire et menaçant.* **"Ne plus"** *s'est changé en grévistes!*
MICHAUX, *les Grandes Épreuves de l'esprit*, p. 98-9.

Rem. 4 Si la scène décrite fait penser à une oeuvre picturale ou cinématographique parce que les personnages prennent chacun une attitude caractéristique, on a un **tableau**.

Ex.: *Molly et Josie. Petit tableau de genre! Mais comment allez-vous? Mais qu'étiez-vous donc devenue? Se baisent si heureuse de vous se baisent, de vous revoir. Chacune épluchant l'autre avec méthode. Mais vous êtes superbe. Des amies de coeur qui se montrent les dents dans un sourire. Combien vous en reste-t-il? Ne lèveraient pas un doigt l'une pour l'autre.*
JOYCE, *Ulysse*, p. 356.

Rem. 5 Brève, c'est la diatypose*.

HYSTÉROLOGIE Dans un récit*, la circonstance ou le détail qui devrait être après est situé chronologiquement avant. LITTRÉ. **Ex.:** *UBU. — Je vais allumer du feu en attendant qu'il apporte du bois* JARRY.

Même déf. Quillet, Lausberg, Preminger.

Syn. Hysteron-proteron (Marouzeau); hystero-proton (Littré).

Rem. 1 Quand l'inversion* des séquences répond à une raison cachée, le procédé se rattache à la déchronologie*. L'exemple classique: *"Moriamur et in media arma ruamus"* (VIRGILE, *Énéide*, II, 353) est psychologique puisque, pour se jeter sur les armes adverses, il faut d'abord avoir pris la décision de mourir. De même, Cocteau: *"Trouver d'abord, chercher après."*

En revanche, en tant que défaut, l'hystérologie connote l'imbécillité, la naïveté ou du moins une distraction. *Lors d'une de ses crises, il se suicida et mit* (ensuite) *le feu à sa maison."*

IMAGE 1. — L'image, étant au coeur du travail poétique, se trouve au centre des querelles d'écoles.

Mais la confusion qui règne à son sujet n'est pas due seulement à la diversité des systèmes logiques auxquels on la plie. Elle est due surtout au statut insaisissable de certains textes poétiques, auxquels il serait tendancieux d'attribuer un sens limité. La véritable image dit beaucoup à la fois et des choses telles qu'on ne saurait, souvent, les dire autrement. La perception de ce qui est proposé par les images sera facilitée par quelques distinctions fondamentales.

2. — Image et trope.

Dans le brouillard s'en vont un paysan cagneux
Et son boeuf lentement dans le brouillard d'automne
Qui cache les hameaux pauvres et vergogneux
APOLLINAIRE, *Automne*, dans *Alcools*.

On a ici une **image visuelle**[1] (syn.: image mentale). Le détail de ce qui concerne ce type d'image est donné aux rubriques description*, hypotypose*, diatypose*, portrait*, prosopopée*.

L'image visuelle n'est pas toujours dénuée de valeur symbolique. On lit au vers 7: *"l'automne a fait mourir l'été"*. Ce serait un truisme* si on négligeait d'étendre le sens à tout ce qui *meurt*. Le tableau entier, comme image visuelle, constitue dès lors un symbole* de la mélancolie.

Ce qu'on appelle **image littéraire**, c'est l'introduction d'un deuxième *sens* (V. ce mot, § 8), non plus littéral, mais analogique, symbolique, *"métaphorique"*, dans une portion de texte bien délimitée et relativement courte: un seul mot (V. à *métaphore*), un syntagme* (V. à *comparaison*), une suite de mots ou de syntagmes (V. à *allégorie*).

Au sens strict, l'image littéraire est donc un procédé qui consiste à remplacer ou à prolonger un terme — appelé thème* ou *comparé* et désignant ce dont il s'agit *"au propre"* — en se servant d'un autre terme, qui n'entretient avec le premier qu'un rapport d'analogie* laissé à la sensibilité de l'auteur et du lecteur. Le terme imagé est appelé *phore* (d'où le mot métaphore*) ou *comparant* et s'emploie pour désigner la même réalité par le détour d'une autre, par figure; il est pris *"au sens figuré"*.

L'existence d'un terme propre, exprimé ou non, semble essentielle à la constitution de l'image littéraire traditionnelle. Toutefois, elle ne suffit pas à la constituer: il faut aussi que le rapport entre ce terme et le second soit *"analogique"*. En effet, si le rapport entre les deux termes est assez étroit pour qu'il n'y ait qu'une seule isotopie*, on a une métonymie* ou une

---

1 À distinguer de l'image tout court (dessinée ou peinte) qu'on trouve notamment dans l'***affiche***. "texte (illustré) placé dans un endroit public."

synecdoque*.

L'ensemble des procédés qui consistent à remplacer le mot propre par un autre qui y a quelque rapport constitue les *tropes* (V. à *sens,* 4).

3. — Thème et phore.

Les images littéraires sont dites quelquefois **abstraites** ou **concrètes** suivant que le *phore* est plus abstrait ou plus concret que le thème*. L'image abstraite est rare. **Ex.:** "*Mainte fleur épanche à regret / Son parfum doux* **comme un secret**" (BAUDELAIRE, *le Guignon).*
L'image concrète est naturelle. **Ex.:** "*J'écris dans un pays* **que les bouchers écorchent**" (ARAGON, *le Musée Grévin;* il s'agit de la France sous l'occupation).
"*Nous fumons tous ici l'opium de la grande altitude*" (MICHAUX, *la Cordillera de los Andes*) pour *l'altitude nous enivre.* V. aussi à *généralisation,* rem. 3.

L'**image symboliste** est une image concrète dont le thème*, intuition ou sentiment, serait difficile à faire sentir sans **figuration.**

Ex.: *Il pleure dans mon coeur*
Comme il pleut *sur la ville;*
Quelle est cette langueur
Qui pénètre mon coeur?
VERLAINE, *Ariettes oubliées,* III.

4. — L'usage.

Au point de vue de l'usage, on distingue le cliché*, l'*image "réveillée"* et l'*image "neuve"*. Le cliché est une image si employée qu'elle évoque immédiatement son signifié, si usitée que le *phore* a perdu son pouvoir originel de signifiance; il n'évoque plus que le thème*, immédiatement; la présence de la figuration n'est plus perceptible.
L'image est endormie. **Ex.:** une voix d'or; changer son fusil d'épaule; boire du petit lait.

On a une **image réveillée** (ou **cliché rajeuni**) quand le contexte ou quelque modification morphologique vient ranimer le sens originel du phore, qui était latent. **Ex.:** "*l'ensoleillement de sa voix dorée*" (Proust), changer d'épaule son fusil; boire un grand verre de petit lait.
Si le cliché est rajeuni en rendant au mot son sens propre, on a un résultat humoristique: "*le grand homme d'État trébuchant / sur une belle phrase creuse / tombe dedans*" (PRÉVERT, *Paroles,* p. 215).
Le choc de deux clichés* aux phores incompatibles réveille aussi l'image, qui est dite **incohérente.** (V. à *incohérence*).

L'**image neuve** échappe à l'usage et donc à ces avatars.

5. — Un concept opératoire, concernant les images, a été proposée par A.-J. Greimas (cf. *Sémantique structurale*, p. 100): l'**isotopie***. L'isotopie d'un texte est le domaine de réalité auquel renvoient les différentes parties de ce texte. Dans le cas de l'image littéraire, l'isotopie est *complexe*. L'albatros de Baudelaire renvoie à un oiseau et au poète qui y est *"semblable"*. Mais, d'habitude, quand l'isotopie est complexe, l'un des termes est privilégié par rapport à l'autre: on lui attribue un plus grand degré de réalité. La description que fait Rimbaud du *Bateau ivre* (exemple présenté par Greimas) est plus vraie par rapport à Rimbaud (*thème* ou *comparé*) que par rapport à un bateau (*phore* ou *comparant*). Greimas parle dans ce cas d'une *isotopie complexe "positive"*. Le thème, étant normalement le vrai point en question, est considéré comme isotopie *"positive"*; le phore, parce qu'il est à prendre *"au figuré"*, comme isotopie *"négative"*.

Ces distinctions deviennent essentielles dans le cas, à vrai dire exceptionnel, des images à *isotopie complexe "négative"* ou *"en équilibre"*. On peut aussi envisager, nous semble-t-il, une absence d'isotopie (*ectopie*).

Selon Greimas, il y a *isotopie complexe négative* lorsque le phore, bien qu'il soit à prendre au figuré, reçoit pourtant, de la part de l'auteur et donc du lecteur en puissance, un degré de réalité ou de vérité supérieur à celui du thème* (qui n'en reste pas moins le terme positif). **Ex.** fourni par Greimas: M. Dupont se prenant pour un lustre. **Ex. litt.:** *"Bélial, mon frère réputé chien"* (J. FERRON, *l'Amélanchier*, p. 43-4).

R. Ducharme nous semble avoir su tirer parti littérairement de cette éventualité:

Je prends, de toute mon âme, des positions ..... Je donne arbitrairement une autre forme à toute chose qui, par son manque de consistance ou par son immensité, est impossible à saisir ..... et, alors, à la faveur de cette autre forme, je saisis la chose ..... Par exemple, j'affirme que la terre (que les meilleurs astronomes n'ont pas encore comprise) est une tête d'éléphant roulant à la dérive dans un fleuve d'encre bleu azur ..... et alors, dans ma tête, elle n'est rien d'autre que ça.

DUCHARME, *l'Avalée des avalés*, p. 153.

Le phore (*tête d'éléphant* etc.) est assumé par l'auteur comme totalement vrai; le thème comme partiellement vrai.

À l'isotopie complexe négative ressortit encore l'hallucination, que le surréalisme range parmi les images (V. ci-dessous rem. 1) et le rêve que l'on prend pour la réalité (Cf. *Je rêve que je ne dors pas*, dans ÉLUARD, *O.*, t. 1, p. 933).

Quant à l'*isotopie complexe en équilibre*, elle est réalisée par une image dont l'isotopie complexe est à la fois positive et négative, c'est-à-dire que la réalité du phore est assumée aussi pleinement, et pas plus, que celle du thème. Greimas donne comme exemple les guerriers Simba (c'est-à-dire *lion*) qui se sentent à la fois lion et homme, pleinement lion, pleinement homme.

La poésie de Reverdy tend vers ce type d'isotopie. Ainsi, dans *le Coeur soudain* (*Ferraille*), *"l'appétit des brisants"* c'est à la fois un paysage maritime et le tourbillon des instincts, comme le montre un vers analogue mais inverse: *"Dans les rochers chavire l'émotion"*. L'image à isotopie complexe en équilibre n'est pas une image surréelle du type courant (une dissociation*). Elle reste une image car, si les deux termes ont le même degré de réalité, ils restent figuratifs, c'est-à-dire qu'ils se figurent l'un l'autre. C'est ce qui donne un caractère si particulier à la poésie de Reverdy. Entrer dans une poésie réputée hermétique, c'est peut-être simplement découvrir l'art poétique qui a présidé à sa conception.

Disons pour terminer un mot de l'absence d'isotopie. Il nous semble qu'un emploi purement métaphorique de l'image est possible: on aurait des termes qui ne peuvent être que des phores, qui doivent représenter *"autre chose"*, mais sans qu'on puisse savoir quoi. Plusieurs textes de Michaux seraient tels: *la Nuit des embarras, la Nuit des disparitions, la Ralentie.* **Ex.:** *"C'était à l'arrivée, entre centre et absence, à l'Eurêka, dans le nid de bulles..."* (*Entre centre et absence,* dans *Lointain intérieur*). Un tel art poétique ressortirait à ce principe de Michaux (principe qui est à *"comprendre"* aussi): *"Dans le noir nous verrons clair, mes frères. Dans le labyrinthe nous trouverons la voie droite"* (*Contre!* dans *la Nuit remue*). Poétique de l'intériorisation (totale). V. à *autisme.*

La question de l'isotopie se pose dès que deux signifiés appartenant à deux *"univers de discours"* distincts sont mis en présence. V. à *calembour, métonymie, syllepse oratoire,* etc.

Rem. 1 Le mot *image* a pris un sens très large depuis le surréalisme. Pour Breton (*Dict. abrégé du surréalisme,* à *image*), il y a **image surréelle** quand l'expression *"recèle une dose énorme de contradiction apparente"* (V. à *dissociation*), quand *"l'un de ses termes* (est) *curieusement dérobé"* (V. à *métaphore* énigmatique), quand *"s'annonçant sensationnelle, elle a l'air de se dénouer faiblement"* (V. à *déception*), quand *"elle tire d'elle-même une justification* **formelle** *dérisoire"* (V. à *musication* ainsi qu'à *verbigération,* rem. 3), quand elle est *"d'ordre hallucinatoire"* (V. à *fantastique*), quand elle *"prête très naturellement à l'abstrait le masque du concret, ou inversement"* (V. ci-dessus), quand elle implique la négation* de quelque propriété physique élémentaire (variété de paradoxe*), quand, plus généralement, *"elle déchaîne le rire"* (V. à *humour*). On voit que le mot *image* désigne pour Breton toute espèce de procédé, pourvu qu'il soit surréaliste, c'est-à-dire qu'il *"présente le degré d'arbitraire le plus élevé"* et qu'on mette longtemps à le *"traduire en langage pratique"* (*ib.*)

Pourtant, ce n'est pas l'hermétisme qui fait la qualité de l'*"image"* surréelle. Ce n'est peut-être pas seulement son originalité. *"Plus les rapports des deux réalités rapprochées seront lointains et justes, plus l'image sera forte"* écrit Reverdy (cité par BRETON, *Manifestes du surréalisme*). L'écartement sémantique peut avoir aussi une justesse par laquelle il s'impose. La gratuité, la contradiction sont là comme preuves a fortiori. Elles sont la beauté d'une vérité. *"La beauté sera convulsive ou ne sera pas"*, dit encore Breton.

C'est du rapprochement en quelque sorte fortuit des deux termes qu'a jailli une lumière particulière, **lumière de l'image** *à laquelle nous nous montrons infiniment sensibles. La valeur de l'image dépend de la beauté de l'étincelle obtenue...*
BRETON, *Manifestes du surréalisme.*

Le poète est moins l'auteur que le lieu d'un phénomène dont les composantes sont moins en lui que dans le monde et dans le langage. (V. à *dissociation,* rem. 5). Ainsi s'explique sa nature souvent obsessive, déchirante, ironique, vengeresse...

Rem. 2 V. aussi à *hypotypose* (scène qui *"fait image"*).

IMITATION Alors qu'Aristote n'assigne comme limite à l'art que l'imitation de la nature (imitation qui va jusqu'à l'ostentation esthétique, souligne Souriau), certains auteurs n'ont pas reculé devant une imitation sincère de la culture, en l'occurrence des oeuvres de leurs prédécesseurs, sans intentions parodiques (V. à *parodie*).

Un tel procédé reçoit un nom en -isme dérivé du patronyme de l'auteur admiré. Sur le modèle de *pindarisme, pétrarquisme,* etc., on écrit: *apollinarisme, balzacisme, claudélisme, giralducisme, malraucisme, mauriacisme, proustisme, valérisme, verlainisme...*

Ex.: *Moi qui aurais voulu être assez affreux pour faire avorter les femmes dans la rue ..... je ne maudis point ma beauté, mettant à mes genoux l'éphèbe prosterné, et ce jour, crapaud bon serviteur, je te tolérerai un rival.*
Ce texte de Jarry est un *lautréamontisme,* comme le remarque Éluard (*O.,* t. 1, p. 995).

Autre ex.: *"El Hadj! que t'a-t-on mené voir dans la plaine? Est-ce un prince couvert de vêtements somptueux?"* (GIDE, *Romans,* p. 351).

Gide reprend ici un verset de l'Évangile selon Matthieu (11, 7-8), qu'il avait placé du reste en épigraphe* à *El Hadj.*

Autre déf. Fontanier (p. 288) emploie *imitation* en se référant, non à d'autres auteurs mais à d'autres langues. C'est ce que nous appelons pérégrinisme*.

Rem. 1 Marotisme, usité de longue date, a pris un sens élargi (V. à *archaïsme,* rem. 2).

Rem. 2 Pindarisme (Pindare, poète grec du 4e siècle avant notre ère): *"louange des dieux et des héros, lieux communs moraux ..... éloquence, images mythologiques savantes ..... triade"* (Bénac). **Ex.:** *Amers* de Saint-John Perse.

Rem. 3 Pétrarquisme (Pétrarque, poète italien du 14e siècle): *"galanterie mondaine, passion inquiète, élévation vers Dieu à travers l'amour spiritualisé de sa créature .....antithèses, métaphores ..... sonnet, canzone (stances égales en vers inégaux), tercet"* (Bénac).

Rem. 4 Gongorisme ou *cultisme* (Gongora, poète espagnol du siècle d'or): *"style savant, bourré de latinismes, de néologismes, de métaphores difficiles, de figures de rhétoriques; .....idées recherchées"* (Bénac)

Rem. 5 Euphuisme (*Euphuès,* roman anglais, 1579): "métaphores*, allitérations*, balancements savants" (Bénac).

Rem. 6 Marinisme (Marino, poète italien, 16e-17e siècle): *"recherche des concetti*"* (Bénac).

Rem. 7 Le cliché* est l'imitation de M. Toutlemonde, le psittacisme* une imitation bête, dans laquelle l'imitateur reproduit sans comprendre.

Rem. 8 L'imitation ne peut pas être poussée trop loin, sous peine de virer au **plagiat** ou vol littéraire.

Syn. Démarquage (péjoratif mais moins fort). Jarry s'est amusé à montrer que d'Esparbès, dans une nouvelle intitulée *Petit-Louis,* s'était plus que souvenu de Kipling dans *Toomaï des éléphants* (Cf. A. JARRY, *la Chandelle verte,* p. 262 et sv.) Se servir du texte d'autrui sans le dire, c'est risquer de passer pour malhonnête.
Mais où commence le plagiat? Camus écrit dans son *Discours de Suède* (*Essais,* p. 1071): *"Je ne puis vivre personnellement sans mon art".* Or il avait cité Van Gogh, sur le même sujet, dans *l'Homme révolté* (*ib.*, p. 661): *"Je puis bien, dans la vie et dans la peinture aussi, me passer du bon Dieu. Mais je ne puis pas, moi souffrant, me passer de quelque chose qui est plus grand que moi, qui est ma vie, la puissance de créer."* Cette *"plainte admirable",* Camus l'avait faite sienne et pouvait la reprendre à

son compte, dans ses termes à lui.

Il faut dire aussi que de prétendus plagiats peuvent surpasser de loin leur modèle. Ainsi P.-A. Lebrun (1785-1873) est l'auteur d'un *Cimetière au bord de la mer* dont le plan, la suite des images et même le texte d'une dizaine de vers sont très semblables au *Cimetière marin* de Valéry (Cf. R. SABATIER, dans *Revue des deux mondes,* déc. 72, p. 535 à 540). On parlera dans ce cas d'intertextualité, pour éviter les connotations péjoratives, qui seraient déplacées.

Le plagiat ironique peut se présenter. Dans *les Faux-Monnayeurs,* Gide signale la venue de l'aurore en ces termes: *"La paupière de l'horizon rougissant déjà se soulève"* (*Romans,* p. 275). C'est, mot pour mot, une phrase prise à Mauriac. L'absence de guillemets n'est évidemment pas une tricherie, mais, pensons-nous, un défi taquin au lecteur.

IMPASSE L'analyse en posé / présupposé (V. à *assertion,* rem. 4) explique divers procédés, surtout l'impasse, qui consiste à placer dans les présupposés les idées qu'on sait contraires à celles de l'interlocuteur. De cette façon, on l'oblige à les admettre implicitement ou à revenir sur les points brûlants, ce qui peut passer pour indélicat ou agressif. (Cf. DUCROT, *Dire et ne pas dire,* p. 95 à 97).

Ex.: (À un camarade qui vient d'avoir ses 18 ans) — *Alors? On t'a laissé entrer, hier soir?* (Afin de vérifier l'hypothèse qu'il serait allé voir un film pour "adultes").

Analogues Question* fourrée, présupposition subreptice.

Rem. 1 *Impasse,* par analogie avec une ruse du bridge.

Rem. 2 L'excuse* précède souvent une réponse qui fait retour aux présupposés. *"— Pierre se doute que Jacques viendra. —* **Pardon,** *Jacques ne viendra pas."* (DUCROT, *ib.,* p. 92).

Rem. 3 L'impasse est un piège, retors. Elle relève du procédé plus général du **traquenard,** qui consiste à s'arranger pour faire dire à l'adversaire qqch. qui lui fera perdre la face. **Ex.:** un garçon se lève et demande à la nouvelle institutrice si elle sait traduire: *I have the five roses.*

IMPLICATION Formule dont le contenu sémantique conduit le lecteur à comprendre, de plus, autre chose, qui ne paraît pas au premier abord, mais qui découle, quand on y réfléchit, de ce qui a été dit.

Ex.: Hénault faisait remarquer à Mme du Deffand que *"quand on dit qu'une fille à marier joue bien du clavecin, cela veut dire qu'elle n'est point jolie"* (*Nouveau Dict. de citations fr., §* 4835).

L'implication joue ici par ce qui n'est pas dit, en vertu de la loi d'**exhaustivité** (Ducrot). Le locuteur, en effet, est censé dire ce qu'il sait sur la question débattue et s'il ne souffle mot de beauté, c'est qu'il vaut mieux parler d'autre chose. Si l'on veut un exemple récent, rappelons le mot d'un dirigeant africain: *"Un spécialiste, c'est quelqu'un qui ne travaille pas dans son propre pays."* Autre exemple à *euphémisme*, rem. 1.

L'implication peut aussi jouer par ce qui est dit. **Ex.:** *"Il n'y eut pas jusqu'à frère Giroflée qui ne rendit service; il fut un très bon menuisier, et même devint honnête homme."* (VOLTAIRE, *Candide).*
S'il le devint, c'est qu'il ne l'était guère, et comme il était moine et ne le resta point, c'est contre cet état, finalement, que Voltaire a décoché, mine de rien, une de ses flèches.

Elle peut jouer en niant autre chose, ce qui serait une *demi-litote* (V. ce mot). **Ex.:** *"Ce n'était pas à Esdras et à Da'Bé qu'elle avait songé d'abord"* (L. HÉMON, *Maria Chapdelaine,* p. 114). C'est à François, dont on devine dès lors qu'elle est amoureuse.

Elle joue même par antiphrase*, c'est-à-dire dans l'affirmation du contraire. C'est ainsi que *sans doute,* qui signifiait *"assurément"* au XVIIe siècle, en est venu à signifier *"probablement"*. L'auditeur, observant que le locuteur prend la peine d'écarter un doute possible, se dit que, malgré tout, un doute était possible. C'est de la même façon qu'il faut interpréter bon nombre de **déclarations**, surtout celles qui sont destinées à rassurer le public en temps de crise. Ainsi Roosevelt, en juillet 33, cité par R. SÉDILLOT, *Toutes les monnaies du monde: " Les États-Unis recherchent un dollar tel que, passé une génération, il ait le même pouvoir d'achat et la même valeur pour le règlement des dettes que celui que nous voulons assurer dans un avenir prochain."* Il faut *"lire entre les lignes"* pour voir que le président annonce ainsi une dévaluation.

Ex. littéraire: *"Nuit, mon feuillage et ma glèbe"* (R. CHAR, *Neuf Merci .....* dans *la Bibliothèque est en feu*). Le poète se compare à un arbre, mais de façon implicite.

Analogues (Mot) qui en dit long; *en conversation:* "On sait ce que cela veut dire". **Finesse** (Le Clerc, p. 216: *"La* **finesse** *consiste à laisser deviner sans peine une partie de sa pensée; et cette manière, lorsqu'elle est employée avec ménagement, est d'autant plus agréable qu'elle exerce et fait valoir l'intelligence des autres.")*

Rem. 1 L'implication n'est pas loin de l'allusion*.Cette dernière évoque un fait, une personne, un objet plutôt qu'une assertion. Elle renvoie à du connu, intégré de loin au texte, alors que l'implication découle de l'ensemble du texte même. **Ex.:** *"Qui raille après l'affront s'expose à faire rire aussi son héritier"*

(HUGO, *Hernani*, I, 2). La menace de mort est implicite puisqu'elle découle de la joie de l'héritier.

Allusion*, implication*, ironie*, etc. ont une mélodie propre, faite de continuation* suivie d'une légère finalité. De là le nom que lui donne Morier de *mélodie circonflexe*.

Rem. 2 L'implication rhétorique a pour but de communiquer ce qui n'est pas dit, elle relève donc de l'ironie*. On la distingue de l'implication logique, qui appartient au philosophe, et qui demande à être énoncée.

Ex.: *On a pu dire ..... que la Terre pourrait bien être le seul centre actuellement vivant de l'Univers. Nous ne discuterons pas ce peu vraisemblable et indémontrable privilège accordé à notre planète. Mais nous devons signaler ..... une manière particulièrement vicieuse de le comprendre, qui consisterait à faire de la Vie, en pareille circonstance, un* **accident** *merveilleux ..... en marge de l'évolution cosmique .....* TEILHARD DE CHARDIN, *O.*, t. 6, p. 31.

Rem. 3 On distingue l'implication de l'*implicitation* ou *présupposition* (Ducrot). V. à *thème*, rem. 1 et à *assertion*.

Rem. 4 Il y a une implication purement poétique, l'*irradiation**. Il y a une implication publicitaire, aussi habile qu'agréable. **Ex.: Grands, beaux, ensoleillés, libres tout de suite.** On comprend qu'il s'agit d'appartements.

Rem. 5 Il suffit d'ajouter à l'assertion une précision superflue pour qu'apparaisse une implication qui la restreindra. "Quel bon petit déjeuner ce matin!" risque d'attirer une repartie comme: "Tu n'aimais pas celui d'hier"

IMPLOSION La consonne explosive se réalise en trois phases, l'implosion ou mise en place de l'obstacle buccal; la tenue, durant laquelle augmente la pression de l'air; l'explosion ou catastase.

Dans le cas de quelques consonnes doubles (**Ex.:** *adduction*, *attique*, ou des mots étrangers non francisés), les trois phases sont distinctes, car la tenue a deux temps, en sorte que la première consonne est implosive seulement, la seconde explosive. En cas d'*interruption**, on arrête de préférence par une implosion, qui obstrue d'un coup l'orifice buccal. **Ex. litt.:** Quand Kaliayev part lancer sa bombe, il dit à Dora: *" Au revoir. Je... La Russie sera belle."* (CAMUS, *les Justes*). Si l'acteur coupe après *je*, on croira que Kaliayev cherche un mot, alors qu'en réalité il s'interrompt, se refuse à dire *je t'aime*, parce qu'il doit faire violence à son amour. La coupe d'une telle interruption est au milieu de la consonne. On doit faire entendre l'implosion du **t** (pas l'explosion). V. aussi à *abrègement*, n.1.

IMPROPRIÉTÉ Donner à un vocable un sens autre que celui de l'usage; autrement dit, employer un mot qui appartient à autre chose que ce qu'on veut dire. L'impropriété n'est pas repérable sinon, quelquefois, par le contexte.

Ex.: *Angéline de Montbrun ne vit que pour un père qu'elle adore, qu'elle* ***mystifie.*** Il faudrait *qu'elle aime mystiquement* car cette héroïne ne songe nullement à induire son père en erreur.

Même déf. Robert.

Autres noms Mot impropre, signifié du voisin, acirologie (Fabri, t. 3, p. 124).

Antonyme Mot propre, propriété (Bénac), **mot juste, justesse.**

Autre déf. Selon Lausberg (§ 533), sont considérés comme mots impropres des synonymes* qui ne correspondent pas, des mots sortis de l'usage, des mots inventés ou des mots appartenant à une région, une technique, un métier déterminés. C'est un sens élargi, qui reflète la conception antique du style soutenu.

Rem. 1 Le mot impropre se distingue de la catachrèse*, où il n'y a pas de mot propre correspondant. Il peut arriver, cependant, que le mot propre existe mais ne soit pas connu. **Ex.:** — *C'est non loin d'un poteau, métallique... — D'un pylône? — C'est ça.* De telles impropriétés sont des *demi-catachrèses,* car elles sont sous l'empire de la nécessité (momentanée).

Rem. 2 Le **mot faible** est une *demi-impropriété,* il ne porte que sur les connotations.

Rem. 3 De même qu'on distingue des néologismes* de sens et des néologismes* lexicaux, l'impropriété s'oppose au barbarisme*. Celui-ci concerne le mot dans son existence lexicale, celle-là ne se manifeste qu'en fonction du sens* visé.

Rem. 4 Le *purisme* et l'*hypercorrection* sont aussi la source d'emplois impropres. **Ex.:** *"Il ne s'agit peut-être pas d'une tentative de tromperie, comme il pourrait sembler à première écoute."* (Ce n'est pas parce qu'on a *entendu* cette tentative qu'on ne peut pas dire: à première vue).

INCLUSION Commencer *et* finir un poème, une nouvelle, une pièce de théâtre par le même mot, la même phrase.

Ex. romanesque: *La silhouette d'un homme se profila; simultanément des milliers. Il y en avait bien des milliers.* R. QUENEAU, *le Chiendent* (début et fin).

Ex. poétique: *L'AZUR*
De l'éternel azur la sereine ironie
. . . .
. . . .
Je suis hanté. *L'Azur! l'Azur! l'Azur! l'Azur!*
MALLARMÉ

Autres déf. 1 Marouzeau, à la suite de divers auteurs comme Bary (cf. Le Hir, p. 129), donne à l'inclusion un sens plus restreint, celui de l'épanadiplose*, avec moins de spécifications cependant: *"commencer et terminer une phrase ou un vers par le même mot"*. Nous préférons garder *épanadiplose* pour les exemples de ce type et *inclusion* pour ceux qui concernent l'ensemble d'une oeuvre (même minime), l'effet esthétique étant assez différent.
2 En logique, l'inclusion caractérise le rapport de deux classes. L'espèce est incluse dans le genre. Cette définition importe dans l'analyse des synecdoques*.

Rem. 1 Le **rondeau** est construit sur le principe de l'inclusion, qui lui a donné son nom (on tourne en rond puisqu'on revient deux fois au point de départ).
C'est un poème* sur deux rimes*, en trois strophes*: quintil, tercet, quintil; les deux dernières strophes sont suivies, en guise de refrain*, d'un vers* plus court qui reprend mot pour mot le début du poème (le premier hémistiche). Ex.: Cf. Morier.
Valéry semble avoir voulu faire un *rondeau en prose*, en racontant, dans ses *Mauvaises Pensées et autres:*
TOUT EN CAUSANT
Je m'avise, tout en causant, que mon index droit trace sur mon pouce une figure, et la retrace; et cette figure est une courbe transformée de la forme d'un fauteuil à deux pas de moi que je regarde — distraitement — tout en causant...
VALÉRY, *O.*, t. 1, p. 852.

INCOHÉRENCE Métaphore* qui réunit deux images* incompatibles. LAUSBERG (sens II). **Ex.** cité par Lausberg, à propos d'un orateur: *C'est un torrent qui s'allume.*

Ex. cont.: *Si je vous dis que dans le golfe d'une source*
Tourne la clé d'un fleuve entrouvrant la verdure
Vous me croyez encore plus vous me comprenez
ÉLUARD, *la Poésie doit avoir pour but la vérité pratique.*

Analogues Fausse dissociation (V. à *dissociation*, rem. 6), langage approximatif.

Autre déf.: "(Idées, mots, phrases) *qui ne se suivent pas, qui ne forment pas un tout, un ensemble bien joint"* (LAUSBERG, sens I).

C'est un sens élargi, qui rejoint, pour les mots la dissociation*; pour les idées, l'inconséquence*; pour les phrases, le coq-à-l'âne*. On rencontre aussi de l'incohérence entre les épisodes d'un récit*. **Ex.:** *l'arrestation de Protos*, dans *les Caves du Vatican* de Gide, alors qu'un instant plus tôt il était déclaré insoupçonnable.

Rem. 1 On pourrait réserver *incohérence* pour les parasites de la métaphore*, non seulement quand l'incompatibilité surgit entre les classèmes non pertinents des phores (*le char de l'État navigue sur un volcan*), mais aussi quand des sèmes marginaux se heurtent entre le *thème* et le *phore*. **Ex.** tiré d'un procès-verbal et recueilli par Jean-Charles: *Habitué des bagarres, il a depuis longtemps fait du revolver son livre de chevet.*

Rem. 2 Quand un des termes d'une image* surréelle se prête à un sens*métaphorique, l'écart nécessaire à *"l'étincelle"* crée une incohérence entre le thème et le phore. **Ex.:** *"Cette averse est un feu de paille"* (ÉLUARD, *O.*, p. 725). C'est réveiller le cliché *"feu de paille"* de façon comique: on voit que l'incohérence n'est pas toujours un défaut. Ici se rejoignent, assez curieusement, la définition traditionnelle et la définition surréelle de l'image (comme dissociation).

Rem. 3 L'incohérence reste le meilleur moyen de frapper de ridicule la grandiloquence*. **Ex.:** "*ROBERT mère. — Quel coeur insensible! Aucune* **fibre** *sur sa face ne tressaille...*" (IONESCO, *Jacques ou la soumission*, p. 137). **Autre ex:** "*Et on dira tout ce qu'on voudra, les mensonges qu'un individu débite sur lui-même sont en général* **indignes de dénouer les cordons des sandales** *des bourdes, des ébouriffantes bourdes que les autres répandent sur lui.*" (JOYCE, *Ulysse*, p. 559).

Rem. 4 L'incohérence vient de sèmes impropres au contexte (plus précisément de classèmes écartés par l'isotopie*), ce qui n'empêche pas qu'il y ait des sèmes pertinents par lesquels semble se justifier une maladresse sur laquelle on ferme les yeux dans la conversation courante. **Ex.:** *Le cheval faisait des efforts surhumains pour se dégager.*

INCONSÉQUENCE Type d'écart qui consiste à coordonner deux idées qui n'ont apparemment aucun rapport logique entre elles. J. COHEN, *Structure du langage poétique*, p.172.

Ex. cont.: *Mr Smith:. — On marche avec les pieds mais on se réchauffe à l'électricité ou au charbon.*
Mme Martin:. — Celui qui vend aujourd'hui un oeuf demain aura un boeuf.
IONESCO, *la Cantatrice chauve*, p. 51.

Rem. 1 L'inconséquence diffère du coq-à-l'âne*, où les idées disparates ne sont pas coordonnées. Elle est voisine de l'alliance* d'idées.

Rem. 2 La fabrication d'inconséquences drolatiques donne lieu à un jeu littéraire*: les *Propos interrompus.*

Rem. 3 En dépit de leur manque de clarté, les inconséquences peuvent être pleines de sens. **Ex.:** *"Tour Eiffel, mais part à trois"* (H. MICHAUX, *Tranches de savoir*).

INJONCTION Modalité de phrase répondant surtout à la fonction conative (V. à *énonciation,* 3) du langage (inciter l'interlocuteur à un certain comportement).

Ex.: *ALARICA. — Venez ici. Allons, venez.*
AUDIBERTI, *Le mal court,* p. 64.
L'impératif n'est pas la seule forme grammaticale de l'injonction. On peut avoir le futur (*"L'agent spécial Samuel H. Caution se rendra à New York ....."* P. CHENEY, *la Môme Vert-de-gris,* p. 5); des phrases nominales (*Attention! Silence!*), des gestes, des bruits (les trois coups au début d'une représentation théâtrale). La forme lexicalisée apparaît dans le verbe d'une proposition principale comme: "Je vous ordonne de, je veux que", parfois sous-entendue (*Que personne ne sorte*). L'injonction comme attitude a pris l'ampleur d'un genre littéraire (V. à *discours*), mais sa forme pure reste l'impératif, caractérisé par une absence de pronoms désignant le sujet de l'action (absence qui implique une présence d'autant plus immédiate de celui-ci).

Analogue Mande (*Dict. de ling.*).

Rem. 1 Pour les diverses modalités de phrase et les fonctions correspondantes, V. à *énonciation.* L'injonction prend aussi la forme positive ou négative (ordre ou défense). Elle offre une analogie avec la question* puisqu'elle suppose du destinataire une sorte de réponse, qui n'est pas du type assertif, mais qui constitue une attitude (acceptation ou refus).

Rem. 2 Quoique le mot *injonction* implique une supériorité du locuteur, la fonction injonctive s'exerce bien dans le cas d'infériorité (réelle, exigée ou simulée) du locuteur, avec la même modalité de l'impératif, qu'on retrouve donc dans les supplications*.

D'autres nuances d'injonction, soumise, polie ou atténuée, se présentent avec des formes diverses: demande, proposition, suggestion, conseil, etc. La **motion** est une proposition émanant d'une assemblée.

Rem. 3 L'**appel** (et sa forme rhétorique, l'*apostrophe**) est préliminaire à une injonction, il vise à assurer le contact nécessaire à une injonction éventuelle. Il relève donc de la fonction phatique plutôt que conative. **Ex.:** *"Maréchal! Lieutenant! Mes postillons! Mes soldats!"* (AUDIBERTI, *Le mal court,* p. 100).

Rem. 4 L'injonction n'a pas de marque graphique propre. Elle use donc aussi bien du point d'exclamation* que des autres variantes affectives du point, sans pouvoir rendre la variété des intonations réelles. **Ex.:** *"BLAISE* (voyant Monique éclater en sanglots) — *Monique? Enfin! Qu'est-ce qu'il y a?"* (AUDIBERTI, *l'Effet Glapion,* p. 165).

Rem. 5 L'injure* et la menace* peuvent prendre la forme d'une injonction. **Ex.:** *"— Va te laver! Va te faire réfrigérer! — Attends un peu que je te retrouve ..... Attends un peu!"* (AUDIBERTI, *l'Effet Glapion,* p. 161 et 162).

Rem. 6 Pour le schéma sonore de l'injonction, V. à *continuation.*

INJURE Emploi d'un ou plusieurs lexèmes péjoratifs qui, au moyen d'une apostrophe*, constituent le prédicat d'une assertion* implicite dont le thème* est l'interlocuteur.

Ex.: (Les acteurs s'étant assassinés ou suicidés, le souffleur sort de son trou) *LE SOUFFLEUR. — Canules! Tas de cochons! Bande de vaches!...*
M. DE GHELDERODE, *Théâtre,* t. 2, p. 147.

Le thème peut s'expliciter, comme dans cet échantillon où un changement de ton rend l'injure d'autant plus basse (V. à *gros mot*): *"Monsieur le législateur de la loi de 1916, agrémentée du décret de juillet 1917 sur les stupéfiants, tu es un con."* (A. ARTAUD, *l'Ombilic des limbes,* p. 72.)

Autres noms Invective, insulte.

Antonyme Mot doux*.

Rem. 1 On distingue l'injure de la caricature*, où c'est un tiers qui fait l'objet de l'assertion*. Dans le persiflage* et le sarcasme*, les lexèmes péjoratifs ne sont pas non plus appliqués, du moins pas immédiatement, à l'interlocuteur.

Rem. 2 R. Édouard, dans l'introduction de son *Dictionnaire des injures,* distingue celle-ci des *reproches* (fondés sur de bonnes raisons), de la menace* (qui concerne l'avenir) et de l'*outrage* (qui offense cruellement). Il atténue les pouvoirs de l'injure en l'attribuant seulement à *"une irritation illogique et momentanée"*, ou au *"besoin d'attirer l'attention"* (fonctions émotive et phatique). L'injure oblige autrui à se considérer sous un jour nouveau et peu flatteur (fonction injonctive); à la limite, assumée comme vraie, elle atteint à une fonction référentielle.

Rem. 3 Une parodie* de cérémonie permet d'institutionnaliser l'injure, qui devient une collation* de titre à rebours, une litanie qui convient aux démons de Valéry: *"LES DÉMONS, ensemble. — Prince du Mal, écoutez-nous; Coeur de l'Abîme, épargnez-nous!.....Arche de Haine! Puits de Mensonge! Ombre du vrai!"* (VALÉRY, *O.*, t. 2, p. 340.)

Rem. 4 L'injure peut prendre diverses formes. V. à *injonction*, rem. 5 et à *faux*, rem. 1 (astéisme).

IN PETTO Partie de l'énoncé que le locuteur garde pour soi, sans la dire. **Ex.:** *[L'INSPECTEUR] — C'est bien chanté. De qui est-ce? De Gounod, je crois? [CLAUDINE] (Pourquoi prononce-t-il* Gounode?) — *Oui, Monsieur. (Ne le contrarions pas.) — Il me semblait bien. C'est un fort joli choeur. (Joli choeur toi-même!)*
COLETTE, *Claudine à l'école*, p. 123.

Déf. analogue Robert, Lexis.

Rem. 1 L'in petto diffère de l'**aparté**. Dans ce dernier, l'énoncé a son ou ses auditeur(s), qui sont les spectateurs quand il s'agit d'une oeuvre théâtrale (V. à *monologue*, rem. 3). Dans le cadre d'une assemblée, l'aparté a un très petit nombre d'auditeurs, souvent un seul (**syn.**: messe basse).

Rem. 2 *In petto*, de l'italien "dans le coeur", étant un complément circonstanciel à l'origine, est considéré comme loc. adv. L'emploi comme subst. n'est guère courant.

Rem. 3 L'in petto interrompt le fil* du discours. **Ex.** avec *parenthèses* doubles: V. à *assise*, 4.

INTERJECTION Aux limites du langage comme code, entre le geste et le mot-phrase, paraît l'interjection, bruit* humain prononcé par le locuteur, dont le sens varie suivant le contexte et la forme, mais qui jouit d'un début de codification.

Ex.: *Héla, Hée... criait le toucheur*
JOYCE, *Ulysse*, p. 93.

Les graphies *Héla, Hée,* tout en renvoyant à des interjections connues, sont déviantes par rapport aux dictionnaires, qui donnent *Hé là, Hé.* Mais elles privilégient ainsi des réalisations vocales précises (cf. *holà*, en un mot dans les dictionnaires; et l'allongement* possible de *Hé*) qui peuvent modifier le sens.

Ainsi on peut distinguer *Eh!* (arrêt), *Hé!* (appel), *Hé-hé!* (ironie*).Le *"professeur Froeppel"*, dont J. Tardieu livre les recherches en ce domaine (*Un mot pour un autre*, p. 16 et sv., p.

85 et sv.) distingue:
Ah?: marque l'étonnement, exige une explication* ou signifie l'incrédulité.
Ah!: satisfaction de voir se produire un événement espéré, attendu avec impatience et inquiétude.
Ah! Ah! (ton ascendant): confirmation d'un fait que l'on soupçonnait.
Ah! Bah!: réponse polie, mais incrédule et au fond, indifférente.
Ah! la-la, la-la-la-la!: exprime l'attitude de l'homme devant les coups du Destin.
On voit que si les dictionnaires offrent des listes d'interjections, leur codification reste partielle et le sens dépend de la réalisation mélodique.

Liste d'interjections

Ah! / Ahi! / Aïe! / Allo! / Bah! / Bernique! / Bigre! / Bravo! / Brrr! / Çà! / Chiche! / Chut! / Dame! / Dia! / Eh! / Euh! / Fi! / Fichtre! / Ha! / Hein! / Hélas! / Hem! / Hep! / Hi! / Ho! / Holà! / Hon! / Hop! / Hou! / Houp! / Hourra! / Hue! / Hum! / Là! / Oh! / Ohé! / Ouf! / Ouiche! / Ouste! / Pardi! / Peste! / Peuh! / Pouah! / Pst! ou Pssit! / Saperlipopette! / Saperlotte! / Sapristi! / Ta ta ta! / Tralala! / Zut! (V. aussi à *clic*)

Rem. 1 Pour les anciens, l'interjection, cri *"jeté entre"* deux phrases, faisait à peine partie de la langue. En effet, au point de vue de la syntaxe, la phrase seule mérite considération (Cf. Wagner et Pinchon, p. 494; J. Dubois, t. 2, p. 17 et sv.). Mais au point de vue du déroulement syntagmatique, l'interjection est un segment isolé par le rythme* et la mélodie et qui conserve, isolé, le même sens que dans son contexte: ceci pourrait en faire une sorte de phrase, la plus courte qui soit (Comparer: *Oui, Non*) avec différentes fonctions possibles (V. à *énonciation*).
Fonction émotive: Ouill' ouill' ouill' (synonyme intensif de *aïe*), *Brrr!* (épouvante), *Hi-hi!* (rire littéraire), *Pouah! Zut!*
Fonction de contact: Hep!, Hou hou! (cri de ralliement), *Guili-guili, Kili-kili* et surtout le fameux *euh... euh...* de celui qui cherche ses mots.
Fonction injonctive: Chut! Hop! Hem hem! (invitation à la prudence au cours d'une conversation), *Hue! Cz-cz* (on excite quelqu'un à se battre), *La... la* (réconfort), *Ouste! Zou.*
Fonction référentielle: Ouiche! (faux acquiescement donné par ironie), *Pfuitt!* (disparition soudaine), *Ss!... ss!...* (admiration), *Tara-tata!* (méfiance et incrédulité). Cf. J. TARDIEU, *Un mot pour un autre,* p. 85 à 113; L. TESNIÈRE, chap. 45.
Quand la fonction est référentielle, l'interjection (avec sa mélodie) est l'équivalent d'un prédicat dont le thème* est dans le contexte. Ainsi, *Oh* marque la réponse* à une objection (on interrompt son interlocuteur par une exclamation). **Ex.:** *Oh! je ne*

suis pas fataliste. En récit*, l'apparition d'une interjection est un passage à l'énoncé direct (au niveau du narré, ou à celui de la narration). **Ex.:** *"Après quelque temps, relevant les yeux...* **hum!** *c'est maintenant le chef de l'établissement qui se trouve devant lui."* (MICHAUX, *Plume au restaurant).*

Rem. 2 Il y a des interjections qui échappent au code, simples bruits* humains dont la transcription est approximative, et que nous appellerons **quasi-interjections. Ex.:** *"Ahem! ..... Hahem!"* (JOYCE, *Ulysse,* p. 229; il s'agit de l'effet calorifique d'un bon genièvre). **Ex. litt.:** *"gué rgn ss ouch clen dé"* (I. ISOU, *Larmes de jeune fille;* pour prononcer ce vers, s'inspirer du titre).

Les quasi-interjections sont des mimologies*. Elles peuvent avoir un sens très précis.

Ex.: *M. de Coëtquidan fit simplement: — Hrrr... L'oncle avait fait:* **"Hrrr",** *ce qui signifiait:* "Là, mon garçon, tu commences à te mêler de ce qui ne te regarde pas." (MONTHERLANT, *Romans,* p. 747-8).

Rem. 3 On distingue de l'interjection le bruit* simple (non humain) et l'onomatopée*, codification d'un bruit. Ils entrent dans une phrase soit à titre de substantif, soit comme une sorte d'adverbe de manière. Ils ne pourraient constituer un énoncé humain et direct, complet par lui-même, comme l'interjection et la quasi-interjection.

Rem. 4 Le pseudo-langage* paraît très proche de l'interjection parce qu'il a aussi une forme nette, dans le système sonore, graphique et rythmique et qu'il semble être fait de mots, bien que dépourvus de sens et de spécification syntaxique. Mais il ne reproduit pas le geste linguistique spontané de l'interjection, au contraire: son origine doit être cherchée du côté du langage constitué, qu'il imite de loin, prolongeant des phrases, exprimant un rythme* ou une mélodie* sans plus.

Rem. 5 Non loin de l'interjection prend place le **juron**, souvent codifié lui aussi, et dont la fonction est surtout émotive (Cf. Courault, t. 2, p. 127). **Ex.:** *"Vous ne me faites pas peur. — Sacredieu! dit Daniel"* (SARTRE, *la Mort dans l'âme,* p. 172).

Il est essentiel au juron d'outrepasser certaines bornes, de profaner ce qui est considéré comme respectable. **Ex. québécois:** *Hostie, calice, ciboire, tabernacle.* (V. à *blasphème,* rem. 1). **Ex. litt.:** *"De par les boyaux de tous les papes passés, présents et futurs, non et deux cent mille fois non"* (TH. GAUTIER, *Préface à Mademoiselle de Maupin*).

Le juron est souvent déformé (V. à *atténuation*): *sapré, sapristi, saperlotte;* et jusqu'au burlesque: *saperlipopette, scrongnieugnieu;* cf. aussi le provençal *noum dé pas Dioû, "galéjade à l'adresse du diable, qui croit qu'on jure... et se trouve bien attrapé"* (J. AICARD, *Maurin des Maures,* p. 33).

Au Québéc, on déforme comme suit: *'stie, tabarnouche, chriss, cibole, cibolaque.*

Alors que l'interjection simple est souvent bien accueillie (un peu de familiarité aidant à la communication), le juron, en revanche, parce qu'il s'apparente au gros* mot, risque de jeter un froid. Il ne serait qu'un mode de soulignement*, si d'aucuns ne le considéraient comme un blasphème*. Francis Ponge est conscient de cette équivoque: *"Nom de dieu, je ne ferai qu'un verre d'eau qui me plaise! Je me déconseille, par ma première phrase, à une catégorie de lecteurs."* (*Le Grand Recueil*, t. 2, p. 152).
En québécois, *Chriss* entre dans la phrase comme lexème de soulignement. *Un chriss de fou, mon chriss de tabarnak d'hostie de câliss'!*

Rem. 6 Violent ou sauvage, le bruit* humain ou la phrase est un **cri.**

INTERRUPTION On interrompt volontairement le fil de son discours* pour se livrer à d'autres idées. LITTRÉ.

Ex.: ..... *il copiait .....*
attente et réception du corps, four *Il sentit qu'elle s'était arrêtée devant sa table. La tête baissée ..... il écrivit fébrilement:*
niture, taille, bardage, descente, pose et calfeutrement d'un dallage
MONTHERLANT, *Romans*, p. 848.

Autre déf. Fontanier (p. 372) donne à *interruption* le sens d'aposiopèse* et la distingue pourtant de la **réticence,** dont les silences sont, pour lui, chargés d'allusions* d'autant plus pernicieuses qu'elles sont muettes (p. 136).

Rem. 1 L'interruption proprement dite a pour cause un événement extérieur; par exemple une sonnerie de téléphone, ou l'arrivée de qqn :
JUNIE. — Ah! cher Narcisse, cours au devant de ton maître;
Dis-lui... Je suis perdue et je le vois paraître.
RACINE, *Britannicus*, II, 5. Lorsqu'elle a pour cause un événement intime, expressif ou impressif, on parlera plutôt d'aposiopèse*.

Rem. 2 Dans un récit*, l'interruption marque la mimèse*. **Ex.:** *"je disais — Alors je pourrais peut-être vous accompa"* (G. BESSETTE, *l'Incubation*, p. 170). Si ce n'est pas la suite, mais le début du texte qui est supprimé, on a une contre-interruption*.

Rem. 3 Le motif de l'interruption est parfois l'évidence de la suite, qu'on juge inutile d'énoncer pour ne pas fatiguer le lecteur. Dans ce cas, on écrit simplement *etc.*

Ex.: *Nathanaël, je ne veux te parler ici que des* **choses** *— non de L'INVISIBLE RÉALITÉ — car*
... comme ces algues merveilleuses, lorsqu'on les sort de l'eau, ternissent...
ainsi... etc.
GIDE, *Romans,* p. 220.
Redoublé, l'*etc.* devient ironique.

Ex.: *LES PARIS STUPIDES*
Un certain Pascal etc., etc.
PRÉVERT, *Paroles,* p. 182.

Rem. 4 L'interruption n'entraîne pas toujours la suppression. En voici un exemple curieux, où le **ressaisissement** se fait un peu avant, comme s'il s'agissait d'un exercice de dictée.

L'extrémité de l'index tendu s'approche du cercle formé par le cadran de la montre fixée à...
cercle formé par le cadran de la montre fixée à son poignet et dit .....
ROBBE-GRILLET, *le Voyeur,* p. 253.

Rem. 5 Bien qu'ils soient d'usage, les points de suspension sont parfois supprimés. **Ex.:** *"Boulottez donc tout ce qui vous plaît, même de "* (QUENEAU, *Pierrot mon ami,* p. 123).

INTONATION Alors que le rythme* concerne la durée des segments (mesurée en centisecondes), et que l'accent* d'insistance concerne surtout leur intensité (mesurée en décibels), l'intonation joue sur leur hauteur (mesurée en hertz), relativement à un ton de base (médium), qui diffère selon les individus. Les variations de hauteur constituent la **mélodie de phrase.** Elles se caractérisent par leur écartement et leur contour.

Tout énoncé spontané s'accompagne de mélodies variées, changeantes, nuancées, difficiles à transposer sur la portée musicale car elles ne suivent pas une octave divisée en cinq tons et deux demi-tons, comme le clavecin bien tempéré, mais jouent sur les tons intermédiaires. La mélodie de la prose est tout le contraire d'un *recto tono,* à la fois musical et figé. Le naturel, ici, est inimitable. Pour un comédien, il consiste à réinventer sans cesse, intuitivement, des mélodies sans notes, qui en disent plus long que le texte lui-même quant aux sentiments du personnage.

L'électronique permet aujourd'hui de faire des relevés assez précis des intonations (sur mingogrammes). Toutefois, en dépit de tentatives renouvelées (Cf. la bibliographie de P. R. Léon), leur interprétation reste incertaine.

Au moins trois fonctions peuvent leur être assignées.

a) Il est possible de localiser la portion pertinente du phénomène. Il se produit le plus souvent dans les dernières syllabes du groupe rythmique*. L'intonation joue donc un rôle dans la délimitation des articulations du texte (Troubetzkoy, G. Faure).
b) Conséquemment, pour une même suite sonore, elle détermine éventuellement des contenus divers. **Ex.:** *"Il était mort sans son chien"*, avec une montée supérieure (niveau 4; ou 5, s'il y a de l'émotion) sur *mort*, implique qu'il vit, grâce à son chien[1] . **Ex. litt.:** *"Il n'avait pas un camarade"* (Éluard) doit être accentué sur *un:* pas seulement un, *"mais des milliers et des milliers"*.
c) Elle révèle l'attitude intime du locuteur. Ainsi, *"C'est malin!"* avec mélodie ascendante ou descendante devient respectivement mélioratif ou péjoratif. Morier (à *mélodie*) transcrit, par des notes de musique, diverses intonations du bout de phrase *Le savais-tu?* et d'autres analogues, qui deviennent susceptibles de traduire, selon le cas, la demande de renseignement, la suspicion, l'étonnement agressif, la méfiance justifiée, la dubitation* aimable, l'incrédulité mêlée d'étonnement, l'incrédulité ironique, l'antiphrase*, l'hésitation...

Ces tons, d'emploi constant dans le langage oral, sont restitués spontanément par le lecteur, c'est pourquoi une lecture expressive révèle, jusqu'aux détails, l'intelligence que l'on peut avoir d'un texte, ou celle qu'on lui fournit. Mais il n'existe pas actuellement de moyen de les transcrire, sinon de façon rudimentaire (V. à *ponctuation expressive*).

Rem. 1 Quelles sont les indications significatives à transcrire? P. R. LÉON (*Essais de phonostylistique*) en a repéré plusieurs.
1 La plus importante est le **contour** de la courbe mélodique. On peut l'écrire au moyen de notes de musique (Cf. MORIER, *Dict. de poétique et de rh.*, 2e éd., p. 616 à 633). Un mode de transcription moins onéreux consiste à placer sous la voyelle un ou plusieurs disques noirs selon que la mélodie baisse peu ou beaucoup, et à placer au-dessus de la voyelle un ou plusieurs disques blancs selon que la mélodie s'élève. Deux disques noirs correspondraient au niveau 1, trois disques blancs au niveau 5.

Ex.: 1) Tu n' le savais pas? (doute aimable)

2) Tu n' le savais pas? (étonnement incrédule)

---

1 *était* a, dans ce cas, une valeur modale; celle d'un conditionnel.

3) Tů n' le savais pås? (étonnement soupçonneux)

4) Tu n' le savais pas? (doute ironique)

Les tracés du mingogramme peuvent être reportés sur une portée à cinq niveaux (Cf. P. R. LÉON, *Essais de phonostylistique,* p. 20 à 39) ou schématisés comme ci-dessus, ou encore reportés en pointillé ou en couleur à travers la ligne du texte, qui est considérée comme ligne de base (médium, niveau 2).

	NIVEAUX	PORTÉE
5	suraigu	———————
4	aigu	———————
3	infra-aigu	———————
2	médium	———————
1	grave	———————

V. à *continuation.*

2 On tiendra compte aussi de l'**écartement** entre les sommets inférieur et supérieur du contour mélodique. Cet écart est d'autant plus grand que le sentiment est plus vif. Toute exclamation*, une émotion vraie, même dissimulée, passe par le niveau 5, soit au début, soit à la fin du syntagme ou de la phrase (Cf. P. R. LÉON, *Essais de phonostylistique,* p. 52).

3 L'**intensité** (faible, moyenne ou forte) dénote par exemple la timidité (i<), la tristesse (i<), ou au contraire la colère (i>), l'indignation (i>), le "ton publicitaire" (i>). Une intensité moyenne dénote un ton neutre ou des sentiments peu marqués comme la surprise (i=) ou la crainte (i=).
Pour l'accent d'intensité, qui prend place sur une seule voyelle, une seule consonne ou un segment court, Morier emploie l'accent aigu suscrit simple ('), double (''), voire triple dans le cas d'extrême force (''').

4 La durée. Le ton publicitaire est caractérisé aussi par sa rapidité. Rapides aussi les intonations de la colère, de l'indignation, de la peur. Plus lentes, celles de la surprise, de la timidité, de la tristesse. Beaucoup plus lentes, celles de la gaieté... On pourra noter v≪ , v<, v>, v≫ , respectivement.

5 Le registre. Le registre moyen de la voix varie d'un individu à l'autre. C'est son **médium.** Toutefois, il peut subir des variations, chez un même individu, suivant les sentiments qui l'animent à divers moments. La tristesse est dénotée par une baisse du fondamental (moyenne des syllabes inaccentuées). La peur, la surprise, le ton publicitaire s'accompagnent d'une forte hausse; la colère, d'une très forte hausse. On pourrait noter m<, m>, m≫, respectivement. Léon parle d'une valeur "symbolique" du registre.

Rem. 2 La caractérisation, éventuellement la transcription, des intonations faciliterait un repérage autre que purement intuitif d'un grand nombre de procédés littéraires dans lesquels *"c'est le ton qui fait la chanson"*. Voici la liste de ceux qui, dans ce dictionnaire, semblent avoir une mélodie — ou des mélodies — bien à eux:

Antiparastase — apologie — aposiopèse — apostrophe — approximation — assertion — astéisme — autisme — autocorrection — citation — chleuasme — communication — concession — déception — désapprobation — dubitation — énigme — épiphonème — ergoterie — euphémisme — exclamation — excuse — gauloiserie — imitation — injure — interjection — interrogation oratoire — ironie — licence — menace — métastase — mimologie — monologue — moquerie — mot d'esprit — nigauderie — optation — palinodie — parabase — paradoxe — parodie — permission — persiflage — perroquet — prétérition — prolepse — prosopopée — psittacisme — question — récrimination — réfutation — renchérissement — sarcasme — slogan — soliloque — souhait — supplication — surprise — suspense — pseudo-tautologie.

Ex. d'assertion dont le sens est inversé par l'intonation: "— *De sorte que les choses vous paraissent mieux ainsi?* — Mieux! Mieux! *Je les prends comme elles sont.*" (J. ROMAINS, *Monsieur Le Trouhadec*, p. 133.)

INVERSION Renversement d'un ordre des constituants de la phrase (mots ou groupes de mots) considéré comme normal ou habituel. MAROUZEAU.

Ex.: *Quinze enfants il a eus.*
JOYCE, *Ulysse*, p. 143.

Même déf. Fontanier (p. 284), Littré, Quillet, Marouzeau, Lausberg, Morier, le Bidois (II).

Autre déf. Si l'inversion a pris, en grammaire, le sens spécifique d'inversion syntaxique, elle n'en est pas moins, au sens large, un procédé fondamental. Voici par exemple une inversion de fonction grammaticale: *"En octobre 1940,..... inopinément, plusieurs poèmes m'écrivirent. Je ne trouve pas d'autre mot."* (CL. ROY, *Moi je*, p. 313.)

Rem. 1 L'inversion n'a valeur de figure que si elle n'est pas déjà une exigence syntaxique (Cf. R. LE BIDOIS, *l'Inversion du sujet dans la prose contemporaine*). Ainsi, dans la relative introduite par *que* attribut, l'inversion est constante. L'effet de l'inversion est d'autant plus grand qu'elle est imprévisible (Cf. M. RIFFATERRE, *Essais de stylistique structurale,* p. 56-7).

Rem. 2 Le rôle de l'inversion est souvent de mettre en évidence le thème* ou le prédicat. **Ex.:** *"Disparue, la tête"* (CAMUS, *les Justes*). V. à *apposition,* rem. 2.

Rem. 3 L'inversion esthétique vise à rapprocher le mouvement de la phrase de celui de l'objet. V. à *tactisme.* **Ex.:** *"Si étroitement restait Dominique dans le sillage de Suzanne qu'elle maintenait sans peine son regard sur la veine bleue qui traverse le jarret bombé de la jeune fille."* (MONTHERLANT, *Romans,* p. 33.) et: *"Tandis que la Princesse causait avec moi, faisaient précisément leur entrée le duc et la duchesse de Guermantes."* (PROUST, *À la recherche du temps perdu*).

IRONIE Dire, par une raillerie, ou plaisante, ou sérieuse, le contraire de ce qu'on pense, ou de ce qu'on veut faire penser. FONTANIER, p. 145.

Ex.: *Je ne propose pas ces vérités aux diplomates, aux économistes, aux généraux en retraite, aux actuaires, enfin aux élites.*
BERNANOS, *Nous autres Français,* p. 174.

Autre ex.: *"Sur ces deux cent quatorze circonscriptions, il y en a une qui est représentée par deux vétérinaires. La province de Québec a la gloire de posséder ce territoire fortuné qui s'appelle le comté de Vaudreuil."* (J. FOURNIER, *Mon encrier,* p. 55).

Même déf. Scaliger (III, 85, 140), Littré, Quillet, Lausberg (§ 583), Morier, Preminger.

Analogue Antitrope (Littré désigne ainsi l'*ironie,* le sarcasme* et l'euphémisme*).

Rem. 1 Preminger range sous la rubrique **ironie** la litote*, l'hyperbole*, l'antiphrase*, l'astéisme*, le chleuasme*, la moquerie (V. à *persiflage*), l'imitation* (le pastiche), le calembour*, la parodie*, la fausse naïveté... Son critère est que, dans l'ironie, seul l'auteur est conscient du vrai sens de ce qu'il dit. Si le sens est trop clair, l'ironie tourne au sarcasme*, à l'injure*, à la menace*, etc.Ceci est conforme au sens grec du terme: **ειρωνεια** *éirônéia,* "interrogation": il faut que le lecteur s'interroge sur ce qu'on a pu vouloir dire... Telle est l'ironie au sens strict.

Rem. 2 L'ironie peut se réfugier dans le ton sans plus, ce qui oblige le romancier à le spécifier éventuellement. **Ex.:** *"Elle ajouta sans qu'on pût discerner la moindre ironie dans sa voix:* **"Avec vous on se sent en sécurité, on n'a jamais à craindre d'imprévu."**

(SARTRE, *l'Âge de raison*, p. 114).
Graphiquement, on dispose des parenthèses autour du point d'exclamation, parfois autour du point d'interrogation. **Ex.:** Le dossier (?) Rossil.

Signalons aussi le point d'ironie proposé par Alcanter de Brahm, sorte de point d'interrogation retourné: ؟

Rem. 3 L'ironie n'est pas toujours badine. Fontanier signale la **contrefision** ou **confision** (p. 152), ironie douloureuse. Bénac précise que l'ironie veut faire comprendre *"qu'il y a chez ceux qui prétendent vraie la proposition, soit de la sottise, ce qui provoque sa raillerie, soit de la mauvaise foi, ce qui provoque son indignation"*. **Ex.** de Virgile: *"Après cela, Mélibée, occupe-toi encore à enter des poiriers, à planter des ceps avec symétrie"* (cité par Fontanier).
C'est de là qu'on est passé à l'emploi d'*ironie* au sens, élargi, de moquerie (V. à *persiflage*).

Rem. 4 Il y a une ironie différée, qui fait parler certains personnages d'après l'idée qu'on veut en donner. **Ex.:** *"AUDUBON.— ..... mais enfin, ce n'est plus une sinécure d'être général. Il faut payer de sa personne, pour ainsi dire."* (B. VIAN, *Théâtre I*, p. 231).

Rem. 5 L'ironie a recours à l'allusion*, à l'implication*, au cliché*...

IRRADIATION Il s'agit d'un phénomène repéré par Valéry et défini comme suit: "effets psychiques que produisent les groupements de mots et de physionomies de mots, indépendamment des liaisons syntaxiques, et par les influences réciproques (c'est-à-dire non syntaxiques) de leurs voisinages". (VALÉRY, *O.*, t. 1, p. 1415).

Ex.: *Ô douceur de survivre à la force du jour*
Quand elle se retire enfin rose d'amour,
Encore un peu brûlante, et lasse, mais comblée,
Et de tant de trésors tendrement accablée
Par de tels souvenirs qu'ils empourprent sa mort,
Et qu'ils la font heureuse agenouiller dans l'or,
Puis s'étendre, se fondre, et perdre sa vendange,
Et s'éteindre en un songe en qui le soir se change.
VALÉRY, *Fragments du Narcisse, ib.*, p. 123. Bien que le lien syntaxique, dans cette description du couchant, soit respecté, la *"physionomie des mots"* comme leur voisinage prévalent, nous semble-t-il. V. aussi à *vers graphique*.

Rem. 1 Nous reprenons le mot *irradiation* à Marouzeau, chez qui il a une valeur d'emploi grammaticale: *"IRRADIATION: .....*

influence exercée par un mot sur la signification d'un mot mis en rapport avec lui... (παρα **auprès de** *va signifier* **d'auprès de** *avec un verbe qui exprime l'éloignement").*

Rem. 2 Le procédé intensifie, au détriment parfois du sens naturel, une figure bien connue des anciens, l'hypallage*. Il tend à donner le pas aux connotations sur les dénotations. **Ex.:** le suffixe *-aille,* qui avait valeur de collectif (*pierraille*) a pris valeur péjorative (*antiquaille*) parce que ses bases lexicales étaient souvent péjoratives (*valetaille*). Cf. *Dict. de ling.*

Il y a dès lors, dans l'irradiation, une part de confusion, qui pourrait aller vers la battologie*. **Ex.:** *"un grous livre où c'est que nos vies seriont tout écrits d'avance avec nos dates de naissance et nos anniversaires de mort."* (A. MAILLET, *la Sagouine,* p. 73). *Dates de naissance et... de mort* suffirait.

Rem. 3 L'irradiation peut entraîner une isotopie* parasite. Elle devient alors une source d'ambiguïté*: jeu* de mots ou lapsus*. **Ex.:** *L'étude anatomique confirme les analyses cliniques dépouillées de préjugés.* Dépourvues, oui, mais *"dépouillées"?* Le mot tend vers une image* qu'*anatomie* pourrait confirmer... si le contexte ne précisait qu'il s'agit ici d'aphasie.

ISOLEXISME L'isolexisme (*néol.*) est, dans les limites de la phrase, le retour, mais dans des conditions différentes, d'un lexème déjà énoncé.

Il peut revêtir quatre formes distinctes:

Isolexisme par dérivation: sous différents vocables, on a toujours la même lexie. **Ex.:** "(La pensée du chef d'orchestre était) *traduite par sa musique, une musique musicale, musicienne..."* (J. AUDIBERTI, *Dimanche m'attend,* p. 31).

Isolexisme morphologique: sous différentes actualisations, on a toujours le même vocable, c'est-à-dire qu'on ne change que l'article, l'adj. possessif, démonstratif, indéfini ou le nombre, dans le syntagme nominal; le nombre, la personne, le temps, le mode dans le syntagme verbal. **Ex.:** *"Le travail au service de l'homme, de tout homme, de tout l'homme"* (Paul VI, 10 juin 69); "(Pour se faire une réputation) *rien de plus facile: je me prône, tu te prônes, il se prône, nous nous prônons."* (Scribe, cité par Littré à *polyptote*).

Isolexisme syntaxique: sous différentes fonctions grammaticales, on a toujours le même vocable actualisé, c'est-à-dire qu'on peut ajouter ou modifier la préposition dans le groupe du nom, la conjonction dans le groupe du verbe, ou leurs équivalents.

Ex.: *Quand rien ne vient, il vient toujours du temps .....*
sur moi,

avec moi,
en moi,
par moi,
passant ses arches en moi qui me ronge et attends.
MICHAUX, *l'Espace du dedans,* p. 311.

Isolexisme syntagmatique (ou **réitération**): le même vocable, avec la même actualisation et la même fonction, est accroché à un autre syntagme de la même phrase. **Ex.:** *"J'ai trop cultivé de trop miraculeux jardins"* (A. Grandbois, *anthologie* par J. Brault, p. 71).

Il vaut mieux réunir sous la seule dénomination d'isolexisme ces quatre procédés, afin d'éviter la prolifération terminologique mais aussi parce que, le plus souvent, ils se combinent. **Ex.:** *"Des dizaines et des dizaines de sujets, interrogés pendant ou aussitôt après ces états* **"sans pareils"**, *disent pareil."* (MICHAUX, *les Grandes Épreuves de l'esprit,* p. 133). *"Les vieux, là, sur les vieux bancs du Parc..."* (G. RIMANELLI, *Opera buffa,* dans *Change,* n° 11, p. 186).
C'est le retour du lexème qui fait l'essentiel du procédé car c'est lui qui fixe la formulation dans la mémoire. **Ex.:** *"La poésie ..... répugne ..... à se servir de ce qui a servi"* (A. Breton).

Cependant, l'isolexisme peut aussi n'être qu'une négligence (les skieurs skiaient) ou un moyen facile d'obtenir des **tautophonies** (un chasseur sachant chasser etc.)

Autres noms Dérivation (pour l'isolexisme par dérivation; Le Clerc, p. 269; Fontanier, p. 351); **polyptote** (pour l'isolexisme morphologique et syntaxique; Le Clerc, p. 269; Fontanier, p. 352; Littré; Lausberg, § 640-8). Ce terme s'appliquait en grec et en latin, où il y a des déclinaisons (polyptote : *"plusieurs cas"*); de même, l'**homéoptote** (terminaisons de même cas et de même son, cf. Lausberg, §729) n'est plus possible en français, sinon dans la conjugaison, et c'est pourquoi nous l'assimilons à l'homéotéleute*.

Déclinaison (pour l'isolexisme morphologique, Le Clerc).

Traduction (pour l'isolexisme morphologique aussi, Fontanier, p. 352; Morier: traductio).

Rem. 1 L'isolexisme est l'inverse de la reprise*.

Rem. 2 Polysémique, il tourne au jeu de mots*. **Ex.:** *"Les rats qui cuvent (leur* porter*) dans des cuves"* (JOYCE, *Ulysse,* p. 144). V. aussi à *miroir,* rem. 4.

Rem. 3 L'isolexisme morphologique ou syntaxique est un mode de soulignement* du nom, même du nom propre, si l'on rejette l'emploi d'un pronom. **Ex.:** *"La chaîne qui reliait Jeanne à Jeanne!"* (P. CLAUDEL, *Jeanne d'Arc au bûcher,* p. 93).

Rem. 4 Une dislocation* et le non-emploi du pronom permet le soulignement* de tout lexème qui constituerait le centre du prédicat. **Ex.:** *Incroyable, cela doit vous paraître incroyable.* Mais ce n'est qu'un *faux isolexisme,* plus proche de la réduplication*.

Rem. 5 Certains isolexismes sont entrés dans la langue. V. à *étymologie,* autres déf., 2.

Rem. 6 Si les parties de l'isolexisme lexical sont en subordination syntaxique, on a un miroir*.

ISOTOPIE De **τοπος**, "lieu" et **ισος**, "même". Terme proposé par Greimas. L'isotopie n'est pas un procédé: c'est un concept nécessaire à la définition des procédés. Considérons un mot lexical; inséré dans un texte, il renvoie non seulement à un sens, mais à un référent (V. à *énonciation,* n. 2), il parle de qqch. qui fait partie du monde. Le type de réalité évoqué par l'ensemble des éléments du texte constitue l'***univers du discours*** ou isotopie. Il y a une isotopie quand les mots renvoient à un "même lieu".

Elle se place dans la ***dimension cosmologique, noologique, historique, anthropologique*** suivant qu'il s'agit d'objets, d'idées, d'actions, de personnes. Par exemple, il y a plusieurs isotopies possibles, dont une sera imposée par le contexte, dans *le petit semble mignon.* ***Le petit*** peut appartenir à l'univers des objets (et il est spécifié par le contexte). Ce sera LE PETIT BOUQUET ou LE PETIT CHAPEAU, etc. Il peut désigner un enfant. Il peut aussi entrer dans la dimension noologique et la phrase alors signifie: "ce qui est petit fait plus mignon". (Cf. le slogan américain *small is beautifull).*

Rem. 1 Greimas a analysé les *isotopies complexes* (V. à *image,* 5). Les *isotopies multiples* ont été étudiées dès l'Antiquité (V. à *sens,* 6 et 7). Une *double isotopie* crée une *ambiguïté* (V. ce mot, 1). Inversement, une *isotopie unique* ramène la *dissociation* (V. ce mot, rem. 5) à une image*.

JARGON Langage inaccessible au non-spécialiste.

Ex.: ***"Rio de la Plata", "Tartane", "Épissure carrée",*** *choses pour un marin. Mots pour tous les autres.*
H. MICHAUX, *les Rêves et la jambe,* p. 7.

Autres déf. Baragouin* (*Petit Robert;* c'est un sens élargi).

"Langue artificielle employée par les membres d'un groupe désireux de n'être pas compris en dehors de ce groupe ou au moins de se distinguer du commun: jargon des malfaiteurs, jargon des écoliers, etc." (Marouzeau). C'est un sens restreint. Il entre beaucoup d'*argot* (V. ce mot, rem. 1) dans ce type de jargon.

Rem. 1 Comme l'indique Michaux, ce qui est réservé au groupe, dans le jargon, c'est plus souvent un sens spécial que le mot lexical.

Ex.: "*La dérivée d'une fonction constante est nulle. La réciproque est-elle vraie? c'est-à-dire une fonction dont la dérivée est nulle est-elle constante?*" (FR. ROURE et A. BUTTERY, *Mathématiques pour les sciences sociales*, t. 1, p. 155).

Rem. 2 Le jargon scientifique envahit le roman. **Ex.:** "*beaucoup de roches siliceuses sont constituées par des organismes animaux: monocellulaires à carapaces éponges coraux échinodermes mollusques*" (CL. SIMON, *Histoire*, p. 120). Cf. Robbe-Grillet, H. Aquin...
V. aussi à *nominalisation*, rem. 4.

Rem. 3 Les langages de programmation des ordinateurs (Fortran, Cobol, etc.) sont des jargons souvent imprégnés d'anglais. On s'en inspire parfois sans souci de motivation pour désigner des substances nouvelles: Orlon, corfam, lycra... Dans certains secteurs, la prolifération de ces dénominations forgées est telle qu'il faut mettre en circulation des lexiques.

JEU DE MOTS On fait de l'esprit* sur certains éléments de langue, on joue, soit sur le signifiant, soit sur le signifié. Ce jeu peut prendre des formes très diverses.

Signalons seulement ici deux formes assez générales et qui n'entrent pas exactement dans les définitions des précédentes.

L'**amorce sonore** , remotivation* de syntagme*, est un jeu sur l'homophonie. **Ex.:** "**La Chèvre.** *Belles à la fois et butées — ou, pour mieux dire, belzébuthées*" (F. PONGE, *le Grand Recueil*).
On passe du syntagme* au mot. L'inverse se présente aussi. Breton a parlé du tournesol, "**grand soleil**" et "**réactif utilisé en chimie**". **Il poursuit ainsi:** "*Tourne, sol, et toi, grande nuit, chasse de mon coeur tout ce qui n'est pas la foi en mon étoile nouvelle!*" (BRETON, *l'Amour fou*, p. 56.)

L'**amorce par diaphore** est un développement de l'énoncé qui part d'un second sens possible pour un terme utilisé. Le procédé est constant chez Vian.

Ex.: — *Exécutez cette ordonnance .....*
Le pharmacien ..... l'introduisit dans une petite guillotine de bureau.
B. VIAN, *l'Écume des jours*, p. 94.

Mais c'est quand l'esprit* parvient à enfermer le langage dans ses propres contradictions que triomphe le jeu de mots, quelle qu'en soit la forme. **Ex.:** *"À défaire à son tour, il ne défera pas sa première défaite"* (JOYCE, *Ulysse,* p. 188). *"Le passé fait cadeau du présent. Le présent fait passer le passé."* (AUDIBERTI, *l'Effet Glapion,* p. 124).

En revanche, les amorces gratuites débouchent plutôt sur la verbigération*, ce qui ne les empêche pas d'être parfois de petites merveilles littéraires. **Ex.:** *"De deux choses l'une / L'autre, c'est le soleil"* (Prévert). V. aussi à *question,* rem. 3.

Rem. 1 Le jeu de mots succombe à la traduction*. **Ex.:** *"Il s'en alla vers sa ville comme le maître des dieux va au ciel"* vient de *yayan puram svam svam ivamaresah* (*Ramayana,* II, 72, 27), où *sva* signifie *"sa"* (*ville* sous-entendu) et *"ciel"* (H. R. DIWEKAR, *les Fleurs de rhétorique de l'Inde,* p. 39). Cependant, certains traducteurs, ceux d'*Ulysse* notamment, ont fait des prodiges. Cf. aussi la pièce d'O. Wilde *The Importance of being Earnest,* dont le titre est devenu *Il importe d'être Constant (anglais* **earnest:** "sérieux").

D'autres jeux de mots prennent leur appui sur des traductions. Par exemple, dans *Aurora* de Leiris (p. 17), le héros a une vision de lions, vision qui se rapporte, dit-il, à lui-même parce que "ces quatre lions, malgré leurs pelages dissemblables, sont égaux et que ce mot "égaux" est l'équivalent du pronom latin EGO, qui veut dire *moi."*

Rem. 2 L'amorce sonore peut servir de "truc mnémotechnique". **Ex.:** *"Il est vilain au roi de maltraiter la reine. Ille-et-Vilaine, chef-lieu Rennes"* (B. GROULT, *Ainsi soit-elle,* p. 13).

JEUX LITTÉRAIRES Certains jeux littéraires utilisent des procédés de composition. Ils se définissent par une forme dans laquelle les participants sont invités à glisser des contenus, le plus adroitement possible.

Acronymes: Chacun propose à la sagacité des auditeurs un acronyme* de sa fantaisie. **Ex.:** S.G.C.: Société générale de construction ou Syndicat des gangsters de Chicago. Il s'agit moins de deviner que de s'amuser à des composés farfelus. **Ex.:** U.S.A.: usine de suppositoires atomiques. Déjà R. Desnos: Charles Quint Faux Défunt, CQFD; dans *P'oasis, Corps et biens,* p. 67.

L'acronyme peut remotiver un terme existant. **Ex.:** FLIC: Fédération liégeoise des imbéciles casqués.

Acrostiche*: On prend un mot au hasard et chaque joueur rédige un télégramme, dont les termes ont comme initiales les lettres successives du mot en question. Cl. AVELINE, *le Code* *des jeux*[1], propose des variantes allant jusqu'au mot carré, autre jeu, analogue aux mots croisés, sans cases noircies.

Bouts-rimés: Concours de poèmes* en vers*. Les mots qui font les rimes (10 à 14) sont choisis d'avance par l'assemblée[2].

Cadavres exquis: Jeu surréaliste, analogue à celui qui consiste à dessiner successivement une tête, un torse, etc. (en pliant le papier et en le passant au voisin à chaque étape). Au lieu de dessiner, on écrit un nom, un adj., un verbe, un complément, etc. (Cf. *Dictionnaire abrégé du surréalisme*) et l'on obtient des phrases disparates.

Lettres en chaîne: Chacun énonce une lettre de telle sorte que l'ensemble formé puisse être un début de mot. On élimine celui qui reste à quia ou celui dont la lettre *termine* un mot. Cl. AVELINE, *le Code des jeux*, p. 287.

Logo-rallye: Concours de récits* où doivent apparaître, dans l'ordre, les mots dont on donne au départ une liste, aussi hétéroclite que possible. **Ex.:** Cf. QUENEAU, *Exercices de style*, p. 18-19.

Mots en chaîne: On part d'un mot pris au hasard. Chacun doit créer un nouveau télescopage*. *"Le nouveau mot (ou syntagme) doit commencer par la ou les dernières syllabes du précédent (gilet / laiterie / rituel, etc.)"* (Cl. AVELINE, *ib.*, p. 286).

Propos interrompus: À voix basse, chacun pose à son tour une question* à son voisin de droite, et écoute la réponse*. Dans un second tour, à voix haute, chacun énonce:
a) la question posée par son voisin de gauche;
b) la réponse reçue de son voisin de droite. (Il supprime donc sa propre réponse et sa propre question.) On aboutit à des inconséquences*. Cl. AVELINE, *ib.*, p. 285.

Reprises: V. ce mot, rem. 3 (Chacun énonce à son tour une phrase de ce type).

Devinette: V. à *énigme*, 3.

JUXTAPOSITION GRAPHIQUE graphie* supprimant les espaces entre les mots. **Ex.:** *POÈMEPRÉFACEPROPHÉTIE* (Titre d'un poème d'Apollinaire).

Analogues Mot-bloc, approche (typographie).

---

1 On trouvera dans ce volume d'autres jeux: répétitions*, rallonges, anagramme*, charade, proverbe* caché, logogriphe, épigramme*, rébus, télégrille.

2 On appelait *amphigouri* un court poème parodique peu intelligible dans lequel se retrouvent les rimes du morceau que l'on veut pasticher (TLF).

Rem. 1 Chez Queneau, des graphismes*, analogues, sont des *amalgames* syntagmatiques.* **Ex.:** *"Keskya?"* (*le Chiendent,* p. 238).

Chez Joyce, il s'agit plutôt de juxtaposer deux lexèmes (racines lexicales) afin de créer un sémème (signifié global) inédit. **Ex.:** *"Il humagoûta le jus généreux"* (*Ulysse,* p. 165). V. à *juxtaposition lexicale.*

Rem. 2 L'inverse, le *mot scindé,* est en typographie une contre-approche. **Ex. litt.:** *"le temporal droit de sa boîte crânienne entra en contact avec un angle de bois dur où pendant une* **infinité simale** *mais perceptible fraction d'une seconde, se localisa une sensation douloureuse."* (JOYCE, *Ulysse,* p. 265-6.)

JUXTAPOSITION LEXICALE Que les mots soient réunis par des traits* d'union ou collés ensemble (juxtaposition* graphique), le résultat est le même: il s'agit d'amalgamer un syntagme ou des lexèmes, en somme de forger un mot nouveau, dont le sens est fait de ceux de plusieurs segments. **Ex.:** *"Davy Byrne opinasouritbâilla tout ensemble"* (JOYCE, *Ulysse,* p. 170). Il n'y a qu'un geste chez Davy, mais il n'y a pas de mot unique pour le désigner, d'où le recours aux trois attitudes les plus proches de la sienne.

Rem. 1 Dans l'apposition*, il y a un lexème principal auquel se rapportent les autres; dans la juxtaposition, tous les lexèmes sont sur le même pied, amalgamés en un ensemble qui réunit tous leurs sèmes en un nouveau sémème. **Ex.:** *"par une totale dissipation-dérision-purgation"* (MICHAUX, *Clown*).

Rem. 2 En juxtaposant des lexèmes opposés, on envisage l'idée d'un extrême à l'autre, dans toute son étendue, si paradoxal que ce soit. C'est ce que n'ont pas manqué de faire les surréalistes.

Ex.: *"La beauté sera érotique-voilée, explosante-fixe, magique-circonstancielle ou ne sera pas."* (BRETON, cité par ÉLUARD, *O. c.,* t. 1, p. 727).

JUXTAPOSITION SYNTAXIQUE Rapprochement de deux ou plusieurs termes d'où résulte ..... une formule qui suppose un rapport inexprimé entre les termes conjugués. **Ex.:** *donnant donnant; battu content.* MAROUZEAU.

Ex. litt.: *L'amour la poésie* (Titre d'un recueil de poèmes d'amour d'Éluard).

Autres déf. Georgin et Robert ramènent la juxtaposition à l'asyndète*. Von Wartburg et Zumthor (§ 4), Wagner et Pinchon (§ 591) l'utilisent pour désigner l'effacement syntaxique (V. à *parataxe,* rem. 1).

Rem. 1 La juxtaposition syntaxique est une brachylogie*. **Ex.:** *"LES DÉMONS* (ensemble) — *Haïr, c'est vivre, nous!"* (VALÉRY, *O.*, t. 2, p. 338). *"Odeur du temps brin de bruyère"* (APOLLINAIRE, *O.*, p. 85). Le rapport suggéré pourrait être: *"Ce brin de bruyère a l'odeur du temps passé"* et, plus précisément (connaissant Apollinaire), à la fois regret du passé et sentiment du temps qui s'écoule.

KAKEMPHATON Rencontre de sons d'où résulte un énoncé déplaisant; ainsi dans le vers de Corneille (première édition des *Horaces*): "Je suis romaine, hélas, puisque ***mon époux l'est."*** (= mon nez-poulet). MAROUZEAU.

Ex.: *"Fruits purs de tout outrage"* (BAUDELAIRE, cité par SOURIAU, p. 175, qui y repère un *"malheureux toutou"!*).

Rem. 1 Le kakemphaton est une équivoque*, mais indésirable. Pour y remédier, il faut parfois sortir des usages. **Ex.:** *"Une menotte sèche et momifiée (se peut-il vraiment qu'elle fût à elle?)"* écrit Michaux. *Fût* remplace *ait été*, car il s'agit de l'accompli mais non du passé. La cause de ce remplacement pourrait bien être l'équivoque avec *"ait tété à elle"!*

LAMENTATION En rhétorique, la lamentation consiste à regretter vivement quelque chose et à fixer ce sentiment dans une formule (Malheur! Maudit soit... Merde. Zut. Ah lala lalalala) ou dans une forme particulière.

Ex.: *Ils sont assis par terre, ils se taisent / Les anciens de la fille de Sion / Ils ont répandu de la poussière sur leur tête /Ils ont ceint des sacs!*
Les Lamentations, 2, 10.

Autres ex.: *Le grand Pan l'amour Jésus-Christ*
Sont bien morts et les chats miaulent
Dans la cour je pleure à Paris
APOLLINAIRE, *la Chanson du mal-aimé*, 3.

"Oh, le vieil homme perdu dans le Vice de la bière et que l'on retrouvera l'un de ces quatre matins, en train de mourir dans un Ruisseau." (V.-L. BEAULIEU, *Jos connaissant*, p. 96).

Autres noms L'antiquité a connu plusieurs genres littéraires organisant des lamentations: les *nénies* ou *thrènes, chants funèbres, les regrets*, les *déplorations* où l'orateur *"prête sa voix à tout un peuple affligé"* (du Jarry). Les *consolations* ou *condoléances* avaient aussi leurs thèmes*, *"tout le monde doit mourir"* (cf. Curtius, p. 100). De nos jours, les oraisons funèbres sont plus exceptionnelles, mais il y a les lettres et les télégrammes de condoléances.

En Corse, signalons le *vocero* et les *vocératrices* (Robert), "pleureuses".

LAPSUS Faute* par inadvertance, soit en prononçant (*lapsus linguae*), soit en écrivant (*lapsus calami*).

Ex.: *"Tu as dit boulebard. C'est un lapsus, voilà tout"* (Duhamel). *"Ça été un fameux choc"* (Michaux, pour *Ç'a été*).

Même déf. Robert, *Lexis.*

Rem. 1 Freud a montré que toutes sortes d'erreurs, même un simple lapsus, provenaient souvent de l'inconscient. C'est par exemple l'épouse racontant que son mari malade n'a pas de régime spécial, *"il peut manger et boire ce que* **je** *veux"* (*Psychopathologie de la vie quotidienne,* p. 79). Le psychanalyste décode le lapsus comme un à-peu-près* ou un mot-valise*.

Ex.: *mais les programmes non plus ne parlaient nullement de mollets, sauf par lapsus: quelqu'un avait mis* **"l'idéal des mollets"** *au lieu de* **"l'idéal démoli"**. *Et un autre, se référant à l'*Angélus *de Millet, disait* **"l'***Angélus* **de Mollet"**. (Il s'agit de papiers d'une collégienne).
GOMBROWICZ, *Ferdydurke,* p. 174.

Un autre traducteur du même passage avait pris le mot *cuisse* plutôt que *mollet,* ce qui l'entraînait à remplacer l'*Angélus* par *"la neutralité de la cuisse (Suisse)"*. Ce sont les hasards de la traduction*.

Rem. 2 Un type particulier de lapsus est le faux accord par proximité syntaxique, qu'on appelle **attraction** (Marouzeau) ou **lamartinisme** (cf. JEAN-CHARLES, *Tous des cancres,* p. 198).
Ex.: *"Ceux que venaient chercher leur grand-mère"* (*ib.*)

D'autres lapsus viennent simplement de la confusion possible entre deux tours. **Ex.:** Malgré le départ au retard, nous sommes arrivés à l'heure. On veut dire: retard au départ; mais il y a aussi: départ en retard.

Rem. 3 Le lapsus est naturellement suivi d'une *autocorrection* (V. ce mot, rem. 2).

LETTRE Monologue* du signataire assumant seul un dialogue* avec le destinataire, par écrit. C'est un genre mixte d'énonciation* englobante et d'énoncé englobé. Elle commence par la notation* du lieu et du temps et par une apostrophe* éventuellement marquée affectivement (cher, mon cher). Dans les lettres officielles, cet *appel* est constitué du titre du destinataire et il figure ***en vedette*** (au-dessus de la première ligne du texte).

Le plan de la lettre, quand elle n'est pas "décousue" ou "naïve", suit celui d'une conversation formaliste. Considérations sur la pluie et le beau temps, demande de nouvelles, de santé créent le contact (fonction phatique); exposé des intentions, raisons et arguments justifient la démarche; bon souvenir aux proches, voeux, formule affectueuse ou **courtoisie,** c'est-à-dire formule **de politesse** annoncent la fin de la communication différée. Dans la formule finale des lettres officielles, on se sert d'un titre spécial du destinataire, le ***traitement*** ("Excellence, Monseigneur"). Pour les diverses formulations (Agréez etc.), cf. par exemple J. SERRES, *le Protocole et les usages,* p. 56. La formule finale de lettre personnelle énonce parfois la qualité du signataire. **Ex.:** Votre fille affectionnée.

Analogues Missive (emphatique); épître (archaïque); pli (avec enveloppe); billet, deux lignes, mot (court); billet doux (familier, "lettre d'amour"); poulet ("lettre désagréable", par antiphrase*: autrefois, "billet doux").
Il diffère de forme selon qu'il est manuscrit ou imprimé. La série des lettres constitue l'alphabet. V. à *graphisme,* rem. 1 et à *symbole,* 3, rem. 1.

Autre sens Unité d'écriture correspondant en principe à un phonème. Notons le **trilitère** (Robert) et le **tétragramme** (Robert), mots de trois et de quatre lettres.

Rem. 1 Le genre épistolaire a ses incidences littéraires. Le roman par lettres florit au XVIIIe. La lettre document dans un roman est fréquente aujourd'hui. Il y a la lettre-reportage (ainsi la *Lettre de Russie*), la lettre-poème voire le télégramme-poème. On publie aussi la correspondance de personnes connues ou non.

Rem. 2 La lettre **ouverte** est publiée en même temps qu'expédiée et constitue un geste politique.

LEXICALISATION Un segment qui n'est pas encore lexical (lettre de l'alphabet, chiffre, bruit*, abréviation*, mot grammatical ou syntagme*) est traité en unité lexicale (par exemple, il est actualisé, ou utilisé dans un dérivé, dans un composé).

Ex.: *écrasant sa ennième cigarette* (dérivé de la lettre *n*). On écrit aussi Nième (Robert) ou énième (*Lexis*). V. aussi à *bruit, abréviation,* rem. 5; *trait d'union.*

Ex. litt.: *Aimer quelqu'un "parce que c'est lui", c'est l'aimer parce qu'on l'aime. Le* **parce-que** *renvoie au* **pourquoi.**
V. JANKÉLÉVITCH, *Traité des vertus,* p. 466.

Rem. 1 La lexicalisation se distingue de la translation*, qui opère sur des lexèmes déjà constitués. Le *moi,* le *ça,* l'*en-soi,* le *pour-*

soi et le *pour-autrui* sont des lexicalisations doublées de translations (substantivations en l'occurrence) de pronoms et de syntagmes. Le trait d'union* renforce la cohésion des groupes étendus. **Ex. litt.:** *"Ils préfèrent en réalité le* **Nous sommes** *au* **Nous serons."** (CAMUS, *Essais*, p. 686).

LIAISON Une consonne muette finale, ou un simple ***s*** de pluriel, devient sonore lorsque le mot suivant commence par une voyelle. Ainsi se reconstitue l'alternance naturelle voyelle / consonne d'un mot graphique au suivant, au sein d'un mot phonétique ou même entre deux césures*. La liaison tend à disparaître, sauf dans les monosyllabes. Elle est devenue une marque du style soutenu.

Ex.: *Je m'en vaiszala guerre, qu'il m'annonce. Je parzau combat!...*
CÉLINE, *Guignol's Band*, p. 58.

Elle peut lever une équivoque. *Un savant anglais* sans liaison, lien grammatical lâche (un savant, qui est anglais); mais *un savant‿Anglais*, lien étroit (un Anglais qui est savant).

Rem. 1 V. à *pataquès; hiatus*, rem. 3; *équivoque*, rem. 1.

LICENCE Liberté d'expression ..... avec laquelle on en dit plus qu'il n'est permis ou convenable d'en dire.
FONTANIER, p. 447.

Ex.: *Zazie, déclare Gabriel en prenant un air majestueux .....si ça te plaît de voir vraiment les Invalides et le tombeau véritable du vrai Napoléon, je t'y conduirai. — Napoléon mon cul, réplique Zazie. Il m'intéresse pas du tout, cet enflé, avec son chapeau à la con.*
QUENEAU, *Zazie dans le métro*, p. 15-16.

Même déf. Bary (dans Le Hir, p. 126), Quillet.

Syn. Parrhésie (Fontanier).

Autres déf. *Licence poétique, licence grammaticale, licence prosodique:* faculté de contourner les règles (Littré, Marouzeau). V. à *solécisme*, rem. 1 et à *faute*, rem. 5.

Rem. 1 Bary distingue la licence, qui consiste à *"reprendre hardiment ceux à qui l'on doit quelque respect"* et la **demande**, qui *"consiste à demander permission de parler des actions diffamantes"*. L'échantillon donné par Quillet et Fontanier représenterait une demande plutôt qu'une licence:
Je répondrai, Madame, avec la liberté
D'un soldat qui sait mal farder la vérité.
RACINE, *Britannicus*, I, 2.

Rem. 2 Fontanier discute cette figure, observe qu'on ne peut guère la classer parmi les figures de pensée, et la rejette de son système, qui ne comprend pas de figures d'attitude.

Rem. 3 Il est de bon ton d'éviter la licence ou de l'introduire par une excuse*. **Ex. courant:** *"Disons-le", "disons le mot".*

LIPOGRAMME[1] Texte en vers ou en prose dans lequel l'auteur s'est imposé de ne faire figurer que des mots dépourvus d'une certaine lettre.

Ex.: G. PEREC, *la Disparition.* Dans ce roman, on ne verra pas une seule fois la lettre *e*, qui est pourtant la plus fréquente en français. (Cf. la citation de *description*, rem. 5).

Rem. 1 *"Toute la difficulté réside dans la lettre que l'on choisit de supprimer et dans la longueur du texte"*, note P. Fournel (*Clefs pour la littérature potentielle,* p. 126). Il ajoute spirituellement que son propre exposé est un lipogramme de la lettre **w**.

Rem. 2 G. Perec a proposé d'appeler **liponomie** le procédé qui consiste à écrire en évitant d'employer certains mots. **Ex.:** *Contes sans qui ni que* (Henry de Chenevières), ou encore un roman d'amour sans le mot *amour.*

LITOTE Se servir d'une expression qui dit moins pour en faire entendre plus... LITTRÉ.

Ex.: *Va, je ne te hais point* (= je t'aime toujours).
CORNEILLE, *le Cid.*

Ex. cont.: *"La grande modestie de l'homme n'est pas apparente dans les blasons."* (MICHAUX, *Tranches de savoir*).

Même déf. Fontanier (p. 133), Laharpe (cité par Fontanier), Le Clerc, Verest, Marouzeau, Quillet, Lausberg (combinaison de la périphrase* et de l'ironie*, § 886), Morier.

Autre déf. Morier ajoute une deuxième définition: synonyme de laconisme et de sobriété, on dit beaucoup en peu de mots, on reste en deçà de la substance à exprimer... (**Ex.:** le style de Stendhal). V. à *baroquisme,* rem. 1.

Syn. Diminution (Fontanier, p. 133); meiosis (Preminger, traiter une chose comme moins importante qu'elle ne l'est); fausse atténuation*.

Rem. 1 La litote est une atténuation* reconnue comme fausse, simulée. Son effet aussitôt s'inverse et le lecteur, en imaginant ce qui manque, en rajoute peut-être (d'où le paradoxe* de la définition*: dire moins, faire entendre plus). Encore faut-il des

---

1 Adj.: lipogrammatique.

lecteurs éveillés, à moins que l'auteur ne souligne sa ruse, en insérant un segment d'énonciation* pure.

Ex.: *"L'amitié des premiers,* **je dirai seulement qu'***elle a prouvé déjà son inconstance."* (CAMUS, *Essais,* p. 978).

Rem. 2 Comme dans le cas de l'antiphrase*, c'est le contexte et l'intonation* qui décèlent la litote. Elle se dit sur le ton d'une constatation minimale, indéniable, qui implique la possibilité d'en dire plus. **Ex.:** — On ne mourra pas de faim aujourd'hui. — Je dirais même plus, se dit aussitôt l'interlocuteur si le repas est effectivement abondant. Le rôle du contexte est déterminant. Il en va de même dans l'exemple classique. *"Je ne te hais point"* alors que son père vient de perdre la vie de la main de Rodrigue, cela suppose un amour bien enraciné.

Ainsi la litote a-t-elle donné naissance à un style. Il consiste non seulement à couper les détours expressifs (laconisme), mais à *"maintenir l'expression en deça de l'émotion ressentie et qu'il s'agit de communiquer"* (V. LARBAUD, *Sous l'invocation de s. Jérôme,* p. 166-7). Ainsi, *chasser le sanglier* se dira *tuer le cochon.*

Ex. litt.: *Lorsqu'on a reconnu que cet enfant qu'on aime*
Fait le jour dans notre âme et dans notre maison,
Que c'est la seule joie ici-bas qui persiste
De tout ce qu'on rêva,
Considérez que c'est une chose **bien triste**
De le voir qui s'en va!
V. HUGO, *Pauca meae,* 15, *les Contemplations.*

L'Étranger de Camus, la diction de Juliette Gréco ont été des prototypes de ce style que l'existentialisme a véhiculé précisément parce qu'il mettait l'accent sur le contexte, la situation. C'est l'écriture blanche, le degré zéro de l'écriture.

Rem. 3 La litote prend toutes les formes de l'atténuation* (V. à *euphémisme,* rem. 1) mais surtout celle de la négation* du contraire. Cette forme est très courante dans la langue parlée. **Ex.:** C'est *pas souvent* que... C'est *pas rigolo.* C'est *pas des farces.* C'est *pas pour demain.* Ce n'est *pas l'idéal.* Ça ne sent *pas la rose.* Ne *pas* se le faire dire *deux fois.* **Ex. litt.:** *"Quand je suis gai, moi, ce n'est* **pas à moitié**" (R. DUCHARME, *le Nez qui voque,* p. 259).

C'est devenu un mode de soulignement*, que l'on retrouve aussi dans la langue écrite. **Ex.:** Un rôle *non moins* important.

Rem. 4 Quand la litote est trop originale, elle verse dans le phébus*. **Ex.:** *"Harmonieuse moi,* **différente d'un songe**" (VALÉRY, *la Jeune Parque*); *"Chacune* **immole son / Silence** *à l'unisson"* (VALÉRY, *Cantique des colonnes*). Mais la litote court encore un autre danger: le manque d'originalité, qui la fait verser dans le truisme . Un ton d'ironie* amère peut compenser la banalité simulée. **Ex.:** *"Ce n'est* **pas un mauvais** *sort que d'être jeune, beau et prince"* (GIRAUDOUX, *Électre*, p. 111).

LOGATOME Mot* forgé dépourvu de sens, utilisé dans les tests de perception auditive et de mémoire immédiate.

Ex.: *toupir, barbiner.* **Ex. litt.:** *"xava"* (QUENEAU, *Si tu t'imagines*).

Même déf. Dict. de ling.

Syn. Paralogue.

Rem. 1 Le *découpage** arbitraire produit le *demi-logatome* (simale, tulazu).

LOUCHEMENT Défaut de clarté dans le raccord des segments du discours. *(Néol.)* Une phrase ou un syntagme paraît pouvoir se rapporter au segment précédent alors qu'il se rapporte à un autre segment. Généralement le sens* permet de lever l'équivoque*.

Ex.: *César entra sur la tête*
son casque aux pieds
ses sandales à la main
sa bonne épée dans l'oeil
un regard furieux
P. THIERRIN, *Toute la correspondance*, p. 321. Le texte original a des virgules après *entra, casque, sandales* et *épée;* il ne va pas à la ligne.

Autres noms Construction louche (Du Marsais). Janotisme ou jeannotisme[1] (Robert, *Supplément*).

Rem. 1 Il s'agit d'une ambiguïté* syntaxique. On parle de construction louche parce que le syntagme paraît regarder de deux côtés à la fois. Nous avons préféré *louchement* à *loucherie* pour que le terme soit spécifique à la rhétorique.

Rem. 2 Les suspensions* trop longues et les approximations* risquent de faire décrocher les syntagmes suivants ou de provoquer un louchement.

Ex.: *cette certitude ..... lui donne ..... cet air inexorable, buté, borné, prêt à tout braver, tous les caprices, les scènes, de l'infirmière, quand elle se présente à l'heure fixée dans la chambre du malade* **"difficile"**, *le cataplasme ou la seringue à la main*

---

1 Probablement est-ce le Jeannot qui raconte: ***"Je fis une tache sur la veste de graisse que mon grand-père de laine avait fait teindre avant de mourir violet."***

N. SARRAUTE, *Portrait d'un inconnu*, p. 162 (*de l'infirmière* louche vers *les scènes* mais se rapporte à *air*).

Rem. 3 Le louchement fut organisé par les grands rhétoriqueurs à la faveur de rimes* à l'hémistiche. Cf. Morier, à *rime brisée*.

MACARONISME Nom dérivé de l'adj. *macaronique*. La poésie macaronique est celle dans laquelle "on affuble de terminaisons latines les mots de la langue vulgaire" (LITTRÉ).

Ex.: *Millibus mercibus* (JOYCE, *Ulysse*, p. 134).

Cf. aussi *le Malade imaginaire* de Molière, réception d'Argan. **Autre ex.:** *LA LUNE. — Flic... flouc... trac... bloc... hic... haec... hac... hoc... ejus... cujus... bornibus... cornibus... bic... bec... brac... broc... flaque... Orgibus... Gorgibus...*
CLAUDEL, *l'Ours et la lune*, p. 168.

Même déf. Bénac, Lausberg.

Autre déf. Phrases interrompues, accumulées sans ordre, à l'image d'un plat de macaronis. **Ex.:** G. BESSETTE, *l'Incubation*, p. 23 et 26.

Autre nom Latin de cuisine (pour des segments plus étendus; **Ex.:** *"De brancha in brancham degringolat atque facit pouf"*, M. MORIN, *la Mort*).

Rem. 1 Le macaronisme relève de la parodie*. **Ex.:** *"armoiries qu'il obtint à force de flatteries ..... honorificabilitudinitatibus"* (JOYCE, *Ulysse*, p. 201). V. aussi à *humour*, rem. 1.

MAXIME Formulation frappante d'une assertion* générale, dans les limites restreintes de la phrase.

Ex.: *Ne vouloir être ni conseillé ni corrigé sur son ouvrage est un pédantisme.*
LA BRUYÈRE, *Des ouvrages de l'esprit*, 16.

Même déf. Bénac.

Autre déf. *"Règle de conduite, règle de morale"* (Petit Robert). C'est un sens plus limité et postérieur à l'emploi primitif (*maxima sententia*, sentence la plus générale).

Analogues Sentence, aphorisme, pensée, vérité, proposition (sens plus large), mot (par litote*), précepte (moral), principe (de conduite ou, en sciences, axiome, postulat), apophtegme (maxime citée). Adj. *gnomique* (les *poèmes gnomiques* mettent en vers des sentences; Bénac).

Rem. 1 La **chrie** est une sentence mise en scène, attribuée à un personnage (Quintilien, Isidore, cités par Lausberg, § 1117 à 1120). Le **mot historique**, authentique ou non, appartient à la chrie. Ce procédé, dont le nom n'est plus d'usage, est resté très actuel.

Ex.: "Papa, fais tousser la baleine" *dit l'enfant confiant.*
MICHAUX, *Tranches de savoir.*

La **fable express** (Robert) est la forme moderne de la chrie. une ou deux phrases en situation et une moralité reposant sur quelque jeu de mots*.

Rem. 2 La maxime, par sa généralité, semble propre à refaire une conception du monde, et peut donc répondre à une plainte, exprimer un complexe.

Ex.: *F...— Je ne suis pas noble. Ma mère est blanchisseuse. Blanchisseuse de fin, il est vrai. ALARICA. — La noblesse prend sa source dans l'ambition et l'énergie.*
AUDIBERTI, *Le mal court,* p. 90.

MEMBRES RAPPORTÉS Dans une suite de propositions à syntaxe parallèle, on regroupe les fonctions analogues (par exemple les sujets d'une part et les verbes d'autre part) en dépit de la confusion qui peut en résulter quant au sens. MORIER.

Ex.: *et dans les salles des conseils d'administration les assemblées de pères jésuites, de marquis analphabètes et de banquiers londoniens ..... représentant à parts égales les indispensables apports de bétail humain, de terrains et de capitaux*
CL. SIMON, *Histoire,* p. 165.

Autre nom *Énumération** respective (H.R. Diwekar).

Rem. 1 Le procédé semble inconnu en rhétorique classique[1] et il faut reconnaître qu'il peut manquer de clarté. Toutefois, il abonde dans la poésie bouddhiste de l'Inde et on le rencontre au XVIe siècle français, dans les textes à la fois poétiques et abstraits.

Rem. 2 Il ne suffit pas que les fonctions soient regroupées, il faut encore qu'elles se décodent respectivement. Ainsi, l'exemple suivant est une disjonction* mais les membres n'en sont pas rapportés, car les verbes conviennent à tous les sujets.
Français, Anglais, Lorrains, que la fureur rassemble
Avançaient, combattaient, frappaient, mouraient ensemble
VOLTAIRE, *Henriade,* VI.

Rem. 3 Le procédé dénote une pensée synthétisante et analytique à la fois. **Ex.:** *"Dans les deux cas* (spiritualisme et matérialisme), *par excès d'admiration ou par défaut d'estime,*

---

1 Cf. Morier, ***Dict. de poétique et de rhétorique,*** à ***rapportés.***

l'Homme reste flottant au-dessus, ou rejeté en marge, de l'Univers, — déraciné ou accessoire" (P. TEILHARD, *O.*, t. 6, p. 26).

MENACE Tout ce qui tend à faire naître chez l'interlocuteur la crainte de quelque mal qui pourrait lui arriver de la part du locuteur.

Ex.: *UBU. — Vous n'êtes pas partis? De par ma chandelle verte,* ***je vais vous assommer*** *de côtes de rastron.*
A. JARRY, *Ubu roi*, p. 42.

Autre ex.: *"Ce n'est pas à moi, ni à personne* **(Entendez-vous,** *messieurs?* **qui veut mes témoins?**) *de juger M. le Comte. On ne juge pas M. de Lautréamont."*(PH. SOUPAULT, cité par ÉLUARD, *O.*, t. 1, p. 753). On a reconnu la formule de provocation en duel.

Analogues Commination (Morier), adj. comminatoire (Robert), intimidation (Robert).

Rem. 1 Formes courantes: *De quoi? de quoi?* Répète *pour voir.* Attends *un peu.* V. à *injonction,* rem. 5. L'aposiopèse (V. ce mot, rem. 2) est une forme commode, la menace ayant d'autant plus d'effet qu'elle est imprécise, ce qui laisse imaginer le pire. C'est le célèbre *Quos ego...* (Je devrais te...) de Vénus irritée dans *l'Énéide;* dans *le Barbier de Séville: "LE COMTE. — Si tu dis un mot..."*
La menace prend encore la forme ironique la plus feutrée. C'est le *"Speak softly and carry a big stick"* de Th. Roosevelt. **Ex. litt.:** *"Écoute, mon petit gars,* (nous) *on est doux mais on est deux"* (SAUVAGEAU, *Wouf Wouf*). Ce sera l'*implication* (V. ce mot, rem. 1), l'allusion* et aussi l'antiphrase*.

Ex.: *"Bouzour, doudouce... Et messire Bâton va bien? Et messire Fouet? Encore bisoin de caresses et papouilles et petites mômeries amoureuses?"* (M. DE GHELDERODE, *Théâtre, 2,* p. 118).

Rem. 2 Fabri (II, 13) préconise une *fausse menace,* l'**admonition**: *"de l'argument de l'adversaire nous monstrons qu'il s'en peut ensuivir ung tresperilleux inconuénient".* Il y a aussi une *demi-menace,* qui consiste à donner une allure acrimonieuse à des propos quelconques. C'est l'**incrépation**, que Bary présente comme suit (et apparemment sans aucune ironie): *"parler à quelqu'un d'une façon exclamative, d'un mouvement brusque et d'un air injurieux... Cette figure convient aux supérieurs, aux vieillards et aux vertueux."* (BARY, *Rhétorique française,* p. 342).

La critique, brandie comme une menace, a fait naître le *"terrorisme intellectuel"* (Cf. J. PAULHAN, *les Fleurs de Tarbes*) avec sa conséquence naturelle, le conformisme.

Rem. 3 L'argument *ad verecundiam* compte sur le respect humain de l'adversaire. **Ex.:** Dans *Guerre et Paix,* les nobles n'osent refuser à l'Empereur un supplément d'impôt, par crainte de paraître manquer de patriotisme et de générosité.

MESURE RYTHMIQUE Unité de mesure du rythme* en prosodie classique. V. à *Vers métrique* et à *coupe rythmique.*

Syn. Cellule métrique (Robert), pied métrique (Souriau, p. 210). Au Colloque de Strasbourg sur le vers français (1966), on a recommandé de proscrire l'emploi du mot *pied* au sens de "syllabe". Pied redevient ainsi synonyme de mesure.

Rem. 1 La longueur courante du pied est de deux syllabes. Appeler l'alexandrin vers *de douze pieds,* c'est confondre la mesure métrique avec l'unité d'intonation qu'est la syllabe. Le seul cas où mesure et syllabe peuvent se confondre est le cas des mesures catalectiques. Celles-ci comprennent un silence et doivent prendre place soit au début, soit à la fin du vers, soit à la césure. La mesure catalectique initiale n'a pas de temps fort. C'est ce qu'on appelle une **anacrouse.** La mesure catalectique finale n'a pas de temps faible.

Rem. 2 En poésie, les rimes masculines surtout ont constamment un ictus et constituent donc des mesures catalectiques. Il est plutôt rare de trouver en fin de vers une mesure sans silence, c'est-à-dire une finale sur temps faible (arsis). On dira par exemple le début de *l'Invitation au voyage:* *"Mon en*fant-*ma soeur"* (comme si le second terme était apposé au premier) plutôt que *"Mon en*fant, *ma* soeur*"*. Morier propose le nom de finale **arsique** pour la finale sans temps fort (sans mesure catalectique).

Rem. 3 Voici un tableau des pieds (selon Morier):

˘ ˘	pyrrhique (dibraque)	– –	spondée
˘ –	ïambe	– ˘	trochée (chorée)
˘ ˘ ˘	tribraque	– – –	molosse
˘ ˘ –	anapeste	– – ˘	antibachée
˘ – ˘	amphibraque	– ˘ –	amphimacre (crétique)
˘ – –	bachée	– ˘ ˘	dactyle

Les mesures plus longues sont plus complexes et assez rares:

˘ ˘ ˘ ˘	dipyrrhique	– – – –	dispondée
˘ ˘ ˘ –	péon 4	– – – ˘	épitrite 4
˘ ˘ – ˘	péon 3	– – ˘ –	épitrite 3
˘ ˘ – –	petit ionien	– – ˘ ˘	grand ionien
˘ – ˘ ˘	péon 2	– ˘ – –	épitrite 2
˘ – ˘ –	diïambe	– ˘ – ˘	ditrochée
˘ – – ˘	antispaste	– ˘ ˘ –	choriambe
˘ – – –	épitrite 1	– ˘ ˘ ˘	péon 1
˘ ˘ ˘ ˘ ˘	crétique impur (longues remplacées par deux brèves)		

MÉTABOLE Accumuler plusieurs expressions synonymes pour peindre une même idée, une même chose avec plus de force. FONTANIER, p. 332.

Ex.: *À première vue, les êtres et leur destinée risquent de nous apparaître comme distribués au hasard ou du moins arbitrairement sur la face de la terre. Pour un peu, nous penserions que chacun de nous aurait pu naître, indifférement, plus tôt ou plus tard.*
TEILHARD DE CHARDIN, *Hymne à l'univers.*

Même déf. Quillet, Robert (sens 2).

Autres déf. 1 *"Répéter des mots déjà employés, mais dans un ordre différent"* (Robert, sens 1). V. à *antimétabole.*

2 Changement de tour (syntaxique), *ou* de figure, *ou* de rythme* (V. à *tempo,* rem. 3) selon Longin et Quintilien. Littré et Lausberg donnent au terme un sens plus large encore: *"toute espèce de changement"*. Nous serions d'avis de distinguer le changement dans l'*axe paradigmatique* (sans répétition), synonyme d'écart stylistique, et la métabole au sens étroit, où deux états (dont le second est la transformation du premier) sont exprimés dans l'*axe syntagmatique* (successivement).

Rem. 1 La métabole se distingue de la synonymie* en ceci qu'elle porte non sur des mots mais sur des ensembles (tout en se servant parfois de synonymes ou d'équivalents). Elle s'oppose encore à la redondance* et à la battologie*, qui sont plutôt des défauts. Car elle ne fait pas de redites sans utilité, elle offre de nouveaux contenus (attachés à la même idée générale). Ce n'est ni une figure de mots, ni même une figure de style, mais *"de pensée"*. Elle répond à des soucis de clarté, de communication, parfois à un changement d'attitude du locuteur. **Ex.:** *"Mais je voudrais bien savoir ce qu'est devenu mon gros polichinelle, je veux dire mon très respectable époux"* (JARRY, *Ubu roi,* p. 153).

Rem. 2 Perpétuée jusqu'à l'excès, la métabole devient un défaut (V. à *parastase*).

MÉTALEPSE Faire entendre une chose par une autre, qui la précède, la suit ou l'accompagne, en est ..... une circonstance quelconque, ou enfin s'y rattache ou s'y rapporte de manière à la rappeler aussitôt à l'esprit.

FONTANIER, p. 127-8.

Ex. donné par Fontanier: (Phèdre avoue indirectement à Oenone son amour pour Hippolyte, habile aurige)

Quand pourrai-je, au travers d'une noble poussière,
Suivre de l'oeil un char fuyant dans la carrière!
RACINE, *Phèdre*, I, 3.

Autre ex.: "*Le noble animal de la race féline attend son adversaire avec courage et dispute chèrement sa vie.* **Demain quelque chiffonnier achètera une peau électrisable.** *Que ne fuyait-il donc?*" (LAUTRÉAMONT, *les Chants de Maldoror*, 52).

Déf. analogue "*Figure par laquelle on prend l'antécédent pour le conséquent:* **il a vécu** *pour il est mort; ou le conséquent pour l'antécédent:* **nous le pleurons**" (Littré, citant du Marsais). C'est un sens restreint, auquel se rapportent aussi Willem (p. 40), Lausberg (§ 570) et Morier.
En se fondant sur ce sens-là, Marouzeau, et Robert avec lui, considère le terme comme inutile et désuet: "*figure invoquée ..... pour expliquer de prétendus transferts .....de signification; ainsi l'emploi d'***entendre** *au sens de* **comprendre**, *d'***écouter** *au sens d'***obéir.**"

Rem. 1 La métalepse ne serait rien d'autre qu'une métonymie* si elle portait sur une proposition, mais elle n'est constituée que d'un lexème (cf. Fontanier, p. 127). À ce titre, elle doit être rattachée à l'allusion*. Elle est aussi parfois une forme de l'euphémisme*.

MÉTANALYSE Accident de la communication: les unités de langage sont découpées et analysées autrement par celui qui entend que par le locuteur. Terme proposé par Jespersen. **Ex. courant:**

— *Je suis ému.* — *Vive Zému!*

Autre ex.: "*Je viens d'avoir cinq copes et heureusement que ça s'est arrêté là, parce qu'à la sixième j'y passais*" (JEAN-CHARLES, *les Perles du facteur*, p. 93).

Cocteau et ses amis en avaient fait un jeu de société, sur le modèle suivant. — Le chasseur alpin. — Le boulanger aussi.

Rem. 1 La métanalyse explique quelques phénomènes linguistiques comme l'*agglutination* (appelée parfois proclise), qui fait dire *le lévier* pour l'évier; et la *déglutination*, phénomène inverse, qui fait dire *ma pendicite* pour *mon appendicite*.

Elle crée certains problèmes d'accord, des types suivants. Elle a l'air méchant / méchante (suivant que l'air est considéré comme objet direct ou comme partie d'une locution *avoir l'air*, "*sembler*"). Elle est tout ce qu'il y a de plus gentil / gentille (suivant que *tout ce qu'il y a de plus* est analysé en ses composantes ou considéré comme un syntagme* de soulignement*) Cas analogues: *on ne peut plus, des plus, d'un, une espèce de* (qui devient **un** *espèce de* devant un nom masculin), *un drôle de* (qui devient *une drôle de* devant un nom féminin). Cf. BLINKENBERG, *le Problème de l'accord,* p. 42-3.

Rem. 2 La métanalyse est aussi à l'origine d'un grand nombre de figures, le plus souvent humoristiques: calembour*, équivoque*, allographe*, etc. Certains jeux* de mots sont obtenus par métanalyse et *mixage** sur le modèle suivant, que nous devons à R. le Bidois: Valéridicule; à quoi un fervent admirateur de Valéry rétorqua spirituellement: Si Valérydicule, Lebidoigtdans l'oeil!

Rem. 3 C'est par l'artifice de la métanalyse que naquit l'écriture hiéroglyphique, composée de *phonogrammes* (*Dict. de ling.*) Le phonogramme est un signal qui, à l'instar du *rébus,* dessine un objet dont le nom entre dans la composition de la suite sonore à transcrire (et qui a un sens tout autre).

Rem. 4 Les interférences métanalytiques permettent de créer des énigmes* sonores. **Ex.:** Vos laitues naissent-elles? Oui, mes laitues naissent. Si vos laitues naissent, mes laitues naîtront. (L'énigme est levée par la transcription.) **Ex. litt.:** *"Je ne monte ni ne skie. Quoi? Mais non, je ne parle pas polonais"* (AUDIBERTI, *l'Effet Glapion,* p. 142).

MÉTAPHORE C'est le plus élaboré des tropes (V. à *image,* 2), car le passage d'un sens à l'autre a lieu par une opération personnelle fondée sur une impression ou une interprétation et celle-ci demande à être trouvée sinon revécue par le lecteur.

Bien qu'il s'emploie aussi dans un sens élargi, le mot *métaphore* n'est pas, au sens strict, synonyme d'image* littéraire: il en est la forme la plus condensée, réduite à un terme seulement. En effet, à la différence de l'allégorie*, il a un phore unique, quoique celui-ci puisse être évoqué par plusieurs mots. À la différence de la comparaison*, ce phore est mêlé syntaxiquement au reste de la phrase, où se trouve habituellement l'énoncé du thème*.

Ex.: *Tristes bars, boîtes de nuit où si vainement d'ordinaire les noctambules éperonnent la bête fourbue et rétive de l'espérance.*
Cl. MAURIAC, *Toutes les femmes sont fatales,* p. 183.

Autres ex.: "**Terre arable** *du songe!*" (SAINT-JOHN PERSE, *Anabase, X,* fin). "*Je parle un langage de* **décombres** *où voisinent les* **soleils** *et les* **plâtras.**"(ARAGON, *Traité du style).*

Déf. analogues Du Marsais (chap. X), Fontanier (p. 99 à 104), Littré, Quillet, Morier.

Rem. 1 Mallarmé: *"Je raye le mot* **comme** *du dictionnaire".* Autrement dit, je préfère la métaphore à la comparaison. Il tente d'aller plus loin, de supprimer aussi le thème*, ou de le réduire à peu de chose. Par exemple, dans **Brise marine,** *oiseaux, ivres, écume, cieux, mer, steamer, mâture, ancre, orages, naufrages, mâts, fertiles îlots* appartiennent au phore; seuls quelques mots, *livres, coeur, lampe, vide papier* renvoient au thème; il n'y a aucune marque de l'analogie et la plupart des éléments du phore sont sans lien particulier avec le thème. **Ex.:** *"Mais, ô mon coeur, entends le chant des matelots."*

Supprimer délibérément le thème*, c'est risquer l'hermétisme, comme l'ont fait parfois les surréalistes. **Ex.:** *"L'étincelle, toujours resplendissante, sera glaciale"* (BRETON et ÉLUARD, dans le *Dict. abrégé du surréalisme,* à *étincelle*). Du moins ont-ils des métaphores-énigmes*.

Ex.: ..... *cette minute où l'homme, pour concentrer sur lui toute la fierté des hommes, tout le désir des femmes, n'a qu'à tenir au bout de son épée la masse de bronze au croissant lumineux qui réellement* **tout à coup** *piétine.*
BRETON, *l'Amour fou,* p. 79. Et il a la prévenance d'ajouter: *"le taureau"* pour ceux qui ne devinent pas.

Le rêve de Mallarmé était d'aller jusqu'au bout, de supprimer aussi le phore! C'était l'aboutissement de la quintessence, un poème qui aurait dit absolument tout, avec rien, un livre blanc, vierge...

Rem. 2 À l'usage, les métaphores perdent leur pouvoir, évoquant de plus en plus immédiatement leur thème*, jusqu'à perdre leur sens propre et devenir des clichés*.

Ex.: *Heureux celui qui peut, d'une* **aile** *vigoureuse*
S'élancer vers les **champs** *lumineux et sereins.*
BAUDELAIRE, *Élévation.*

Le style sublime s'accommode assez des *métaphores "consacrées"*. Du Marsais, pour prouver qu'on doit employer la forme usuelle, raconte (*Des tropes,* chap X) le cas d'un étranger écrivant à son protecteur: *"Vous avez pour moi des boyaux de père."* Il voulait dire *"des entrailles"...*

Rem. 3 Métaphore et comparaison* peuvent se mêler, le thème* surgissant dans le phore, le phore dans le thème...

Ex.: *Et qu'est-ce encore, à mon doigt d'os, que tout ce talc d'usure et de* **sagesse,** *et tout cet attouchement des poudres du* **savoir?** *comme aux fins de saison poussière et poudre de pollen, spores et sporules de lichen, un émiettement d'ailes de piérides, d'écailles aux volves des lactaires... toutes choses faveuses à la limite de l'infime, dépôts d'abîme sur leurs fèces, limons et lies à bout d'avilissement — cendres et squames de l'***esprit.**
SAINT-JOHN PERSE, *Vents,* I, 4. V. à *allégorie,* rem. 4.

De plus, il faut éviter l'incohérence* entre *métaphores "consacrées"*. **Ex.:** *"Les Croisés entrèrent dans Constantinople, renversèrent le trône et montèrent dessus"* (JEAN-CHARLES, *Hardi! les cancres,* p. 27).
Les prendre à la lettre fait curieux aussi: *"Il s'engouffra dans la cuisine en même temps qu'une bouffée d'air gelé. Il arrivait toujours en coup de vent."* (GUÈVREMONT, *le Survenant,* p. 99). *Arriver en coup de vent,* c'est arriver pour repartir aussitôt. Ici, l'auteur joue sur le sens propre et le sens figuré.

Le degré de nouveauté de la métaphore est donc essentiel (V. à *image* 4).

Rem. 4 Mais un ensemble métaphorique vraiment neuf peut désorienter. Pour le démêler, il suffit de délimiter le thème*. **Ex.:** *"Je ne trempe pas ma plume dans un encrier, mais dans la vie"* (CENDRARS, *l'Homme foudroyé*). Le thème n'est pas représenté par *plume,* mais par *vie.* **Autre ex.:** "Et la pluie sur les îles illuminées d'or pâle verse soudain l'avoine blanche du message." (SAINT-JOHN PERSE, *Amers,* p. 201). *Message* paraît être le thème, parce qu'il est abstrait; mais il y a des métaphores abstraites. *Message* pourrait évoquer la nouveauté de l'averse.
Interrogé par P. Van Rutten, l'auteur confirme qu'il s'agit d'un spectacle qu'il décrit comme il l'a vu. *Pluie* et *îles* sont donc à prendre au sens propre... *Message* pourrait être venu là par hypallage*.

Rem. 5 La personnification* s'appuie constamment sur des métaphores d'action qui dénotent des personnes. Dans ce cas, l'ensemble est cependant assez complexe pour constituer plutôt une allégorie*, voire une prosopopée*. **Ex.:** *"Trois mille six cents fois par heure, la Seconde chuchote: Souviens-toi!"* (BAUDELAIRE, *l'Horloge).*

Rem. 6 La métaphore neuve s'étend souvent sur plusieurs mots, et reste une métaphore aussi longtemps que ceux-ci font partie du même champ associatif, contribuant à évoquer un phore à un élément. Le Guern (*Sémantique de la métaphore et de la métonymie,* p. 17) observe que *"quand Boris Vian décrit dans* l'Arrache-coeur **"un nuage vite effiloché par la carde bleue du ciel",** *le mot* **effiloché** *réduit l'effet de surprise produit par la métaphore de la carde, qui serait sans doute irrecevable sans cela."*

Rem. 7 Les sèmes qui fondent l'analogie (V. à *comparaison,* rem. 3) sont communs au phore et au thème*. Dès lors, en accumulant des métaphores, on réduit l'aire d'intersection de sémèmes. Le résultat de l'analogie n'est plus, alors, de rendre flou, mais de rendre plus précise l'expression.

Ex.: *Le bouillon de mon sang dans lequel je patauge*
Est mon **chantre,** *ma* **laine,** *mes* **femmes.**
MICHAUX, *Mon sang.*

MÉTAPLASME Terme générique pour toutes les altérations du mot par adjonction*, suppression ou inversion* de sons ou de lettres.

Même déf. Du Marsais (chap. II et chap. X), Littré, Marouzeau, Quillet, Lausberg (§ 479 à 495), Robert, Preminger, le groupe mu.

Rem. 1 Littré, Marouzeau, Lausberg et Robert distinguent les métaplasmes:

1. Par addition:	au début d'un mot	prosthèse*;
	au milieu — —	épenthèse*;
	à la fin — —	paragoge*.
2. Par suppression:	au début — —	aphérèse*;
	au milieu — —	syncope*;
	à la fin — —	apocope*, élision*.
3. Par déplacement		métathèse*.
4. Par division d'une syllabe		diérèse*.
5. Par fusion		contraction, synérèse (V. *crase).*

MÉTASTASE Quand l'adversaire a solidement établi le fait, on répond en rejetant sur autrui la responsabilité.

Ex. courant: *Ce n'est pas moi, c'est lui.*

Même déf. Littré, Quillet, Lausberg, Robert.

Autre déf. *"Transposition du temps"* (Legras, cité par Le Hir). Dans cette acception, on parlera plutôt de **métastasie,** *"sorte d'hypotypose, qui évoque les faits du passé comme s'ils étaient actuels"* (J. MOREL, *Rhétorique et tragédie au XVIIe siècle,* et *Glossaire,* dans *XVIIe siècle,* 1968, no 80-1, p. 145).

Rem. 1 Fabri (t. 2, p. 155) présente la **réjection,** qui consiste à s'excuser d'être long en disant que *"la faulte en est à l'adversaire qui en est cause et auquel il fault répondre".* C'est une *demi-métastase.*

Rem. 2 V. aussi à *intonation,* rem. 2 et à *récrimination.*

MÉTATHÈSE Altération d'un mot par déplacement, inversion d'une lettre (d'un élément phonétique). ROBERT.

Ex.: *blouque* pour *boucle* (Littré). *"La moitié ed la France."* (CLAUDEL, *Jeanne d'Arc au bûcher,* p. 58; métathèse qui est un provincialisme).

Syn. Transposition (Marouzeau); translittération[1] (Dubois, p. 113).

Rem. 1 Terme de l'ancienne grammaire, qui pourrait désigner certains bredouillements comme *"insluter, Rébénice, Nomitaure"* (DUCHARME, *l'Avalée des avalés,* p. 205).

Rem. 2 Plus fréquente est la métathèse dans le syntagme ou la phrase, c'est-à-dire la contrepèterie*.

Rem. 3 Queneau, appliquant systématiquement la définition, s'est amusé à écrire: *"Un juor vres miid, sru la palte-frome aièrrre d'un aubutos...* (*Exercices de style,* p. 119). C'est du brouillage* lexical.

Autre déf. *"Rappeler aux auditeurs des faits passés, leur présenter des faits à venir, prévoir les objections"* (*Larousse du XXe siècle*).

MÉTONYMIE Trope qui permet de désigner quelque chose par le nom d'un autre élément du même ensemble, en vertu d'une relation suffisamment nette.

Ex.: *"Le* ***phallus*** *en ce siècle devient doctrinaire"* (MICHAUX, *Face aux verrous*) pour: l'instinct sexuel sert aujourd'hui de principe moral. *"Un sentiment* **tricolore** *intense"* (CLAUDEL, *O. en prose,* p. 1295) pour "patriotique". **Ex. courant:** avoir *les yeux* plus grands que *le ventre.* V. aussi à *euphémisme,* rem. 6.

Déf. analogues Bary (p. 297), Fontanier (p. 79), Littré, Marouzeau, Quillet, Bénac, Lausberg, Morier, Robert, Preminger.

Rem. 1 Les rhétoriques classiques énumèrent une grande variété de métonymies:

1 De la cause pour l'effet. *Cause divine:* **Bacchus** pour *le vin; cause active:* **un Virgile** pour *un ouvrage de Virgile; cause passive ou instrument:* **de sa plume éloquente** pour *à sa manière éloquente; cause objective:* **une Diane de marbre** pour *une statue de marbre représentant Diane; cause physique:* **son étoile** pour *sa destinée; cause abstraite:* **des bontés** pour *des actes qui viennent de sa bonté.*

2 De l'instrument pour celui qui l'emploie. **Le second violon** pour *le second joueur de violon.*

3 De l'effet pour la cause. **Boire la mort** pour *boire la ciguë.* **"Ô mon fils! ô ma** *joie!* **ô l'***honneur* **de mes jours!"** (Racine).

4 Du contenant pour le contenu. **Boire un verre; l'Enfer** pour *les démons.*

---

1 En linguistique, ***translittération:*** "transcription lettre pour lettre de mots d'une langue étrangère".

5 Du lieu pour la chose. **Un bon bourgogne; la Maison blanche; le Quai d'Orsay**; et même: **Paris** *réticent sur les accords proposés par* **Londres.**

6 Du signe pour la chose. **Le trône, le sceptre, la couronne** pour *la dignité ou la puissance royale.* **Le laurier** pour *la gloire.* **"Voulez-vous que j'en croie votre jeune barbe"** pour *votre jeunesse, dont un poil naissant et follet est la marque* (sic).

7 Du physique pour le moral. "Rodrigue, as-tu **du coeur?**" pour *du courage. "Un rat ..... de peu de* **cervelle"** pour *d'intelligence.*

8 Du maître pour l'objet. **Les Pénates** pour la maison. **Saint-Eustache** pour *l'église qui est sous son patronage.* De même pour les noms de localités comme **Saint-Denis, Sainte-Rose du Nord.**

9 De l'objet propre pour la personne. **Deux perruques** pour *deux hommes à perruque.*
D'après FONTANIER, p. 79 à 86.

Rem. 2 Les tropes principaux, métaphore*, métonymie* et synecdoque*, examinés et enseignés depuis quelque vingt-cinq siècles, ont peut-être constitué un ensemble logique, mais ils se définissent aujourd'hui plus aisément en extension qu'en compréhension. Notons, avec le groupe mu, Le Guern et Morier, que, dans la métaphore*, certains classèmes sont mis hors jeu parce qu'ils évoquent une isotopie* incompatible avec celle du texte. Distinguer *métonymie* et synecdoque* paraît plus ardu. Le Guern (*Sémantique de la métaphore et de la métonymie,* p. 32) fait remonter la confusion à Quintilien. Du Marsais voit la synecdoque* comme *"une espèce de métonymie".* La plupart, cependant, considèrent la relation entre le terme propre et le terme figuré comme plus étroite dans le cas de la synecdoque* que dans celui de la métonymie. Fontanier parle de connexion, Genette de contiguïté, Morier d'inclusion (V. ce mot, autres déf., 2).

Partant des principes de l'analyse des sèmes, le groupe mu (*Rhétorique générale,* p. 102 et sv.) a redéfini la synecdoque* de façon large mais efficace. La synecdoque* serait le trope minimal. Par elle, le terme figuré est pris à un noeud de l'arbre sémique à un niveau différent de celui du terme propre (niveau plus général ou plus particulier). L'**épée** sera dite l'**arme** ou la **pointe. Le chat** deviendra l'**animal** ou la **fourrure.**

Ils montrent ensuite que la métonymie consiste en deux synecdoques* successives inverses sans changement d'isotopie*. **Ex.:** *Ô mon fils, ô ma* **joie** parce que mon fils fait partie de ma vie (synecdoque généralisante) et que dans ma vie, celui-ci a introduit de la joie (synecdoque particularisante).

Rem. 3 Il est possible de définir la métonymie (et d'autres tropes) sans passer par la logique ou l'analyse sémique: le trope consiste dans le choix du lexème le plus pertinent (par son expressivité, sa popularité, parce qu'il résume le plus brièvement une situation, etc.) et l'installation de ce lexème dans la phrase par le plus court, malgré l'ellipse* des articulations habituelles de la pensée, parce que l'on peut compter sur le pouvoir d'irradiation du terme ou sur le contexte pour assurer la communication. (Cette définition exclut les métonymies entrées dans la langue; V. à *catachrèse*).

Ex.: "*Je* **fonde le parti** *des hommes de quarante ans*" (Péguy). Métonymie politique; ce type de vocabulaire a du prestige et de la popularité. Voici au contraire une métonymie qui ne se comprend que parce qu'elle résume un drame. Egoeus, la tête perdue de philosophie, s'est persuadé que les dents de Bérénice (dans le conte du même nom, d'Edgar Poe) étaient des *pensées*. Baudelaire, qui raconte l'intrigue, résume ainsi le dénouement:

"*Le malheureux, dans son absence de conscience, est allé arracher* **son idée fixe** *de la mâchoire de sa cousine, ensevelie par erreur...*" (POE, *O.*, p. 677).
La métonymie est parfois dénudée.

Ex.: "*Le kantisme a les mains pures*", *mais* il n'a pas de *mains*. (Péguy).

L'ellipse* qui accompagne toute métonymie est évidente dans cet extrait d'*Ulysse*, où Joyce reprend la phrase en développant les articulations de sa pensée, ce qui supprime la métonymie.
Bronze et Or *proches entendirent les sabots* (et, une page plus loin)
Bronze et or, la tête de Miss Douce et la tête de Miss Kennedy par-dessus le brise-bise de l'Ormond Bar écoutent passer les sabots (p. 244-5).

Rem. 4 Quand l'un des termes de la métonymie est constitué par un nom propre, on a une antonomase*.

Rem. 5 Le trope consacré par l'usage reçoit souvent le nom de symbole*. Cf. Lausberg, qui définit le symbole: "*trope par lequel on substitue au nom d'une chose, le nom d'un signe que l'usage a choisi pour la désigner*", avec l'exemple: *quitter la robe pour l'épée* (la magistrature pour l'armée).
Noter que, quand elle remplace une idée ou une institution par un objet relativement trivial, la métonymie est un procédé humoristique. **Ex.:** *le sabre et le goupillon* pour *l'Armée et l'Église*.

Rem. 6 On sait que Jakobson a élargi le champ d'application des complémentaires métaphore / métonymie aux domaines les plus divers: rêves, mythes, psychanalyse, aphasies, tests, etc. Même les dessins originaires des lettres de l'alphabet sont métonymiques (V. à *graphisme,* rem. 1). Les nombres ordinaux sont métonymiques par rapport aux cardinaux. La métaphore existe en mathématique depuis la plus haute antiquité: on l'y nomme *rapport proportionnel* (*a* est à *b* comme *c* est à *d*) ou simplement *proportion.* Métaphore* et métonymie en tant que catégories logiques sont d'un emploi constant.
Il relève de la métonymie comme catégorie logique d'attribuer à un homme d'État le mérite ou la responsabilité d'événements nationaux mais ce procédé intellectuel devient littéraire quand on se sert du nom d'un homme d'État pour désigner une époque, un lieu, etc. **Ex.:** le siècle de Périclès, de Louis XIV, Stanleyville, avenue du Général De Gaulle. Ce procédé a un nom: l'**éponymie.**

MIMOLOGIE Imitation* de la voix humaine ou des locutions habituelles, de la prononciation d'une personne. LAUSBERG.

Ex.: — *Et voilà, mimoizelle.*
JOYCE, *Ulysse,* p. 55.

Autres ex.: *Si vous foulez, mossieu Gamempre, être tut à fais calant, brenez la crante passine à gonfitures et asdiguez-la gomme y faut!*
CHRISTOPHE, *les Facéties du sapeur Camember,* p. 191.
Ab boi ab boi do (pour: je veux boire de l'eau; c'est un bébé qui ouvre le bec. JOYCE, *Ulysse,* p. 334-5). V. à *étirement,* rem. 1.

Rem. 1 La mimologie s'obtient par assourdissement ou sonorisation (ex. ci-dessus); par étirement*; par transcription de bruits*. Joyce a mêlé au texte des bruits de mangeaille pour évoquer une conversation de restaurant: *"Chlé henchontré lunchdi tans l'Unchster Bunk"* (*Ulysse,* p. 162).

Rem. 2 La mimologie s'obtient aussi par **diphtongaison** (on prononce une voyelle suivie d'une semi-consonne là où on n'a qu'une voyelle, tonique habituellement). **Ex.:** *"Par conseiquent de quoye"* (JARRY, *Ubu roi,* p. 135). *Miousic* (pour *musique*).

Rem. 3 Le sens spécifique de mimologie (selon l'*Encyclopédie,* 1765) est: *"art, science des mimes"*. Le sens indiqué ici en est *"dérivé"*.

MIROIR Deux vocables de même lexème sont subordonnés l'un à l'autre.

Ex.: *Critiquez le critique.*
M. JACOB, *Conseils à un jeune poète.*

Autre nom Valéry, qui s'inspire des mathématiques, parle d'*exponentier* ($a \times a = a^2$). V. aussi rem. 5.

Rem. 1 Le miroir est une variété de l'isolexisme*. Son effet est parfois simplement superlatif: le roi des rois, le fin du fin. Ou bien on a une surenchère*: *"Raser le rasoir... effacer la gomme"* (MICHAUX, *Tranches de savoir*).
Parfois, il inverse le sens: *"la mort de votre mort"* dit le baroque Bertaut pour *"votre résurrection"* (D. AURY, *Anthologie de la poésie religieuse*, p. 130). Sa complexité ne l'empêche pas d'être quelquefois très naturel. **Ex.:** *"Ceux qui comprennent ne comprennent pas que l'on ne comprenne pas."* (VALÉRY, *O.*, t. 2, p. 827).

Rem. 2 Il peut réfléchir son contraire et c'est alors un *miroir inverse*. **Ex.:** *Présence de l'absence* (titre d'un recueil de vers de Rina Lasnier); *"Comment faire pour ne rien faire?"* se demande Valéry (*O.*, t. 2, p. 201); et Sartre: *"Ce qu'il y a de terrible, dit Daniel, c'est que rien n'est jamais bien terrible. Il n'y a pas d'extrêmes."* (*Le Sursis*, p. 153).
Les miroirs inverses ne sont plus des isolexismes, mais des alliances* de mots ou de phrases.

Rem. 3 Valéry se plaît au procédé du miroir, car c'est l'image* de sa propre démarche: prendre conscience... de sa conscience. *"Je suis étant, et me voyant; me voyant me voir, et ainsi de suite"* (*Nouveau Dict. de citations fr.*, n° 13412). Le miroir se met alors en chaîne et ses images se répercutent à l'infini.

Ex.: *Il naît des commencements .....*
qui se répètent
et incessammment répètent que je répète que **"ça se répète"**
et que je répète que je répète que je répète que **"ça se répète"**
écho de l'écho de l'écho jamais éteint
H. MICHAUX, *Paix dans les brisements*.

Le *miroir double* est plus limité que le *miroir en chaîne*.

Ex.: *Elle sait que je sais qu'elle peut être le grand amour de cette période de ma vie créatrice. Je sais qu'elle sait que je sais que la seule rivale que la vie puisse lui susciter, c'est mon oeuvre.*
C. ROY, *Moi je*, p. 312.

Qu'étaient ..... les idées de Bloom sur les idées de Stephen sur Bloom et les idées de Bloom sur les idées de Stephen sur les idées de Bloom sur Stephen?
Il pensait qu'il pensait qu'il était juif tandis qu'il savait qu'il savait qu'il savait qu'il ne l'était pas.
JOYCE, *Ulysse*, p. 604.

Rem. 4 Le lien de subordination n'est pas exprimé si l'on est en parataxe* et l'on a un *demi-miroir*. **Ex.:** *"Je saurai tu sais"*(M.

DURAS, *le Ravissement de Lol V. Stein*).

Il existe aussi de *faux miroirs:* blanc de blanc (vin blanc fait de raisin blanc). Ceux-ci tournent au jeu de mots*. **Ex.:** "(Il) *fait ce que fait le pendule de la pendule*" (VALÉRY, *O.*, t. 2, p. 869).

Rem. 5 On peut rapprocher du miroir la **mise en abîme**[1] (GIDE, cité dans *Rhétorique générale,* p. 191-2, le mot *abîme* désignant *"le centre de l'écu lorsqu'il simulait lui-même un autre écu"*). Par exemple, lorsque Hamlet fait jouer pour le roi la scène du meurtre. Les acteurs ont alors à jouer le rôle de comédiens qui jouent un autre rôle... Cf. aussi ANOUILH, *Pauvre Bitos;* CLAUDEL, *Christophe Colomb.*

De même les *contes* insérés dans un récit* (V. ce mot, rem. 4), comme l'histoire de Marcelle et de Chrysostome, aux chap. 12 et 13 de *Don Quichotte.* On pourrait appeler **récit au 2e degré** ce type de miroir, qui porte sur des ensembles: objets, idées, actions. Cf. T. TODOROV, *Poétique de la prose,* p. 83.
On réservera le nom de mise en abyme au résumé du récit lui-même, quand il y est inséré.

Dans le récit au 2e degré, on distingue l'**enchâssement,** où le récit inséré est subordonné à l'autre, et l'**enclave,** où il lui est coordonné. Dans ce cas, le montage est **alternatif** (suite temporelle de champ et contre-champ dans une conversation par exemple) ou **alterné** (rupture temporelle, séquence des poursuivis et des poursuivants par exemple). Cf. *Dict. des media.*

MONODIE Strophes* qui reviennent sur le même air (cf. Verest, § 350). **Ex.:** les couplets lyriques de la tragédie grecque. Littré et Robert précisent que la monodie est chantée, non récitée, et qu'elle doit être à une voix.

MONOLOGUE Un locuteur s'exprime, normalement sur le mode exclamatif, sans s'adresser à qqn. En littérature, ce type de discours* est souvent une feinte qu'on pourrait décrire comme dialogue avec un interlocuteur imaginaire qui serait du côté du public.

Ex.: *ils ne vont pas s'interrompre de se tuer et de se mordre pour venir vous raconter que la vie n'a qu'un but, aimer.*

GIRAUDOUX, *Électre,* lamento du jardinier.

On voit que dans ce monologue, la double articulation est avouée: ce texte est assez achevé sur le plan de l'expression et on peut même y rencontrer un *vous* qui fait référence au public.

---

[1] Gide écrit ***abyme.*** Nous optons pour la graphie actuelle, comme fait le ***Lexis.***

En revanche, depuis *les Lauriers sont coupés* (E. Dujardin) et surtout depuis l'*Ulysse* de Joyce, on a tenté de transcrire un **monologue intérieur** pur, au stade de l'*endophasie* (formulation verbale interne de la pensée non exprimée, cf. P. MARCHAIS, *Glossaire de psychiatrie*), ce que Butor appelle *"magnétophone intime"* (*Intervalle,* p. 60) et Ignace de Loyola *loquèle* (BARTHES, *Fragment d'un discours amoureux,* p. 191)

Ex.: *Maintenant des jarretières ça j'en ai la paire violette que j'avais aujourd'hui c'est tout ce qu'il m'a acheté avec le chèque qu'il a touché le premier Oh non il y a eu la lotion pour la peau que j'ai finie hier*

JOYCE, *Ulysse,* p. 669.

Les mots n'étant prononcés qu'en pensée, la phrase est à peine ébauchée (V. aussi à *phrase (types de —),* 5); *hyperparataxe, interjections**, *phrases** *nominales*); beaucoup de nuances restent dans le ton. En littérature, on a tenté de rendre cet aspect originel de l'expression en supprimant aussi les *signes d'assise** et la ponctuation. **Ex.** : *la Route des Flandres* de Cl. Simon; *Comment c'est* de S. Beckett. Voici un extrait de celui-ci (p. 10) auquel nous avons ajouté des *césures* (V. ce mot, rem. 4) : *"La vie / la vie / l'autre / dans la lumière / que j'aurais eue / par instants / pas question d'y remonter."*

Ainsi apparaissent des segments de texte d'un type particulier, syntagmes peu intégrés les uns aux autres, capables de subsister par eux-mêmes, **holophrastiques** (Robert). Nous hésitons à utiliser dans ce sens le mot de **monorème** (Séchehaye, Bally, Cressot, Marouzeau, Morier), dont le sens est controversé (V. à *phrase (types de —),* 1), mais il existe **mot-phrase** (syntagme-phrase serait plus précis) et pourquoi ne dirait-on pas **holophrase**?

La spécificité de l'holophrase, embryon de la phrase, saute aux yeux si l'on prononce, avec les césures et des mélodies conclusives, le texte de Beckett. En *énoncé* (langage direct, V. à *récit*), le même contenu deviendrait quelque chose comme: *La vraie vie, celle qui m'est refusée, la vie dans la lumière, la vie que j'aurais eue, du moins par instants, il n'est pas question pour moi d'y remonter.*

Rem. 1 L'holophrase repose elle-même sur le geste, les mimiques[1] , les formes pré-linguistiques (V. à *bruit,* les cris inarticulés non codés). Dans *Un mot pour un autre,* J. Tardieu s'y est intéressé:

---

1 Dont l'étude, en dépit du développement du cinéma et de la télévision, est encore à l'état d'ébauche, sous le nom de ***kinésique,*** ou de ***communication non-verbale,*** anciennement de *physiognomonie* et de *chirologie* (langage des mains).

Creuser d'abord; ne pas oublier les multiples sens du mouvement labial, les nuances du r, l'abaissement d'un des sourcils (scepticisme), la friction des mains l'une contre l'autre (satisfaction ou malice), le dégagement du cou comme si le faux-col était trop serré (courte méditation précédant une réponse importante).

Un mot pour un autre, p. 15-16.

Encore ces gestes sont-ils des manifestations de la conscience. Celle-ci a sa passivité, envahie par les bruits* réels, que le lettrisme a tenté de transcrire; par les images* réelles, que d'aucuns reproduisent par photographies, tableaux, dessins. Comment saisir la simple *"conscience perceptive"* et *"imageante"* (Cf. par exemple J.-B. PONTALIS, *Après Freud,* p. 86) à son jaillissement intime? N'est-il pas trop individuel pour être communicable comme tel? Peut-on communiquer littérairement sans passer par les *"mots de la tribu"* et leur *généralisation*"?

Rem. 2 Du chaos primitif émergent d'abord les gestes*, puis les lexèmes (agrammatisme, V. à *ellipse,* rem. 3), ensuite les actualisateurs (morphèmes qui situent le lexème dans l'environnement: articles, pronoms, adj. indéfinis etc.), enfin les taxèmes (marques syntaxiques). **Ex.** du passage de l'holophrase à la phrase:

Musique qui me laisse suspendu
ses lacets
ses lacets
qui me tient dans ses lacets.
MICHAUX, *Connaissance par les gouffres,* p. 7.

Rem. 3 Quand le monologue prend place au milieu d'un dialogue*, c'est un aparté. V. à *in petto,* rem. 1. **Ex.:** *"DUPONT — "C'est charmant chez vous! C'est délicieusement arrangé. (***À part***) Quelle horreur."* (B. VIAN, *Théâtre,* t. 1, p. 248).

Rem. 4 Dans le **soliloque,** le locuteur est vraiment seul et se fait des discours* comme s'il était destinataire. Le texte présente donc un aspect achevé mais il n'a pas de double articulation comme dans le monologue.

Rem. 5 V. aussi à *dubitation,* rem. 2; *dialogue,* rem. 3 (dialogue intérieur); *nominalisation,* rem. 1; *coq-à-l'âne,* rem. 4.

MOT COMPOSÉ Vocable constitué de parties distinctes: lexie (racine) et préfixe (ou autre lexie). **Ex.** cité par Lausberg: le mot *polytone,* composé par Voltaire sur le modèle de *monotone.*

Ex. litt.: *"Obonne, villas, villas et* **re***villas"* (R. QUENEAU, *le Chiendent,* p. 119), *"infiniverti"* (H. Michaux, sur le modèle d'*introverti*). **Ex. scientifique:** pergélisol (pour traduire *permafrost*).

Même déf. Marouzeau (à *composition*), Robert.

Autre déf. Marouzeau (à *mot*): vocable s'écrivant en plusieurs mots graphiques (ou mots simples), avec ou sans trait d'union. Cette définition est plus spécifique, les parties du mot composé devant être des mots, et non de simples affixes. **Ex.:** un compte rendu. V. à *trait d'union.*

Analogues Paralexème, locution nominale.

Rem. 1 La langue possède de nombreux mots composés (télégramme, pomiculteur, libre-échangistes, etc.)[1] . Mais ce sont les composés néologiques qui intéressent le rhétoricien. Les uns sont très conformes aux structures (V. à *dénomination propre,* rem. 2). **Ex.:** (Les **Cahiers** du collège de 'Pataphysique se sont attachés à l'étude *historico-exégétique* de l'oeuvre de Jarry) *"sans pour autant que, par le biais de l'expression indirecte chère au Collège, la tâche idéogénétique et gnoséotaxique soit négligée."* (G. LAUNOIR, *Clés pour la pataphysique* p. 142).
D'autres sont plus originaux voire tout à fait biscornus. **Ex.:** *"désenbonnetdecotonner"* (Balzac, cité par M. Rheims). *"Je plate-d'autobus-formais co-foultitudinairement dans un espace-temps lutécio-méridiennal et voisinais avec un tresseautourduchapeauté morveux."* (R. QUENEAU, *Exercices de style,* p. 28). Il s'agit de mots factices ou fictifs (V. à *néologisme*), ou de barbarismes*.

Rem. 2 Le mot composé s'oppose au mot dérivé* mais souvent se combine avec lui, comme on peut le voir dans l'exemple ci-dessus.

Rem. 3 Le procédé est assez couru. *"...dé-roman ..... contre-roman ..... a-roman ..... infra-roman, autant de variables possibles d'un roman interminablement nouveau."* (H. AQUIN, *Trou de mémoire,* p. 74). V. à *euphémisme*, rem. 2, f. Cependant, il est à éviter à la rime*.

Rem. 4 Faut-il appeler **mot décomposé** le vocable tiré d'un composé par amputation par exemple du préfixe de négation? **Ex.:** *"solite, décis, tempestif"* (Prévert). On peut aussi séparer les parties d'un composé (V. à *tmèse*) ou en conjuguer une (V. à *translation*).

MOT D'AUTEUR Mot où l'on reconnaît l'esprit de l'auteur plus que le caractère du personnage. ROBERT.

---

1 Pour les différents types de composés (copulatif, attributif, par subordination, asyntaxique, etc.), cf. Marouzeau, à ***composition***.

Ex.: *AUDUBON. — Ça m'est égal. D'ailleurs, dire des idioties, de nos jours où tout le monde réfléchit profondément, c'est le seul moyen de prouver qu'on a une pensée libre et indépendante.*
B. VIAN, *Théâtre*, I, p. 233. Pensée trop profonde pour le personnage, qui a un caractère de grand enfant, mais très typique de l'attitude de Vian envers l'existentialisme.

Rem. 1 Il ne semble pas indispensable que l'énoncé dépasse le cadre littéraire où il se situe: il suffit qu'il reflète exactement la pensée de l'auteur (V. à *réactualisation*, 1).

Ex.: *DORA. — ..... Si la seule solution est la mort, nous ne sommes pas sur la bonne voie. La bonne voie est celle qui mène à la vie, au soleil.*
CAMUS, *les Justes*, p. 165.

Rem. 2 On distinguera le mot d'auteur de l'*excursus commentatif au présent* (V. à *parabase*).

MOT DE LA FIN Dernière phrase ou dernier mot d'une oeuvre, qui laisse le lecteur sur une certaine impression (V. à *plan*) et qui constitue une marque de l'achèvement.

Ex.: les mots *fin* ou ***rideau***.

Loc. courante: *j'ai dit, c'est dit, point final, un point c'est tout.* **Dans les contes:** *Ils vécurent heureux et eurent beaucoup d'enfants.* **Ex. litt.:** *"Mais là commence une autre histoire, qui dépend peut-être mais n'a pas l'odeur de la règle noire qui va me servir à tirer mon trait sous celle-ci."* (Fr. PONGE, *le Parti pris des choses).* V. aussi à *chute*, rem. 2.

Rem. 1 Il y a souvent un rapport assez net entre le *titre* et le *mot de la fin*, rapport qui témoigne du caractère clos du texte. *L'Âge de raison* de Sartre se termine par une réflexion du héros: *"J'ai l'âge de raison"*. En littérature orale, il est très fréquent de reprendre la première phrase de l'oeuvre (V. à *inclusion*) Ionesco, lui, montre que finir est pure contingence en reprenant à la fin la scène du début (*la Leçon, la Cantatrice chauve*). Michaux, en revanche, tire de la logique même de l'oeuvre la nécessité de finir. Voici le dernier paragraphe de *Tranches de savoir: "Respirer c'est déjà être consentant. D'autres concessions suivront, toutes emmanchées l'une à l'autre. En voici une. Suffit, arrêtons-la."*

Rem. 2 Le *mot de la fin* n'est pas le *dernier mot*, qui appartient au lecteur.

Rem. 3 V. à *pointe*, rem. 1; *billet*, rem. 1; *chute*, rem. 3.

MOT DÉRIVÉ Vocable formé par l'adjonction* d'un suffixe à une lexie. **Ex.:** penseur, qui joint ***-eur*** à ***pens-***.

L'ensemble des dérivés d'une même lexie (ou racine) forme une **famille de mots.** Les catégories grammaticales propres aux lexèmes y sont habituellement représentées: subst., verbe, adverbe, adj. **Ex.:** *net, netteté, nettement, nettoyer, nettoyage, nettoiement.* Mais chaque vocable est susceptible de se spécialiser et de voir son emploi restreint à certains *sens spécifiques.* **Ex.:** *nettoiement / nettoyage.* Le nettoiement sera l'ensemble des opérations; le nettoyage, l'action de nettoyer.

Dès lors, les possibilités de construction syntaxique se trouvent restreintes. Les besoins de la phrase, la nécessité d'éviter certains sens spécifiques ou l'attrait de connotations supplémentaires poussent l'écrivain à former des dérivés inusités. **Ex.:** *nervurer, "tracer des nervures"* (Proust, cité par M. Rheims, qui signale que le mot est entré depuis au *Petit Larousse*). Si le dérivé est commode, il peut entrer dans la langue courante.

On change de suffixe pour se débarrasser de sèmes trop précis. **Ex.:** *névrosiaque* (Laforgue), *névrosifié* (les Goncourt) pour éviter *névrosé.*

L'effet est parfois comique.

Ex.: *"Et ce bigle de Walter* **monsieurant** *son papa, rien que ça. Monsieur." Oui, monsieur." Non, monsieur."*

JOYCE, *Ulysse,* p. 38. Joyce conjugue *monsieur* comme si c'était un verbe (V. à *translation*).

D'autres suffixes ont un effet *"par évocation".* Ainsi, *-eux* fait québécois. **Ex.:** *"Mais nous autres, on est des pens***eux***."* (G. ROY, *Bonheur d'occasion,* p. 56).

Même déf. Marouzeau, Robert.

Autre nom Provignement (*la Pléiade*). Le degré zéro du suffixe est appelé **déverbal** (*bond* est le déverbal de *bondir*).

Rem. 1 On peut obtenir un dérivé par suppression de suffixe. Il s'agit, dans ce cas, d'une dérivation régressive (*Petit Robert*). **Ex.:** *"C'est la bonne femme sans tête qui* **boustife** *la boustifaille"* (CLAUDEL, *le Soulier de satin,* p. 163-4).

Rem. 2 Les diminutifs (ou hypocoristiques) sont formés soit par abrègement* et gémination*, soit par addition d'un suffixe *-et, -ette.* **Ex.:** *"Alors il s'en alla tristouillet"* (QUENEAU, *Pierrot mon ami,* p. 27).

Rem. 3 V. aussi à *acronyme,* rem. 1; *nominalisation,* rem. 4; *néologisme,* rem. 1; *barbarisme,* rem. 1; *isolexisme; translation.*

MOT DOUX Emploi d'un ou plusieurs lexèmes mélioratifs qui, au moyen d'une apostrophe*, constituent le prédicat d'une assertion* implicite dont le thème est l'interlocuteur.

Ex.: *NÉKROZOTAR. — Vous êtes glorieux, mes aimés!*

GHELDERODE, *Théâtre II*, p. 92.

Analogue Mot tendre (amoureux).

Ant. Injure*.

Rem. 1 Le mot tendre se lexicalise sous forme de diminutif (V. à *gémination*, rem. 1) ou de dérivé *"hypocoristique"* (**Ex.:** soeurette). Une appellation **hypocoristique** n'est autre que celle qui est *"propre à rendre une intention caressante"* (Marouzeau).

Rem. 2 La pudeur transforme le mot doux par antiphrase*, ou quelque trope. Ainsi *vieille branche* est une métaphore* précédée d'une hypallage*, qu'on retrouve dans *"mon vieux"* puisque c'est l'amitié qui est ancienne (comp. une vieille connaissance).

Rem. 3 Le mot tendre remplace le titre dans les apostrophes* de la correspondance familière. **Ex.:** Mon amour, chérie, tendre trésor, etc.

MOT FORGÉ Néologisme* qui ne tire son origine ni d'un bruit* ni de racines lexicales existantes (V. à *dérivation* et *mot composé*), autrement dit mot forgé de toutes pièces.

Ex.: *Il l'emparouille et l'endosque contre terre;*
Il le rague et le roupète jusqu'à son drâle;
Il le pratèle et le libucque et lui barufle les ouillais;
Il le tocarde et le marmine,
Le manage rape à ri et ripe à ra.
Enfin il l'écorcobalise.
H. MICHAUX, *le Grand Combat.*

Même déf. Lausberg.

Autres noms Mot ésotérique (G. Deleuze), néologisme*, forgerie.

Rem. 1 Presque tous les mots forgés peuvent être interprétés comme mots-valises*, estime G. Deleuze (*Logique du sens*, p. 59-60), qui propose de les distinguer d'après le sens. On aurait un mot-valise lorsque les termes amalgamés renvoient à deux ou plusieurs séries sémantiques distinctes.

Ex.: *Votre étudiamant* (formule finale de lettre d'un jeune homme à son professeur féminin). Et *SCRIBBLEDEHOBBLE*, titre d'un cahier préparatoire de Joyce analysé par J. Paris

(*Change,* n° 11, p. 97-8). Dans l'ex. de Michaux, *emparouille* dans une isotopie* de combat, se rapproche d'*empaler, s'emparer, empoigner, dépouiller...*

Rem. 2 Le mot forgé débouche, à la rigueur, sur un objet forgé, voire sur une absence pure et simple d'objet.

Ex.: *"Il s'engage dedans jusqu'aux genoux, jusqu'aux épaules, sans enlever son chandail d'arampe. (Le mot* **"arampe"** *ne signifie rien du tout.)"* (R. DUCHARME, *l'Océantume,* p. 162).

Rem. 3 On peut forger des mots à partir de vocables existants. V. à *anagramme*; à *palindrome,* rem. 3. On peut au contraire les forger de pures sonorités.

Rem. 4 V. à *substitution*, rem. 1.

MOT GRAS Ce n'est pas une vulgarité de contenu, mais de langage.

Ex.: *Mr. MARTIN. — Vous avez du chagrin?*
Mrs SMITH. — Non, il s'emmerde.
IONESCO, *la Cantatrice chauve,* p. 36.

Autres noms Mot sale, plat.

Rem. 1 Le mot gras appartient au mot grossier (V. à *gros mot*). Il se distingue de la gauloiserie*, qui lui ajoute une note comique, et de la **scatologie** , texte caractérisé par un contenu qui a rapport aux excréments ou aux choses du sexe. **Ex.:** *"Marie chie sur le vomi"* (G. Bataille).

MOTIF Unité de sens*, susceptible d'avoir une fonction dans le discours*.

Analogues Lexie (Barthes): *"tantôt peu de mots, tantôt quelques phrases... où l'on puisse observer le sens"* (lexie par analogie avec lecture, semble-t-il); prédicat narratif (Todorov).

Ex.: *"Sois sage, ô ma douleur, et tiens-toi plus tranquille."* Baudelaire (présence oppressive de la douleur).

Autres déf. 1 Thème (V. ce mot, n. 1).

2 *Patron dynamique qui impose sa forme et son impulsion à tout un poème.* Par exemple *À Villéquier* de Victor HUGO *est construit sur ces deux mouvements:* **"Maintenant que..."** *et* **"considérez..."** (CLAUDEL, *O. en prose,* p. 14). Cette définition rejoint celle du motif musical (V. aussi à *reprise* et à *anaphore*).

Rem. 1 Le thème* dans l'oeuvre sera plus général et souvent plus abstrait que le motif. **Ex.:** le temps / l'horloge, chez E. Poe. Un même thème aura différents motifs, un même motif peut servir à différents thèmes. Cette distinction rejoint celle de l'intrigue et de l'action.

Rem. 2 *"Les motifs ..... que l'on peut écarter* (d'une séquence) *sans déroger à la succession chronologique et causale des événements, sont des* **motifs libres"** (THOMACHEVSKI, cité à *motif* au *Dict. encyclopédique des sciences du langage*); les autres sont des **fonctions** (Barthes).

MOT-VALISE Amalgamer deux mots sur la base d'une homophonie partielle, de sorte que chacun conserve de sa physionomie lexicale de quoi être encore reconnu.

Ex. tiré de Freud: *"Il m'a reçu d'une façon famillionnaire*[1] *."* (ANGENOT, t. 1, p. 145). Se recroqueviller + s'emmitoufler = s'encroquemitoufler. (G. Bécaud).

Syn. Bloconyme (Souriau), collage* verbal (Cf. *Dict. abrégé du surréalisme* à *phallustrade*), emboîtement lexical, amalgame, mot porte-manteau.

Ant. Étymologie*, mot dévalisé.

Rem. 1 Le but du procédé est, le plus souvent, la syllepse* de sens.

Ex.: *"Mais les mouches dont je parlais et que je comparais à des mules, les* **moules** *en un mot..."*(ARAGON, *Traité du style*, p. 63). *"...ou tu vis, ou tu écris. Moi je veux vécrire."* (J. GODBOUT, *Salut Galarneau!*, p. 154).

Rem. 2 Michaux indique l'origine psychique du procédé:
Certains aliénés pour qui il est des impressions ..... s'imposant sans contrôle, abordant la conscience avec impétuosité et **"ensemble"** *..... font, par nécessité intérieure, un mot nouveau ..... Ainsi, une malade se dit constamment* **"pénétroversée"**, *c'est-à-dire pénétrée en même temps que traversée.*
H. MICHAUX, *Connaissance par les gouffres*, p. 128. Lui-même expérimente le phénomène et crée, entre autres, le mot *monstruellement* (dans *Paix dans les brisements*). V. aussi à *lapsus*.

Rem. 3 S'il arrive au néologisme* ainsi obtenu d'entrer dans la langue, les linguistes parlent de mot obtenu par *croisement* (Marouzeau) ou contamination* (GRAMMONT, *Traité de phonétique*, p. 371 à 373). **Ex.:**reddere + prendere = rendre; calfater + feutre = calfeutrer. Le procédé existe aussi dans la nature. Ainsi le croisement de la dinde et de la poule, qui donne la dindoule (DUPRÉ, *Encyclopédie du bon français dans l'usage contemporain*).

---

1 Ch. Lalo (***le Comique et le spirituel***, dans la ***Revue d'esthétique***, 1950, p. 313) voit dans ***famillionnaire*** l'économie ***"d'une explication longue et laborieuse, par exemple: d'égal à égal, mais dans la mesure où cette égalité peut exister entre un pauvre hère et un millionnaire"***. À ce titre, il appartient à la ***brachylogie****.

Rem. 4 Sur le modèle des comptines (Trois p'tits chats / Chapeau d'paille / Paillasson / Somnambule / et ainsi de suite), il existe un jeu consistant à inventer des mots-valises en puissance (ou des télescopages*). V. à *Jeux littéraires, les mots en chaîne.*

Rem. 5 Le mot-valise n'est pas loin du mot forgé* et du paragramme*.

MUSICATION *(Néol.)* Donner à l'aspect sonore du texte priorité sur les autres aspects, notamment sur le sens.

Ex.: *loverai autour de ton cou collier de câlineries calorifères de caresses*
R. DUGUAY, *Ruts,* p. 17.

Rem. 1 On peut décrire la musication comme une allitération* composée, multipliée. Mais dans l'allitération comme dans l'harmonie* imitative, le son vient souligner, il reste secondaire. Dans la musication, au contraire, c'est lui qui joue le premier rôle.

L'exemple cité offre des répétitions du **l**, du **o**, du **r**, du **c**, du **a**, et du **è**, sans compter le **t** et le **ou**.

Rem. 2 Le lettrisme semble dépasser la simple musication, en n'accordant de rôle qu'aux seules sonorités (V. à *bruit*).

Rem. 3 Le pseudo-langage* va plus loin que la musication, mais il s'en rapproche quand il est greffé sur une phrase qu'il prolonge (ex. de Joyce) ou inversement s'il part de sonorités qui prennent de plus en plus de sens, comme dans cet échantillon:
et glo
et glu
et déglutit sa bru
gli et glo
et déglutit son pied
glu et gli
et s'englugliglolera
MICHAUX, *Glu et gli.*

Rem. 4 Systématique, la paronomase* aboutit aussi à une *musication.* **Ex.:** "*Rrose Sélavy et moi esquivons les ecchymoses des Esquimaux aux mots exquis*" (Marcel Duchamp).

MYTHE Récit* symbolique (V. à *symbole,* 1) dans lequel personnages, paroles et action visent à instaurer un équilibre de valeurs spirituelles et sociales où chacun peut se situer et qui donne une interprétation de l'existence.

Ex.: "(Les cendres d'un mauvais couple) *qui s'envolèrent par le trou à fumée* (de leur tipi) *devinrent des moustiques*"

(Cl. MÉLANÇON, *Légendes indiennes du Canada*, p. 92). Ainsi, le conteur donne-t-il une explication* de la méchanceté des moustiques et de ce qui arrive aux mauvaises gens.

Ex. litt.: *C'est après les yeux que les jambes sont venues aux hommes. En voyant ce qu'ils ont vu quand ils se sont mis à voir, ils ont eu la frousse, ils se sont vite fait des jambes ..... Quand l'homme vit l'homme mourir, il poussa un grand cri: c'est ainsi que lui vint la parole .....*
R. DUCHARME, *l'Avalée des avalés*, p. 102.

Tout récit symbolique n'est pas mythique. Dans le mythe, le sens symbolique n'est pas une simple vérité philosophique (V. à *apologue*). **Ex.:** *l'Albatros* de Baudelaire est un symbole du poète, mais *le Cygne "offre un symbole ..... où l'on voit le héros aux prises avec la divinité: un mythe"* (P. CLARAC, *le XIX*e *siècle*, p. 506, n. 6).

Le sens de *mythe* s'est spécifié. À l'origine, en grec, c'était simplement "récit". En français, le sens accidentel (virtuème), *"qui met en scène des êtres incarnant ..... des forces de la nature, des aspects du génie ou de la condition de l'humanité"* (Robert, sens 1), est devenu essentiel; il a même supplanté et remplacé le classème *"récit"* et pris une connotation péjorative. Aussi appelle-t-on également *mythe* une *"image simplifiée, souvent illusoire, que des groupes humains élaborent ou acceptent au sujet d'un individu ou d'un fait et qui joue un rôle déterminant dans leur comportement ou leur appréciation"* (Robert, sens 5). **Ex.:** le cowboy, la vamp, la citroën DS. Cf. R. Barthes, *Mythologies*.

Rem. 1 La fonction du mythe antique fut partiellement réassumée par les littératures orales postérieures.
Toute cette masse considérable de fables, d'apologues, de contes, de légendes, de facéties reprennent, au niveau qui est le leur, la fonction du mythe. Comme les mythes, chaque exemplaire d'une littérature orale révèle une situation type et constitue aussi bien l'explication d'une réalité ou d'un comportement qu'un modèle à imiter.
Hist. des littératures, t. 1, p. 9.

Rem. 2 La **cosmogonie** est un mythe de l'origine du monde. **Ex.:** *"Du Temps, les Eaux ont pris naissance / du Temps le* **braham,** *l'Ardeur, les orients"* (*Hymnes spéculatifs du Véda*, traduit du sanscrit par L. Renou, p. 219). Les **récits de création** commencent volontiers, à l'instar de la *Genèse*, par *Il y eut.*

Ex.: *Il y eut de nouveau un firmament, il y eut de nouveau le vent et l'éclat d'une lumière pourpre dans les yeux du dormeur qui continuait à tomber. Il y eut des dieux, des présences et des désirs; il y eut la beauté et la laideur, et le rire de la nuit vorace à*

laquelle on avait volé sa proie.
LOVECRAFT, *Démons et merveilles*, p. 249.

Éluard montre qu'il y a aussi des cosmogonies personnelles:
Je citerai pour commencer les éléments
Ta voix, tes yeux, tes mains, tes lèvres
cité par R. JEAN, *Éluard*, p. 59.

Rem. 3 La publicité se devait d'exploiter le procédé de constitution de mythe. On appelle **image de marque** tout ce que celle-ci véhiculera, un *"halo de représentations, d'idées, de sentiments, d'attitudes, de croyances plus ou moins profondes, plus ou moins conscientes et ayant un contenu émotionnel"* (DENNER, cité par le *Dict. des media*).
V. aussi à *réponse*, rem. 2.

NÉGATION Forme de l'assertion (V. ce mot, rem. 1), dans laquelle la prise de position du locuteur comprend un refus du prédicat ou d'une partie de celui-ci.

Ex.: *La vie humaine n'a pas pour fin la recherche du bonheur.*
M. BERTHELOT, dans le *Nouveau dict. des citations fr.*, n° 11891.
L'attitude de refus ou de désapprobation se manifeste aussi par des lexèmes appropriés, qu'on distinguera de la négation en ceci qu'ils ne modifient pas la forme de l'assertion*.

Ex.: *Oh monde, monde étranglé, ventre froid!*
Même pas symbole, mais néant, **je contre, je contre,**
Je contre *et te gave de chiens crevés.*
MICHAUX, *l'Espace du dedans*, p. 148.

La négation formelle de l'ensemble du prédicat porte sur le syntagme* *verbal* par les locutions adverbiales *ne ... pas, point, rien, personne, jamais, plus*, etc. (Dans la langue populaire, *ne* disparaît). On peut aussi nier une partie seulement du prédicat: le syntagme* nominal par les indéfinis *aucun, pas un, nul* (un *ne* de rappel, dit *"explétif"*, accompagne alors le syntagme* verbal[1]); le qualifiant (adj. ou adv.) par *non, jamais;* la phrase par *non, nenni, pas du tout, pas le moins du monde, jamais de la vie,* etc.
La négation touche aussi certains éléments du syntagme*, la préposition (*sans*), la conjonction (*sans que, de peur que*) et le lexème nominal: in..., ir..., il..., a..., dés..., mal[2] ..., non-, ex-, sans-

---

1 Ce détail de l'usage français semble fait exprès pour confirmer la définition de la négation comme refus du prédicat. En effet, même si c'est le thème qui est nié, la négation est reportée partiellement sur le prédicat par le ***ne*** explétif. Un transfert total (ou ***obversion***) est également possible. ***Nul B n'est A*** devient ***Tout B est non-A*** (Virieux-Reymond, ***la Logique formelle***, p. 47).

2 Ce sont les ***"préfixes privatifs"***.

(*irréductible, amorphe, déshonnête, malappris, non-usage, ex-ami, sans-gêne*); ou verbal: mé..., dé... (*méconnaître, décommander*). On voit que la négation est aussi une forme de l'assertion adjacente (V. à *assertion,* rem. 3), même très implicite.

Même déf. *Dict. de ling.*

Rem. 1 Il importe de distinguer sur quelle partie de la phrase porte la négation, car celle-ci a tendance à se placer près du noeud verbal même si elle porte sur un autre segment. **Ex.:** *Il ne faut pas que tu meures* pour *il faut que tu ne meures pas.* Cette ambiguïté idiomatique favorise un effet de *surprise,* le lecteur pouvant comprendre l'inverse de ce qui est dit, jusqu'au moment où la suite du texte le détrompe. **Ex.:** *Nous ne nous rendrons pas à votre invitation / /à treize heures, mais à midi.* D'ailleurs, la négation peut même ne porter que sur des sèmes virtuels du lexème verbal. **Ex.:** Je ne boirai pas de votre eau de vie / /je la dégusterai.

Ce type de surprise apparaît dans les antithèses*. **Ex.:** *"Elle ne ferait plus ce rêve [équivoque], désormais. / /Il deviendrait son domaine réel, l'espace de sa vie".* Ainsi M.-Cl. Blais annonce-t-elle le passage d'Héloïse du couvent au bordel (*Une saison dans la vie d'Emmanuel,* p. 88). Il est facile de susciter cette **pseudo-négation**, devant un lexème quelconque. **Ex.:** *Ces oeuvres sont je ne dirai pas médiocres / /mais au-dessous de tout.* C'est la forme la plus artificielle, donc la plus rhétorique, de la négation.

Rem. 2 Plutôt qu'une modalité de phrase (V. à *assertion,* rem. 2), la négation n'est qu'une forme grammaticale, susceptible dès lors de se combiner à tous les types de phrases* ou d'assertions*: exclamation*, injonction*, etc.

Avec l'interrogation (V. à *question*, rem. 1), il arrive qu'elle se combine d'étrange façon. Quand l'*interrogation négative* peut se transformer en simple assertion* affirmative suivie de *non?* ou *n'est-ce pas?* sans changement de sens, c'est que la négation ne porte par sur l'énoncé mais seulement sur la question comme telle, autrement dit on s'attend à une réponse positive (la question est niée en même temps que posée). **Ex.:** *N'en avons-nous pas fait des promenades?* devient *En avons-nous fait des promenades, non?* et les deux phrases impliquent l'attente d'un accord de l'interlocuteur et un sens positif.

Par là aussi s'explique le sens positif d'une exclamation comme: *Combien de progrès n'a-t-on pas fait depuis lors!* On a vu la proximité morphologique de certaines interrogations et exclamations*. La négation, ici, ne serait que l'introduction dans le noeud verbal d'une question* niée (n'est-ce pas?), qui met l'interlocuteur d'accord à l'avance. On remarque que toutes les exclamations* de ce type se transforment immédiatement en *interrogations*.

Mais si *non* est dans la réponse à la question négative, on tombe dans une ambiguïté*.

Ex.: *LÉO. — Et ce numéro trois? C'est un mythe? Je veux dire, il n'existe pas?...*
MADELEINE. — Non.
LÉO. — Il existe?
MADELEINE. — Non, Madame. Il n'existe pas.
COCTEAU, *les Parents terribles*, p. 128.

Rem. 3 Le refus peut s'exprimer sous une forme positive grâce à des lexèmes négatifs (ex. de Michaux, ci-dessus). Inversement, les lexèmes de sens négatif, s'ils sont accompagnés de la négation grammaticale, exprimeront l'accord, mais d'une façon un peu spéciale (V. à *atténuation, litote*). Il y a, en somme, *double négation*, ce qui — à moins d'intention perceptible dans le contexte — n'engage pas à grand-chose. **Ex.:** *"Leurs oeuvres* (celles de Kahn, Viélé-Griffin et Stuart-Merrill) *se lisent encore aujourd'hui sans dégoût"* (A.-M. SCHMIDT, *la Litt. symboliste*, p. 65). Drôle de formule...

On n'est pas loin de la **réponse de normand**, qui allie à la négation de négation la négation de l'affirmation.

Ex.: *LE GRAND ANCÊTRE. — Reconnaissez-vous ..... celle que nous attendons?*
LE GRAND PAYSAN. — **Je ne dis pas non mais je ne peux pas dire oui...**
M. MAETERLINCK, *les Fiançailles*, 7e tableau.
Le procédé débouche sur un au-delà indistinct, mais qui peut devenir métaphysique. Les mysticismes par *"voie négative"* en usent largement.

Ex.: *Ni le non-Être n'existait alors, ni l'Être .....*
Il n'existait en ce temps ni mort ni non-mort .....
L'Un respirait de son propre élan, sans qu'il y ait de souffle.
En dehors de Cela, il n'existait rien d'autre.
Hymnes spéculatifs du Véda, XXX, 1 et 2.
Aucun lexème ne résiste puisqu'il faut dépasser le connu. On niera donc même le langage. **Ex.:** la bande de lancement du *Ravissement de Lol V. Stein* de M. Duras: *"Cela, qui n'a pas de nom"*. Cette **néantisation** peut s'obtenir encore par des alliances* de mots ou de *phrases* où s'identifient et s'annulent les contraires.

Ex.: *QUATRIÈME TENTATEUR. — Tu sais et tu ne sais pas*
que l'action est souffrance
et la souffrance action ..... Tous sont figés
Dans l'action éternelle, éternelle patience

À quoi tous doivent consentir afin qu'elle soit voulue
Et que tous doivent souffrir afin de la vouloir
Et que puisse la Roue tourner immobile
Immobile, éternelle.
T.S. ELIOT, *Meurtre dans la cathédrale,* 1re partie.

Mais l'annulation des contraires n'est pas loin non plus de la dubitation*.

Cette création, d'où elle est issue, si elle fait ou non l'objet d'une institution, — celui qui surveille ce (monde) au plus haut firmament le sait seul, — **à moins qu'il ne le sache pas?**
Hymnes spéculatifs du Véda, XXX, 7.

Les marques de la *double négation* peuvent aussi être toutes deux grammaticales. Si elles sont assez éloignées, on retrouve un effet de surprise (cf. ci-dessus, rem. 1). **Ex.:** Je *ne* transmettrai *pas* votre demande de congé au Directeur / /*sans* lui dire que je l'approuve entièrement. (Le chef de bureau sadique prend soin d'écrire ceci sur une petite carte, de façon que la seconde partie soit au verso.)

Au delà de deux négations, la clarté peut laisser à désirer. **Ex.:** "**Jamais** *je* **ne** *pourrai* **plus cesser** *d'être* **sans** *lui*" (CLAUDEL, *le Soulier de satin,* p. 219).

Rem. 4 Il y a des *demi-négations,* correspondant à des *demi-refus* (*ne ..... guère, ne ..... plus, ne ..... pas encore, ne ..... pas tellement,* etc.) et des connotations de refus, notamment le démonstratif racinien qu'a étudié Spitzer (*Études de style,* p. 214 à 216). **Ex.:** *"Nous regardions tous deux cette reine cruelle"* (*Athalie,* II, 2). La fonction de ce démonstratif est d'introduire une distance, de rompre un lien, explique Spitzer, qui l'appelle *"démonstratif de distanciation"*. En effet, partout où ce genre de démonstratif apparaît, on attendrait plutôt un possessif (**Ex.:** *notre* reine).

Rem. 5 Une variété rhétorique intéressante de la négation est *ne ..... que,* équivalant à *seulement.* On nie ainsi tout objet autre que celui de l'assertion*, ce qui revient à porter sur cet objet une exclusive, effet inverse à la négation. *Ne ..... que* pourrait être appelé la **contre-négation.**

Rem. 6 La négation appartient au procédisme quand on l'applique systématiquement (*"esprit de contradiction"*). Mais, chez les surréalistes, c'est aussi une façon de créer, en modifiant la forme, des sens inédits. C'est ainsi qu'Éluard et Breton (*Notes sur la poésie*) se saisissent des réflexions de Valéry (*Littérature*) et les nient ou les retournent systématiquement. **Ex.:** *"La pensée a les deux sexes; se féconde et se porte soi-même"* (VALÉRY, *O. c.,* t. 2, p. 546) devient *"La pensée n'a pas de sexe; ne se reproduit pas"* (ÉLUARD, *O. c.,* t. 1, p. 474). Pour la fonction de négativité, V. à *réponse,* rem. 4.

Rem. 7 Quand la désapprobation est outrée, elle devient **exécration, vitupération**, la colère succédant à la révolte.

Quand le grief est informulé, qu'il porte sur l'ensemble d'une situation plutôt que sur des personnes ou un objet précis, on a la **contestation** (V. à *épigramme*, rem. 2).

Rem. 8 Le **désaveu** est un refus de ce qu'on avait approuvé précédemment. L'oeuvre où l'on brûle ce que l'on a adoré (ou l'inverse) est une **palinodie.**

NÉOLOGISME Mot de création récente. Le néologisme est souvent formé en conformité avec les structures lexicales. En littérature, le néologisme est souvent un hapax, que l'usage ne viendra pas entériner.

Ex.: *"adolescentillages"* (R. Ducharme); *"les Émanglons"* (nom d'une peuplade rencontrée par Michaux dans son *Voyage en grande Garabagne*).

Même déf. Lausberg (§ 547 à 551.)

Autres noms Néologie (Littré, Lausberg; Robert le donne comme vieilli). Littré faisait une distinction entre *néologie* (notre néologisme) et *néologisme* (*"habitude et affectation de néologie"*). Auj. *néologie* a pris le sens de "processus de formation" de néologismes (*Lexis*).

Les mots dérivés ou composés conformément aux structures de la langue, bien que non usités, sont aussi appelés **mots factices** ou **mots fictifs** (Lausberg). **Ex.:** *ajustable* (ne pas confondre avec *réglable*). **Ex. litt.:** "**pré-gestes** *en soi, beaucoup plus grands que le geste, visible et pratique, qui va suivre."* (H. MICHAUX, *l'Espace du dedans*, p. 328).

Rem. 1 Le néologisme s'obtient par dérivation (V. à *mot dérivé*), composition (V. à *mot composé*), imitation de bruits (V. à *onomatopée*) invention gratuite (V. à *mot forgé*), ou amalgame (V. à *mot-valise*).

Mais il n'est pas toujours possible de déterminer exactement lequel de ces procédés a été employé. **Ex.:** le *bruflement* dont parle Michaux. Onomatopée*? Croisement de rugissement, ronflement, brute ou broiement? La dérivation en -ment est claire, mais *brufle* est-il forgé?

Rem. 2 Normalement, au néologisme de forme lexicale correspond un sens* original.

Ex.: *Un phénomène assez spécial ..... que j'appellerais bien la pensée néoténique. Avant qu'une pensée ne soit accomplie .....elle accouche d'une nouvelle, et celle-ci à peine née ..... en met au monde une autre, une nichée d'autres.*
MICHAUX, *Connaissance par les gouffres*, p. 92.

NÉOLOGISME DE SENS Emploi d'un mot dans un sens nouveau. ROBERT.

Ex.: *Valeur,* pour Saussure, désigne le sens d'un mot en tant que celui-ci est saisi dans son réseau de relations avec les termes voisins, de sens analogue. Il ne s'agit pour Saussure ni de la valeur affective dans la langue (dont parlera Bally), ni de la valeur d'emploi dans tel texte, mais plutôt de ce qu'on appellera plus tard *champ sémantique* d'un terme.

Autre ex.: *Écriture* pour Barthes ne désigne plus ni le graphisme* personnel ni la façon d'écrire (le style) mais...
une fonction (dans la lutte des classes) ..... *elle est le rapport entre la création et la société, elle est le langage littéraire transformé par sa destination sociale, elle est la forme saisie dans son intention humaine et liée ainsi aux grandes crises de l'Histoire.*
R. BARTHES, *le Degré zéro de l'écriture,* p. 17.

Rem. 1 S'il est inévitable, le néologisme de sens est proche de la catachrèse*. Il semble que la catachrèse soit plus souvent *métaphorique,* le néologisme de sens plus souvent *métonymique,* ce qui augmente ses chances d'entrer dans l'usage.

Rem. 2 Tout mot peut voir son sens évoluer, ce qui rend indispensable à la lecture des textes anciens la consultation de dictionnaires spécialisés. **Ex.:** la *"jolie demoiselle toute pleine de miroirs et de chaînes"* dont parle Pascal est en réalité couverte de strass et de bracelets ou colliers. *Miroirs* et *chaînes,* tout en gardant le même sens* fondamental, ont pris aujourd'hui d'autres sens* spécifiques.

NIGAUDERIE Faute* due à un manque d'intelligence, souvent simulée.

Ex.: *La vie, c'est beaucoup de jours, jour après jour*
JOYCE, *Ulysse,* p. 204.

Analogues Niaiserie, stupidité, bêtise, sottise, imbécillité, ineptie, balourdise, connerie (grossier). Surnoms de nigaud: triplepatte, gribouille.

Rem. 1 Il y a des nigauderies de prononciation (On va l'hynoptiser), de vocabulaire (Il est gentil et intentionné) aussi bien que de pensée (Les hommes aussi ont des coups de soleil?).

Rem. 2 La nigauderie est parfois *mimologique.*

Ex.: *Je voudrais vous reparler de la mer. Mais il reste l'embarras. Les ruisseaux avancent; mais elle, non. Écoutez, ne vous fâchez pas, je vous le jure, je ne songe pas à vous tromper. Elle est*

comme ça. Pour fort qu'elle s'agite, elle s'arrête devant un peu de sable.
MICHAUX, *"Je vous écris d'un pays lointain"*, IX.

Le poète prête sa voix à une jeune fille naïve et effarée. Le procédé n'est pas loin de l'**enfantillage**.

Ex.: *COMPOSITION FRANÇAISE*
Tout jeune Napoléon était très maigre
et officier d'artillerie
plus tard il devint empereur
alors il prit du ventre et beaucoup de pays
et le jour où il mourut il avait encore
du ventre
mais il était devenu plus petit.
PRÉVERT, *Paroles*, p. 178.

Les déficiences dues au grand âge sont appelées **gâtisme**.

Rem. 3 La simulation* (et la pseudo-simulation*) de nigauderie reste la principale ressource du spectacle comique, comme en témoigne le nombre des synonymes* du mot *clown: arlequin, baladin, bateleur, bouffon, farceur, gracioso, grotesque, histrion, loustic, paillasse, pasquin, pitre, saltimbanque, trivelin.*

NIVEAU DE LANGUE On en distingue habituellement trois, le langage populaire, le langage courant (ou familier) et le langage soutenu (ou châtié).

Ils ne diffèrent en réalité que par quelques marques phonétiques, lexicales ou grammaticales disséminées et qui entrent dans des sous-ensembles proches du système général de la langue. Ils ne reflètent plus une stratification socio-linguistique fixe mais indiquent plutôt une situation, une circonstance, par exemple plus triviale, ou plus solennelle. Les locuteurs capables de se situer à n'importe quel niveau en tirent parti. En littérature, le jeu sur ces marques est possible. V. à *dissonance.*

Ex. de langage populaire: *" — Non. Je trouve ça con"* (SARTRE, *la Mort dans l'âme*, p. 221); de prononciation populaire: *"Dargnières nouvelles"* (VERLAINE, *O.*, p. 299); de langage sublime, V. à *grandiloquence.*

Analogues Ton bas, moyen, élevé; style familier, simple, soutenu; mot bas, mot noble.

Rem. 1 Quand le langage populaire sort des structures de la langue et glisse vers l'ésotérisme, il tourne à l'argot*.

Rem. 2 Damourette et Pichon distinguent les usances, les disances et les parlures (V. à *faute*, rem. 4). Une usance régionale (par exemple le "joual" au Québec) peut servir de parlure populaire et une disance technique figurer dans un discours élevé.

Rem. 3 Le langage du peuple a sa vigueur et sa valeur, comme le faisait déjà remarquer Diderot (en dehors de tout effet de *mimologie**):
Mon cher Richard, vous vous f... de moi et vous avez raison. Mon cher lecteur, pardonnez-moi la propriété de cette expression; et convenez ici que, dans une infinité de bons contes ..... le mot honnête gâterait tout.
Jacques le fataliste, dans *O.*, p. 662.

NOMINALISATION Assertion* ramenée à une simple notation*, le prédicat s'identifiant au thème*, ce qui donne au texte quelque chose d'irréfutable.

Ex.: *Dignité symétrique vie bien partagée*
Entre la vieillesse des rues
Et la jeunesse des nuages
Volets fermés les mains tremblantes de clarté
Les mains comme des fontaines
Et la tête domptée.
ÉLUARD, *l'Amour la poésie*, dans *O. c.*, t. 1, p. 252.

Rem. 1 On distinguera ce procédé de la simple holophrase, souvent substantive, elle aussi, mais parfois impérative, exclamative, etc. (V. à *monologue*). La nominalisation n'est pas l'expression spontanée de sentiments, idées, impressions, par des substantifs ou d'autres formes grammaticales qui s'accommodent d'une syntaxe réduite ou implicite: elle est une *fausse notation**, elle exerce la fonction référentielle alors que sa forme correspond à une fonction de situation (V. à *énonciation*).

Rem. 2 Le mot *nominalisation* est emprunté à la grammaire structurale, où il désigne le phénomène grammatical correspondant: la transformation d'une proposition en syntagme nominal. Cf. *Dict. de ling.* Ici, nous nous plaçons sur le plan de l'assertion*.

Rem. 3 On distinguera ce procédé de la **substantification** (Robert), qui relève de la translation*. **Ex.:** *"Le terne, le tiède et le lent engluent"* (R. DUCHARME, *l'Océantume*, p. 57).

Rem. 4 La **substantivation** (Robert, *Supplément*) relève de la dérivation*. Étiemble en ridiculise habilement les excès et donne les exemples suivants de "substantivite" : répétibilité, dispensarisation, sous-médicalisation (*le Jargon des sciences*, p. 55).

NON-SENS Assertion* ou situation par laquelle sera communiqué au lecteur ou au personnage le sentiment de son incapacité à en dégager un sens*.

Ex.: — *C'est le désert ..... On met du sable par terre pour que le chameau, animal maladroit qui tombe souvent, ne se fasse pas de nouvelles bosses.*
JARRY, *la Chandelle verte*, p. 372.

Autre ex.: (Alexandre est atteint d'un cancer) *C'était ce qui lui paraissait le plus sournois: que la maladie ne frappât point là où il aurait pu s'y attendre. À quoi bon, en effet, avoir souffert de l'estomac pendant des années, si ce n'était point en définitive pour en mourir?*
G. ROY, *A. Chenevert*, p. 293.

Analogue Absurdité.

Rem. 1 Le non-sens fait de l'esprit* à sa façon. Il n'est pas si loin du concetti*, l'absence de sens étant ressentie par le biais d'une exigence de sens, à la fois impossible et logique. Que dire d'une cantatrice *chauve* sinon *"qu'elle se coiffe toujours de la même façon"* (Ionesco)? Et n'est-ce pas l'irréalisable vraisemblance de cette phrase de Lewis Carroll qui a poussé Éluard et Breton à la citer, sous la rubrique *sourire*, dans leur *Dictionnaire abrégé du surréalisme: "S'il sourit un peu plus, les extrémités de sa bouche vont se rejoindre par derrière... et alors que deviendra sa tête? J'ai bien peur qu'elle ne tombe."*

Rem. 2 Autres figures comiques par *non-sens* ou *demi-non-sens*: les alliances*, l'allographe*, l'antilogie*, la dissociation*, le coq-à-l'âne*, l'effacement* d'objet.

NOTATION Segment de texte isolé, dénué de fonction prédicative ou syntaxique, à peine actualisé (V. à *monologue*, rem. 2), sans ellipse* ni brachylogie*. C'est la modalité de phrase correspondant à la fonction linguistique dite "de situation" (V. à *énonciation*, 4).

Ex: *Midi et demie, rue de l'Université*
MARTIN DU GARD, *les Thibault.*

Ex. courant: Les lettres* débutent par la notation brève du lieu et de la date.
Les titres et dénominations, énoncés comme tels, avec un ton particulier, sont aussi des notations. **Ex.:** *THÉÂTRE DE POCHE.*

Rem. 1 *Notation du sujet.* La désignation des personnes de l'acte de communication peut accompagner celle de la situation. La signature[1] et la suscription (l'adresse, le cachet

---

[1] La souscription est une signature au bas d'un acte officiel.

postal sur l'enveloppe) ont donc la forme de notations. C'est aussi le cas de la carte de visite, de l'**indicatif** des postes émetteurs de radio ou de télévision ("Ici, Radio-Luxembourg"); annonce souvent suivie de l'heure. La référence qui fait suite à une citation* est aussi une notation (auteur, titre de l'oeuvre, édition, éditeur, lieu, date, volume, page...). De même l'*épitaphe*, inscription sur un tombeau (ci-gît, prénom, nom, né à, le, décédé à, le) accompagnée d'une adresse[2] (à notre regretté), d'un souhait* (R.I.P.).

Rem. 2 *Notation de la qualité.* C'est la **mention**: note habituellement élogieuse ajoutée à un certificat, un diplôme, une attestation. **Ex.:** Il remporta le prix de Rome avec la mention "meilleure exécution de la 9e symphonie".

Rem. 3 La notation est amplifiée devant la signature, à la fin des actes notariés. *"À Paris, ce vingt-quatrième jour de juin mille neuf cent soixante-quinze".*

Rem. 4 La notation est utilisée en littérature. **Ex.:** *"fenêtre disparue; simple embrasure de ciel; nuit calme sur les toits; la lune."* (GIDE, *Romans*, p. 246).
La notation est transposable en poésie:
Tristesse aux flots de pierre.
Tant de liens brisés.
ÉLUARD, *l'Amour la poésie*, XVIII.

On voit que le lieu n'est pas nécessairement toponymique et que le temps est remplaçable par le vécu. V. à *nominalisation.*

Rem. 5 Les listes, calendriers, cartes, nomenclatures, glossaires, bottins, index, tables, bibliographies, etc., semblent des recueils de notations possibles. Le **nécrologe** est une liste de défunts, la **nécrologie** un avis de décès ou une notice biographique consacrée à un défunt récent.

Rem. 6 Les présentations lors de rencontres entre inconnus ne sont pas, malgré l'apparence, des notations. **Ex.:** *"Coco, Jojo"* (GOMBROWICZ, *Ferdydurke*, p. 237). Le premier terme est une apostrophe* (fonction phatique), le second une ellipse* de phrase prédicative (voici Jojo). Quand on se présente soi-même (au micro notamment), il y a ellipse* de *je suis.*

ODE Série de strophes* identiques sur un rythme* équilibré (souvent, dizains isométriques de décasyllabes ou d'alexandrins).

Chez les Grecs, l'ode était chantée. L'ode pindarique était composée de triades, groupes de trois couplets:

---

2 Au sens de "description du destinataire" (V. à *apostrophe*, rem. 2).

strophe, antistrophe exactement symétrique, et *épode* sur un rythme différent (Bénac, Robert).

ONOMATOPÉE Formation d'un mot dont le son est imitatif de la chose qu'il signifie. LITTRÉ. **Ex.:** *coucou*

Autre ex.: *La pauvrette ..... a couvert plus de quatre cents lieues à la rencontre d'un abominable* ***couac.***
AUDIBERTI, *Le mal court,* p. 61.

Même déf. Marouzeau, Quillet, Lausberg, Morier, Robert, Preminger, Colin. **Ex.:** *"La jupe tordue se balançant vlan et vlan et vlan."* (JOYCE, *Ulysse,* p. 55).

Syn. Mot imitatif; symbolisme phonique (*Dict. de linguistique*).

Liste (d'après J.-P. Colin, *Nouveau dictionnaire des difficultés du français*):
ahan, atchoum, badaboum, bang, bim, boum, brr, bzz, cocorico, coin-coin, couac, crac, cric, crin-crin, croâ, cui-cui, ding ding dong, drelin ou grelin, dring, dzing, flac, floc, flic-flac, flon-flon, frou-frou, frrt, glouglou, grr, hi-han, meuh, miam miam, miaou, ouah, paf, pan, patatras, pif, pouf, poum, rataplan ou rantanplan, ronron, snif, tac, tagada, teuf-teuf, tic-tac, toc-toc, tutu, vlan, vraoum, vroum, vrrout.

Rem. 1 Les onomatopées sont des mots au même titre que les autres, et non des bruits*, car il y a codification de la prononciation, de la graphie*, de la forme grammaticale et du sens*.

La limite entre les lexèmes onomatopéiques et les autres est difficile à tracer. Suivant Grammont nombreux sont les vocables susceptibles de recevoir une motivation phonique qui les rapprochera des onomatopées.
Bouffer, "manger gloutonnement", *exprime un bruit labial et le soufflement de quelqu'un qui mange trop vite;* **bâfrer** *nuance la même expression en indiquant que le souffle produit un bruit de frottement* (r).
Traité de phonétique, p. 395.

Mais ressentons-nous tous ces phénomènes sonores de la même façon, même si le sens du mot nous y incite (tinter, mais teinter; crier, mais créer, etc.)? Grammont pense que non, et l'onomatopée reste, à ses yeux, un phénomène subjectif, même s'il est souvent collectif; il joue un rôle important en poésie, mais aussi en prose, où il peut influencer le choix des termes et le choix des suffixes (clapotis, clapotage). La liste ci-dessus est donc très limitée. Un grand nombre de mots devraient s'y ajouter (cancan, bourdonnement... cf., par ex., dans le *Petit Robert,* à *bruit,* la liste des analogues).

Rem. 2 Il y a une *contre-onomatopée,* qui consiste à tirer des mots de la langue un bruitage. **Ex.:** dans la bande dessinée de Lob et Pichard *Ulysse,* la tempête est figurée par des **gronde** et des **craque** striant le ciel, dont les graphismes sont menaçants

PALINDROME Vers*, phrase* palindrome: offrant le même sens* quand on les lit de gauche à droite ou de droite à gauche. LITTRÉ.

Ex.: *LÉON, ÉMIR CORNU D'UN ROC, RIME NOËL*
CH. CROS, cité par ÉLUARD, *O. c.,* t. 1, p. 1158.
SETE SONNE EN NOS ETES (Sète, petite ville de haute Provence, où l'on peut aller en vacances)

Même déf. Preminger, Robert.

Rem. 1 Bien que la définition ne précise pas s'il faut l'appliquer mot par mot ou lettre par lettre, les exemples ne laissent pas le choix. Déjà Bescherelle (*Dict. national*) en donne un en latin lettre par lettre.

Rem. 2 Appelons *faux palindrome* celui qui procéderait mot par mot, comme fait le *vers rétrograde* (V. à *rime,* rem. 3). La réalisation de faux palindromes serait moins problématique. **Ex.:** *"Le violon d'Ingres d'Ingres était le violon"* (R. DUCHARME, *la Fille de Christophe Colomb,* p. 57), *"Le temps est un aigle agile dans un temple"* (DESNOS, cité par ÉLUARD, *ib.,* p. 1172).

Rem. 3 Si l'on se sert du procédé pour créer des mots, ce sera un *demi-palindrome.* **Ex.:** *"Grisée et Eésirg"* (R. Ducharme), Raoul *Luoar Yaugud* Duguay. V. à *dénomination propre,* rem. 2 et à *mot forgé.*

Rem. 4 Pour mieux réussir, on neutralise les majuscules et les accents. V. aussi à *boustrophédon, anagramme, antimétathèse.*

PARABASE Partie d'une comédie grecque qui consistait essentiellement en un discours* du coryphée, sorte de digression par laquelle l'auteur faisait connaître aux spectateurs ses intentions, ses opinions personnelles, etc...

Même déf. Littré, Quillet, Bénac.

Autre déf. Il n'y a pas d'intérêt à restreindre la définition à la comédie grecque. Le mot *parabase* conviendrait pour désigner un procédé assez courant: l'auteur, sortant de la fiction littéraire qu'il a choisie, s'adresse directement aux lecteurs (ou lectrices). Il y a **intrusion** de l'auteur.

Ex.: *Léon écrivit:* "**Fait du sentiment avec le père Oct. On verra!...**" *Ce trait choquera peut-être quelques lectrices: elles voudraient que le* "**pauvre Léon**" *fut sympathique sans réserve.*

Mais il ne s'agit pas pour nous de faire des personnages sympathiques, il s'agit de les montrer tels qu'ils furent.
MONTHERLANT, *Romans*, p. 810.
Ducharme, lui, traite son lecteur de "patient *confident*" (*les Enfantômes*, p. 261).

Rem. 1 C'est une figure d'énonciation*. V. à *excuse; mot d'auteur*, rem. 2; *intonation*. Il y a une demi-parabase. V. à *épiphonème*, rem. 1 et à *épiphrase*, rem. 1.

PARADOXE Affirmation qui heurte les idées courantes, qui se présente comme contraire à celles-ci jusque dans sa formulation même.

Ex.: *Les crimes engendrent d'immenses bienfaits et les plus grandes vertus développent des conséquences funestes.*
VALÉRY, *O.*, t. 2, p. 81. V. aussi à *litote*, rem. 1; à *prophétie*, rem. 1.

Même déf. Littré, Lausberg, Morier, Robert.

Syn. Paradoxisme (Fontanier, p. 137). Cette dérivation permet à Fontanier d'insister sur le côté formel de la définition: alliance de mots*.

Rem. 1 C'est l'alliance* de mots qui permet de considérer le paradoxe comme un procédé littéraire, et non comme une qualité de la réflexion, l'originalité. Il reste que les mots alliés doivent jouer les rôles de thème* et prédicat psychologique pour que l'on ait une affirmation paradoxale. Quillet simplifie en donnant *"un fou raisonnable"* comme exemple de paradoxe; il faudrait au moins: *Voici un fou raisonnable.*

Rem. 2 Le bon paradoxe apparaît, à la réflexion, comme vrai. Aussi doit-il être amené.

Ex.: "*Les défauts de style de Molière ne sont pas seulement le revers ou la rançon de ses qualités, ils en sont la condition même.* **Il eût écrit moins bien, s'il avait mieux écrit.**" (BRUNETIÈRE, cité par LARTHOMAS, p. 23).
Le *faux paradoxe* est celui qui ne convainc personne. **Ex.:** *"Un borgne est bien plus incomplet qu'un aveugle. Il sait ce qui lui manque"* (HUGO, *Notre-Dame de Paris*, p. 52). Volontairement faux, il rejoint l'antilogie* avec ses effets surréels (V. à *image*, rem. 1) ou humoristiques. **Ex.:** *"On ne montre que ce qui n'est pas sûr, pour inspirer confiance"* (JARRY, *la Chandelle verte*, p. 424). Il a son intonation*

Rem. 3 Le paradoxe est une façon d'outrer la pensée, on cherche à créer entre certains éléments une opposition qui forcera le public à réfléchir. Par exemple, au lieu de dire:

Chacun, dans la société, doit faire ce qu'il peut faire de mieux; on mettra: *Chacun doit faire ce qu'il n'arrive pas à faire* (principe de Peter).

L'opposition peut rester implicite. C'est le cas dans l'aporie paulinienne: *Nous proclamons la mort du Seigneur.* Pour déchiffrer, il faut savoir que le *Seigneur,* étant Dieu vivant pour Paul, forme opposition avec *mort;* s'il est mort, il a dû ressusciter; d'où le sens de la *"proclamation"*, qui n'en aurait guère autrement. (Cf. J.-P. AUDET, *Revue biblique,* 1958, p. 393).

Plus le paradoxe est fondé dans la réalité, moins il a besoin d'être formalisé. **Ex.:** *"Napoléon! Ça lui allait bien, à celui-là, de codifier la protection de la vie humaine et de la propriété!"* (A. ALLAIS, *Plaisir d'humour,* p. 179).

Rem. 4 La forme paradoxale semble jaillir spontanément lors du contact avec un absolu. Elle est fréquente dans les logia (paroles attribuées à Jésus), dans l'oeuvre de Jarry, dans la piété populaire. **Ex.:** *"— Ma santé? Si l'on se plaint de sa maladie, Dieu n'accorde pas la mort, dit Karataiev."* (TOLSTOÏ, *Guerre et Paix,* t. 2, p. 574).

Rem. 5 La façon la plus simple de réussir un paradoxe est d'inverser un truisme*. **Ex.:** *"Ce qu'il y a de plus profond dans l'homme, c'est la peau"* (Valéry). L'effet est vite humoristique **Ex.:** *— Avez-vous bien dîné? — Fort bien, Monsieur, sauf la merdre. — Hé, la merdre n'était pas mauvaise!* (JARRY, *Ubu roi*).

PARAGOGE Addition à la fin d'un mot. LITTRÉ.

Ex.: *Sion jusques au ciel élevée autrefois*
RACINE, *Esther,* I, 2.

Même déf. Marouzeau, Quillet, Lausberg (§ 484), Robert (qui précise: d'une lettre ou d'une syllabe; **Ex.:** *avecque*).

Rem. 1 Terme de l'ancienne grammaire; ne sert plus guère qu'à désigner les astuces des classiques, quand il leur manque un pied. Verlaine encore: *"Grâces à ta bonté qui pleut dans le désert"* (*O. poétiques c.,* p. 787). V. à *apocope,* rem. 2.

Rem. 2 Le bâillement étouffé que reproduit Valéry: *"Je n'ai jamais tant lu... u..."* (*O. c.,* t. 2, p. 355) est un étirement* et une mimologie*.
V. aussi à *écholalie, métaplasme.*

PARAGRAMME Faute* d'orthographe ou d'impression qui consiste à substituer une lettre à une autre. ROBERT.

Ex.: *Son Suir chevelu réclame un corps gras.*
JOYCE, *Ulysse,* p. 81. V. aussi à *anagramme,* rem. 2.

Syn. Coquille (typographique), translittération.

Rem. 1 De prétendues coquilles sont malicieuses. **Ex.:** Sa Majesté la ruine d'Angleterre. Le paragramme se combine avec l'anagramme. V. ce mot, rem. 2.

Rem. 2 Pons (p. 11) appelle substitution consonantique des paragrammes complexes découverts chez Swift: *"rettle"* pour *letter, "lole"* pour *love.* Signalons une substitution de voyelles: *"Ma patate maman"* (IONESCO, *Jacques ou la soumission,* p. 134; pour *petite*).

Rem. 3 Les paragrammes intentionnels relèvent de la cryptographie* (V. ce mot, rem. 2), du mot-valise*, de l'à-peu-près*, du brouillage*... Les autres sont des lapsus*. Tel paragramme de Joyce relève de la verbigération*: *"Simbad le Marin et Tinbad le Tarin et Jinbad le Jarin et Whinbad le Wharin et Ninbad le Narin et Finbad le Farin"*

Rem. 4 La notion de paragramme est reprise de façon positive en sémiotique. J. Kristeva, dans *Semeiotikè,* généralisant les hypothèses de Saussure sur le rôle de l'*anagramme* (V. ce mot, rem. 4) dans le texte poétique, propose de lire tabulairement (par opposition à linéairement) le réseau paragrammatique du texte, la lettre du texte. On peut écrire beaucoup de mots avec les lettres des mots du texte! Derrière la surface s'ébauche alors une "poly-graphie" que la psychanalyse décrypte très librement.

Paragramme prend ainsi l'acception de "disposition des lettres ordonnée par un principe inconscient, susceptible de produire une pluralité de lectures".

PARAGRAPHE Ensemble de phrases limité par deux pauses* étendues qui consistent graphiquement en une ou plusieurs lignes de blanc et parfois des signes spéciaux (astérisques par exemple).

Rem. 1 Il est souvent confondu avec l'**alinéa,** qui fut d'abord, comme son nom l'indique, le fait d'aller à la ligne; ensuite l'ensemble de phrases limité par la pause que transcrit ce signe graphique d'aller à la ligne. Le paragraphe peut grouper plusieurs alinéas.

À l'instar du *chapitre,* qui est l'ensemble supérieur dans l'axe de combinaison (l'ensemble qui regroupe les paragraphes), il peut recevoir une numérotation (ou un simple indice, parfois alphabétique) et un titre (pour mieux dire un *sous-titre*[1]).

---

1 Le *titre,* composé en capitales, appartient au chapitre, tandis que le titre de paragraphe (ou ***sous-titre, inter-titre)*** se compose en bas de casse et se termine par un point, comme une phrase mise en évidence et non comme une inscription

En poésie, où le message est condensé, le paragraphe est réduit à la strophe*, de même que l'alinéa est ramené à la dimension du vers* ou du verset*.

Au théâtre, le paragraphe correspond à un ensemble de répliques (*scène* ou *tableau*), les répliques correspondant à l'alinéa.

Rem. 2 L'alinéa est la *"cellule rhétorique"* de la dissertation (cf. G. GENETTE, *Figures II*, p. 38) et le paragraphe est un ensemble défini par sa fonction dans le plan*.

Rem. 3 En journalisme, on appelle **inter-titre** le titre des subdivisions, introduites le plus souvent par la rédaction et non par l'auteur, dans un texte assez long. Le **chapeau** est un court paragraphe présentant un article.

Rem. 4 V. à *assise, 2; billet*, rem. 1; *approximations*, rem. 2; *épanalepse*, rem. 4; *interruption*, rem. 3; *pause; pointe; plan*, rem. 4.

PARALLÈLE On rapproche l'un de l'autre, sous leurs rapports physiques ou moraux, deux objets dont on veut montrer la ressemblance ou la différence. FONTANIER, p. 429.

Ex. donné par Fontanier: Corneille et Racine, d'après La Bruyère. ***Corneille** nous assujettit à ses caractères et à ses idées: **Racine** se conforme aux nôtres. **Celui-là** peint les hommes comme ils devraient être: **celui-ci** les peint tels qu'ils sont* (etc.)

Même déf. Quillet, Bénac, Robert.

Autres noms Comparaison* (Quillet, Robert); compensation*; antéisagoge (Bary, cité par Le Hir, p. 128); similitude* (Robert): quand on développe les points communs; dissimilitude: quand on développe *"les différences de deux objets rapprochés d'abord comme analogues"* (Littré).

Ex.: *Le grand romancier suisse Ramuz a consacré tout un livre à l'approche d'un orage dans les montagnes. Mais l'orage du poète et du musicien souffre d'une grande infériorité: il passe. L'orage du peintre, lui ne passe pas. Il est là pour toujours, éternellement contemporain de lui-même. L'artiste à son profit a arrêté le temps.*
CLAUDEL, *O. en prose*, p. 252.

Rem. 1 Le parallèle prend souvent la forme du parallélisme*. La dissimilitude sert à la réfutation*.

---

affichée. V. aussi à ***ponctuation***, rem. 1. Quand le sous-titre est un titre secondaire placé sous le titre, sa présentation est la même que celle du titre (avec des caractères plus petits ou distincts).

PARALLÉLISME La correspondance de deux parties de l'énoncé est soulignée au moyen de reprises* syntaxiques et rythmiques[1]. Le procédé engendre des phrases ou des groupes binaires; il était particulièrement recommandé dans la période*.

Ex.: *Des trains sifflaient de temps à autre et des chiens hurlaient de temps en temps.*
R. QUENEAU, *le Chiendent*, p. 210-1.

Même déf. Vannier (p. 177), Robert.

Autres noms Responsion (Marouzeau), antapodose (Lausberg, sens 1), hypozeuxe (chaque terme reçoit une expansion de semblable longueur; Morier).

Autre déf. On peut avoir un parallélisme sonore (V. à *antimétathèse*, rem. 2); un parallélisme rythmique (V. à *écho rythmique*).

Rem. 1 La reprise* est un parallélisme plus poussé mais purement formel. Pour qu'il y ait parallélisme, il suffit que deux objets (ou deux êtres) soient rapprochés avec quelques éléments de syntaxe et de rythme en commun. **Ex.:** *"ses sourcils avançaient en broussaille au-dessus d'un regard plus gris, plus froid qu'un ciel d'hiver; ses favoris, arrêtés haut et coupés court, avaient conservé le ton fauve de sa moustache bourrue."* (A. GIDE, *Romans*, p. 685).

Rem. 2 Les contenus peuvent aussi opérer leur rapprochement sur la base d'une opposition. **Ex.:** *"Par la joie, la beauté du monde pénètre dans notre âme. Par la douleur, elle nous entre dans le corps."* (S. WEIL, *Pensées sans ordre concernant l'amour de Dieu*, p. 101).

Rem. 3 Une structure binaire gratuite peut se renforcer par des anaphores*. **Ex.:** la description que voici d'un parc d'attractions. *"Ici l'on tourne en rond et là on choit de haut, ici l'on va très vite et là tout de travers, ici l'on se bouscule et là on se cogne, partout on se secoue les tripes et l'on rit* (etc.)" (R. QUENEAU, *Pierrot mon ami*, p. 20).

Rem. 4 V. aussi à *disjonction*, rem. 3; *membres rapportés; paronomase*, rem. 6; *période*.

PARALOGISME Faux raisonnement*. LITTRÉ.

Ex.: *MARIE. — Tant qu'elle* (la mort) *n'est pas là, tu es là. Quand elle sera là, tu n'y seras plus, tu ne la rencontreras pas, tu ne la verras pas.*
IONESCO, *Le roi se meurt*, p. 123.

---

[1] V. à ***écho rythmique***, rem. 3.

Même déf. Quillet, Robert.

Analogue Sophisme*.

Rem. 1 Le paralogisme est un sophisme, mais qui est de bonne foi.

Ex.: "*Je ne peux pas être plus reconnaissant à* "**Dieu**" *de m'avoir créé que je ne pourrais lui en vouloir de ne pas être, — si je n'étais pas.*" (GIDE, *Romans*, p. 168).
L'auteur semble convaincu de la solidité de son argument*, il ne se rend pas compte que la raison invoquée, péremptoire dans l'hypothèse de l'inexistence, s'affaiblit dans l'autre cas (Celui qui pense à son existence peut avoir là-dessus les idées et les sentiments qu'il lui plaît).

Rem. 2 Aristote, pour qui la vérité de la conclusion est fonction, non seulement de la valeur des arguments, mais de la logique du raisonnement, a caractérisé quelques types d'erreurs toujours actuels.

— La **majeure non universelle. Ex.:** "*Les exilés peuvent aller où ils veulent. Or il est agréable de pouvoir se fixer où on veut. Donc ils sont heureux.*" (*Rhétorique*, 2, 24). Où ils veulent... sauf dans leur patrie. La majeure n'est pas *toujours* vraie.

— L'**accident inverse** (*A dicto simpliciter ad dictum secundum quid*), qui consiste à appliquer une vérité très générale à un cas particulier, "*accidentel*", qui va justement à l'inverse de cette vérité. **Ex.:** Emprisonner un homme est cruel, il ne faut donc pas emprisonner cet assassin (Lanham). **Ex. litt.:** "*Peut-être trouvera-t-on que Musidora a cédé bien vite à Fortunio ..... nous dirons ..... que la passion est prodigue, et qu'aimer c'est donner.*" (TH. GAUTIER, *Fortunio*, p. 122).

— La **pseudo-causalité** (*post hoc ergo propter hoc*), qui consiste à penser que c'est la fumée qui fait progresser la locomotive. **Ex. litt.:** "*Il est possible que mon coeur fasse circuler mon sang, mais s'il se trouvait que le mouvement de mon sang fût la cause réelle des battements de mon coeur*" (VIAN, *les Bâtisseurs d'empire*, p. 77); et de là: "(l'accidenté) *geignit ..... car les morceaux de sa hanche, en se cognant, faisaient un bruit désagréable à ses oreilles*" (VIAN, *l'Automne à Pékin*, p. 45). En critiquant les liens de causalité, on est ramené aux faits, et à la possibilité de causes plus justes, ou seulement plus originales (cf. Valéry).

— La **supposition niée,** dont Lanham présente cet exemple: *Si Jean court un mille en quatre minutes, c'est un coureur rapide. Or Jean n'a pas couru un mille en quatre minutes. Donc Jean n'est pas un coureur rapide.*

— La **conjonction d'arguments** inconciliables. **Ex.:** *Il est juste que celle qui a tué son mari meure. Il est beau qu'un fils venge son père. Donc il est juste et beau qu'un fils tue sa mère.* (ARISTOTE, *Rhétorique*, 2, 24).

— Le **cercle vicieux**, où l'on voit les arguments ramener au fait au lieu de le justifier. Saint-Exupéry en a fourni un exemple patent dans la conversation du petit prince avec l'ivrogne: "— Pourquoi bois-tu? — Pour oublier. — Pour oublier quoi? — Pour oublier que j'ai honte. — Honte de quoi? — Honte de boire." Le cercle vicieux est un raisonnement* tautologique. **Ex.:** *"On doit commencer par être un arriviste pour pouvoir offrir à d'autres, dans les années du succès, un appui à la faveur duquel ils puissent arriver à leur tour."* (R. MUSIL, *L'Homme sans qualités*, t. 1, p. 62.) **Syn.** Diallèle (*Lexis*).

— La **pétition de principe**, proche du précédent, qui consiste à prouver une chose en se servant d'une chose dont la preuve dépend (implicitement) de la première. Ainsi, pour Nietzsche, toute métaphysique repose sur une pétition de principe: on ne peut définir l'être sans employer les mots *c'est* (cf. REY, *l'Enjeu des signes*, p. 92). Le raisonnement hypothético-déductif (V. à *supposition*, rem. 2) repose lui aussi sur une pétition de principe, jusqu'au moment où l'expérience vient le vérifier (ou le modifier), faute de quoi, la conclusion ne sera qu'un **artefact** (elle restera présupposée par la méthode).

— La **tautologie** pure et simple, dans laquelle la démonstration n'est qu'une métabole* de la thèse. C'est ce dont J. Laurent taxe Sartre en résumant comme suit une page de *Qu'est-ce que la littérature?*

Seuls les actes comptent; puisque seuls les actes comptent, la preuve en est que le reste ne compte pas, ou si peu; ce qui est tout à fait normal puisque seuls les actes comptent; donc les actes seuls comptent.

J. LAURENT, *Paul et Jean-Paul*, p. 27.

Mais n'est-il pas assez courant, pour ne pas dire naturel, de vêtir d'idées et de raisonnements des intuitions ou des convictions fondées sur l'expérience personnelle? Aussi accepte-t-on de bon gré de semi-tautologies, proches du truisme*.

Ex.: *Qu'est-ce que* **Guerre et Paix?** *Ce n'est pas un roman, encore moins un poème, et encore moins une chronique historique.* **Guerre et Paix** *est ce que l'auteur a voulu et pu exprimer dans la forme où cela s'est exprimé.*

TOLSTOÏ, *Guerre et Paix*, t. 2, p. 777.

— La **question fourrée** ou présupposition subreptice, par laquelle, sans que l'adversaire s'en rende clairement compte, on obtient un aveu implicite. **Ex.:** (à un témoin qui affirme ne pas connaître le prévenu) — Oseriez-vous jurer que vous ne l'avez pas revu après telle date? (Qu'il réponde oui ou non, il se contredit.) V. à *impasse.*

— Le **chaudron** ou les présuppositions contradictoires de diverses propositions qui tendent à la même conclusion. Le cas-type, qui donne son nom au paralogisme, peut se résumer comme suit (selon Angenot): Je n'ai jamais emprunté le chaudron; il était déjà fêlé; je l'ai rendu intact. (Cf. FREUD, *les Mots d'esprit,* p. 90.)

Rem. 3 Quant aux erreurs de logique trop évidentes, ce sont surtout des procédés comiques. Relevons:

— Le **glissement de sens principal,** repéré déjà par Aristote dans sa *Poétique* avec l'exemple suivant: *L'inconnaissable est connaissable puisque je peux connaître qu'il est inconnaissable.* Vian dénude ce procédé: *"J'aime à dormir les volets ouverts parce que ça m'empêche de dormir et que je déteste de dormir"* (N. ARNAUD, *les Vies parallèles de Boris Vian,* p. 130). On voit que la discussion d'un point se règle par la modification de la thèse*.

— L'**analogie** (V. à *raisonnement,* rem. 3). **Ex.:** *"J'ai pris froid dans le parc. La grille était restée ouverte"* (JOYCE, *Ulysse,* p. 129); comme si le parc était un appartement. *"La preuve que Shakespeare n'écrivait pas lui-même ses pièces, c'est qu'on l'appelait Willy"* (A. Allais); comme si la familiarité, naturelle entre gens ordinaires, devait disparaître avec les grands hommes. L'absurdité de l'analogie est plus nette encore quand on amalgame comparé et comparant. **Ex.:** *"ma barbe vit, puisqu'elle pousse, et si je la coupe, elle ne crie pas. Une plante non plus. Ma barbe est une plante"* (VIAN, *les Bâtisseurs d'empire,* p. 78).

— L'**hyperlogicisme,** où c'est l'excès de logique dans les termes qui est la cause de l'erreur.

Ex.: *"Vous avouez, d'ailleurs, cet inconvénient, au lieu d'en chercher le remède, et combien vous avez raison! Car un inconvénient auquel on remédie n'en est plus un."* (A. ALLAIS, *Plaisir d'humour,* p. 29).

LÉON. — Voilà! L'armée présente un avantage capital; car c'est le consommateur qui paie l'armée, Audubon, et c'est l'armée qui consomme. D'où un déséquilibre permanent, qui seul nous permet d'équilibrer. Car on ne peut équilibrer que s'il y a déséquilibre, ça saute aux yeux.

VIAN, *Théâtre,* t. 1, p. 225.

— L'**illogisme** sous forme logique. **Ex.:** *"Il n'y avait aucune chance pour que Levadoux revînt à son bureau ce soir-là, aussi,* *la standardiste le croisa dans l'escalier"* (VIAN, *Vercoquin et le plancton*, p. 171). *"Il permuta la magnéto et le filtre à huile, fit un essai. Ça ne marchait pas. Il les remit chacun à sa place respective et fit un nouvel essai. Ça marchait. — Bon, conclut le Major. C'est la magnéto"* (VIAN, *les Remparts du sud*). On n'est pas loin du non-sens*.

– *Votre oneille, comment va-t-elle?*

– *Aussi bien, Monsieuye, qu'elle peut aller tout en allant très mal.* **Par conseiquent de quoye,** *le plomb la penche vers la terre et je n'ai pu extraire la balle.*

A. JARRY, *Ubu roi*, p. 135. V. aussi à *antilogie*, rem. 1.

PARAPHRASE Développement explicatif d'un texte. BÉNAC.

Ex.: *l'Homme ..... De-partout couvrant la Terre, il est-plus-haut que-les-dix-doigts...* (Voici la paraphrase de ce vers par Çridara)

"Après avoir complètement rempli la hauteur d'un empan (= "une unité de mesure"), il subsiste (encore au-delà). Par là, le texte indique, non la mesure de l'Homme, mais le fait qu'il dépasse". (Voici le commentaire de Daumal)

[Son essence est d'être **plus que** *(quoi que ce soit), de surmonter toujours sa propre grandeur. Il est un* **plus** *absolu.]*

Hymne de l'homme extrait du *Rig-Veda*, traduction R. DAUMAL, *Bharata*, p. 122 et 128. On a ici une *double paraphrase*, celle du commentateur puis celle du traducteur, qui s'y reprend lui-même trois fois pour exprimer mieux la même idée.

Dérivés Paraphrastique (adj.), paraphraste (auteur de paraphrases).

Analogues Glose (Morier), annotation (Robert), marginalia (Souriau, p. 187), marginales (Montherlant), scolie (Bénac: explication grammaticale ou critique).

Autres déf. 1 *"Développement explicatif plus long que le texte et verbeux, diffus"* (Littré). Celui-ci pense surtout à la paraphrase comme façon de traduire et cite Fabre d'Olivet: "(La version littérale) *dérobe toujours des grâces nécessaires* (mais la paraphrase) *en prête rarement d'utiles"*.

La connotation péjorative nous paraît accessoire, puisque d'autres termes comme périssologie* et battologie* existent pour la souligner. C'est quand la paraphrase est mauvaise qu'elle n'apporte rien de neuf, ou quand elle est ironique, baroque, etc.

Ex.: *Ce qui n'est pas spécifiquement interdit selon la lettre de la loi, est implicitement autorisé et légitime. Ainsi faire de la graphie motuelle à l'aide de phénomènes authentifiés par les dictionnaires (scilicet écrire), c'est permis.*
H. AQUIN, *Point de fuite*, p. 56.

2 *"Sorte d'amplification oratoire par laquelle on développe et on accumule dans une même phrase plusieurs idées accessoires"* (Fontanier, p. 396). C'est considérer la paraphrase uniquement dans le texte et la rapprocher de l'énumération*. V. aussi à *périphrase*, autre déf.

Rem. 1 Lausberg distingue la paraphrase de la **métaphrase**. Celle-ci est une *réécriture* dans laquelle le texte n'est pas étendu, mais seulement modifié (parfois raccourci, mais sans aller jusqu'au résumé*) pour plus de clarté ou en fonction d'un public déterminé.

Rem. 2 On place la paraphrase dans une section à part, avec référence au texte; ou en bas de page, avec appel de note, ou entre parenthèses*, entre crochets; elle peut même faire partie du texte, avec un syntagme introducteur comme *c'est-à-dire, autrement dit, en d'autres mots...*

Rem. 3 R. Daumal propose une forme originale de paraphrase.

```
Voici, dans la VISION-DES-STANCES, le "Juste-dit" de l'Homme
                    savoir sacré    (= Hymne)  actif-Résident,
                                                   Citadin
                                                   Occupant
```

Les mots placés sous un mot, en très petits caractères *"indiquent les principales images ou notions évoquées par le mot, pour un Hindou, en dehors de son sens principal. Soit par association de sens — d'étymologie — ou de sons."* (R. DAUMAL, *Bharata*, p. 122 et 120-1). On n'est pas loin de l'analyse sémique d'une *"parole"*.

PARASTASE Accumulation* de phrases qui reprennent la même pensée.

Ex.: *Plus me plaist le séjour qu'ont basty mes ayeux*
Que des palais romains le front audacieux,
Plus que le marbre dur me plaist l'ardoise fine
Plus mon Loyre gaulois que le Tybre latin,
Plus mon petit Lyré que le mont Palatin
DU BELLAY, *Regrets*, 31, 9. cité par LAUSBERG, § 838.1.

Syn. Commoration (Scaliger, III, 46; Lausberg); insistance, demeure (Lausberg); rumination mentale (Marchais); polyonymie (Bary); épimone (Fabri, II, 160; Lausberg).

Analogues Radotage (Marchais); **expolition** (Fontanier, p. 420; Le Clerc, p. 269; Thiebault, *in* Le Hir, p. 144, Lausberg; Morier cependant rapproche l'expolition de la métabole* en la définissant: *"réexposition plus nette, plus vive, d'une idée"*).

Rem. 1 Inconsciente et inutile, la parastase est habituellement un défaut. **Ex.:** TOLSTOÏ, *Guerre et Paix*, t. 3, chap. 1 et t. 4, 2e partie, chap. 1. Tous ces passages sont consacrés à développer une même idée: les événements historiques sont le résultat de la volonté des peuples et non des *"génies"* comme Napoléon. Mais la parastase est parfois volontaire, comme chez Péguy.

Ex.: *Là est le secret ..... du génie ......:* manquer de mémoire... *ne traîner pas derrière soi cette lourde masse, ce train de chemin de fer, ce train de marchandises, traîné, déroulé derrière soi sur les rails comme un annelé aux segments parallélépipèdes, comme un gros segmenté, comme un ruban annelé métallique et lourd, fidèle et déroulé tout au long de la voie* (ferrée), *ferraillant aux aiguilles et qui fait* badaboum *aux plaques tournantes, ce lourd et ce trépidant arriéré* (etc.)
PÉGUY, *Véronique*.

Elle est propre à diffuser l'hébétude de certains héros de Beckett, par exemple dans *Molloy*.

PARATAXE Disposer côte à côte deux propositions... sans marquer le rapport de dépendance qui les unit. **Ex.:** *"vous viendrez, j'espère"* pour *"j'espère que vous viendrez.`* MAROUZEAU.

Même déf. Morier.

Autre déf. Tesnière (p. 319) emploie le mot *parataxe* dans un sens plus spécifique, il l'oppose à *"l'hypotaxe sans marquant"* (avec laquelle elle s'identifie au contraire). V. à *hyperhypotaxe*, rem. 3.

Rem. 1 La mise en parataxe consiste essentiellement en un effacement* des **taxèmes** — par ce terme, nous désignons les segments de discours* (préposition, conjonction, verbe copule, etc.) dont le rôle est d'indiquer le rapport des syntagmes entre eux. Dans l'exemple donné par Marouzeau, c'est la conjonction *que*. V. aussi à *ellipse*, à *juxtaposition syntaxique*, et à *miroir*, rem. 4.

Rem. 2 La parataxe a pourtant d'autres moyens que l'effacement* syntaxique. Elle recourt à l'*effacement morphologique* (V. à *ellipse*), à la dislocation*, à l'adjonction*.

Ex.: *"Je ne leur fais pas confiance aveuglément. Trop impulsifs. Faut s'en méfier. Joueraient leur va-tout. Il sont comme fous parfois. Les conséquences, ils n'y songent pas."* (H. MICHAUX,

Face aux verrous, p. 207).
Elle ne recule pas devant l'effacement* lexical lui-même. Quand un mot fait défaut, la langue parlée supplée d'un geste*, d'une interjection*, d'une phrase* stéréotypée.

Ex.: *"Une définition, qu'est-ce que ça veut dire? ça ne rend pas. Une méthode, ah oui!"* (M. JACOB, *Conseils à un jeune poète*, p. 11).

PARÉCHÈME Défaut de langage ..... on place à côté l'une de l'autre des syllabes de même son, comme dorri*ca cas*tra; il faut qu'entre ***nous nous nous nou***rissions. LITTRÉ.

Analogue Le polytypon (d'après Preminger) est assez proche du *paréchème*, puisqu'il consiste dans l'emploi des mêmes syllabes dans plusieurs mots successifs (*vi vi*tam).

Rem. 1 Le paréchème est une variété de la cacophonie*.

Rem. 2 Littré et Quillet opposent au *paréchème* la *paréchèse*, qui n'en diffère que parce qu'elle a des intentions esthétiques ou expressives. **Ex.:** *"Il y a tant et tant de temps que je t'attends"* (Barbara); *Le Marquis qui perdit* (titre d'une pièce de R. Ducharme, sur Montcalm); *"C'est, certes, la même campagne"* (RIMBAUD, *O. c.*, p. 171).

Rem. 3 À la fin du vers, c'est la rime* couronnée des Grands Rhétoriqueurs. **Ex.:** *"Mon astre m'endort d'or."* (GRANDBOIS, cité par BRAULT, p. 94).

Rem. 4 On remédie au paréchème par un changement de construction ou, quelquefois, par haplologie*.

PARENTHÈSE Insertion d'un segment de sens complet, au milieu d'un autre dont il interrompt la suite, avec ou sans rapport au sujet...

Ex.: *Un songe (me devrais-je inquiéter d'un songe?)*
Entretient dans mon coeur un chagrin qui le ronge
RACINE, *Athalie*; cité par FONTANIER, p. 484.

Même déf. Littré, Willem, Lausberg, Robert.

Syn. Dialyse (Le Clerc, p. 271). V. aussi à *hyperbate*, rem. 1.

Rem. 1 Les signes graphiques de parenthèse ouvrante ou fermante font partie des signes d'assise*. Ils peuvent être remplacés par des tirets ou de simples virgules. **Ex.:** *"Essayons, c'est difficile, de rester absolument purs"* (ÉLUARD, *O. c.*, t. 1, p. 37); *"Une à une, je reste assez longtemps, les petites filles l'embrassent"* (M. DURAS, *le Ravissement de Lol V. Stein*, p. 149). Virgules que d'aucuns supprimeront, du reste! **Ex.:** *"Et tout droit quatre mètres chers chiffres puis à gauche"* (BECKETT, *Comment c'est*, p. 57).

Rem. 2 Fontanier et Lausberg signalent qu'on appelait **parembole** une parenthèse se rapportant au sujet. Cette distinction n'a pu se maintenir, sans doute parce que même la digression*, l'épiphonème* et la parabase* ont toujours un certain rapport avec le sujet. Mais on pourrait reprendre le mot *parembole* avec le sens de parenthèse syntaxiquement liée. Marouzeau propose de définir la parenthèse comme *"insertion dans le cours d'une phrase d'un élément qui ne lui est pas syntaxiquement rattaché"*. On pourrait préciser en disant que l'élément en question doit pouvoir être ôté sans que cela altère ni la grammaticalité, ni le sens spécifique du reste. Ce critère est vérifié par toute parenthèse.

Quand on examine avec le même critère, non plus le reste de la phrase, mais le segment placé entre les parenthèses, on s'aperçoit qu'il est parfois indépendant, parfois non. S'il est lui aussi isolable sans altération de sa grammaticalité ou de son sens spécifique, on pourra parler de parenthèse proprement dite.

Ex.: *Allongé sur le lit (le soleil me fait grâce)*
Je garde encore la tendresse de la nuit (Éluard).

En revanche, s'il dépend syntaxiquement du reste de la phrase, on aurait une *parembole* (parenthèse syntaxiquement dépendante). **Ex.:** *"Perdu en un endroit lointain (ou même pas), sans nom, sans identité."* (MICHAUX, *Clown*, dans *Peintures*). Les paremboles se contentent plus facilement de simples virgules, si elles sont des syntagmes*. Elles peuvent être des lexèmes, des syllabes, et même de simples lettres (V. à *double lecture*). Adj. parembolique.

Rem. 3 La marque sonore de la parenthèse est une double pause*; celle de la parembole est une mélodie rectiligne horizontale, basse ou parfois haute, quand le syntagme précédent se termine sur un ton élevé. C'est ce que Delattre appelle *écho* (V. à *continuation*).

Rem. 4 Quand la parenthèse est trop longue, trop aride (références), ou hors de propos, on la renvoie en bas de page avec un appel de note. La note au 2e degré est possible, voire nécessaire dans certaines éditions critiques. **Ex. litt.:**

les appontements vétustes conçus par le Bernin(2) .....
(2) *Bernin est un des grands architectes baroques* (etc.) Note de l'éditeur(+)
(+) *Cette note de l'éditeur révèle une culture assez déficiente* (etc.) Note de RR **[l'héroïne]**
H. AQUIN, *Trou de mémoire*, p. 49.

Aquin réalise ainsi une sorte de mise en abîme (V. à *miroir*) de l'énonciation*, avec boucle*: l'auteur devenu personnage, l'éditeur suit le même chemin mais c'est un personnage qui prend la parole pour le signaler!

Rem. 5 Les parenthèses qu'on ouvre pour ne les refermer jamais sont des digressions*. On peut aussi avoir des parenthèses du second degré.

Ex.: *et eux ..... criards, efflanqués, avec ce quelque chose que la mort avait déjà commencé à leur faire alors qu'ils étaient encore vivants (de même que (par les fondations, les égouts?) elle (la mort) attaquait, minait la ville d'où s'exhalait cette macabre odeur de cadavre, de pourri — de melon pourri, de poisson pourri, d'huile rance) .....*
CL. SIMON, *Histoire*, p. 193.

Rem. 6 Le monologue* intérieur est farci de parenthèses, qu'on n'indiquera même pas puisque, dans ce type de discours*, le locuteur *"se comprend"*. **Ex.:** *"ma très chère Canichina elle écrivait sur quoi elle était très gentille quel était son autre nom cette petite carte pour vous dire que"* (JOYCE, *Ulysse*, p. 674). En revanche, il y a une parenthèse destinée au seul lecteur.

Ex.: *"Le malheureux avait fui par les toits sans savoir que la graisse antique non seulement laisse des marques sur toutes les glaces mais aussi (ne laisse) aucun doute sur la nature des corps coupés en morceaux"* (COCTEAU, *Opéra*, p. 88).
La parenthèse qui entoure une ponctuation* expressive rapproche au contraire l'écrit de l'oral car elle transcrit un ton (V. à *ironie*, rem. 2).

Rem. 7 La parenthèse constitue une assertion adjacente avec des valeurs parfois très curieuses. V. à *assertion*, rem. 3; *citation*, rem. 7; *épiphonème*, autres déf., 1; *épiphrase*, rem. 1; *explication*, rem. 2 et 4; *excuse*, rem. 1; *ironie*, rem. 2; *paraphrase*, rem. 2; *ponctuation expressive*.

PARODIE Imitation* consciente et volontaire, soit du fond, soit de la forme, dans une intention moqueuse ou simplement comique.

Ex.: *Eh bien, tous ces marins — matelots, capitaines,*
Dans leur grand Océan à jamais engloutis,
Partis insoucieux pour leurs courses lointaines,
Sont morts — absolument comme ils étaient partis.
TRISTAN CORBIÈRE, *Gens de mer*, dans *les Amours jaunes;* parodiant HUGO, *Oceano nox*.

Autre ex.: *Il flotte dans mes bottes*
Comme il pleut sur la ville
Au diable cette flotte
Qui pénètre mes bottes! (etc.)
APOLLINAIRE, *Réclame pour la maison Walk over* dans *O. poétiques*, p. 733; parodie de VERLAINE, *Ariettes oubliées*, III.

Dérivés Parodique, parodiste.

Analogues Satire (intention sarcastique), pastiche[1] (en guise de divertissement), caricature* (sens large), charge (sens large), *"à la manière de"* (titre d'un recueil de pastiches de Muller et Reboux), revue (pièce satirique sur l'actualité), parade (défilé de personnages dont on peut rire).

Même déf. Bénac.

Rem. 1 La parodie littéraire (V. à *burlesque,* rem. 1) a recours à des procédés divers, ceux du texte parodié, qu'elle amplifie ou utilise mal à propos. Elle est donc un genre plus qu'un procédé. **Ex.** de parodies d'oeuvres: le *Virgile travesti* de Scarron, le *Cid maghané* de R. Ducharme (maghané: *"abîmé"*). Mettant ces procédés en relief, elle constitue une dénudation*. V. notamment à *épithétisme,* autre déf. Elle constitue une rhétorique appliquée efficace (V. à *faux,* rem. 1) et se décèle au ton (V. à *intonation* et à *ironie,* rem. 1).

Rem. 2 La parodie n'est sensible que pour qui connaît le modèle, d'où la nécessité de parodier les célébrités, notamment les hommes politiques, qui prêtent partout à des caricatures même grotesques.
On parodie aussi beaucoup les textes et les styles. Cf. par exemple *le Littératron* d'Escarpit, *les Fleurs bleues* de Queneau. V. à *macaronisme,* rem. 1; et à *traduction,* rem. 2; et à *injure,* rem. 3.

Rem. 3 Elle est taquine ou sarcastique. V. à *persiflage,* rem. 1.

PARONOMASE

PARONOMASE Rapprochement de mots dont le son est à peu près semblable, mais dont le sens est différent. LITTRÉ.

Ex. courant: *Tu parles, Charles.*

Ex. litt.: *Lingères légères* (Éluard).

Même déf. Scaliger, Fontanier (p. 347), Lausberg, Morier, Preminger (au mot *pun*), Angenot (p. 156).

Syn. Paronomasie (Littré); annomination* (Scaliger, Marouzeau et Lausberg).

Rem. 1 La paronomase est facilement confondue avec l'isolexisme*, qui rapproche des vocables qui appartiennent au même lexème. **Ex.:** *"Je dis durement des vérités dures"* (BERNANOS, *Nous autres Français,* p. 169). Mais on acceptera, avec Marouzeau, comme paronomase, une similitude étymologique (apprendre n'est pas comprendre).

---

1 Recueils récents: PROUST, ***Pastiches et mélanges;*** RINGUET, ***Littératures... à la manière de...,*** Montréal, Garaud, 1924; J. BRUNEAU, ***Amours, délices et orgues,*** Institut littéraire du Québec, 1953.

Rem. 2 Les *paronymes* (c'est-à-dire les mots qui sont presque *homonymes*) fournissent naturellement les meilleures paronomases, mais non les seules valables, car l'extension de la paronomase va jusqu'à sa frontière, assez floue, avec l'allitération*. **Ex.:** *"aplatissant son nez contre la vitre au centre d'un halo de haletante haleine"* (JOYCE, *Ulysse*, p. 246).

Rem. 3 Morier propose d'appeler *apophonie* une variété subtile de la paronomase. En phonétique, l'apophonie désigne une légère modification de timbre suite à la fermeture de la syllabe (**Ex.:** plein / pleine). Le même phénomène serait rhétorique dans l'exemple suivant:
Il pleure dans mon coeur
Comme il pleut sur la ville (Verlaine).

Autre ex.: — *Bizarre, beaux-arts, baisers!*
IONESCO, *la Cantatrice chauve*, p. 65 .

Rem. 4 La paronomase aboutit parfois au jeu de mots*. Aussi Preminger la range-t-il au mot *pun* (calembour*). **Ex.:** *"Les premiers livres sont les lèvres"* (J.-P. BRISSET, au *Nouveau Dict. de citations fr., n° 13670).*

Rem. 5 Il y a des paronomases involontaires, rencontres de hasard. **Ex.:** *"Lucie, lucide, étouffe dans ce milieu", "Cette parenthèse pourrait paraître par trop agressive".* On se dirige ainsi vers la cacophonie*.

Rem. 6 Généralement, les deux termes sont *"couplés"* (Levin, *Linguistic structures in poertry*), c'est-à-dire placés en parallélisme* syntaxique. De cette façon, le procédé est plus visible. **Ex.:** *"Plus de mouton, plus de moutarde"* (M. JACOB, *Derniers Poèmes*, p. 152).

Rem. 7 Poussé à l'extrême, le procédé devient (comme l'*antimétabole**, le miroir*, l'étymologie*, etc.) un moyen de créer du sens inédit, ou du moins de dépayser l'intelligence (V. à *musication*). **Ex.:** *"Sourire du paveur car on pave cette ville avec des pavots serait-ce Paphos"* (ARAGON, *Persécuté*, p. 24, cité par ANGENOT, p. 156).

Rem. 8 La paronomase n'est pas dédaignée des penseurs contemporains, qui n'en abusent pas, cependant, comme faisait un Augustin d'Hippone. **Ex.:** *"Pendant que je suis en train de former et de formuler l'idée du sujet et celle de l'objet"* (MERLEAU-PONTY, *Phénoménologie de la perception*, p. 253), *"Ce qu'on croyait être coïncidence [Bergson] est coexistence"* (MERLEAU-PONTY, *Éloge de la philosophie*, p. 31).

Rem. 9 Rien de plus facile que les paronomases de noms propres. **Ex.:** *Philidor & Philibert, Poklewski & Roklewski*

(GOMBROWICZ, *Ferdydurke*, p. 98). V. aussi à *assonance*, rem. 2; *distinguo*, rem. 4; *écho sonore*, rem. 1; *musication*, rem. 4; *rime* léonine; *antimétathèse*, rem. 1; *antanaclase*, autre déf.

PARTITION Un mot est donné non seulement dans son entier mais syllabe par syllabe et par groupes possibles de syllabes. **Ex.:** *Arlequin tient sa boutique / sur les marches du Palais. / Il enseigne la musique / À tous ses petits valets. / À monsieur Po / À monsieur Li / À monsieur Chi / À monsieur Nelle... / À monsieur Poli, Polinelle / À monsieur Polichinelle!*

Rem. 1 C'est un jeu sur le signifiant, éventuellement sur le signifié aussi, lorsque les éléments sont présentés comme autant d'objets distincts. (Ici, Polichinelle vaut sept élèves.)

PATAQUÈS Faute* de liaison*. La consonne qui apparaît n'est pas présente graphiquement ou, si elle est présente, il n'est pas d'usage de la faire entendre. L'emploi littéraire du pataquès est évocateur soit du manque de culture du locuteur, soit de parlers régionaux.

Ex.: *"c'est sain-z-et sauf que le maire rejoignit ses invités"* (QUENEAU, *Saint Glinglin*, p. 94). *"TOUS. — Le Roi qui va-t-à Rheims!"* (CLAUDEL, *Théâtre*, I, p. 1233).

Syn. Cuir, velours (désuet).

Autre déf. Toute faute de langage très évidente (sens élargi).

Rem. 1 Le mot *pataquès* viendrait d'une liaison du type *pas-t-à...* avec suffixe fantaisiste, ou plutôt repartie malicieuse: **pata**, qu'est-ce?

Rem. 2 Le pataquès a parfois le mérite d'éviter un hiatus*, d'où sa persistance dans des syntagmes* figés comme *"Lagardère ira-t-à toi"*, dont s'inspire Queneau pour écrire: *"C'est la foire aux puces qui va-t-à-z-eux"* (*Zazie dans le métro*, p. 42). On le trouve, pour la même raison, dans la chanson. **Ex.:** *"Lorsque j'y ai zété"* (B. VIAN, *Cantilènes en gelée*).

Rem. 3 Autre faute de liaison fréquente, la **psilose** (*Dict. de ling.*) ou perte de l'aspiration au début d'un mot commençant par un h dit *"aspiré"* c'est-à-dire qui empêche la liaison. **Ex.:** Des-z-Hollandais derrière des-z-haies de-z-haricots.

PAUSE Oralement, la pause correspond soit à une aspiration d'air (qui délimite un *groupe de souffle*), soit à un blocage respiratoire momentané ou du moins une interruption de la courbe mélodique, soit à un moment de silence, d'une durée quelconque. Graphiquement, c'est un point-virgule, un point ou un espace blanc, en vue de séparer des parties détachables (achevées ou non) de la chaîne parlée ou écrite.

Le **blanc**[1] entoure les titres* et sépare les *alinéas* de façon plus ou moins marquée: une ou plusieurs lignes de blanc (V. à *paragraphe*). Il est plus rare qu'il se manifeste entre les éléments d'une phrase:

la TERRE QUÉBEC
l'immense berceau des glaces
P. CHAMBERLAND, *Terre Québec*, p. 19.

Ce blanc transcrit une pause qui opère une mise en évidence. Gide l'élargit jusqu'à l'alinéa:

... *Mais je me sens à présent, Nathanaël, plein de pitié*
pour
les fautes délicates des hommes.
GIDE, *Romans*, p. 215.

Rem. 1 La pause joue un rôle analogue en poésie et en prose. En poésie, on aura garde de la confondre avec la césure*, a fortiori avec la coupe rythmique*. Elle peut apparaître dans le vers* (V. ci-dessous), elle est habituelle à la fin du vers, elle est constante en fin de strophe*.

En prose, elle peut apparaître dans la phrase, où elle détermine des groupes* rythmiques, elle est habituelle en fin de phrase, constante entre les alinéas.

A. — *Pause rythmique.*

On sait qu'en musique, la durée des pauses est exactement définie. Le *soupir* équivaut à une noire, le demi-soupir à une croche, etc. Un poète comme Ricardo Guïraldes a proposé d'insérer dans les textes poétiques les signes musicaux, soupir, demi-soupir, afin que le rythme* soit mieux défini.

Les textes très rythmés ont, pour chaque pause, une durée exacte (V. à vers, **1,** rem. 2; **2,** rem 2; **3**). Il faudrait pouvoir transcrire cette durée. On pourrait par exemple reprendre les conventions des phonéticiens: une, deux ou trois barres verticales ou obliques, suivant l'importance de la pause, ou les signes ↑ , ↓ accompagnés ou non d'exposants de 1 à 4, comme chez Hockett (*Dict. de ling.*) ou encore, à l'endroit des pauses, des blancs surmontés des signes ˘ ("brève") ou ¯ ("longue") suivant la durée approximative.

On appelle *anacrouse* une pause avant le vers. Morier a appelé *soupir* une pause après le vers. V. aussi à *enjambement*, rem. 2.

Il n'y a pas de pause à la coupe* rythmique.

---

1 Morier propose d'appeler ***blanchissement*** l'espace entre les mots et ***vide*** l'espace entre les lignes ou l'alinéa, quand il est doté d'une valeur d'évocation.

B. — *Pauses prosaïques.*
Leur durée est imprévisible et d'autant plus variable que le locuteur maîtrise moins ses moyens. **Ex.:** *Eh bien, je... Euh... Au début...* Le point est supprimé. La pause est, dans ce cas, une retombée d'un type de durée dans un autre. On quitte la durée textuelle pour retrouver la durée propre au sujet parlant, qui se retrouve devant ses problèmes de pensée et d'expression, sinon d'existence. Cette présence d'un fond subjectif vécu qui sous-tend l'expression explique la quasi-annulation des pauses, quand on se place au point de vue du texte: en prose, le texte a l'air de recommencer à zéro à chaque instant. V. à *groupe rythmique;* à *paragraphe,* rem. 1; à *phrase (types de —),* n. 1. L'interruption* est plutôt le contraire d'une pause, puisque deux personnes parlent à la fois pendant un instant, mais la réticence*, où l'on s'interrompt volontairement, est une pause expressive, dont le silence est amplifié par ce qu'on pourrait attendre à la place. V. aussi à *réactualisation,* 7.

Le tiret (V. à *assise,* 3a et *césure,* rem. 4) transcrit une pause spéciale, durant laquelle le locuteur a l'air de prendre son élan, ce qui aboutit à une mise en évidence du segment suivant. V. aussi à *soulignement,* rem. 1.

Rem. 2 Morier propose d'appeler *ligature* la suppression d'une pause en fin de phrase ou d'alinéa dans le but de capter l'attention. Voici sa définition:
Mouvement d'éloquence par lequel l'orateur, parvenu au point final d'une période, au moment où la voix s'abaissait et ralentissait, enchaîne brusquement la suite, en proférant de manière vive et précipitée le premier mot ou la première expression de la nouvelle phrase. **Ex.:** *La gouaille de Maupassant dénonce l'atmosphère de dépravation, de spoliation politique et financière et... d'inflation.* La pause est reportée après le nouveau *et ;* elle est prolongée. Au point de vue rythmique, le mot ligaturé s'accompagne d'arsis et l'ictus prend place sur le silence suspensif qui suit.

Rem. 3 Il y a une pause devant l'apposition (V. ce mot, rem. 2); aux parenthèses (V. ce mot, rem. 3); au rappel* et aux tirets (V. à *assertion,* rem. 3).

Rem. 4 Pour la pause diégétique, V. à *rythme de l'action,* rem. 1.

PÉRÉGRINISME Utilisation de certains éléments linguistiques empruntés à une langue étrangère, au point de vue des sonorités, graphies, mélodies de phrase aussi bien que des formes grammaticales, lexicales ou syntaxiques, voire même des significations ou des connotations.

Déf. analogue Fontanier, à *imitation* (p. 288).

Syn. Étrangisme (ÉTIEMBLE, *le Jargon des sciences*, p. 139); interférence (pérégrinisme de performance, non entré dans la langue, cf. *Dict. de ling.*); xénisme.

Rem. 1 On distingue, d'après la langue d'origine: a) des anglicismes*; b) des *italianismes: "Sacrifizio incruento, dit en souriant Stephen qui balançait moltolento son bâton tenu par le milieu, tout doux."* (JOYCE, *Ulysse*, p. 218).
c) Des *latinismes: "IL y a instabilité ..... du jugement qui compare l'état dernier* (d'une oeuvre littéraire) *et l'état final, le novissimum et l'ultimatum."* (VALÉRY, *O.*, t. 2, p. 553). (Opposer *"état dernier"* à *"état final"* n'a pas paru assez clair. *Novissimum*, **"le plus récent"** s'oppose mieux à *ultimatum*, pris au sens latin d'ultime); cf. aussi les pages roses du Petit Larousse; des *hellénismes:* **"En une chronie hystère"** etc. (QUENEAU, *Exercices de style*, p. 104)
d) Des *hébraïsmes: "Et dans la synagogue pleine de chapeaux on agitera les loulabim Hanoten ne Kamoth bagoim tholahoth baleoumim"*(APOLLINAIRE, *O. poétiques*, p. 113).
e) des *germanismes: " — Donc, Arago* **kapout**!" (MONTHERLANT, *Romans*, p. 179); des helvétismes.

Le tour exclusivement français est un *gallicisme.*

Rem. 2 Un pérégrinisme est plus ou moins complet (V. à *anglicisme*, rem. 1), mais s'il est trop complet, il entraîne des complications. Pour l'italien, ce sera des difficultés morphologiques. **Ex.:** *lazzo*, pluriel *lazzi* (grimaces, scène muette de la comédie italienne) entré en fr. avec un sg. *lazzo* ou *lazzi* et un pluriel *lazzi* ou *lazzis.*

Pour l'anglais, ce sera des complications phonétiques et graphiques. **Ex.:** les prononciations de *week-end*, les orthographes de *bifteck.*

Rem. 3 Un **sabir** est le croisement de deux ou plusieurs langues, entre lesquelles s'instituent des séries de compromis. Au sens strict, le sabir est un *"jargon mêlé d'arabe, de français, d'espagnol, d'italien, parlé en Afrique du Nord et dans le Levant"* (*Petit Robert*). **Analogues:** pidgin, bêche-de-mer.

Comme procédé, il consiste à mêler des éléments empruntés à plusieurs langues. **Ex.:** *"Le Québec court le risque to lose sa langue and to disappear as an authentic culture"* (Un journal estudiantin de Montréal).

Poussé à l'extrême, le procédé touche au baragouin*. É. Pons (*Introduction aux* **Oeuvres** *de Swift*, p. 9) a proposé de l'appeler **hybridation**. Il s'agit de fabriquer des mots à l'aide d'éléments empruntés à des langues différentes. L'exemple type est le *"lanternois"* **Delmeuplistrincq**... (Cf. Rabelais) *"donne-moi, s'il te plaît, à boire"*, composé d'une forme espagnole, suivie d'une forme anglaise et d'une forme allemande. V. aussi à *graphie*, rem. 2.

Rem. 4 Les régionalismes et provincialismes, tours empruntés à un parler local mais français, ne sont pas de vrais pérégrinismes. **Ex.:** les barbelés dégouttant d'*"aiguail"* (rosée); je ne suis pas *"parlable"* (Aquin).

Pour les québécismes, cf. *Canadianismes de bon aloi,* Cahiers de l'Office de la langue fr., n° 4; pour les belgicismes, cf. J. HANSE, A. DOPPAGNE, H. BOURGEOIS-GIELEN, *Chasse aux belgicismes & Nouvelle Chasse aux belgicismes,* Fondation Plisnier, 1974.

Rem. 5 L'emploi de pérégrinismes comme de provincialismes en littérature est une question d'effet désiré. Aristote les recommande: les Athéniens (comme aujourd'hui les Londoniens) les apprécient, pourvu qu'ils soient distingués, c'est-à-dire, en somme, intentionnels. Ils donnent aux textes un *"air étranger"* dont seuls les étroits se méfient. (Cf. V. LARBAUD, *Sous l'invocation de s. Jérôme,* p. 175 à 180).

Ex.: *"Tel est ce self-made Will, cette causa sui, créatrice d'elle-même, élisant son* **δαιμων** (V. JANKÉLÉVITCH, *Traité des vertus,* p. 174-5). V. aussi à *traduction,* rem. 3.

PÉRIODE Phrase à mouvement circulaire, articulée et mesurée ..... le groupement et l'ordonnance logique des idées ou des faits y sont mis en relief tant par la structure grammaticale que par le rythme. VEREST, § 92, se référant à Aristote et Cicéron.

Joignant l'exemple à la parole, Valéry décrit comme suit la phrase, périodique, de Bossuet:

Il part puissamment du silence, anime peu à peu, enfle, élève, organise sa phrase, qui parfois s'édifie en voûte, se soutient de propositions latérales distribuées à merveille autour de l'instant, se déclare et repousse ses incidentes qu'elle surmonte pour toucher enfin à sa clé, et redescendre après des prodiges de subordination et d'équilibre juqu'au terme certain et à la résolution complète de ses forces.

VALÉRY, *O.,* t. 1, p. 498.

Syn. Style hypotaxique (l'hypotaxe est l'inverse de la parataxe*. V. aussi *hyperhypotaxe*).

Déf. analogue Mestre, p. 93, veut que la phrase soit d'étendue moyenne (entre deux et quatre membres) et que le sens *"demeure suspendu jusqu'à la fin"*.

Rem. 1 La période a une *protase* (première partie) et une *apodose* (deuxième partie), s'articulant autour d'un *sommet* (sorte de césure* médiane). Valéry les présente comme une montée et une descente, ce qui est exact même au point de vue de l'intonation et parfois du sens (V. à *assertion*). La période développe le schéma binaire (V. à *phrase*) ou, quelquefois, ternaire. En effet, au centre de la période, un membre peut venir faire pendant à la protase: c'est l'*antapodose*.

"La dernière proposition est appelée **clausule**" (Bénac). V. à *chute*. **Ex.**: *"La plus noble conquête que l'homme ait jamais faite* (protase) *est celle de ce fier et fougueux animal* (antapodose) *qui partage avec lui les fatigues des guerres* (apodose) *et la gloire des combats* (clausule)". (BUFFON).

Rem. 2 Bénac distingue une période carrée, *"à quatre membres"*, une période ronde, *"dont les membres sont unis étroitement et donnent une impression d'harmonie"* (parfois aux dépens de la pertinence du sens, d'où le sens péjoratif de l'expression *arrondir ses périodes*), et la période croisée, *"dont les membres sont opposés deux à deux en antithèses*"*.

La période ronde ou arrondie (Chaignet, p. 445-6) est souvent binaire, avec parallélisme* des membres et même reprises*. Cet *"art d'établir entre les membres de la phrase une égalité de dimension ou une similitude de forme"* avait reçu un nom: la parisosis (*ib.*, p. 19). **Ex.** de Bossuet: "(La charité) *qui se trouve dans ce lieu d'exil aussi bien que dans la céleste patrie, qui réjouit les saints qui triomphent et anime ceux qui combattent"*. Dans ce type de phrase, les membres égaux sont des **isocolons**[1] (Littré, Marouzeau, Lausberg). Le rythme de la phrase est alors *concordant*, tandis que s'il y a déséquilibre entre la protase et l'apodose, le rythme est *discordant* (CRESSOT, p. 282). Une exception, pourtant: la période rhopalique[2] , *"celle où les incises des membres de la période deviennent de plus en plus longues, ou de plus en plus courtes"* (Littré).
Mestre distingue, dans les parties de la période, les **membres**, propositions *"terminées par un repos incomplet"* (mélodie suspensive) et les **incises**, *"sections du membre qui n'ont de sens que par leur liaison avec le reste"* (p. 93). Le style **coupé**, ou **incisif**, est celui où les "incises" abondent.

Rem. 3 En principe, chaque période a *"un sens complet"* (Bénac). En pratique, on a plutôt une série de phrases de type périodique, qui s'enchaînent en un alinéa, dont l'ensemble présente un sens complet. (Cf. les *Oraisons funèbres* de Bossuet, par exemple).

Rem. 4 La période représente l'idéal de l'écriture antique (atticisme) parce qu'elle constitue une victoire sur l'incohérence spontanée de la pensée et de l'expression (V. à *baroquisme*,

---

1 Adj., souvent employé substantivement.

2 Du grec ροπαλον massue; parce que la massue grossit jusqu'à son extrémité.

rem. 1).

C'est la strophe oratoire. On voit le point où elle commence; on pressent celui où elle finira; on suit des oreilles (mélodies suspensives en gradation ascendante puis descendante) *les mouvements intermédiaires partiels qui la conduisent graduellement à sa fin ..... C'est l'harmonie.*
CHAIGNET, p. 441.

Rem. 5 La période (V. à *cadence,* aussi à *anacoluthe,* autres déf., 2) a recours au parallélisme*, à l'épiphore*, à l'*hypotaxe,* à l'épithétisme (V. ce mot, rem. 1), à l'antépiphore*, à la comparaison figurative (V. ce mot, rem. 2), à la gradation (V. ce mot, rem. 4), à la suspension*. On y évite l'homéotéleute (V. ce mot, rem. 4). V. aussi à *grandiloquence,* rem. 1 et à *phrase (types de —),* 5. Pour la période lue, V. à *hyperhypotaxe,* rem. 1 et 4.

PÉRIPHRASE Au lieu d'un seul mot, on en met plusieurs qui forment le même sens. **Ex.:** *l'oiseau de Jupiter* pour *l'aigle.* LITTRÉ.

Ex. courant: le plancher des vaches.

Autres ex.: *C'était l'heure tranquille où les lions vont boire.*
HUGO, *Booz endormi;* pour "le soir".

et alors je me rendis compte que ce n'était pas le bruit d'une machine à écrire mais d'un de ces trucs qui transcrivent automatiquement les cours de la Bourse ou les dernières dépêches d'agence sur une bande de papier se déroulant au fur et à mesure, téléscripteurs ou quelque chose comme ça
CL. SIMON, *Histoire,* p. 99-100.

Même déf. Bénac, Lausberg (§ 589), Morier, Preminger.

Autre déf. Fontanier (p. 326, 361, 396) introduit une distinction entre **pronomination** (désigner un nom, un objet, par un terme complexe et en plusieurs mots), périphrase* (exprimer une pensée, une phrase, d'une manière plus étendue) et paraphrase*. L'exemple donné par Littré serait une pronomination; celui d'Hugo semble mieux correspondre à la périphrase selon Fontanier. Comparer avec cet ex. de Voltaire, que cite Fontanier: *"Sous ses rustiques toits, mon père vertueux / Fait le bien, suit les lois, et ne craint que les Dieux."* (au lieu de: *Mon père est un honnête villageois*).

Rem. 1 Le Hir (p. 127, n. 7) en indique les utilisations: éviter un terme trop précis; désigner une personne par ses attributs ou ses qualités; permettre une métaphore* (V. à *abstraction* et à *baroquisme,* rem. 2); remplacer un terme plat (euphémisme*) ou neutre par une description* ..... devinette ou jeu d'esprit*(V. à *calembour,* rem. 1).

Ex.: — *Et comment va Dick le costaud? — Il n'y a plus rien entre le ciel et lui, répondit Ned Lambert. — Par St-Paul, dit M. Dedalus contenant sa surprise. Dick Tivy chauve?*
JOYCE, *Ulysse*, p. 97.
Ajoutons qu'il est naturel de recourir à la périphrase quand le mot propre ne vient pas ou qu'il n'en existe pas.

Ex.: "*Aucun nom ne désigne le sentiment de marcher à l'ennemi, et pourtant il est aussi spécifique, aussi fort que le désir sexuel ou l'angoisse.*" (MALRAUX, *Antimémoires*, p. 312). V. à *description*, rem. 5.

Rem. 2 Les périphrases peuvent être mythologiques, allusives, descriptives, définitoires, etc. et entrent dans certains arts poétiques: "*Mallarmé ..... a systématiquement mis en pratique et illustré dans toutes ses poésies .....* (de) *ne pas dire* **un cercle** *mais* **un plan limité par** *une courbe dont tous les points sont équidistants du centre.*" (V. LARBAUD, *Sous l'invocation de s. Jérôme*, p. 175).

Rem. 3 Lausberg considère l'**anthorisme** (sorte de correction par laquelle on change un mot pour un autre, plus fort) comme une périphrase agressive. **Ex.:** "*Il faut vous oublier, ou plutôt vous haïr*" (RACINE, *Andromaque*, I, 4).

Rem. 4 V. à *litote*; à *autocorrection*, rem. 4; *circonlocution*, rem. 1; *compensation*, rem. 1; *dénomination propre*, rem. 1; *épithétisme*, rem. 3; *phébus*, rem. 4; *sens implicite; traduction*, rem. 3; *hyperbole*, rem. 3; *remotivation*, rem. 1; *titre d'oeuvre*, rem. 5.

PÉRISSOLOGIE Vice d'élocution qui est une espèce de pléonasme* et qui consiste à ajouter à une pensée déjà suffisamment exprimée d'autres termes qui sont surabondants. LITTRÉ.

Ex.: "*Puis-je me permettre de prier Monsieur de bien vouloir m'autoriser à reprendre mes travaux?*" (B. VIAN, *l'Écume des jours*, p. 12).

Même déf. Fabri (III, 126), Lamy (cité par Le Hir, p. 135), Fontanier (p. 299), Marouzeau, Lausberg.
Ces auteurs considèrent la périssologie comme un défaut et la distinguent du pléonasme*, qui est la figure de style correspondante. V. aussi à *étymologie*, à *paraphrase*, autres déf., 1.

Syn. Redondance* (Fontanier, p. 302), pléonasme* vicieux (Fontanier, Robert).

Rem. 1 Bien qu'il s'agisse d'un défaut, il trouve son emploi en littérature, par exemple avec un effet comique: "*les voraces ont* *complètement mangé* **et dévoré** *les coriaces"* (A. JARRY, *Ubu roi*, p. 156).

Rem. 2 La périssologie sert aussi à dépeindre un personnage borné. **Ex.:** *"LISE DE COURVAL. — Moi, je dis qu'il n'y aura jamais rien pour remplacer la vraie fourrure* **véritable**." (M. TREMBLAY, *les Belles-Soeurs*, p. 29).

Rem. 3 Il y a des périssologies grammaticales. **Ex.:** *"des décisions rapides sont à prendre, comportant des responsabilités qu'aucun agent diplomatique digne de ce nom n'hésitera* **pas** *à assumer"* (P. CLAUDEL, *O. en prose*, p. 1288).

Rem. 4 Le **remplissage**, familier aux commentateurs de la radio pendant les cérémonies officielles, était déjà pratiqué par les poètes auxquels il manquait un hémistiche (c'était la **cheville**). **Ex.:** Un exploit aussi extraordinaire *que celui duquel nous venons de parler.* V. aussi à *synonymie*, rem. 5.

PERMISSION On feint de permettre ce que l'on veut empêcher, de demander ce que l'on sait ne pas pouvoir obtenir. QUILLET.

PÂRIS. — Troïleus, tu sais que si tu embrasses Hélène, je te tue!
HÉLÈNE. — Cela lui est égal de mourir, même plusieurs fois.
PÂRIS. — Qu'est-ce qu'il a? Il prend son élan?... Il va bondir sur toi?... Il est trop gentil! Embrasse Hélène, Troïlus, je te le permets.

GIRAUDOUX *La guerre de Troie n'aura pas lieu*, II, 2.

Même déf. Girard, p. 285.

Syn. Épitrope (Fontanier, p. 149), épitrophe (Lamy, cité Le Hir, p. 136).

Autre sens. Demande (V. à *licence*, rem. 1).

Rem. 1 Le procédé est parfois simulation*, parfois *pseudo-simulation** comme l'ironie* à laquelle il appartient V. à *faux*.

Rem. 2 Elle a son intonation*. Sa forme habituelle est l'impératif.

Ex.: "**Poursuis,** *Néron; avec de tels ministres, / Par des faits glorieux tu vas te signaler; /* **Poursuis,** *tu n'as pas fait ce pas pour reculer."* (RACINE, *Britannicus*).
"Très bien; moquez-vous de moi; quand voilà un quart d'heure que je n'ai pas bougé d'ici." (DUJARDIN, *Les lauriers sont coupés*, p. 89).

PERMUTATION On permute, non des mots, comme dans le chassé-croisé* ou des fonctions, comme dans l'hypallage*, ni des phonèmes, comme dans la contrepèterie*, mais des syllabes entières, ce qui, du reste, ne donne guère d'autre effet qu'un brouillage*, le plus souvent.

Ex.: *"— Ma vie est serdame"* (B. VAC, *Saint-Pépin P.Q.*[1] ; au lieu de *Madame est servie,* cas de bredouillement sous le coup de l'émotion).
"Écusette de Noireuil" (A. BRETON, *l'Amour fou,* nom qu'il invente pour sa petite fille, qu'il anoblit en permutant les syllabes d'*écureuil* et de *noisette*).

Rem. 1 Le mot *permutation* reçoit ici un sens spécifique étroit, par ellipse* de *"permutation de syllabes entre deux mots"*. V. aussi à *cryptographie,* rem. 2; etc.

PERSIFLAGE Quelqu'un est tourné en ridicule sur un ton ironique mais badin.

Ex.: *Le principal personnage* [de *la Nouvelle Héloïse* de Rousseau] *est une espèce de valet suisse, qui a un peu étudié, et qui enseigne ce qu'il sait à une Julie, fille d'un baron du pays de Vaud. Vous savez qu'il n'y a rien de plus grand que ces barons.*
VOLTAIRE, *Lettres sur la Nlle Héloïse* dans les *Mélanges,* p. 399. V. aussi à *graphie,* rem. 2; à *étymologie,* rem. 1.

Analogues Raillerie, moquerie, dérision, diasyrme (ironie sarcastique; Morier), dicacité (mots piquants, penchant à en dire; Littré), lanturlu (réponse évasive ou refus méprisant; *Lexis*).

Ant. Charientisme: ironie badine qui vise à flatter.

Ex.: *"ISABELLE. — Vous vous êtes fait très beau pour parler de vous, Monsieur le Contrôleur."* (GIRAUDOUX, *Intermezzo,* p. 153).

Rem. 1 Le sarcasme* est une moquerie amère, virulente, donc évidente, tandis que le persiflage est proche de l'ironie*, il laisse quelque chose à deviner et prend volontiers la forme d'un trait d'esprit.

Ex.: *"Ce matin, nous avons rencontré une banquise. Les Anglais s'en sont étonnés. Moi, pas du tout: en fait de glace, ce qui m'étonne, ce ne sont pas les banquises, ce sont les Anglais."* (J. FOURNIER, *Mon encrier,* p. 85).
"Si vous les laissez encore un mois à boire de l'eau minérale, ils ne seront plus bons que pour l'École des Beaux-Arts." (CLAUDEL, *Théâtre,* t. 2, p. 384).
Il va jusqu'à l'antiphrase*. **Ex.:** *"Vous montrez des dispositions, c'est entendu, de brillantes dispositions"* dit Protos à Lafcadio à

---

1 P.Q. province de Québec

propos d'un assassinat (GIDE, *Romans,* p. 856).
Il prend encore les formes de la grandiloquence*, de la parodie*, ou se concentre dans un *sobriquet.* V. aussi à *caricature,* rem. 2 et à *intonation.*

Rem. 2 J. Simeray (dans *Communications,* t. 16, p. 54) montre une parenté entre la moquerie et l'erreur simulée, (V. à *esprit,* rem. 1). Pour échapper à un inconvénient, on reconstruit en transférant sur un tiers ce que l'on rejette personnellement. La moquerie est d'autant plus acérée qu'on tient à marquer davantage qu'on se désolidarise. V. à *injure,* rem. 1.

PERSONNIFICATION Faire d'un être inanimé ou d'une abstraction* un personnage réel. LITTRÉ.

Ex.: *L'Habitude venait me prendre dans ses bras et me portait jusque dans mon lit comme un petit enfant*
PROUST, *Du côté de chez Swann,* p. 139.

Même déf. Fontanier (p. 111), Lausberg, Robert, Preminger.

Syn. Animisme (Queneau; Vinay et Darbelnet, § 188).

Rem. 1 Fontanier ajoute que cette figure a lieu par métonymie*, métaphore (V. ce mot, rem. 4) ou synecdoque*. Elle a en effet un thème* (pas une personne) et un phore (une personne), entre lesquels le lien sera analogique, logique ou de proximité. Si le thème est une personne, on a une antonomase*. Si le phore est multiple, une allégorie (V. ce mot, rem. 3). Fontanier mentionne aussi (p. 118) la subjectification, synecdoque* de la personne (*ma plume* pour *moi, auteur; vos* bras combattront; par *nos* larmes il peut être invoqué). Sans doute n'est-ce pas une personnification ordinaire, mais c'est une synecdoque* des plus simples. Le mot **subjectification** serait mieux employé, selon nous, pour un procédé qui consiste à personnifier au moyen de la personne qui parle, qui se trouverait introduite comme sujet dans un objet ou une idée, alors saisie de l'intérieur. C'est ce que fait si constamment Michaux dans sa poésie. **Ex.:** *"Dans la brume tiède d'une haleine de jeune fille j'ai pris place"* (*l'Espace du dedans,* p. 102). Ainsi, une chose (ou une idée) peut-elle être faite, non seulement personne, mais sujet. Le *je* de l'énonciation s'identifie à elle. On a une isotopie* négative.
À force de souffrir, je perdis les limites de mon corps et me démesurai irrésistiblement. Je fus toutes choses: des fourmis surtout ..... Souvent je devenais boa et, quoique un peu gêné par l'allongement, je me préparais à dormir ou bien j'étais bison et je me préparais à brouter, mais bientôt d'une épaule me venait un typhon .....
MICHAUX, *Encore des changements,* dans *l'Espace du dedans,* p. 48-9.

Rem. 2 Les marques de la personnification sont diverses, mais les seules incontestables sont l'identification à la personne du locuteur (V. à *prosopopée*) ou à celle du destinataire (V. à *apostrophe*).
La majuscule, qui est la marque des noms propres ou un signal démarcatif des débuts de phrases, peut jouer un rôle de *soulignement* (V. ce mot, rem. 2). Dans: *"L'Idéal, c'est la Famille, c'est la Patrie, c'est l'Art"* (QUENEAU, *le Chiendent*, p. 193), il y a seulement soulignement* et non personnification. Quand Valéry parle de *"ces heures dérobées à l'étude, mais vouées dans le fond au culte inconscient de trois ou quatres déités incontestables: la Mer, le Ciel, le Soleil"* (*O.*, t. 1, p. 1092), les majuscules personnifient parce que le contexte y invite. D'ailleurs elles soulignent aussi, et c'est peut-être leur principal rôle puisqu'on peut personnifier sans mettre la majuscule. *"Le soleil aussi attendait Chloé, mais lui pouvait s'amuser à faire des ombres"* (B. VIAN, *l'Écume des jours*, p. 39).

Autre marque de la personnification, syntaxique celle-ci, la fonction de sujet d'un verbe animé. Cette marque est peu sûre, car on s'en sert par commodité, surtout pour les termes abstraits, en dehors de toute personnification. V. à *dialogue*, rem. 4.

Ex.: *"Ces oeuvres étranges ..... ne* **témoignent** *pas de la faiblesse du genre romanesque ..... le roman est en train de* **réfléchir** *sur lui-même."* (SARTRE, préface à *Portrait d'un inconnu*).
C'est sur le verbe que porte, dans ce cas, la *métaphore* (V. ce mot, rem. 4). Il suffit toutefois qu'une marque plus sûre soit adjointe, ou que les verbes animés s'accumulent, pour que l'isotopie* s'inverse et que le substantif apparaisse comme personnifié. Comp. La colère m'emporte / *"Ô ma colère, assemble tes puissances certaines"* (A. HÉBERT, *le Torrent*, p. 45). **Ex.** d'accumulation de verbes:

"dans l'état où je suis, la mort **aurait beau jeu.** *Elle n'aurait qu'à* **entrer** *et me* **prendre.** *Elle* **est dans ma chambre.** *Elle* **est dans ma vie.**" (DUCHARME, *l'Avalée des avalés*, p. 91). La marque lexicale reste donc déterminante.

Rem. 3 Le classicisme mettait régulièrement l'Olympe à contribution pour se fournir en personnifications décoratives. Fontanier (p. 120) appelle cela *mythologisme* et offre l'exemple suivant, de La Fontaine: *"Dès que Thétis chassait Phébus aux crins dorés"*. Il l'explique:
Or, qui ne sait pas que ..... Thétis est la déesse de la mer? que Phébus, autrement Apollon, est le dieu du jour, le soleil? que le soleil, quand il se couche, va se reposer aux seins des mers, auprès de Thétis? et que, quand il se lève, il est comme chassé

par Thétis pour rendre le jour au monde?

Le mythologisme est entré dans les archaïsmes*.

Rem. 4 L'identification (V. à *définition,* rem. 2) qui hausse la personne à la valeur de l'idée, est l'inverse de la personnification, qui confère à l'idée la vie de la personne. V. aussi à *dénomination propre,* rem. 3 et à *titre d'oeuvre,* rem. 3.

PHÉBUS[1] Présenter de façon peu intelligible, mais brillante, des idées relativement simples.

Ex.: *Il habite une des branches de l'étoile de pierre. La prison de LA SANTÉ. Comme il est condamné à mort, la branche où se cataloguent les condamnés à mort. L'astérie pétrifiée n'a attendu pour s'épanouir, miroir des étoiles, que l'heure des étoiles ..... C'est une étoile fixe. Elle est plus noble que les astres du monde: elle a la place du ciel, d'une couronne ou du couperet, dernière imposition du diadème. Elle s'appelle zénith. Elle n'est point née d'une nébuleuse. L'homme est l'huile de cette lampe .....*
A. JARRY, *l'Amour absolu,* début.

Analogues Amphigouri[2] (terme moins vieilli que phébus, mais aussi moins mélioratif), galimatias (péj.), charabia (péj.).

Même déf. Girard, p. 132 et 244 (*"L'excès d'ornement entraîne l'obscurité des idées"*).

Autre déf. V. à *jeux littéraires,* n. 2.

Rem. 1 Le phébus appartient au baroquisme (V. ce mot, rem. 3). Si la difficulté du texte est due à la difficulté du *sens* (V. à *sens* abstrait, analogique, etc.), ce n'est plus du phébus mais de l'*hermétisme.* La philosophie hermétique au sens propre du terme remonte à des livres sacrés égyptiens.

Rem. 2 Si le sens qui se dérobe est en réalité inexistant, on a de la verbigération*.

Rem. 3 On réservera le nom de *charabia* aux obscurités involontaires, relativement fréquentes. **Ex.:** *"Ces intrigues amoureuses nous semblent plus ou moins normales."* (Veut-on dire qu'elles sont assez normales, ou au contraire assez peu normales?)

Rem. 4 Le phébus recourt aux tropes*, à l'ellipse*, à la périphrase*, à la litote (V. ce mot, rem. 4), à l'énigme (V. ce mot, rem. 4).Un moyen facile d'obtenir du phébus est d'opérer une double figuration. Le calembour* est du phébus parce qu'il est

---

1 Du grec φοιβος, "brillant", titre d'Apollon (V. à ***personnification, rem. 4).***

2 Adj. ***amphigourique.***

fait d'une équivoque et d'une périphrase* sur celle-ci; de même, la charade à tiroir (V. à *calembour,* rem. 3). D'autres procédés, superposés, donnent du phébus. **Ex.:** *Pas de pitié pour l'écheveau de Marly.* On doit, pour décoder, se référer au slogan *Pitié pour les cheveaux de Marly,* considéré comme typique d'un sentimentalisme de classe. Cette mentalité a fait penser à un "écheveau". L'obscurité initiale vient de la superposition d'une allusion* (au slogan) et d'une équivoque*.

PHRASE (TYPES DE —) La plupart des phrases longues ont une structure rythmique complexe et ne sont typiques que dans certaines de leurs parties. On envisage ici des modèles relativement simples. Une étude plus poussée pourrait partir d'une analyse par membres, découpés selon une méthode comme celle des crochets (V. à *syntagme*).

1. — La phrase faite d'un seul membre pourrait être appelée phrase **uninaire**[1] . Il serait conforme à l'étymologie* d'utiliser aussi, pour la désigner, le mot **monorème,** mais Marouzeau appelle ainsi la phrase faite d'un seul terme (ex.: *Venez*), ce qui identifie le monorème à l'holophrase (V. à *monologue*); tandis que Wartburg et Zumthor, prenant pour critère l'assertion*, appellent *monorème* la phrase dont le thème* (sujet psychologique) est implicite (la *phrase prédicative,* comme disent Wagner et Pinchon), en dépit du fait qu'il y a aussi des phrases courtes où c'est le prédicat qui est implicite.

On peut considérer que la phrase est uninaire lorsque son déroulement est uniforme, lorsqu'il n'est interrompu par aucune articulation du sens (virgule, pause* a fortiori[2]), quelle que soit la longueur du membre unique.

Ex.: *"Un chalutier rentre. Mais déjà l'ombre achève de tout submerger. A peine murmura-t-il quelque chose que l'on ne comprit pas. Vents et nuages."* (F.-A. SAVARD, cité par G. LAVOIE, *le Rythme et la mélodie de la phrase dans l'oeuvre de Mgr F.-A. Savard,* p. 95).

2. — La phrase **binaire** a deux membres.

Ex.: *"Taciturne en montagne, bavard en plaine." "Qui cache son fou, meurt sans voix." "Faites pondre le coq, la poule parlera."* (MICHAUX, *Tranches de savoir).*

Suivant la longueur respective des membres, on a une cadence* mineure ou majeure (V. à *chute,* rem. 1). Le parallélisme* facilite

---

1 Néol., usuel en logique, par analogie avec ***binaire.***

2 G. Lavoie appelle ***phrase ponctuelle*** la phrase sans pause, critère rythmique plus large (V. à ***groupe rythmique***).

la production de phrases binaires, notamment dans la période*.

La phrase binaire est quelquefois appelée *dirème* (ou dirhème). Cf. J. BARBIER, *le Vocabulaire, la syntaxe et le style des poèmes réguliers de Ch. Péguy*, p. 366; mais chez Marouzeau, Wartburg et Zumthor, *dirème* est pris dans le sens de phrase où thème* et prédicat sont exprimés.

3. — La phrase à trois membres est dite **ternaire**.

Ex.: "*Le fossoyeur achève le creusement de la fosse; l'on y dépose le cercueil avec toutes les précautions prises en pareil cas; quelques pelletées de terre inattendues viennent recouvrir le corps de l'enfant.*" (LAUTRÉAMONT, *les Chants de Maldoror*, p. 48).

4. — Ces structures élémentaires se rencontrent plus aisément dans les membres eux-mêmes. Si un membre ne comprend pas de répétition*, tmèse*, inversion*, apposition*, ...il est uninaire. Les membres binaires sont courants.

Ex.: "*Il voyait, racontait déjà nos doubles noces; imaginait, peignait la surprise et la joie de chacun; s'éprenait de la beauté de notre histoire, de notre amitié, de son rôle dans mes amours.*" (A. GIDE, *Romans*, p. 529).

Les groupes ternaires (ou triades) sont moins rares que les phrases ternaires.

Ex.: "*Cette semaine, être l'ami de Christian est facile, va tout seul, entraîne même.*" (R. DUCHARME, *l'Avalée des avalés*, p. 39).

des plages ..... de noms férocement grecs, slaves, celtiques......les fleurs de rêve tintent, éclatent, éclairent ..... nudité qu'ombrent, traversent et habillent les arcs-en-ciel, la flore, la mer.

A. RIMBAUD, *O.*, p. 176.

5. — La plupart des phrases font alterner irrégulièrement des membres longs (côlons) et des membres courts (comma). Dans la période*, qui fut longtemps le modèle de la phrase de prose achevée, l'excès de membres courts ou **commatisme** (Lausberg, § 939) n'était pas recommandé, d'où une certaine propension de la période à la redondance* (par exemple, tout syntagme nominal recevait une épithète).

Ex. de commatisme (phrase hachée): "*Ainsi, si, de ce qui suit, Lol n'a parlé à personne, la gouvernante se souvient, elle, un peu: du calme de la rue certains jours, du passage des amants, du mouvement de retrait de Lol.*"

M. DURAS, *le Ravissement de Lol V. Stein*, p. 41.

L'absence d'organisation des idées dans la phrase, devenue courante depuis P. Loti (s'il faut en croire Y. GANDON, *le*

Démon du style, p. 101-2), a donné naissance à la **phrase invertébrée.** Gandon propose cet exemple de Duhamel: *"Je vis Cécile rougir. Une rougeur violente, d'un seul jet. Une de ces rougeurs qui font mal à l'oeil qui la regarde."*
Ce n'était qu'une étape vers le monologue* intérieur, dont Joyce a proposé le modèle au dernier chapitre d'*Ulysse*.

Ex.: *"Je me demande s'il est réveillé et pense à moi ou s'il rêve est-ce de moi qui lui a donné cette fleur qu'il a dit qu'il avait achetée il sentait une espèce de boisson pas du whisky ni du stout."*

JOYCE, *Ulysse*, p. 659.
Autres types de phrases, V. à *hyperhypotaxe*, rem. 3, *macaronisme*, autre déf.

Rem. 1 Pour les modalités de phrase, V. à *énonciation*.

PICTOGRAMME Mode de transcription où ce que l'on veut exprimer est dessiné sommairement. Cf. ROBERT, *Supplément*. **Ex. publicitaires:**

En littérature, le terme pourrait s'appliquer à des dessins accompagnant le texte, à des graphismes (V. ce mot, rem. 1) dont la forme évoque en même temps l'objet. **Ex.:** *le s☼leil.*

Analogues Dessin, image*, icône (Peirce), idéogramme. V. aussi à *graphie*, rem. 5.

Autre déf. En un sens plus restreint, le pictogramme est une phrase transcrite par un dessin, tandis que le mot dessiné est l'*idéogramme* (*Dict. de ling.*). Mais l'opposition possible de ces deux termes est parfois utilisée autrement. Selon Étiemble (*l'Écriture*, p. 32-3), le pictogramme est figuratif; l'idéogramme, codé (V. à *symbole*, 3).

Rem. 1 Le calligramme* est proche du pictogramme. Le *rébus* aussi (V. à *allographie*, rem. 1).

Rem. 2 La **vignette**, "pièce fondue destinée à l'encadrement ou à la décoration", complète une **police typographique** (jeu de caractères).

PLAN Disposition des parties d'une oeuvre.

Le plan, quand il y en a un, varie suivant les genres littéraires. Mais les genres un peu étendus requièrent souvent une *introduction* ou *exposition*; un développement — logique, chronologique ou organique — et une *conclusion*, une *péroraison* ou un *dénouement* suivant qu'il s'agit d'un genre intellectuel, oratoire ou dramatique. C'est là un *"ordre naturel"* (Lausberg, § 446).

La rhétorique, apparue avec la démocratie, s'est attachée à détailler le plan des discours* publics, dans les genres judiciaire, délibératif, puis épidictique (discours de circonstance, académiques), plus tard dans l'éloquence religieuse. Elle en a précisé les parties comme suit.

L'*exorde* appuyé souvent par un *texte,* consiste dans la *proposition* (Le Clerc, p. 94) ou énoncé de la thèse que l'on entend soutenir (précédée, au barreau, d'une narration); ensuite dans la *division,* qui annonce les différentes parties du développement. Une *invocation* adressée à une personne humaine, divine ou mythologique peut s'insérer à ce moment.

Le *noeud,* ou *corps* du discours comprend les preuves de la proposition, c'est-à-dire, après une narration habile, l'*argumentation* (V. à *argument*). Celle-ci est d'abord positive: *confirmation* (Paul, p. 121; Le Clerc, p. 115; Littré, Quillet), puis défensive: réfutation* (des objections ou des arguments* de l'adversaire). Cf. Lausberg, § 430 et Suberville, p. 406 à 410.

La *péroraison* rappelle la proposition et ses parties (récapitulation*) ou communique l'émotion qui s'y rapporte (*"affection"*): indignation, pitié, espoir, résolution...

Rem. 1 Il reste à envisager ce que deviennent ces subdivisions dans les genres littéraires où elles ne sont pas codifiées. On trouve la *division* dans tout exposé scientifique, l'*affection* à la fin des lettres* intimes, etc. L'absence de toute subdivision fait de l'oeuvre un **monobloc.**

Rem. 2 Un livre, même si ses chapitres sont précédés d'une introduction, peut débuter par une *préface* (mot de présentation, demandé parfois à quelque autorité en la matière), un *avant-propos* ou *avant-dire* (bref discours), un *avertissement* (remarque sur quelque point particulier) ou un *avis* (brève remarque, venant souvent de l'éditeur). Le livre peut se terminer par une *postface,* même s'il y a déjà une conclusion.

Rem. 3 Des *transitions* (ou *passages*) peuvent prendre place entre les différentes parties du développement, en vue d'assurer la meilleure *texture* (liaison entre les parties; Lausberg, Robert).

Ex.: Comme elle était courageuse, la petite chèvre de M. Seguin. Et moi aussi, je suis courageux puisque je vais vous lire encore un conte.

Rem. 4 Équilibre et naturel sont les deux qualités du plan. Il est difficile de les concilier. Michelet dénonce à juste titre la plaidoirie de Jean Petit après l'assassinat du duc d'Orléans (1408).
Exorde: douze qualités du duc de Bourgogne; syllogisme: majeure subdivisée en trois "vérités", chacune en six parties

avec huit corollaires, comme quoi la convoitise mérite la mort, puis mineure: Orléans a péché par convoitise, ce qui mérite la mort car la convoitise a fait quatre apostats (récits). Ensuite douze "preuves" tirées d'autorités qui vont de s. Thomas au noble Tulle (Cicéron).
Cf. PAYEN, p. 41. Ce genre de plan a été comparé à l'architecture gothique. L'artifice y règne.

Si l'on veut éviter le déséquilibre entre des parties logiquement articulées mais qui appellent des subdivisions et des développements inégaux, une **numérotation** en sections (1, 2, ...), sous-sections (1.1, 1.2, ...) et ainsi de suite (1.1.1, 1.1.2, ...) est plus souple que la numérotation en chapitres (I, II, ...), paragraphes (§ 1, § 2, ...), points (A, B, ...) et d'autres divisions en lettres ou chiffres plus petits ou moins encrés.
L'équilibre dans les proportions est appelé **eurythmie** (Robert).

Rem. 5 V. aussi à *amplification; imitation,* rem. 8; *lettre; paragraphe,* rem. 2.

PLÉONASME

1. Surabondance de termes, donnant plus de force à l'expression. **Ex.** (double): *je l'ai vu de mes yeux, je l'ai entendu de mes oreilles.*

2. Redondance*, emploi de mots inutiles.....défaut qui tend à la battologie*. **Ex.:** *En vain la plus triste vieillesse m'accable de son* **poids pesant**... (DUVAL, *Joseph,* III, 3) (V. aussi à *chute,* n. 1).

Adj. Pléonastique. Littré, reprenant Beauzée.

Analogues Périssologie* (*pléonasme* vicieux), tautologie*, redondance*, battologie*.

Même déf. Sens 1. Fontanier (p 302), Marouzeau, Robert. **Sens 2.** Marouzeau, Robert.

Rem. 1 Une certaine confusion règne quant aux termes *pléonasme, périssologie, redondance* et *battologie.* Distinguons:
1 *Pléonasme*: redoublement de l'idée dans deux mots du même membre de phrase;
2 *Périssologie*: *pléonasme* vicieux;
3 *Redondance*: redoublement de l'idée dans deux phrases ou membres de phrase;
4 *Battologie*: *redondance* excessive, injustifiée.

Seuls le pléonasme et la redondance sont considérés comme des procédés de style; la périssologie et la battologie sont des défauts et ne peuvent avoir d'emploi que comme tels (dans les textes ironiques ou comiques).

Au sens strict, le pléonasme suppose une répétition du signifié sans isolexisme*. C'est un mode de soulignement* des plus naturel (**Ex.:** *Il ajouta quelques détails de plus*), qui n'apparaît comme défaut (V. à *périssologie*) que dans des cas trop évidents (**Ex.:** *monter en haut; prévoir d'avance*).

Ex. litt. actuel: *"Léonard de Vinci est le type suprême de ces individus supérieurs."* (VALÉRY, *O.*, t. 1, p. 1251).
Type, modèle, parangon... pourquoi ajouter *suprême?* L'idée est peut-être mieux soulignée. On ne voit éviter d'aussi légères redites que dans les écrits très soignés.

Rem. 2 La phobie du *pléonasme* est critiquée par Morier (p. 304-5). Il distingue le *"demi-pléonasme"* (*flaque d'eau,* parce que *flaque* suffit à évoquer l'idée *d'eau* encore qu'il puisse y avoir des flaques d'huile, de sang) et le *faux pléonasme* (*allumer du feu, monter au grenier;* ce n'est pas parce qu'un feu qui brûle est allumé qu'on ne peut pas en allumer un, ni parce que le grenier est en haut qu'on ne peut pas y monter; de toute façon il faut préciser, puisqu'on peut aussi allumer autre chose que du feu, monter ailleurs qu'au grenier). V. aussi à *étymologie,* autre déf.

Rem. 3 Il y a des *pléonasmes* requis par l'usage grammatical, comme le *ne* dit *explétif* après *sans que.* D'autres sont périssologiques, comme le possessif après *dont* (*Cet enfant dont l'échec attriste* **sa** *famille*). V. aussi à *contre-pléonasme* et à *synonymie,* rem. 5.

Rem. 4 En poésie, pour remédier au pléonasme, on dispose de l'énallage*. Autrement, mieux vaut, semble-t-il, l'éviter (V. à *épithétisme,* rem. 1).

POÈMES (FORME DES —) Dans l'Antiquité, les poèmes étaient surtout caractérisés par le contenu ou par le ton: l'épopée est légendaire; l'églogue, champêtre; l'élégie, plaintive; la satire, critique; etc.

Au XIVe siècle, les Grands Rhétoriqueurs définissent — par la longueur des vers* et des strophes*, la disposition des rimes* et d'autres détails formels[1] — les *poèmes à formes fixes* (ou *"tailles"*).

On les trouvera soigneusement décrits et illustrés d'exemples de la plume de l'auteur dans le *Dictionnaire de poétique et de rhétorique* d'H. Morier. En voici la liste: *Amoureuse (chanson —), arbalétrière royale, arbre fourchu, audengière, baguenaude, balladant (en —), ballade* (et chant royal), ballade layée*[2] ,

1 Cf. une note divertissante de R. Queneau dans ***Bâtons, chiffres et lettres,*** p. 327 et sv.

2 Syn.: ***ballade à paige*** (Morier).

bergerette, chincain, complainte, courante, double ballade, douzaines (laisses —), fatras, fatrasie, kyrielle (rime —), lai, motet, ode*, odelette, palernoise (taille —), pastourelle, plate rime brisée, rotrouenge*[3] *, riqueraque, rondeau*, rondeau redoublé, rondel, rotrouenge écartelée, rythmus tripertitus caudatus, serventois, sextine, sonnet*, sotie (ballade étrange en —), tiercés (vers — ou terza rima, tierce rime), triolet, trois et un (taille de —), villanelle, virelai*[4] .

L'Orient nous a enseigné le pantoun (ou pantoum), d'origine malaise, utilisé par Baudelaire dans *Harmonie du soir* (cf. Morier[5]), le haïkaï (ou haïku), poème de trois vers de 5, 7 et 5 syllabes, d'origine japonaise, utilisé par Éluard (*O.*, t. 1, p. 46) et le tanka, de 5, 7, 5, 7, 7 syllabes.

La disparition progressive des formes fixes, amorcée dès le XIXe siècle (où seul le sonnet* connaît encore une grande faveur), a accompagné la dislocation du vers* régulier. La forme choisie ne prédétermine plus, par une convention, la versification, la spatialisation, le thème* (et vice-versa). Chaque poème secrète aujourd'hui sa structure propre. Le travail du stylisticien ne s'en trouve pas simplifié et il reste beaucoup à découvrir, semble-t-il, en ce domaine[6] .

Dans le *poème en prose* aussi, le caractère achevé des structures d'ensemble, sans cesse renouvelées, n'est guère accessible encore qu'intuitivement. On trouvera des observations sur le poème libre à *rythme; vers graphique, dialogue,* rem. 1; *accumulation,* rem. 4; *bruit; calligramme; correspondance; irradiation; écho sonore,* rem. 3; *juxtaposition graphique; lettre,* rem. 1; *métaphore,* rem. 1; *prosopopée,* rem 3; *strophe,* rem. 5; *tempo,* rem. 3.

Rem. 1 V. aussi à *acrostiche; épanalepse,* rem. 3; *épanorthose,* rem. 4; *inclusion; motif,* 2; *rime,* 2; *souhait,* rem. 4; *vers métrique, adynaton,* rem. 1; *assonance; maxime; tempo; harmonie.*

POINTE Pensées subtiles (généralement très brèves et très serrées et présentées sous forme d'*antithèse**), qui veulent défier la vivacité d'esprit du lecteur. M.W. CROLL, *Style, rhetoric and rythm,* p. 29.

---

3 On écrit généralement ***rotrouenge (Lexis)***. Morier donne les graphies ***retroänge, rothuenge*** et ***rotrouänge.***

4 Syn.: ***chanson balladée*** (Morier).

5 Morier signale encore le ***quadrille***, où les vers du premier quatrain sont repris respectivement au début des strophes suivantes; la ***schaltienne,*** dont les strophes ont 4, 3, 2 et 1 vers.

6 Cf. par exemple les conclusions du Colloque de Strasbourg, en mai 66, dans ***le Vers français au XXe siècle,*** p. 311 et sv.

Ex.: *Sonnet* (de Roland furieux à Don Quichotte)
Si tu n'es pair, sans pair aussi te vois-je; aussi bien pair serais-tu entre mille. Il ne saurait en être où tu te trouves, Vainqueur invict, à jamais invincible.
CERVANTES, *Don Quichotte*, p. 29.

Autres ex.: *Ruines en vingt-quatre heures*
le teinturier lui-même en meurt
Comment voulez-vous qu'on prenne le deuil.
PRÉVERT, *Août 1940*, dans *la Pluie et le beau temps*, p. 8.

Les Anciens pensaient Dieu tout-puissant ..... Grâce à leurs croyances, ils ignoraient l'ignorance.
M. LÉGAUT, *l'Homme à la recherche de son humanité*, p. 179.

Autre déf. La *"pointe"* d'un texte, ce qu'il tend à dire, par opposition à ce qu'il dit, est le sens intentionnel (V. à *sens*, 8). Cette acception est tirée de l'anglais.

Analogue Trait. Le *trait* caractérise le style de Sénèque, volontiers acerbe et sentencieux, allant à l'essentiel sans fioritures. Le trait est donc une pointe dépourvue de préciosité, se rattachant au laconisme et non au baroquisme (V ce mot, rem. 1 et 3). Il n'en est pas moins imagé et hyperbolique

Ex.: *"Il fallait donc à la fois démontrer que se servir d'une machine à laver exige du génie et que vos enfants seront névrosés si vous faites un pas dehors."* (J.-F. REVEL, *l'Asservissement de la femme moderne*, dans *Contre censures*, p. 238).

Rem. 1 La pointe dans sa pureté est la façon de terminer irrésistiblement un paragraphe (comme le coup de pointe, au fleuret, parachève les passes). **Ex.:** *C'était le prof classique: un grand monsieur à cheveux blancs, rejetés derrière les oreilles. Il avait la chevelure scientifique.* **Le poil fait le savant.**
Elle peut consister en une **aporie** (V. à *énigme*, rem 1). Elle suppose de l'esprit*

Rem. 2 La pointe moderne n'hésite pas à remplacer le raisonnement* par un jeu* de mots. **Ex.:** *"Le monde mental / Ment / Monumentalement"* (PRÉVERT, *Paroles*, p. 212). Allais termine souvent ses contes par une pointe formelle de ce genre

Ex.: *Lorsque tu vois un chat de sa patte légère / Laver son nez rosé, lisser son poil si fin, / Bien fraternellement embrasse ce félin. / S'il se nettoie, c'est donc ton frère. (À-peu-près** tiré d'un vers du *Loup et l'agneau* de La Fontaine).

Rem. 3 Comme le concetti*, auquel elle appartient, la pointe est parfois métaphorique.

Ex.: "*bref, ayant convaincu tout le monde qu'il n'était fait que d'une sorte d'inconsistance onctueuse, il avait été progressivement aspiré et comme dégluti vers les hauteurs.*" (J.-Fr. REVEL, *Portrait d'un haut fonctionnaire devenu ministre,* dans *Contrecensures,* p. 24). V. aussi à *épigramme,* rem. 1.

POLYSYNDÈTE Répéter une conjonction plus souvent que ne l'exige l'ordre grammatical. LITTRÉ.

Ex.: *Puis vient le jour ..... où l'on sait qu'on est pauvre et misérable et malheureux et aveugle et nu*
J. KÉROUAC, *Sur la route,* p. 152.

Même déf. Marouzeau, Lausberg.

Autres noms Conjonction (Paul, p. 140; Girard; Fontanier, p. 339; Littré, Quillet), polysynthète (Lausberg, *Lexique*), syndèse (Marouzeau), réduplication* (Antoine), *concaténation* (d'après Claudel et Antoine: V. ce mot)

Ant. Asyndète*.

Rem. 1 Selon Quintilien (9,3), *polysyndète* et *asyndète* sont complémentaires: ces deux figures ne sont autre chose qu'un amas de mots ou de phrases qu'on entasse; avec cette seule différence que quelquefois on y ajoute des liaisons ou des particules conjonctives, et quelquefois on les retranche.
En français, l'accumulation* "*normale*" se contente d'un seul *et* (*le Meunier, son fils et l'âne*). Cela constitue l'état intermédiaire entre les deux figures.

Rem. 2 Suivant Cressot (cf. *le Français moderne,* 1941, p. 82-3), le *et* supplémentaire a un rôle plus disjonctif que conjonctif: il détache chaque élément afin de lui donner un relief individuel. **Ex.:** "*quatre-vingts pièces d'argent polies et douces et tièdes au toucher*" (RINGUET, *Trente Arpents,* p. 83). "(Présences qui) *interrompent et interfèrent, et bougonnent et objectent et moquent et désapprouvent et raillent* (etc.)". (MICHAUX, *les Grandes Épreuves de l'esprit).*

Rem. 3 Saturée par un *et* initial, la polysyndète met en évidence des "*structures binaires*" ou "*ternaires*". Cf. L. Spitzer (p. 270-2), qui cite Racine: "*Je sentis tout mon corps et transir et brûler* (**Phèdre**). *Je présente au grand prêtre ou l'encens ou le sel* (**Athalie**). *Mais tout dort, et l'armée, et les vents, et Neptune* (**Iphigénie**)."

Rem. 4 On parle de polysyndète pour les conjonctions de coordination, mais n'y en a-t-il pas pour les conjonctions de subordination, voire pour les adverbes de relation? **Ex.:** "*Si chacune des droites A, C est parallèle à la droite B,* **alors** *les droites A et C sont parallèles.*"

PONCTUATION Les signes de ponctuation se répartissent en trois catégories. Virgule, point-virgule, point, deux-points et trait oblique marquent parfois des pauses*, toujours des articulations du texte (V. à *syntagme, assertion, césure*).

Les points d'interrogation, d'***exclamation**** et de ***suspension****, qui peuvent se multiplier, sont des variantes affectives du point ou des marques, très approximatives, de l'énonciation* (V. à *ponctuation expressive*).

Le troisième groupe réunit les autres signes dits "de ponctuation", qui indiquent la situation de la phrase par rapport au contexte et à l'environnement réel, ce que nous appelons son "assise" (V. ce mot).

Rem. 1 Le caractère d'affiche, d'un dessin libre et varié, crée ses propres normes de ponctuation. Le trait d'union peut avoir une forme ronde; le point final, rarement employé, peut devenir une sorte de trait d'union; etc.

Rem. 2 V. à *adjonction*, rem. 3.

PONCTUATION EXPRESSIVE Les variantes affectives du point (?, !, ...) orientent le lecteur entre trois types d'énonciation* que leur mélodie seule (V. à *intonation*) permettrait d'identifier.

Ex.: *Elle le sait? Elle le sait! Elle le sait...* (V. à *question, interrogation oratoire; exclamation, interjection; interruption, aposiopèse*).

La ponctuation expressive s'intensifie, graphiquement, par multiplication des signes. **Ex.:** *"Quand nous aurons brûlé tous les livres!!!"* (GIDE, *Romans*, p. 164).

Certaines combinaisons sont usitées: !... ?... ?!

Entre deux parenthèses*, le point d'interrogation exprime le doute (?); le point d'exclamation, l'ironie* (!); les points de suspension, un passage sauté (.....) Cf. P. LECERF, *Manuel pratique du typographe*, p. 118.

Rem. 1 *Mélodie correspondant au signe graphique.* De toutes les intonations*, l'écrit ne conserve pratiquement rien. Au point final correspond une intonation simple que Delattre (*French Review*, 1966, p. 6, cité par P.-R. LÉON, p. 52) appelle *"finalité"* et qui va du médium (ton statique moyen de l'individu) au grave. Du médium à l'aigu ou au suraigu, on a des continuations*, mineure ou majeure, annonçant que la phrase va continuer (virgules, points de suspension*).

L'exclamation* se caractérise par une élévation de la voix sur le syntagme* qu'elle concerne, l'interrogation par une élévation plus forte encore, mais aussi limitée.

Rem. 2 Les variantes affectives du point, parce qu'elles se combinent avec lui, sont toujours, graphiquement, en fin de phrase. Leur place fixe empêche d'indiquer sur quel segment porte l'interrogation ou l'exclamation*. À la phrase écrite: *"Flore est restée hier tout l'après-midi?"* correspondent en réalité quatre phrases orales de sens distinct: l'une où la voix s'élève sur *Flore* (et qu'il faudrait remanier en écrivant: *"Est-ce Flore qui est restée* etc."), une autre où la voix s'élève sur *restée* (*"Est-ce qu'elle est restée, Flore, hier,* etc."), une autre où l'interrogation portera sur le syntagme *hier* ("Est-ce hier etc."), une autre enfin portant sur *tout l'après-midi*. L'intonation* rend chacune de ces phrases parfaitement claire, alors que l'écriture les confond (sauf remaniement syntaxique). Pour rapprocher l'expression écrite de l'expression orale, on pourrait instaurer une *virgule interrogative* et une *virgule exclamative*). Une telle virgule prendrait place après l'acte de parole. Mais il serait plus précis encore de mettre en gras le lexème sur lequel porte le posé (V. à *assertion*).

Rem. 3 Les points de suspension*, transcrivant une mélodie suspensive, indiquent seulement que tout n'est pas dit. Ils peuvent survenir dans le cours de la phrase pour annoncer que la pensée n'est pas achevée, qu'elle va revenir sous une autre forme. **Ex.:** *"il faut lui montrer... c'est une vraie inondation... le papier est perdu... le rideau est complètement passé..."* (N. SARRAUTE, *Portrait d'un inconnu*, p. 145-6). V. à *interruption*, rem. 4 et à *contre-interruption*.

Le point d'orgue, 𝄐 , qui, en musique, allonge la durée d'une note en sortant du rythme fixé, semble solliciter une réaction de l'auditeur...

Rem. 4 Dans *le Chiendent* (p. 240), Queneau imagine un *"point d'indignation"*, qui n'est autre que le point d'exclamation* renversé: ¡

Rem. 5 La ponctuation expressive a pu servir à transcrire des attitudes muettes.

Ex.: — (Cela) *me rappelle la plus effroyable période de ma vie. — !!! ??? ... !!! nous écriâmes-nous simultanément. — Ne me parlez jamais de la transmigration du Moi. — !!! ... !!! insistâmes-nous.*

ALLAIS*grement*, p. 25.

En poésie contemporaine, si les textes non ponctués sont encore les plus nombreux, on assiste à une sorte de retour à une ponctuation ayant un rôle à part entière.

Rem. 6 En linguistique et en logique, une phrase fausse est précédée de l'astérisque, une phrase douteuse est précédée du point d'interrogation (*Dict. de ling.*).

PORTRAIT Description* tant au moral qu'au physique d'un être animé, réel ou fictif. FONTANIER, p. 428.

Ex.: *Cette femme était belle comme une déesse; elle joignait aux charmes du corps tous ceux de l'esprit; elle était enjouée, flatteuse, insinuante.....*
FÉNELON, *Télémaque*, III, cité par FONTANIER

Même déf. Littré, Quillet, Lausberg, Robert.

Analogues Prosopographie, description physique (Le Clerc, p. 293; Fontanier, p. 425; Littré; Verest, p. 213; Lausberg); **effiction,** description physique (Le Clerc); **éthopée,** description morale (Fontanier, p. 427; Littré; Quillet, Lausberg); **portrait-charge**, caricature*; **étude de caractère.**

Rem. 1 Comme toute description, le portrait peut se faire du point de vue d'un personnage, avec ou sans identification de la part de l'auteur et du lecteur. Ainsi, dans *la Porte étroite,* Gide se sert-il d'un portrait pour faire sentir l'hypocrisie inconsciente d'un personnage.
Lucile Bucolin a revu sa belle-soeur sans plaisir — Elle pense: "— Comme Laure a changé depuis l'hiver! Que cette robe lui va mal. Le deuil durcit ses traits. Je ne me souvenais pas qu'elle avait tant de cheveux blancs sur les tempes..."
E. D. CANCALON, *Techniques et personnages dans les récits d'André Gide,* p. 77.

Rem. 2 Le portrait, physique et moral, a la dignité d'un genre littéraire (par exemple, la page que de Gaulle consacre à Pétain dans ses *Mémoires de guerre*). Éluard le renouvelle par la poésie (cf. *Portrait* dans *O.*, t. 1, p. 818-9: *"Bouclier d'écume la joue / Air pur le nez marée le front"*); Queneau, par l'humour:
Quant au bonhomme, il a une drôle de tête. Le haut en est assez bien dessiné, mais après la moitié du nez, ça fout le camp de tous les côtés. Les joues ont coulé dans le bas des mâchoires, inégalement. Une narine s'ouvre plus que l'autre. Quant aux oreilles, elles volent au vent.
QUENEAU, *Pierrot mon ami,* p. 28-9. Il débouche sur l'image* visuelle.

Rem. 3 Le portrait se fait aussi par le récit* d'actions ou les dialogues*. V. à *hypotypose,* rem. 4.

PRÉMUNITION (On) prépare ses auditeurs à quelque proposition qui pourrait les blesser, si elle était émise trop brusquement. LITTRÉ.

Ex.: E. Poe (*Metzergenstein,* 3e p.) prévient les réticences possibles de son lecteur avant d'exposer les croyances à la métempsychose en Hongrie.

Analogues Précaution oratoire, exorde par insinuation (Paul), argument* alliciant (Dict. de ling.). V. aussi à *réponse*, rem. 2.

Rem. 1 La prémunition fait partie de l'**avertissement** au lecteur, dont le sens est plus large.

Ex.: *"Ô vous, lecteurs curieux de la grande histoire du noyer de la terrasse, écoutez-en l'horrible tragédie et vous abstenez de frémir si vous pouvez"*. (ROUSSEAU, *Confessions)*.

PRÉTÉRITION Feindre de ne pas vouloir dire ce que néanmoins on dit très clairement, et souvent même avec force. FONTANIER, p. 143.

Ex.: *A-t-on le droit de signaler ici* (à la radio) *que cette interprétation est sur disque Decca? Non? Je n'ai pas le droit de dire que c'est le disque Decca n°2001? Tant pis... Je ne le dirai pas.*

Ex. litt.: *"Je ne me défends pas, d'ailleurs. Mon oeuvre me défendra. C'est une oeuvre de vérité* (etc.)" (ZOLA, préface à *l'Assommoir.)*

Même déf. Littré, Bénac, Lausberg, Morier, Robert.

Syn. Prétermission (Fontanier, Littré, Lausberg, Morier, Robert); paralipse (Lausberg, Morier, Robert); feinte (Bary, cité par Le Hir, p. 126).

Rem. 1 Ce procédé paradoxal est éminemment rhétorique (V. à *faux*, rem. 1). Il met en évidence le jeu de l'énonciation* (action d'énoncer) et de l'**énoncé** (ou *contenu, lexis, dictum*[1]). Quand l'énonciation cesse d'être implicite (l'énoncé est précédé de: *Je dis*), il devient possible qu'elle se contredise elle-même (*Je ne dis pas que...*), ce qui entame sa force, réduit l'affirmation à l'idée. Il y a un stade initial du procédé avec atténuation* mais non litote*. **Ex.:** *"je presse une chiffe je ne dirai pas contre mon coeur"* (BECKETT, *Comment c'est*, p. 56). Ou bien la formule cache une apodioxis (V. à *argument*, rem. 2): *Il serait trop long de montrer ici que...* (et de conclure comme si la démonstration avait eu lieu).

La prétérition apparente n'est parfois qu'un résumé: *Je ne dirai pas qu'il a écrit douze livres...* Autrement dit, *je ne m'étendrai pas sur ce fait, si important soit-il.*

Des formules comme: *Je n'ai pas besoin de vous dire que... Je ne vous rappellerai pas que...* sont aussi des *demi-prétéritions*, qui ne soulignent guère, sauf dans certains contextes. D'autres témoignent d'une hésitation du locuteur: M. Sicaro, *pour ne pas le nommer;* formule qui exprime normalement une sorte

---

1 ***Lexis, dictum***, termes de logique, visant ce qui est dit indépendamment de la vérité des choses ("jugement virtuel").

d'excuse*: puisqu'il faut le nommer, l'appeler par son nom, dire le mot.

Ex. litt.: *J'ai le sentiment de dériver en haute mer, sans sextant, sans boussole et sans vivres! J'allais dire: sans radeau, tellement me semble fragile l'hypothèse à laquelle je me cramponne.*
H. AQUIN, *Trou de mémoire*, p. 139.

Une demi-prétérition peut encore dénuder un euphémisme*.

Ex.: "*la Morgue (un endroit peu engageant pour ne pas dire extrêmement lugubre, surtout la nuit)*" (JOYCE, *Ulysse*, p. 537).
La vraie prétérition est pseudo-simulation*. Elle ne cache que pour mieux montrer. C'est surtout utile dans les discussions, mais cela peut aussi venir de la difficulté de dire. "*Charme de l'amour, qui pourrait vous peindre!*" (CONSTANT, *Adolphe*).

Allais tente de ridiculiser la prétérition en la dénudant:
Le secret professionnel m'interdit de faire connaître mon client, aussi ne le désignerai-je pas dans cette lettre. Toutefois, ne désirant pas passer pour un blagueur, j'observerai simplement que ledit malade est un nommé A. L..., marchand épicier à Saint-H... par S... (Hautes-Alpes), auprès duquel on peut se renseigner. (Tous les noms propres contenus dans cette parenthèse sont en toutes lettres. L'administration du **Sourire** *a jugé que de simples initiales suffisaient amplement.)*
A. ALLAIS, *la Barbe et autres contes*, p. 109.

Rem. 2 Un autre type de prétérition consiste à feindre de ne pas vouloir *faire* ce que l'on fait néanmoins... **Ex.:** *Ce n'est pas pour vous décourager, mais...* (ou: *ennuyer, détromper*, etc.). **Loc.:** se faire l'avocat du diable. Que ces *déclarations d'intention* soient faites de bonne foi ou qu'au contraire il s'agisse de litotes* ne change pas grand-chose à leur effet.

Ex.: *PREMIÈRE EUMÉNIDE. — Je n'ai aucune arrière-pensée. Je ne veux pas t'influencer... Mais si une épée comme celle-là tuait ta soeur, nous serions bien tranquilles!*
GIRAUDOUX, *Électre*, p. 86. V. aussi à *aposiopèse*, rem. 2.

Rem. 3 Le procédé inverse, dire qu'on l'a déjà dit et le redire, pourrait être appelé **contre-prétérition.**

Ex.: "*Mais je me rappelle, je crois, t'avoir déjà fait cette description; je t'ai parlé de cette haute muraille de hêtres qui finissent par vous enfermer, de cette allée* (etc.)" (GOETHE, *les Souffrances du jeune Werther*, p. 83).

Rem. 4 La prétérition peut se rapprocher de la dubitation*. **Ex.:** "*Oserai-je parler de la* Chronologie ..... *Oserai-je troubler votre jeune notion de la causalité ..... Vais-je vous dire que la suite des millésimes* (etc.)" (VALÉRY, *O.*, t. 1, p. 1131). V. aussi à *transition*.

PRÉTEXTE Argument* irréfutable et qui n'a qu'un défaut, difficile à dénoncer en face, qui est d'être faux ou non pertinent à la question en litige.

Ex.: un parti qui prétend être apolitique. V. à *abstraction*, rem. 6. **Ex. litt.:** *"Que suis-je et que puis-je faire sans les autres? En arrivant, j'étais dans leurs mains, en m'en allant, je serai dans leurs mains"* (proverbe Bambara). Ce n'est pas la dépendance des débuts et de la fin, mais celle de l'âge mûr, que vise le proverbe. Pour mieux prouver, il déplace la question. V. aussi à *concession*, rem. 3.

Syn. Pareurésis.

Rem. 1 Dans les devinettes, le jeu* de mots est une raison péremptoire, un prétexte. **Ex.:** — *Quel est l'animal qui s'attache le plus à l'homme? — La sangsue.*

PRIÈRE Texte, personnel ou officialisé par une société religieuse, au moyen duquel le locuteur se met en présence d'un être transcendant ou immanent (plus puissant ou plus profond).

Ex.: *Ô monde que je ne sentais plus qu'à peine et fuyant, tu reparais à nouveau, jaillissant! Et moi aussitôt, tel un infirme désemparé, suis renversé en Ta présence.* MICHAUX, *Passages*, p. 98.

Analogues Oraison, méditation (réflexions et non adoration; V. ex. à *exhortation*), **patenôtre** (péj.; prière marmonnée), **oremus** (péj.; prière latine orale).

Rem. 1 La prière débute par une *invocation*, avec la forme d'une apostrophe* et une fonction *"de contact"* (V. à *énonciation*). **Ex.:** au début des psaumes, on lit: *Yahvé! / Seigneur / Dieu de ma louange / Ô Dieu!* C'est devenu une locution courante dépourvue de son sens*, presque une interjection*: *Mon Dieu qu'il est changé!*

Ensuite, on peut trouver une des nombreuses formes de demande (V. à *supplication*, rem. 1, à *exorcisme*), une bénédiction (V. à *célébration*), une malédiction (V. à *souhait*), du dialogue*. **Ex.: (après le passage d'un aumônier qui lui a fait réciter un acte de charité, le malade se reprend)** *"Comment savoir qu'on aime! Est-ce que je vous aime? demande-t-il à Dieu."* (G. ROY, *Alexandre Chenevert*, p. 321).

La protestation n'est pas exclue, comme on voit dans *Job* et chez Hugo: *Considérez qu'on doute, ô mon Dieu! quand on souffre, Que l'oeil qui pleure trop finit par s'aveugler*
À Villequier, dans *les Contemplations.*

La prière a une marque de sa fin (V. à *chute*, rem. 2): *Amen.*

Rem. 2 L'être, quel qu'il soit, auquel on s'adresse par les figures dites religieuses n'a besoin d'être défini, pour leur identification, que d'une façon très large: quelque chose ou quelqu'un de plus puissant que le locuteur, c'est-à-dire de plus capable que lui de réaliser ses propres desseins, en lui, en autrui ou dans le monde. La transcendance de cet être, que nous appellerons **le Puissant**, paraît notamment dans les demandes de victoires sur l'ennemi, de catastrophes à détourner, etc. Son immanence (puissance intime) paraît dans les demandes d'action intérieure.

Ex.: *Rivière au coeur jamais détruit dans ce monde fou de prison,*
Garde-nous violent et ami des abeilles de l'horizon
R. CHAR, *la Sorgue.*

Rem. 3 Selon J. Ladrière (*la Performativité du langage liturgique,* dans *Concilium,* 82, p. 58 et sv.), le langage liturgique, spécialement le langage chrétien, est *performatif* à trois points de vue. **1** Il *"éveille une certaine disposition affective"* par des attitudes de *"confiance, vénération, gratitude, soumission, contrition, etc."* et des mots comme *"Seigneur", "Père".* **2** Il crée une communauté des locuteurs, qui disent ensemble *"nous",* et, en participant au repas liturgique, deviennent *"membres du corps du Christ",* communauté mystérieuse plus vaste. **3** Par la reprise de paroles historiques, par la proclamation de l'accomplissement en choeur du mystère, par la réeffectuation sacramentelle du repas, il y a *"présentification"* d'une temporalité particulière, eschatologique.

PROLEPSE Prévenir les objections en se les faisant à soi-même et en les détruisant d'avance. LITTRÉ.

Ex.: *On dira que les médiums ne sont visités que par les esprits inférieurs, incapables de s'arracher aux soucis terrestres ..... mais ne pourraient-ils tout au moins nous apprendre où ils se trouvent, ce qu'ils éprouvent, ce qu'ils font?*
MAETERLINCK, *la Mort,* p. 96.

Autre ex.: *PROTÉE. — Vous me direz: à quoi sert cet appendice caudal? Mais c'est purement décoratif!*
CLAUDEL, *Théâtre,* t. 2, p. 413.

Même déf. Fontanier (p. 410), Lausberg, Morier (sens 2), Robert.

Syn. Réfutation* anticipée; prévention (Scaliger; Bary, t. 1, p. 426); anticipation (Littré, Quillet, Marouzeau, Lausberg, Robert); *occupation* (Girard, p. 287; Fontanier, Littré, Quillet); *antéoccupation* (Fontanier; Littré; Amar, p. 101); *préoccupation* (Fontanier).

Autres déf. — Anticipation* aux divers sens du terme (Littré et Marouzeau). — Sens prégnant (Marouzeau et Morier). (V. à *sens* 5) — Dislocation*.

Rem. 1 Il y a deux parties dans la prolepse. Dans la première, on fait parler l'adversaire, en insérant *"direz-vous"* dans l'énoncé de l'objection. C'est pour Lamy (cf. Le Hir, p. 136) la prolepse proprement dite. Dans la seconde, on réfute. Pour Lamy, c'est l'**upobole**.

Une mise en scène plus poussée ira jusqu'au dialogue*. Mais on distinguera nettement la prolepse de la subjection (V. à *question,* rem. 3), qui ne concerne pas les objections d'un adversaire.

La partie de réfutation peut prendre toutes les formes de la réfutation, y compris l'apodioxis et la disqualification (V. à *argument,* rem. 2). **Ex.:** *"Ici, quelque sot me dira..."*(J. PAULHAN, *Lettre aux directeurs de la Résistance,* p. 39). On peut aussi la remplacer par une excuse*.

Ex.: *Vous allez dire que je suis assommant et que je ne viens chez vous qu'avec des femmes. Je sais combien ces présentations doivent vous ennuyer,* mais les femmes ont une manière d'insister si particulière et si tenace que toutes les résistances en demeurent paralysées. *Mlle Rosa Bruck me demande depuis plusieurs mois de la présenter à vous..*
MAUPASSANT, *Correspondance,* p. 344-5.

PROPHÉTIE Un événement à venir est annoncé avec assurance, sa connaissance ayant été communiquée intérieurement par un Être transcendant de qui l'avenir pourrait dépendre.

Ex.: (Un aigle passe. Hélène se lève et dit) *"Voici la prophétie qu'un dieu me jette au coeur et qui s'accomplira..... Ulysse rentrera chez lui pour se venger."*
TODOROV, *Poétique de la prose,* p. 76.

Ex. publicitaire: Vous porterez un jeans dans dix ans.

Syn. Oracle (V. à *énigme*), **vaticination**, pronostication (Queneau), diabole (Lanham).

Rem. 1 La temporalité de l'*énoncé* coïncide avec celle de l'énonciation*, d'où la forte valeur illocutoire du procédé. La prophétie est réalisation simulée. Cette valeur est impossible en récit* (à moins d'introduire un énoncé de deuxième degré). De même, illocution réduite à une notoriétédans une annonce* située au cours d'une explication* théorique. **Ex.:** *"Les amateurs de beau langage continueront à dénigrer ces néologismes"* (Greimas). Ainsi, les beaux paradoxes* de Michaux sont trop universels pour constituer des *prophéties: Dans le noir,*

nous verrons clair, mes frères /Dans le labyrinthe, nous trouverons la voie droite.
Mais le futur avec une actualisation temporelle précise et unique suffit à conférer au texte le plus banal une allure de prophétie. **Ex.:** *"Tu le reverras un peu plus tard... Un ami l'accompagnera, et tu entendras ces paroles..."* (QUENEAU, *Exercices de style,* p. 15). Il ne manque que la caution divine. C'est elle qui distingue la prophétie de la simple *prévision*, de la *déclaration d'intentions,* de la *conviction* et de la *promesse*. (V. à *anticipation,* rem. 1).

Le futur est parfois implicite, comme dans ce titre de reportage sur la pollution: LES TRENTE DERNIÈRES ANNÉES DE LA TERRE.

Rem. 2 La **malédiction** est prophétie de catastrophe. **Ex.:***"Malheur à celui qui se décidera trop tard. Malheur à celui qui voudra prévenir sa femme. Malheur à celui qui ira aux provisions."* (MICHAUX, *l'Époque des illuminés).*
La prophétie peut encore prendre la forme d'une apocalypse*. V. aussi à *supplication,* rem. 1.

Rem. 3 On distingue de la prophétie le *kérygme,* annonce évangélique, où ce qui est proclamé de la part du Puissant est un événement quasi-présent.

Ex.:(Dieu) a envoyé sa parole aux enfants d'Israël, leur annonçant la bonne nouvelle de la paix par Jésus-Christ: c'est lui le Seigneur de tous. Vous savez ce qui s'est passé (etc.)
Actes des apôtres, 10, 36-7.

Rem. 4 La simple perception, confuse plutôt que proclamée, de ce qui doit se produire plus tard, est une **prémonition**.

PROSOPOPÉE Mettre en scène les absents, les morts, les êtres surnaturels, ou même les êtres inanimés: les faire agir, parler, répondre. FONTANIER, p. 404.

Ex. cité par Fontanier: *Ô Fabricius! qu'eût pensé votre grande âme.....? Dieux! eussiez-vous dit, que sont devenus ces toits de chaume et ces foyers rustiques qu'habitaient jadis la modération et la vertu?*

J.-J. ROUSSEAU, *Discours sur les Sciences et les Arts*) .

Même déf. Scaliger (III, 48), Littré, Bénac, Lausberg, Morier, Robert.

Rem. 1 C'est une figure du sublime (V. à *grandiloquence,* rem. 1). Fontanier ajoute qu'il ne faut pas confondre *prosopopée* et personnification*, apostrophe* ou dialogisme (V. à *dialogue*). Ces trois figures vont souvent ensemble. **Ex.:** *"Oui, c'est moi, Superstition. Qui, moi? Moi, l'Humanité"* (GIRAUDOUX,

Intermezzo, p. 147). Toutefois, il n'y a dialogisme que si l'on fait parler et converser l'être absent ou ce qui est personnifié; il n'y a apostrophe que si l'on s'adresse à lui ou à cela; il n'y a personnification que si l'être mis en scène n'est pas déjà une personne...

Rem. 2 La prosopopée est une figure étrange. Bien que, par sa situation, elle appartienne au récit*, elle en récuse la double actualisation en s'efforçant de présenter comme une énonciation* directe ce qui est raconté. Le personnage devient interlocuteur réel, d'où l'apostrophe* et le dialogisme*. L'absent est installé dans le présent. On verra, dans cet exemple, le jaillissement de la figure et sa parenté avec l'**hallucination**.

Oh! je ne veux pas que tu sortes
L'automne est plein de mains coupées
Non non ce sont des feuilles mortes
Ce sont les mains des chères mortes
Ce sont tes mains coupées
APOLLINAIRE, *Rhénane d'automne*, dans *Alcools*.

Le premier *tu* désigne une personne du village. Le glissement de *feuille* à *main* se heurte d'abord à une dénégation, puis l'hallucination prend le dessus (chères mortes = amantes perdues) et se fixe sur une personne précise, évidemment Annie (cf. notre *Étude des styles*, p. 262). Le dernier *tes* désigne donc une absente, l'Absente.
Il y a souvent *exaltation délirante* (V. à *réactualisation*, 7) en même temps que prosopopée, mais cet effet n'est obtenu que si la prosopopée n'est pas de pure forme (V. à *faux*, rem. 1).

Rem. 3 Ce caractère de rendre l'absent présent, la prosopopée ne le partage-t-elle pas avec d'autres figures, l'hypotypose* par exemple? Outre des personnages, ne pourrait-on rendre présents des lieux, des décors, des événements? Mais l'hypotypose, en décrivant les choses *comme si* on les voyait, reste dans le cadre du récit*, alors que Michaux, qui, sous l'influence de la drogue, se sent réellement transporté dans une chambre ovale, au Luxembourg, fait une toute autre expérience. Il n'y a plus de *comme*. L'ailleurs devient un ici. V. aussi à *métaphore*, rem. 4.

Nous nommons **évocation** le procédé général qui prend un élément de contenu lointain ou passé et l'installe dans le présent de l'énonciation*. L'hypotypose est une évocation rhétorique, de pure forme, mais l'évocation au sens fort a quelque chose de surréel ou d'obsessionnel. **Ex.:** le poème de Michaux intitulé *Projection* (*l'Espace du dedans*, p. 58-9). L'*exaltation délirante* est une évocation de l'imaginaire.
Il y a aussi évocation quand on revit un événement passé.

Ex.: *Je suis la même route et je reconnais tout. Je remets mes pas sur mes pas et mes émotions... Il y avait un banc de pierre où je m'assis. — Voici. J'y lisais. Quel livre? — Ah!: Virgile. — Et j'entendais monter le bruit des battoirs des laveuses. — Je l'entends. — L'air était calme, — comme aujourd'hui.*
GIDE, *Romans*, p. 206-7.

Le **truquage**, au cinéma, est le moyen employé pour donner l'apparence du vrai au fantastique* (le héros progresse sur une façade, en réalité horizontale). On pourrait identifier de même, en littérature, les moyens (faux) de cautionner globalement un récit* (lettre à l'éditeur présentant le texte comme ayant été trouvé dans une bouteille jetée à la mer par exemple).

Rem. 4 La prosopopée rhétorique utilisée comme argument* est aventurée. Quand L. Pauwels, dans sa *Lettre ouverte aux gens heureux*, fait parler Lénine, le style reste celui de Pauwels.

PROSTHÈSE Addition d'une lettre ou d'une syllabe au commencement d'un mot, sans en changer la valeur. LITTRÉ. **Ex.: estylo, esquelette.**

Même déf. Marouzeau, Quillet, Lausberg (§ 482), Robert.

Syn. Prothèse (Marouzeau, Robert).

Rem. 1 Terme de l'ancienne grammaire, qui correspond aujourd'hui à un procédé appartenant aux métaplasmes*. **Ex.:** *Rrose Sélavy* (Marcel Duchamp), *"Il commençait à être un peu givre"* pour *ivre*, par mimologie* (QUENEAU, *le Chiendent*, p. 293), *"Ma robe! Ma brobe! Ma crobe! Ma frobe"* (R. DUCHARME, *l'Avalée des avalés*, p. 104).

Rem. 2 La gémination* est une forme de prosthèse. **Ex.:** *"LE CHOEUR: Assez! Assez! Assassez!"* (CLAUDEL, *Jeanne d'Arc au bûcher*, p. 18).

PROVERBE Maxime* entrée dans l'usage courant, réutilisable en divers contextes. **Ex.:** *Autant de têtes, autant d'avis. Un tiens vaut mieux que deux tu l'auras.*

Ex. litt.: *HIERONYMUS*, arrogant. — *Je ne comprends pas? Répétez? À mort? Le bourreau?* (Il se dégage.) Mieux vaut en rire!
GHELDERODE, *Magie rouge*, dans *Théâtre I*, p. 179.) C'est le proverbe: Mieux vaut en rire qu'en pleurer. V. aussi à *prétexte*, et à *symbole*, rem. 1.

Analogues Adage, dicton.

Autre déf. V. à *énigme*, 5.

Rem. 1 On peut considérer le proverbe comme une expression figée de la dimension d'une phrase*: il joue dans la conversation courante le même rôle que, dans un cadre plus restreint, le cliché*. En effet, il semble avoir un sens fixe, en réalité il prend des sens* contextuel, accommodatice, plénier; on peut se servir du texte pour y opérer des substitutions*, etc. **Ex.:** Qui trop embrasse, manque le train (mal étreint), où *embrasser* n'a plus son sens abstrait. V. aussi à *comparaison figurative*, rem. 3.

Rem. 2 Les proverbes sont devenus tels à force de servir comme citation*. Ils viennent de recueils antiques de sagesse (L'homme ne vit pas seulement de pain) ou de déclarations célèbres, parfois récentes (Quand le bâtiment va, tout va). La *parémiologie* les étudie et le *parémiographe* en fait des recueils (Robert). Cf. M. MALOUX, *Dict. des proverbes, sentences et maximes.*

Rem. 3 Sédimentation de cultures diverses, ce procédé ne peut renvoyer à une pensée cohérente. **Ex.:** À père avare, fils prodigue / Tel père, tel fils.

Rem. 4 V. aussi à *syllepse de sens*, rem. 4; à *jeux littéraires*, n. 3.

PSEUDO-LANGAGE On a du pseudo-langage quand un segment de texte a une forme nette aux points de vue sonore, rythmique, mélodique et même graphique, et qu'il semble fait de mots, mais qu'il n'y a ni lexème usité, ni forme grammaticale, ni fonction syntaxique. Le pseudo-langage imite le langage constitué. Il véhicule par exemple une mélodie chantée (la lalala la), notamment dans les comptines[1] (traderidera tralala, mironton ton ton mirontaine).

Ex.: *Mardi sera le jour le plus long. De tout cet heureux nouvel an, maman, rataplan, plan, plan...... La servante était au jardin, et rin et rin...... Le roi comptait ses écus, et ru et ru.*
JOYCE, *Ulysse*, p. 50 et 64.

Syn. Inanité sonore (Pons), kyrielle syllabique, métalalie.

Rem. 1 Le pseudo-langage est le mode privilégié de la fonction phatique (V. à *énonciation*, 2). Voici par exemple le préambule par lequel le conteur, dans les veillées canadiennes de jadis, obtenait l'attention d'une assemblée bruyante:
Cric, crac, les enfants! Parli, parlo, parlons! Pour en savoir le court et le long, passez l'crachoir à Jos Violon. Sacatabi, sac-à-tabac! À la porte les ceuses qu'écouteront pas!
L. FRÉCHETTE, *Tom Caribou.*

La loc. *ta ta ta* est destinée à empêcher l'interlocuteur de poursuivre.

---

1 Récitation enfantine, parfois chantée, pouvant servir à désigner, par le *compte* des syllabes, celui qui devra sortir du jeu ou courir pour attraper les autres.

Rem. 2 Le pseudo-langage peut prolonger du langage ou devenir peu à peu langage. Cf. *musication*, rem. 3. Il peut venir d'un trouble psychique (V. à faute, rem. 2).

Rem. 3 La **lallation** (ou *gazouillis*), émission vocale sans intention expressive chez le nourrisson, est le premier pseudo-langage. La **glossomanie**, imitation* sonore du langage, en est le stade ultime. L'interjection (V. ce mot, rem. 4) n'en est pas loin.
La glossolalie* en diffère parce qu'elle est pourvue d'un sens intentionnel déterminé.

PSEUDO-SIMULATION Simulation* évidente, qui ne se cache pas, qu'il serait donc inutile de dénoncer et qui s'annule de soi-même, en quelque sorte, gardant cependant son efficacité.

Ex.: *Il est très certain, a compris le Conseil, transposant sans le savoir un mot de Desnoyers, qu'il vaudrait mieux que ce fût pendant la canicule qu'il fît froid, parce qu'alors on ne s'apercevrait pas du chaud, et pendant l'hiver qu'il fît chaud, parce qu'alors on ne s'apercevrait pas du froid.*
JARRY, *la Chandelle verte*, p. 505.

Autre ex.: — *Êtes-vous anti-alcoolique? que dit Joe. — Prends jamais rien entre mes consommations, que j'dis.*
JOYCE, *Ulysse*, p. 281.

Rem. 1 La théorie de la pseudo-simulation a été esquissée par J. Simeray (*Erreur simulée et logique différentielle*, dans *Communications*, t. 16, p. 36, 56), qui a soutenu son importance dans toute littérature, y compris en poésie, dans une simple métaphore*. Il est assez clair que le théâtre, sous toutes ses formes jouées, appartient à la pseudo-simulation la plus usuelle.

Pour que les exemples soient brefs, nous devons les prendre dans les erreurs, et patentes. Ainsi le *"hurlement d'un poupon édenté"* (QUENEAU, *le Chiendent*, p. 119), où l'on fait semblant de croire que s'il manque des dents au nouveau-né, c'est qu'il les a perdues.

Rem. 2 Une variété retorse de pseudo-simulation consiste à feindre de croire que le destinataire s'imagine une chose inexacte, voire impossible, et qu'il faut lui ouvrir les yeux. **Ex.:** *"L'obus n'a pas de chez soi. Il est pressé quand même."* (MICHAUX, *l'Espace du dedans*, p. 278). L'erreur simulée est que le destinataire tentera de s'expliquer l'obus comme un être vivant, égoïste. La singularisation* simule l'ignorance de certains préjugés.

Rem. 3 La prétérition*, la permission*, le truisme*sont presque toujours des pseudo-simulations. Morier parle d'une figure, la **paryponoïan**, où l'on *"feint de croire qu'une idée jaillit de son contraire* (**Ex.**: *"ses yeux pétillaient de bêtise"*). V. à *nigauderie*, rem. 3.

Rem. 4 Le trait d'esprit* peut passer par la pseudo-simulation.

Ex.: *"Sa jambe se promène toute seule dans la chambre, et quand elle s'endort (ma femme, bien entendu, pas sa jambe) elle doit la tenir avec la main."* (GOMBROWICZ, *Ferdydurke*, p. 105). V. à *humour*, rem. 2 & 5.

Rem. 5 V. aussi à *humour*, rem. 2 et 5; *nigauderie*, rem. 3; *faux*, rem. 2.

PSITTACISME Langage sans pertinence, par automatisme de la mémoire. On répète des choses entendues "comme un perroquet".

Ex.: *Au bar, je dis à Dean:* "Vingt dieux, mon pote, je sais parfaitement que tu n'es pas venu me trouver pour apprendre l'art d'écrire"..... *Il répondit:* "Oui, bien sûr ..... ce que je brigue, c'est la concrétisation de ces facteurs qui dépendraient au premier chef de la dichotomie de Schopenhauer pour une part intimement accomplis..." *Et cela continuait sur ce ton ..... c'était un gosse frais émoulu de la Centrale et tout surexcité par la possibilité merveilleuse de devenir un vrai intellectuel*
J. KÉROUAC, *Sur la route*, p. 18-19.

Autre ex.: (Chamberlain pense à) *l'Angleterre et la foule qui s'écrasait contre les barrières de l'aérodrome, attendant son retour,* **mon amour, toujours...**
SARTRE, *le Sursis*, p. 138.

Les derniers mots sont amenés par une rengaine de l'époque: J'attendrai, le jour et la nuit, j'attendrai toujours, patiemment, ton retour, mon amour.

Syn. Stéréotypie verbale (Marchais), adj.: stéréotypé.

Terme analogue Hexagonal (cf. R. de BEAUVAIS, *l'Hexagonal tel qu'on le parle*). Il s'agit des mots savants mal assimilés, employés pour leur connotation terrorisante en dehors du cercle des initiés, non pour communiquer.

Déf. analogue Marouzeau (forme de langage comparable à celle du perroquet — d'où le mot *psittacisme*).

Rem. 1 Le psittacisme est plus une *imitation* (V. ce mot, rem. 7) qu'une citation*. On le distinguera de la simple *réminiscence* car, consciente ou non, celle-ci est pertinente dans sa signification. **Ex.** de **réminiscence:** *"les haillonneux troupeaux ..... de borgnes de boiteux et de bossus"* (CL. SIMON, *Histoire*,

p. 226; souvenir de Quasimodo, bossu, boiteux et borgne, HUGO, *Notre-Dame de Paris,* I, 5).

Rem. 2 Le psittacisme s'accompagne d'une intonation* plus ou moins automatique. V. aussi à *slogan,* rem. 1.

QUESTION Assertion* dont le prédicat demande à être complété ou confirmé par l'interlocuteur.

Ex. courant: *Qui est là? Jean est-il là?*

Autre déf. Thème*, au sens de "sujet traité". Loc.: Là n'est pas la question. V. à *prétexte;* à *ambiguïté,* 3; à *déchronologie,* rem. 1.

Rem. 1 La marque mélodique de l'interrogation est une forte élévation[1] du ton à la fin du mot phonétique auquel on peut réduire la question (V. à *ponctuation expressive*). Sa marque graphique quasi universelle est **?**

L'*interrogation* totale porte sur le noeud verbal et se marque par *"est-ce que",* l'inversion* du pronom (même si le syntagme nominal sujet est déjà exprimé), voire la simple intonation*. **Ex.:** *Est-ce qu'il vient? Vient-il? Jean vient-il? Jean vient?* Dans ce cas, c'est la réalisation de l'action (ou l'effectivité de l'état) exprimée par le verbe qui est mise en question.

L'*interrogation* est partielle quand il manque quelque chose à l'assertion*, ce que manifeste un morphème interrogatif (comment? pour qui?).

La même *assertion,* réinversée ou complétée, constitue la réponse*. Questions et réponses peuvent être elliptiques (Vous? Non! Qui? Lui).

Rem. 2 *Fonctions.* La question n'a pas seulement la fonction référentielle. Elle peut remplir les fonctions émotive, de contact et injonctive, comme on le voit dans les dialogues*.

La fonction injonctive devient prépondérante dans l'**interrogatoire**. Par une accumulation* de questions, le locuteur cherche à prendre le dessus, à obliger l'allocutaire à livrer des renseignements qu'il semble vouloir taire.

Ex.: — *Savez-vous où est mon beau-fils? — Comment le saurais-je? — Quand l'avez-vous vu pour la dernière fois? Ah! ça, pensa Pitteaux, ils m'interrogent!*
SARTRE, *le Sursis,* p. 168.

On voit que l'allocutaire peut tenter de se dérober à l'interrogatoire. L'un des meilleurs moyens d'y parvenir est de répondre par une question, comme tente d'abord de le faire Pitteaux. C'est ce qu'on appelle une **requestion**. V. aussi à *injonction,* rem. 1.

---

1 V. à ***continuation*** et à ***exclamation,*** n. 1.

Inversement la fonction émotive domine quand la question ne s'adresse à personne, qu'elle trahit une angoisse.

Ex.: *"On aurait dit..... qu'elle était devenue un désert dans lequel une faculté nomade l'avait lancée dans la poursuite interminable de quoi? On ne savait pas."* (M. DURAS, *le Ravissement de Lol V. Stein*, p. 24).
Dis, qu'as-tu fait, toi que voilà / De ta jeunesse?
VERLAINE, *Sagesse.*

Ici, le poète s'interroge lui-même, sans attendre toutefois de réponse: c'est plutôt l'atténuation* d'un reproche. Mais on peut aussi s'interroger soi-même par de vraies questions. **Ex.:** *"Personne ne s'en aperçoit, personne encore, personne? en suis-je sûr?"* (M. DURAS, *le Ravissement de Lol V. Stein*, p. 125). Dans ce cas, la fonction conative s'exerce de façon réfléchie sur le locuteur. (V. aussi à *dialogue intérieur*).

Rem. 3 La forme la plus rhétorique de la question est l'assertion*déguisée ou **interrogation oratoire** (*"fausse interrogation"* dit Courault).
Fontanier, qui l'appelle aussi *interrogation figurée,* y voit même un défi à l'allocutaire *"de pouvoir nier ou même répondre"* (p. 368). Il observe aussi la valeur affirmative du tour négatif et inversement. **Ex.:** *"Ah! fallait-il en croire une amante insensée? Ne devais-tu pas lire au fond de ma pensée?"* crie Hermione à Oreste après l'assassinat de Pyrrhus, qu'elle a elle-même demandé (RACINE, *Andromaque*).

Ex. cont.: *"À coup de ridicules, de déchéances* (qu'est-ce que la déchéance?), *j'expulserai de moi la forme"* (MICHAUX, *Clown* dans *l'Espace du dedans).*
La *pseudo-interrogation* est fréquente dans le discours* littéraire, quand il s'agit de communiquer des impressions. **Ex.:** *"Qu'y a-t-il de plus vivant que les troupeaux* (dans les peintures rupestres)" (MICHAUX, Passages, p. 69). C'est que l'interrogation convient à la communication* même des sensations. **Ex.:** *"Ne sentez-vous pas le bon ragoût qui embaume tout le presbytère?"* (A. HÉBERT, *le Temps sauvage*).
Un autre rôle de la pseudo-interrogation est d'atténuer les propos qui pourraient choquer, les arguments* trop puissants, voire les accusations — et dans ce cas, c'est le public, érigé en jury, qui est censé répondre à des questions dont l'accusé est l'objet. C'est une figure de cour d'assises.

Ex.: *Mais dites donc, Monsieur, est-ce moi ou vous qui nous livrons sur la critique* **"à tous les sévices auxquels les Iroquois de jadis se livraient sur leurs prisonniers"?** *Et est-ce bien à vous de me reprocher ma cruauté? Et savez-vous que je vous soupçonne fort d'être au fond, sous votre maquillage*

moins violent et sous vos attitudes de civilisé, tout aussi peau-rouge que je le suis? ..... faut-il que vous lui ayez voué une animosité féroce, un peu, à cette pauvre critique de chez vous, pour l'accabler comme vous faites?
J. FOURNIER, *Mon encrier*, p. 42-3.

L'interrogation oratoire se fait avec une intonation* spéciale, qui semble impliquer la réponse.

La rhétorique classique a prôné un pseudo-interrogatoire, qui consiste à mettre sous forme de question / réponse, alternant, une ou plusieurs *assertions**, et comme on répond à la place de l'adversaire, on feint d'avoir obtenu son aveu. C'est la **subjection** (Le Clerc, p. 280; Fontanier, p. 374; Littré; Suberville, p. 202; Lausberg) ou *hypobole* (Lausberg).

Ex.: *Je me demande comment cet homme est devenu si riche: lui a-t-on laissé un ample patrimoine? Tous les biens de son père ont été vendus. Lui est-il survenu quelque héritage? Non, tous ses parents l'ont déshérité.*
CICÉRON, *Rhetorica ad Herennium*, IV, 23.

La subjection a un emploi littéraire étendu. **Ex.:** *"Elvire, où sommes-nous? Et qu'est-ce que je voi? / Rodrigue en ma maison! Rodrigue devant moi!"* (CORNEILLE, *Le Cid*).

Une autre forme de *pseudo-interrogation* est l'interrogation délibérative, où l'on feint d'interroger le public, alors qu'il s'agit de l'amener à prendre une décision (V. à *délibération*), à moins que l'on ne feigne de s'interroger soi-même, alors qu'il s'agit de proposer une objection (figure utile notamment dans les discussions savantes; V. à *dubitation*). Quand il s'agit de faire trouver à un étudiant la chose que l'on désire lui enseigner, c'est la méthode de Socrate qu'on appelle **maïeutique**.

En somme, la question est une forme dans laquelle on met à peu près n'importe quoi, même indépendamment de toute fonction conative.

— Des suppositions*:

Elle s'immobilise sous le coup d'un passage en elle, de quoi? de versions inconnues, sauvages, des oiseaux sauvages de sa vie, qu'en savons-nous? qui la traversent de part en part, s'engouffrent? puis le vent de ce vol s'apaise?
M. DURAS, *le Ravissement de Lol V. Stein*, p. 168.

— Des jeux* de mots:

Pagnol? Est un chien? (Jeu de mot avec épagneul) ..... Qui est-ce qui dit des stupidités? Moi.
R. DUCHARME, *le Nez qui voque*, p. 84.

— Des jeux* littéraires, notamment les *propos interrompus*.

— Des nigauderies*:
Qu'est-ce qu'un soldat doit mettre dans son fusil? La plus entière confiance.
JEAN-CHARLES, *les Perles du facteur*, p. 205.

— Et même une action romanesque (cf. JOYCE, *Ulysse*, p. 589 à 655).

Ex.: *Quel remède apporta-t-il à cette irritation? Défaisant son faux col, il le déposa* ..... (p. 630).

Rem. 4 La *question* peut s'étendre à la dimension de l'alinéa tout en demandant un grand nombre d'assertions* en réponse: on parle aussi dans ce cas de **problème** et la *problématique* est l'art ou la manière de poser un ensemble de problèmes; la *dialectique*, l'art de les discuter. Ainsi, dans Platon, la discussion dialectique a la forme question / réponse*. Plus précisément, on appelera **dialectique** un exposé qui se noue en preuve, objection, discussion, conclusion, qui feint d'être le *dialogue* qu'il pourrait être si un adversaire était en face du locuteur. V. aussi à *délibération*.
Commencer, établir une discussion a été un genre littéraire, parmi les docteurs juifs cherchant des sens allégoriques à l'Écriture: c'est la **sysétèse** (Littré).
Il suffit d'ailleurs de mettre en question une proposition de l'adversaire pour éveiller à son endroit quelque soupçon. La *simple question* est chargée de toutes sortes de valeurs perlocutoires, éventuellement de présuppositions subreptices (V. à *énonciation*, rem. 3; *paralogisme*, rem. 2 et *réfutation*, rem. 4).

Rem. 5 Pour la question fourrée, V. à *impasse* et à *paralogisme*, rem. 2. Pour l'emploi de *ne...pas* dans la question, V. à *négation*, rem. 2. Pour l'accumulation de questions brèves, V. à *épitrochasme*.

RAISONNEMENT Ensemble organisé d'arguments* menant à une conclusion.

Ex.: *S'il faisait chaud, répondait sèchement le prince André, il sortirait en chemise mais comme il fait froid il faut lui mettre des vêtements chauds qui sont faits justement pour cela. Voilà ce qu'il faut faire quand il fait froid, et non rester à la maison, alors que l'enfant a besoin d'air*
TOLSTOÏ, *Guerre et Paix*, p. 544.

Même déf. Robert.

Analogues Syllogisme, argument* en forme, dans les règles.

Rem. 1 Le syllogisme, ou *raisonnement* dans les formes de la logique ancienne, comprenait au moins deux arguments* (la majeure et la mineure)entraînant la conclusion. Ces trois assertions* devaient se recouper. **Ex.:**Les vêtements chauds sont faits pour être mis quand il fait froid (majeure). *Or* il fait froid (mineure). *Donc* il faut mettre des vêtements chauds (conclusion).

En pratique, même quand on veut argumenter, on ne développe jamais entièrement le syllogisme, de façon à éviter la lourdeur des répétitions. Une des prémisses (les **prémisses** sont les arguments* constitutifs d'un syllogisme) ou même la conclusion reste sous-entendue. Ce type de raisonnement, qui semble n'avoir qu'un argument, est l'**enthymème** (*redditio causae, etiologia*). **Ex.:** *"Nicolouchka ne doit pas sortir aujourd'hui, il fait trop froid* (disait la princesse Marie)" (*ib.*)

L'enthymème est constant en philosophie (Je pense donc je suis) comme en littérature. **Ex.:** *"L'amour ne dure pas: donc je te recommence"* (P. PERRAULT, *En désespoir de cause*, p. 34). Il évite le truisme (V. ce mot, rem. 2).

Fontanier (p. 382 à 384) appelle **enthymémisme** la formulation particulièrement vive et frappante d'un enthymème. **Ex.:** *Je t'aimais inconstant: qu'aurais-je fait fidèle?* (arg. a fortiori). *On sera ridicule, et je ne pourrai rire?* (Boileau). L'enthymémisme est souvent dérobé sous une forme non logique. **Ex.:** *Un peu, c'est déjà beaucoup*. Contradiction (antilogie*)en apparence seulement, qu'on dénoue en établissant une majeure comme Il est parfois presque impossible d'obtenir quelque chose; une mineure comme: Or nous avons réussi un peu.

L'enthymème perd son efficacité quand l'argument* sous-entendu n'est pas immédiatement évident **Ex.:** *Il y a des plantes carnivores puisque les mouches sont des animaux.* (Il aurait mieux valu sous-entendre la majeure et exprimer la mineure: *Il y a des plantes qui mangent les mouches)*

Le **sorite** ou *polysyllogisme* est un enchaînement d'*arguments* dont la conclusion reprend un terme au premier et au dernier. **Ex.:** *La prudence est une vertu: toute vertu est une qualité: toute qualité est un accident; donc la prudence est un accident* (Bary, I. 19). Le sorite, plus aisément encore que l'enthymème, peut déboucher sur une conclusion inattendue (V. à *paralogisme*). **Ex.:** Il faut obéir au capitaine C'est un homme qui a de l'expérience. Il en a parce qu'il a fait autrefois toutes les erreurs possibles. Un âne ne tombe pas deux fois dans le même trou. Donc le capitaine est un âne

Mais les arguments* ont eux-mêmes besoin bien souvent, d'être soutenus par une preuve, qui peut prendre place immédiatement auprès d'eux: c'est l'**épichérème**. **Ex.** analysé par Barthes (*l'Ancienne Rhétorique*, p. 205): la note soviétique suite à une manifestation des étudiants chinois devant l'ambassade américaine à Moscou (mars 1965); *Majeure:* Il existe des normes diplomatiques respectées par tous les pays. *Preuve de la majeure:* Les Chinois eux-mêmes respectent dans leur pays ces normes d'accueil. *Mineure:* Or les étudiants chinois à Moscou ont violé ces normes. *Preuves de la mineure:* C'est le récit de la manifestation (injures, voies de fait et autres actes tombant sous le coup du code pénal). La conclusion n'est pas énoncée (c'est un enthymème), mais elle est claire.

Rem. 2 Les prémisses, la majeure surtout, sont souvent des lois générales. Dans ce cas, que la conclusion soit une proposition catégorique (vérité de droit) ou une proposition assertorique (vérité de fait), le raisonnement est déductif. Tout ce qui est tiré d'un principe est **déduction** tandis que tout ce qui part d'une observation particulière est **induction**. On peut avoir, en effet, comme argument*, un fait, *"plus fort qu'un lord-maire"*.

Ex.: *Il n'y a de vraiment beau que ce qui ne peut servir à rien; tout ce qui est utile est laid, car c'est l'expression de quelque besoin, et ceux de l'homme sont ignobles et dégoûtants, comme sa pauvre et infirme nature. — L'endroit le plus utile d'une maison, ce sont les latrines.*
TH. GAUTIER, Préface à *Mlle de Maupin.*

Mais cela ne fait pas aussitôt une induction: il faut voir quel rôle joue le fait dans le raisonnement. Est-il une conclusion? Ou plutôt un argument*? Dans ce cas-ci, on peut hésiter, car le principe de l'art pour l'art n'est pas tiré de l'observation sur l'utilité des latrines! Or cette observation n'est pas non plus tirée du principe, sinon à titre d'argument et, comme on dit, d'exemple. L'**exemple** ne fait donc pas partie d'un raisonnement construit, sa preuve n'est qu'illustrative, il montre plutôt qu'il ne démontre.

Ex.: *cartes vendues en bloc, séries-souvenir d'une région ou d'une ville (comme: Nice — Le Château; Nice — La Promenade des Anglais; Nice — Vue du port; Nice — La Place Massénat et les jardins...)*
CL. SIMON, *Histoire,* p. 104.

On peut aussi remplacer une idée par un ou des exemples, même s'il s'agit d'un adjectif sans plus. **Ex.:** *"Quand ce qui est incroyable sera regardé comme une vérité de l'ordre de* **2 et 2 font 4"** (MICHAUX, *l'Époque des illuminés*). S'il s'agit d'une assertion* et qu'on multiplie les exemples, c'est un mode très vivant d'amplification*.

Ex.: *ELVIRE. — Que ne me jurez-vous que vous êtes toujours dans les mêmes sentiments pour moi, que vous m'aimez toujours avec une ardeur sans égale, et que rien n'est capable de vous détacher de moi que la mort? Que ne me dites-vous que des affaires de la dernière conséquence vous ont obligé de partir .....*
MOLIÈRE, *Don Juan*, I, 3. L'idée est: Que ne faites-vous encore comme si vous m'aimiez.
La concrétisation* est un remplacement de ce type, mais outré.

Rem. 3 Une conclusion obtenue par déduction ne pourra être plus vraie que sa prémisse la plus générale, et une généralité est rarement tout à fait sûre. Obtenue par induction, elle dépendra du nombre de faits qu'on aura pu observer. Quand cette démarche ne suffit pas à établir une preuve, on transpose, c'est le *raisonnement par comparaison*, par analogie, appelé argument *a pari*, *similitude** (Bary, I, 60) et *assimilation* (Scaliger, III, 50).

Ex.: *Je n'ai jamais senti le moindre orgueil de ce que nous appelions la Victoire. On ne saurait être fier de se montrer en public au bras d'une belle femme qui porte votre nom mais refuse de coucher avec vous.*
BERNANOS, *Essais*, p. 776. Devant la difficulté d'établir un axiome duquel déduire le sentiment mêlé de certains en 1945, l'auteur va prendre un autre fait concret, le mariage sans la jouissance. De celui-ci à l'idée, il y a induction; et de l'idée ainsi évoquée à l'absence de fierté devant la victoire, déduction.

Le raisonnement fonctionne comme dans la métaphore*, car il y a transposition. Avec son double mouvement, la comparaison* démonstrative est plus souple que les types de raisonnement simples.

Mais les transferts de sens ne se réalisent pas sans danger.

Ex.: *"Un médecin consciencieux doit mourir avec le malade s'ils ne peuvent pas guérir ensemble. Le commandant d'un bateau périt avec le bateau, dans les vagues. Il ne lui survit pas."* (IONESCO, *la Cantatrice chauve*, p. 19).
Le *paralogisme* (V. ce mot, rem. 3) est plus net encore quand on présente comme *argument* une simple métaphore*, et non une comparaison* où le loisir de peser les équivalences est offert. C'est ce que Morier a proposé d'appeler **épitrope**[1]. Il donne un exemple de Renan: *"Le catholicisme? C'est une barre de fer; on ne raisonne pas avec une barre de fer."*

La défiance du raisonnement par analogie paraît dans l'adage:

---

1 *Épitrope*, selon Lausberg (§ 856-7): ***"concession"*** (V. ce mot) ou ***"permission"***.

Comparaison n'est pas raison. Pourtant, rien de plus expressif et, dans certains cas, de convainquant, qu'une comparaison*.

Ex.: "*Le premier élément d'une dictature est une force militaire permanente comme le premier élément d'un civet est un lièvre.*" (G.-P. CLUSERET, dans le *Nouveau Dict. de citations fr.*, 11803).
Cette comparaison peut prendre les dimensions d'un *apologue* (V. ce mot, rem. 3).

Rem. 4 Autres types de raisonnement, V. à *paralogisme; réfutation; supposition; alternative*, rem. 2; *esprit*.

Rem. 5 Pour Aristote et la tradition classique, la vérité de la conclusion dépend de celle des arguments* et de la logique de leur articulation. De nos jours, on assiste à un développement de la logique formelle, de plus en plus symbolique, rejoignant par la théorie des ensembles la mathématique, et, simultanément, à l'abandon des logiques classiques. Dans les domaines scientifiques (y compris certaines sciences humaines comme l'économie et la sociologie), la logique automatisée s'installe; dans le raisonnement courant, politique, juridique, littéraire, on se défie de plus en plus du *"logique"*, on considère plutôt le raisonnement comme un arrangement a posteriori, qui peut voiler autant que confirmer, artificiel, donc moins vrai que le **témoignage** spontané, organisé, mais textuel, microcosme de toute une affaire.

Le témoignage s'oppose au raisonnement un peu comme un fait à une explication*. V. à *remotivation*, rem. 2.

RAPPEL En réponse à une question* muette, effective ou simplement plausible, de l'auditeur, on insère, entre deux pauses*, un segment explicatif qui reprend une idée ou un mot déjà énoncé ou seulement implicite.

Ex.: *Ça va tout de suite (l'air) vous faire du bien...* JOYCE, *Ulysse*, p. 584.

Autre sens V. à *déchronologie*, rem. 2; à *répétition*, rem. 4.

Rem. 1 Il y aussi des rappels syntaxiques. V. à *réamorçage*.

Rem. 2 Le rappel apparaît en langage parlé. Dans le phrasé, il est tenu pour une négligence. Il relève de l'énonciation*.

Ex.: "*Ma bonne Rachel* (**c'est ainsi que s'appelait la femme du juif**), "*lui dit ma femme, je suis bien fâchée de ce qui est arrivé.*" (*Les mille et une Nuits*, t. 3, p. 215).

Rem. 3 Le rappel est effectif si son contenu a déjà été indiqué; dans le cas contraire, il est simulé.

RÉACTUALISATION L'actualisation du syntagme, qui s'opère excellemment au moyen des pronoms, s'établit, pour chaque phrase, entre un locuteur et un allocutaire, et plus exactement entre les divers facteurs de la communication (V. à *énonciation*). Alors qu'il est normal d'avoir, dans un ensemble de phrases, la même actualisation, on observe parfois un changement portant sur un ou plusieurs facteurs; il y a réactualisation.

1. Changement de locuteur. C'est le cas dans le plagiat, le psittacisme, la citation avec accommodation (V. à *sens*, 7). Il s'opère dans le cadre même de la phrase lorsque les paroles d'autrui sont rapportées en discours* direct (passage de l'énonciation* à l'énoncé). Il est naturel dans le dialogue*, où l'allocutaire *"répond"* en devenant le locuteur (et inversement). Cette réactualisation peut s'effectuer dans le cadre d'une phrase.

Ex.: *ALARICA. — .....vos vaisseaux finiront par sortir du.....*
LA GOUVERNANTE. — radoub.
AUDIBERTI, *Le mal court,* p. 59.

Le mot* d'auteur, où le locuteur est un personnage mais aussi l'auteur lui-même, constitue une **double actualisation.**

2. Changement de destinataire.

Ex.: *LE CARDINAL. — ..... Or, le roi d'Espagne a une soeur.*
ALARICA. — Mercédès.
LE CARDINAL. — Ah! **Vous** *savez. (Au roi)* **Elle** *est au courant. (À la princesse) Mes compliments! (ib.)* La réactualisation est marquée par le changement de pronom, et soulignée par les indications scéniques (au théâtre par le geste).

3. Changement de contact. Ce facteur, qui correspond à la fonction phatique, s'établit sur un mode (égalité ou non, distance ou non) qui est modifié par ce qu'on appelle un *changement de ton.*

Ex.: *HOMME. — Attends un peu que je te retrouve, chenille de cagarelle, raclure de bordereau! Attends un peu!*
MONIQUE. — Cher Monsieur, tâchons de nous comprendre.
AUDIBERTI, *l'Effet Glapion,* p. 162.

4. Changement de référent. Le discours passe habituellement de thème* à thème par le moyen d'une transition*, même banale (*d'ailleurs, tiens,* etc.)

Ex.: *LE CARDINAL. — ..... Qui manque à cette crainte perd la vie. C'est net.* **En attendant,** *je mangerais bien un morceau.*
AUDIBERTI, *Le mal court,* p. 57.
Il y a réactualisation du référent quand le changement est brusque. V. à *coq-à-l'âne.*

5. Changement de code. On passe d'une langue à une autre.

Ex.: *CÉLESTINCIC. — ..... Ne viendront dans ma maison que mes propres invités. Sdourno zak pravoudnié refus d'obéissance pachimlaro stom!*
(*ib.* p. 91). Ce baragouin* est censé représenter le dialecte de la Courtelande.

On peut aussi ne changer que la forme grammaticale (V. à *correction*). **Ex.:** "*— Il boit beaucoup ton papa? — Il buvait, qu'il faut dire. Il est mort.*" (QUENEAU, *Zazie dans le métro,* p. 51).

6. Changement de forme poétique. C'est le cas, par exemple, lorsque Soljenitsyne, dans sa description* de la défaite (*Août 14,* p. 406), passe de la prose à un verset poétique, du récit* à une sorte de vision dantesque.

7. Changement de situation (dans le temps ou dans l'espace). Ce n'est plus seulement le référent, mais le moment ou le lieu de la communication qui sont modifiés dans l'**exaltation délirante** (ou **transport**) au cours de laquelle le locuteur se sent projeté dans l'imaginaire. **Ex. classique:** la dernière tirade d'Oreste (*Andromaque*). Oreste converse avec Pylade devant quelques soldats, mais, saisi du souvenir de l'assassinat, voici qu'il "*voit*" Pyrrhus, Hermione, puis les Érinyes.

Ex. actuel: Dans *Kamouraska,* Tassy, premier mari d'Élisabeth, a été assassiné vingt ans avant le début du récit*. Y est relatée la maladie du second, Jérôme Rolland. Élisabeth rêve qu'elle devrait aller lui donner des soins.
Qui m'entraînera dans l'escalier ..... Me déposera saine et sauve au chevet de Jérôme Rolland? **Deux balles dans la tête. La cervelle lui sort par les oreilles. On lui a bandé son horrible blessure.**

A. HÉBERT, *Kamouraska,* p. 80. Sans transition, la voilà ramenée vingt ans en arrière, à l'ancienne vision d'horreur.
Ce décollage est marqué par une pause*, un changement de timbre*, un *ô* lyrique, une mise en italiques, un allongement de la voyelle qui peut aller jusqu'à un redoublement (Morier, p. 85).

Ex.: "*Et, ô ces voix d'enfants chantant dans la coupole!*" (VERLAINE, *Parsifal*). V. aussi à *déchronologie* (flash back) et à *prosopopée,* rem. 2.

RÉAMORÇAGE (Néol.) En vue de rattacher de nouveaux groupes de mots à un segment central au point de vue syntaxique, on l'énonce à nouveau, au moins partiellement.

Ex.: *Car, vois-tu, rien n'empêcherait la race d'hommes à l'oeil unique, que, nouveau Prométhée, tu veux*

substituer à la nôtre, qui te devra de grandes actions de grâce, continua Jules en éclatant de rire, rien ne l'empêcherait, *dis-je, de clignoter de l'oeil, puisque c'est une recette infaillible pour faire des dupes, et de le tenir de temps en temps ouvert pour observer.*
PH. AUBERT DE GASPÉ, *les Anciens Canadiens*, p. 49.

Autre ex.: *C'était pour cela, pour bien la dresser, qu'il était passé — pour cela aussi, j'en suis sûr, je ne m'en étais pas rendu compte sur le moment, on ne peut être partout à la fois, chacune de leurs paroles, le plus insignifiant en apparence de leurs mouvements, est comme un carrefour où s'entrecroisent des chemins innombrables menant dans toutes les directions et je me retrouve ici tout à coup sans trop savoir comment, après un long détour* — **c'était pour cela,** *pour lui apprendre à marcher droit, comme il dit,* **qu'il était passé** *sans tourner la tête devant les jouets, les poupées en celluloïd, les moulinets*
N. SARRAUTE, *Portrait d'un inconnu*, p. 177.

Syn. *Rappel syntaxique* (Quémada).

Rem. 1 Le réamorçage n'a pas nécessairement recours à l'épanalepse*. Il est plus élégant de redonner le syntagme* pivot en d'autres termes: c'était un conseil des rhéteurs, qui en avaient fait une figure, l'*anapodoton* (V. à *anacoluthe*, rem. 2).

Ex. litt: *La lumière qui s'infiltrait d'en bas, entre les fentes des volets clos, et renvoyait au plafond blanc les reflets verts de la pelouse, cette clarté du soir m'était la seule chose délicieuse...*

A. GIDE, *les Nourritures terrestres*, p. 27.

Rem. 2 Le syntagme* pivot peut changer de forme grammaticale, mais il garde toujours la même fonction. S'il change de forme, il y une sorte d'anacoluthe*, comme l'indique Marouzeau.

Ex.: "*Et les autres, que Garinati ne connaît pas, toute l'Organisation autour de Bona, au-dessus même,* cette immense machine *se trouve-t-elle arrêtée à cause de lui?*" (A. ROBBE-GRILLET, *les Gommes*, p. 39).

Rem. 3 Le réamorçage est fréquent en langue parlée, et fait très naturel.

Ex.: "*déjà petite fille déjà les rares fois que son père après la mort de sa mère les rares fois qu'il venait la voir avant qu'il ne se remarie ..... une des rares fois où il l'avait sortie* (etc.)" (G. BESSETTE, *l'Incubation*, p. 168).
Il peut aussi y avoir arrêt et redépart syntaxique. **Ex.:** "*J'ai vu la plaine, pendant l'été, attendre; attendre un peu de pluie.*" (GIDE, *Romans*, p. 161). V. à *autocorrection*, rem. 2.

RÉCAPITULATION On reprend en une formule condensée les différents points d'un exposé.

Ex.: *Nous avions toujours été épargnés, protégés par une commune indifférence envers la vie, nous étions d'une race différente* (a) *disais-tu, nous étions incapables de souffrir* (b), *nous étions d'une race supérieure* (c) *aimais-tu à répéter aussi; nous étions beaux* (a), *insensibles* (b) *et fiers* (c).....
M.-Cl. BLAIS, *l'Exécution*, p. 55.

Analogue Anacéphaléose (Morier).

Rem. 1 La récapitulation est un moment essentiel du discours*classique[1] (V. à *plan*). **Ex.:** *"Nous avons dit que..."* Mais on la rencontre aussi en littérature (ex. cité). Dans les limites de la phrase, elle est l'inverse de la régression*.

Rem. 2 On distinguera *récapitulation*, *division* et *résumé*. Les deux premières sont rattachées au corps du discours*: la récapitulation suit et la division précède. Le **résumé**, lui, est indépendant.

Si le résumé s'étend à un ouvrage, on l'appelle encore *abrégé, précis, mémento, digest*, livre *condensé*. Le **sommaire** résume très brièvement, par simple énumération*, les sujets traités dans un chapitre.
L'**argument** ou **synopsis** d'un scénario cinématographique, d'un opéra, d'un essai, d'un discours* est une brève analyse portant sur l'essentiel.

Rem. 3 Parce qu'elle rassemble plusieurs éléments, la récapitulation prend aisément la forme d'une énumération*. Ces éléments conduisent normalement vers une conclusion générale ou **synthèse** (cf. L. SPITZER, *Études de style*, p. 283-4).

RECETTE Résumé des ingrédients et des actions qui permettent de confectionner qqch. **Ex.:** *TOMATES FARCIES*
Creusez de belles tomates, saupoudrez l'intérieur de fromage râpé, garnissez chacune d'un demi-oeuf dur, salez, poivrez avec du piment doux.
J. M. SIMMEL, *On n'a pas toujours du caviar*, p. 209.

Ex. litt.: *POUR FAIRE LE PORTRAIT D'UN OISEAU*
Peindre d'abord une cage
avec une porte ouverte (etc.)
J. PRÉVERT, *Paroles*, p. 151.

---

1 Cicéron conseille même de rappeler les arguments de la preuve, mais en variant son style. (Le Clerc, p. 149).

Rem. 1 La liste des plats est le **menu,** qui leur accolle un titre*: *Poulet chasseur* (aux petits pois), *truite meunière* (panée). Le qualifiant indique la garniture.

Rem. 3 La recette a une marque de sa fin (V. à *chute,* rem. 2), qui est "Et servez chaud" ou une variante.

RÉCIT Le récit (terme générique) est créé par la séparation du destinataire et de l'histoire. Celui-ci ne peut la connaître que par un narrateur et une narration. La description*, le dialogue*, le discours*, le monologue* intérieur tentent de franchir cette distance, habituellement temporelle.

Le récit peut donc toujours être fictif, même s'il est situé dans le passé, comme c'est habituellement le cas. De plus, c'est souvent un type de texte très élaboré, vu qu'il rend compte d'une action, avec personnages, lieux, objets, circonstances, paroles, durée, etc.

Aussi le récit a-t-il reçu dès l'origine un grand développement: mythes*, contes, fables, apologues*, épopée; et il se trouve encore aujourd'hui des plus répandu: romans en tous genres, nouvelles, biographies, reconstitutions historiques, reportages, etc.

La première marque du récit est la double actualisation temporelle créée par l'absence du destinataire au moment de l'action. Il y aura un présent de l'action (appelée encore *histoire, fable, fiction, narré*) et, en surimposition, au moins implicite, un présent de la narration. (V. à *énonciation*). Ces deux temporalités peuvent s'ignorer ou se joindre (cf. G. GENETTE, *Figures III,* p. 232 à 234), mais jamais se confondre, sous peine de déboucher dans un vrai présent qui abolit le récit. **Ex.:** Au début de *la Peste,* on lit des phrases comme: *"Nos concitoyens travaillent beaucoup, mais toujours pour s'enrichir"* (A. CAMUS, *Théâtre, récits, nouvelles,* p. 1219), alors que le récit débute trois pages plus loin sur l'indication d'un temps précis, séparé de celui de la narration: *"Le matin du 16 avril, le docteur Bernard Rieux sortit de son cabinet et buta sur un rat mort, au milieu du palier."* Les Oranais ont pu s'indigner des vues de Camus dans son préambule, mais non contester les événements du récit, car il relève d'une autre temporalité, séparée du présent et dès lors, parfois, du réel.

Cette particularité d'une double temporalité entraîne, le plus souvent, dans le récit, une seconde marque, l'emploi d'un temps du passé. J. Dubois (t. 2, p. 209 et sv.) a réuni un faisceau de marques concomitantes qui opposent l'énoncé direct au récit.

ÉNONCÉ DIRECT	RÉCIT
TEMPS DU VERBE	
présent: ancrage nunégocentrique	passé simple: ancrage allocentrique
imparfait: simple antériorité	imparfait: simultanéité à l'ancrage allocentrique
	plus-que-parfait: antériorité dans l'ancrage allocentrique
passé composé résultat d'une action antérieure dans l'ancrage nunégocentrique	passé antérieur: résultat d'une action antérieure dans l'ancrage allocentrique
PRONOMS	
je (nous): le locuteur tu (vous): destinataire	il(s), elle(s): personnages
ADVERBES DE TEMPS	
aujourd'hui	le 16 avril (par exemple)
demain / hier	le lendemain / la veille
dans un an / il y a deux jours	un an après / deux jours avant
lundi prochain / lundi dernier	le lundi d'après (suivant) / le lundi d'avant (précédent)
ADVERBES DE LIEU	
(ici)	(ailleurs)

C'est par un procédé, le dialogisme (V. à *dialogue*), que l'énoncé est réintroduit dans le récit sous forme de dialogue*. Et quand le récit contient des descriptions* ou des explications*, il peut perdre sa forme caractéristique et revenir à l'énoncé direct.

Ex.: *Quelques personnes hardies se risquaient ..... à constater en Gilliatt certaines circonstances atténuantes, quelques apparences de qualités, sa sobriété ..... Mais être sobre, ce n'est une qualité que lorsqu'on en a d'autres.*
HUGO, *les Travailleurs de la mer*, I, I, 5.

Même l'action, du reste, peut apparaître au présent, qu'on appelle *"présent historique"*, et qui donne plus d'actualité à ce qui s'est passé. Ce présent doit cependant être mieux amené que dans l'exemple suivant: *"Il se mit* (le cordonnier) *à taper très fort sur une semelle et le type* (un client) *s'en* **va"** (QUENEAU, *Zazie dans le métro*, p. 83).

Inversement, il suffit de construire en *"discours indirect"* un énoncé pour qu'il devienne du récit. **Ex.:** *"Mlle Vatnaz, sans s'expliquer davantage, ajouta qu'elle l'adorait plus que jamais"* (FLAUBERT, *l'Éducation sentimentale*). Et l'on peut même faire l'ellipse* de la principale, ce qui donne l'**indirect libre,** récit* qui reprend l'énoncé presque mot pour mot, en conservant même les exclamations*, les intonations* (M. LIPS, *le Style indirect*

libre, p. 51), mais en modifiant deux marques: les pronoms et les temps. Voici, en exemple, la suite du texte de Flaubert qui vient d'être cité:
Le comédien, à l'en croire, se classait définitivement parmi "les sommités de l'époque". Et ce n'était pas tel ou tel personnage qu'il représentait, mais le génie même de la France, le Peuple!

L'indirect libre (libéré du syntagme* introducteur) a une légèreté qui l'apparente au discours* direct, mais sa forme renvoie à une présence du narrateur derrière le personnage. Dans le monologue* intérieur ou le dialogue*, le narrateur s'efface. L'importance de ces formes dans le roman actuel, où le présent est fréquent, s'explique peut-être par une conscience aiguë de la nature du texte littéraire, qui sera de toute façon à une certaine distance du réel, qui ne peut coïncider avec l'action narrée, mais qui la reproduit plus ou moins complètement et indirectement, de façon différée, dans une autre temporalité, toujours sous-jacente, et qu'on s'amusera même à faire surgir:
Gabriel ..... prononça ces mots: **"L'être ou le néant, voilà le problème ..... Gabriel n'est qu'un rêve (charmant), Zazie le songe d'un rêve (ou d'un cauchemar) et toute cette histoire ..... à peine plus que le délire tapé à la machine par un romancier idiot (oh! pardon) ......"** *Des voyageurs faisaient cercle autour de lui, l'ayant pris pour un guide complémentaire.*
QUENEAU, *Zazie dans le métro*, p. 90-1.

Il n'y a donc, tant qu'on passe par le typographe ou la dactylo, aucun risque réel à permuter les marques du récit avec celles de l'énoncé direct, à dire *vous* à ses personnages (M. BUTOR, *la Modification*), à se faire dire *vous* par un de ses personnages (*"C'est vous l'assassin"*, dit Poirot au narrateur dans *le Meurtre de Roger Ackroyd; cf.* TODOROV, *Poétique de la prose*, p. 63), etc. Le lecteur n'en saura que mieux qu'il est en train, en somme, de faire une lecture, tout au plus devra-t-il décoder davantage.

Rem. 1 De même que le présent est le temps non marqué du système nunégocentrique (celui dont le centre est **moi, maintenant**), l'imparfait, passé de l'énoncé, sert de temps non marqué au récit. De là est venue l'utilité d'un temps spécifique qui marquerait l'ancrage allocentrique: le passé simple; ainsi s'explique qu'il y ait, au récit, un temps de plus qu'à l'énoncé.

On s'étonnera peut-être aussi de la répartition des pronoms. La troisième personne n'a pas de rôle spécifique en énoncé direct parce que les tiers y sont adjoints soit au locuteur (*vous* exclusif), soit au destinataire (*nous* exclusif). Dès qu'on emploie *il*(*s*), *elle*(*s*) pour des personnes, il y a une certaine distanciation* et c'est un premier pas vers le récit...

Inversement, les 1re et 2e personnes n'ont pas de rôle spécifique dans le récit. Quand elles apparaissent, c'est que le récit tend à imiter l'énoncé direct.

Ex.: *"Catherine dit qu'on lui demandait plus qu'elle ne pouvait donner. Une sorte de rage montait en elle.* **"Cela aurait pu être si simple entre nous". "Je suis fatiguée",** *dit Catherine."* (A. HÉBERT, *les Chambres de bois).*

Rem. 2 Un récit étendu est formé de plusieurs **épisodes**, dont l'enchaînement constitue une **intrigue**. Le fil directeur de celle-ci est souvent l'évolution des attitudes ou des caractères, ce qu'on appelle l'**action** (pour l'*action intérieure.* Cf. *l'Étude des styles,* p. 16). Ainsi, par exemple, le monolithisme de personnages comme ceux du théâtre de Montherlant, enfermés dans leur "mécanique morale" et qui s'affrontent sans espoir de compromis, fait que l'action en profondeur n'a pas lieu sur la scène, mais en coulisse ou entre les actes. Le rythme du récit (V. à rythme* de l'action) est déterminé par la durée des épisodes: *"dans les drames, les épisodes sont brefs tandis que dans l'épopée, ce sont eux qui donnent à l'oeuvre son étendue"* (ARISTOTE, *Poétique,* § 1455b). La **péripétie** est un revirement de l'action dans un sens inverse à celui de l'épisode précédent. Le **rebondissement** est un nouveau développement, qui retardera le **dénouement**. La **diversion** est un événement qui change le cours de l'action. Le **coup de théâtre** est une modification spectaculaire et inattendue de l'action. **Ex.:** le dénouement de l'*Astragale* d'A. Sarrazin. Le dénouement heureux est appelé *happy end.* L'**épilogue** est un récit de ce qui se passe après le dénouement.

Au point de vue de la fonction, on distingue, en narratologie, les épisodes (ou **séquences**) nécessaires à l'intelligibilité, qui ont une fonction **cardinale**; et les autres, *"expansion par luxes ou détails, qui ajoute à l'attraction"*, qui ont une fonction de catalyse (*Dict. des médias*).

Rem. 3 Ou bien le récit est du type objectif, comme en histoire, où un auteur relate les faits de son point de vue, qui est extérieur à l'énoncé; ou bien il y a **"focalisation"** (Genette) sur un personnage: c'est ce qui lui apparaît qui est raconté. Ce personnage est souvent le héros (comme dans *l'Étranger* de Camus, où Meursault est à la fois *"personnage-point de vue",* héros et narrateur figuré) mais parfois simple témoin. Dans le récit autobiographique, l'auteur lui-même se met en scène comme personnage et il assume aussi bien le récit que la mise en perspective (ce que G. Genette appelle *voix* et *mode, "qui parle?" et "qui voit?";* cf. *Figures III,* p. 183 et 225).

La focalisation apparaît comme un procédé presque artificiel dans *Août 14*, où Soljenitsyne place le récit, qu'il assume lui-même, successivement aux points de vue d'un jeune homme, Sania (chap. 1 et 2), d'une jeune femme, Irène (3 et 9), d'une jeune fille, Xénia (4 et 5), d'un koulak, Zacharie (6 et 8), du général Samsonov (10, 11, etc.), d'un jeune colonel fringant, Vorotyntsev (12, 13, etc.) Pour donner au lecteur une vue d'ensemble des opérations militaires, il introduit çà et là des résumés de type objectif, imprimés en plus petits caractères (chap. 32, 41 notamment).

Rem. 4 Rien n'empêche le récit d'engendrer un autre récit, distant de lui, et donc doublement distant de l'énoncé direct: il suffit que le premier récit soit la narration du second. G. Genette propose pour le second le nom de *métadiégèse* (qu'il critique du reste avec pertinence, dans *Figures III*, p. 239, n. 1). Ainsi, *les Mille et une Nuits* racontent que Schéhérazade raconte... Le processus se renouvelle si Haroun-al-Raschid, héros de l'une de ses histoires, se fait raconter l'histoire de Sidi Nouman. V. à *miroir*, rem. 5.

Même le récit au 3e degré peut être transposé en énoncé direct. Ainsi, dans *les Conquérants* (p. 134 à 137), Malraux met en scène Garine qui met en scène Tcheng-Daï, qui se met en scène vingt ans plus tôt:
Monsieur Garine, dit-il (Garine imite presque la voix faible, mesurée, un peu doctorale du vieillard) ..... Je sais qu'une vie honorable n'échappe pas aux injures, et je les dédaigne. Mais j'ai dit à des hommes dignes de respect, de considération, qui avaient placé en moi leur confiance: **"Vous voulez bien croire que je suis un homme juste** (etc.)"

Une autre façon d'engendrer deux niveaux de récit est de faire apparaître l'énonciation* implicite, qui devient énoncé du 1er degré (l'autre énoncé devenant énoncé au 2e degré). C'est ce que fait Gide d'un bout à l'autre de *Paludes*.

Rem. 5 Plusieurs genres brefs courants sont à l'intersection du récit et du discours*. Ce sont le reportage, la circulaire, le procès-verbal, le rapport, le mémorandum (mémo). Le **scénario** abrège le récit. Il supprime la **mimèse** (tentative de reproduction de la temporalité de l'action) et résume la **diégèse** (histoire du passé). Un scénario est habituellement postérieur à un roman mais antérieur à un film.

Rem. 6 En ce qui concerne la disposition des séquences, il y a de nombreux procédés. L'identification en a été entreprise:
L'ENCLAVE: une séquence élémentaire se développe à l'intérieur d'une autre séquence élémentaire, soit qu'elle médiatise le passage à l'acte ou l'achèvement, soit qu'elle y fasse obstacle; l'ACCOLEMENT: deux séquences élémentaires

se développent simultanément.
Cl. BREMOND, *Logique du récit*, p. 132.

Rem. 7 V. à *actant*, rem. 1; *allusion*, rem. 4; *anachronisme*, rem. 1; *anticipation*, rem. 1; *apocalypse*, rem. 1; *apostrophe*, rem. 1; *atténuation*, rem. 3; *chute*, rem. 2; *déchronologie; définition*, rem. 4; *description*, rem. 4; *ellipse*, rem. 5; *enchassement*, autres déf.; *énigme*, 2; *énonciation*, rem. 1; *escalier*, rem. 4; *exploration*, rem. 4; *généralisation*, rem. 4; *hiatus*, autre déf.; *incohérence; mythe; portrait*, rem. 3; *prophétie*, rem. 1; *prosopopée*, rem. 2 & 4; *répétition*, rem. 5; *reprise*, autre déf.; *symbole*, rem. 3.

RÉCRIMINATION Au lieu de se disculper, on accuse l'adversaire.

Ex.: *Et lui m'a donné un coup de pied.* V. aussi à *excuse*, rem. 1.

Rem. 1 La récrimination a son intonation*.

Même déf. Robert.

Autre déf. Métastase* (Quillet, Littré, Lausberg). *"Plainte amère"* (Robert).

Syn. Antanagoge (Littré).

REDONDANCE Redoublement expressif de l'idée par deux phrases proches. QUILLET.

Ex.: *Ce qu'il faut à tout prix qui règne et qui demeure*
Ce n'est pas la méchanceté, c'est la bonté.
VERLAINE, *Sagesse*, I, 3.

Même déf. En théorie de l'information: plusieurs parties du message transmettent la même chose.

Syn. Réduplication* (Fabri), redoublement (Quillet).

Autres déf. Pour les anciens, pour Littré (repris par Lausberg et Robert), le mot a un sens plus large: *"excès dans l'abondance ou les ornements du style"*; V. à *battologie, baroquisme, grandiloquence, métabole*, rem. 1; *phrases*, 5; *verbiage*.
Fontanier, lui, y voit surtout un défaut. *"Redondance, pléonasme vicieux ou périssologie, c'est tout la même chose"* (p. 302).

Rem. 1 S'il y a redondance dans les mêmes termes, c'est une **homéologie** (Lanham, *"homoiologie"*); en termes différents (2e exemple), une **macrologie** (Fabri).

Rem. 2 La redondance apparaît comme justifiée quand il faut insister sur l'étrangeté d'une assertion* par exemple.
Les oeufs pour le repas du soir ont disparu. Cherchez-les dehors mais au chaud. Oeufs **dans l'haleine d'un veau.** *Les oeufs s'en vont* **là.** *C'est* **là** *qu'ils se plaisent. Ils se donnent rendez-vous*

dans l'haleine des veaux.
MICHAUX, *la Nuit des disparitions*, dans *Un certain Plume.*

Rem. 3 La redondance peut prendre la forme d'une antithèse*. **Ex.:** *"Troisième partie après Pim pas avant pas avec"* (BECKETT, *Comment c'est*, p. 14).

RÉDUPLICATION Répéter consécutivement, dans le même membre de phrase, certains mots d'un intérêt marqué. LITTRÉ.

Ex.: ... *ce tyran qui ne peut rien, rien laisser faire*

H. MICHAUX, *Mon roi* dans *La nuit remue*

Ex. litt.: *Ô triste, triste était mon âme*
À cause, à cause d'un femme
VERLAINE, *Ariettes oubliées*, 7.

Même déf. Fontanier (p. 330), Marouzeau, Quillet, Robert.

Autres noms Redoublement (Marouzeau, Quillet, Robert), conduplication (Fabri, t. 2, p. 175), épizeuxe (Morier), palillogie (Morier). V. aussi à *gémination*, autres déf.

Autre déf. *"deux foys dire son compte en deux manières, comme: Thobie estoit homme ieusne et non vieil"* (Fabri, t. 2, p. 73). C'est la redondance*, ici sous forme d'antithèse*. V. aussi à *polysyndète.*

Rem. 1 Marouzeau distingue une réduplication copulative (joli et joli) et une réduplication asyndétique (joli, joli).

Ex. litt.: *De mille et mille idoles de soleil*
La mer, la mer toujours recommencée
VALÉRY, *le Cimetière marin*, vers 135 et 4.

L'effet est parfois ironique (V. à *interruption*, rem. 3).

Rem. 2 La réduplication est une répétition*. Quand elle n'est pas immédiate, avec un effet de soulignement*, c'est une *demi-réduplication.*

Ex.: *"On aurait dit que deux petites lampes s'étaient allumées dans ses yeux — deux petites lampes dont la lueur vacillante* (etc.)*"*(G. ROY, *Bonheur d'occasion).* V. à *anadiplose*, rem. 3.

Si la répétition est exigée par la syntaxe, l'effet est pratiquement nul et on a une *fausse réduplication.* **Ex.:** On appelle ce comité, comité directeur. Notre problème est un problème de classement.

La répétition immédiate n'est pas toujours syntaxiquement possible, notamment avec les pronoms. Littré considère donc avec raison comme une réduplication ce vers de Racine: *"Et que m'a fait à moi cette Troie où je cours"*. V. à *isolexisme*, rem. 4.

Rem. 3 Si le segment répété est un syntagme* isolable, on a une *épanalepse* (V. ce mot, rem. 1).

Rem. 4 Il faut savoir user de la réduplication sans en abuser. **Ex.:** *Cette émission, chers téléspectateurs, vous parlera de la beauté, de la beauté de la flore, de la flore de la toundra, de la toundra de la Baie James.*

Rem. 5 La réduplication peut servir d'épiphrase (V. ce mot, rem. 1) ou d'autocorrection (V. ce mot, rem. 2).

RÉÉCRITURE Le lecteur a droit à plusieurs états successifs du même texte, états qui se distinguent non seulement par quelques variantes[1], mais par des différences parfois considérables dans le contenu, la forme, voire l'intention et les dimensions.

Ex.: La première *Éducation sentimentale; Holyoke,* de François Hébert, qui présente quatre versions / révisions d'un texte inachevé. Ponge donne deux versions successives de *l'Appareil du téléphone* (*le Grand Recueil,* vol. 3, 1).

Analogues *Rewriting* (anglais), version nouvelle, refonte.

Rem. 1 La **surcharge** (Littré: *rescription*) est une écriture ajoutée après coup, à côté ou en marge. Elle est utilisée comme procédé dans les affiches publicitaires (adv. de soulignement* ajouté à la main par exemple). La **rature** est une surcharge où un mot est biffé. **Ex.:** l'oeil ~~de~~ Michaux. La préposition biffée opère une identification. Et ce titre de Butor: *Où*. L'accent biffé introduit une syllepse*.

Rem. 2 Le **repentir** (terme emprunté par Morier au vocabulaire pictural) est un court passage modifié, ajouté ou retranché à son texte par l'auteur avant publication. S'il s'agit d'éliminer une imperfection, on parle de **retouche.** *"L'étude des repentirs ..... met en évidence* (le) *métier* (de l'écrivain), *ses scrupules linguistiques, son souci de logique, de propriété* (des termes), *de cohérence, de précision, sa délicatesse, sa pudeur"* (Morier). *"Parfois l'expression se voile: des grottes* **obscures** *deviennent des grottes* **inconnues** (**coup d'estompe**); *souvent elle gagne en relief: ce sont les grottes* **basaltiques** *de Baudelaire* (**coup de burin**)*"* (*ib.*)

Rem. 3 **L'interpolation** est une modification par autrui du texte original, en sorte que le sens* est entaché par erreur ou par fraude.

---

1 Dans le cas où l'on possède plusieurs formulations d'un même texte, chaque variante constitue ce que la philologie appelle une ***leçon***. Les variantes inventées par le lecteur en vue d'explorer les sens du texte, particulièrement le sens subjectal (V à ***sens,*** 8), ont un intérêt plus actuel

Rem. 4 En paléographie, pour marquer qu'une lettre est à supprimer, on place un point dessous (parfois dessus); pour supprimer un mot, on l'entoure de points. C'est l'**exponction** ou *exponctuation* (*Grand Larousse encyclopédique*).

Rem. 5 La réécriture en résumé est une métaphrase (V. à *paraphrase,* rem. 1).

Rem. 6 Des textes entiers sont réécrits pour passer d'un genre à un autre (**ex.:** le roman de Malraux *l'Espoir,* adapté pour la scène), d'un public à un autre (vulgarisation, version abrégée), etc.

REFRAIN Mots répétés à chaque couplet d'une chanson. LITTRÉ.

Ex.: la *Chanson de la plus haute tour* de Rimbaud, qui a deux couplets dont voici le refrain:

Qu'il vienne, qu'il vienne,
Le temps dont on s'éprenne.

Même déf. Quillet, Robert.

Autres noms Ritournelle, rime* kyrielle (vers* revenant à la fin de chaque strophe*); rebriche (refrain de ballade*, Cf. Morier).

Rem. 1 La **litanie** est une sorte de refrain dans laquelle le thème* change tandis que le prédicat est maintenu. **Ex.:** V. à *injure,* rem. 3; à *collation,* rem. 4; cf. JOYCE, *Ulysse,* p. 344. On appelle **cantilation** la lecture liturgique publique faite sur un mode récitatif.

Rem. 2 R. Char (*Jouvence des Névons,* dans *les Matinaux),* a des anaphores étendues qui sont des refrains en début de strophe. *Dans le parc des Névons / Ceinturé de prairies, / Un ruisseau sans talus, / Un enfant sans ami / Nuancent leur tristesse / Et vivent mieux ainsi. / Dans le parc des Névons / Un rebelle s'est joint / Au ruisseau, à l'enfant, / À leur mirage enfin. // Dans le parc des Névons / Mortel serait l'été / Sans la voix d'un grillon / Qui, par instant, se tait.*

Rem. 3 Le refrain peut avoir des effets comiques. **Ex.:** R. Queneau (*Exercices de style,* p. 120) scande le récit* en ajoutant alternativement, après chaque syntagme*: *"par devant"* et *"par derrière",* comme dans les jeux.

Rem. 4 Le **leitmotiv** est une phrase ou une idée qui réapparaît avec constance. **Ex.:** *"Peu importe",* dans *le Libraire* de Bessette, p. 7, 10, 34, 54, 66, 67, 88, 89, 90, 125, 143, 146, 153.

Rem. 5 V. à *épanalepse,* rem. 5; *inclusion,* rem. 1; *rime,* rem. 3.

RÉFUTATION Raisonnement* tendant à renverser la conclusion de l'adversaire à partir d'un (ou plusieurs) argument* susceptible de saper l'un ou l'autre des siens.

Ex.: On avait reproché à Jules Fournier d'avoir *"critiqué injustement"* un professeur de l'Université Laval. Il y a méprise, dit-il, et pour *"plusieurs bonnes raisons, dont une suffira seule: c'est que je n'ai pas critiqué* **du tout** *M. du Roure. Car enfin, qu'ai-je écrit vraiment?* (etc.)" (J. FOURNIER, *Mon encrier*, p. 101).

Rem. 1 Le Clerc propose de réfuter en cherchant les défauts de l'argumentation adverse.

S'il a prouvé autre chose que ce qui était en question, s'il a abusé de l'ambiguïté des termes, s'il a tiré une conclusion absolue et sans restriction de ce qui n'est vrai que par accident et à quelques égards, s'il a donné pour clair ce qui est douteux, pour avoué ce que nous lui contestons, pour propre à la cause ce qui n'est que vain discours...
Nouvelle Rhétorique, p. 137.

Mais les principaux *"lieux"* de la réfutation sont les *"lieux communs"* (V. à *argument*). Angenot en spécifie quelques-uns davantage.
— La **contradiction** (Perelman, t. 1, p. 262), où l'on montre que l'adversaire n'est pas logique avec lui-même.
— L'**incompatibilité**, où l'on dit qu'il veut obtenir à la fois deux choses inconciliables (On ne peut pas être et avoir été).
— Le **dilemme** (Kibedi-Varga, p. 65-6), appelé aussi **argument cornu** (T.L.F.), où l'on oblige l'adversaire à choisir entre deux partis aussi désavantageux pour lui l'un que l'autre.
— Le **pseudo-dilemme**, où l'on reconstitue deux raisonnements* contraires tenus tous deux alternativement, prétend-on, par l'adversaire, et en vue d'aboutir de toute façon à la même conclusion (Perelman, t. 1, p. 319).
— La **dissimilitude**, où l'on montre que l'adversaire confond des cas tout à fait distincts et pratique l'amalgame.
— L'**exemple du contraire**, qui a pour effet de réduire une vérité générale à une vérité simplement occasionnelle.
— La **redéfinition du sujet**, avec citation* d'autorités à l'appui. **Ex.:** "J'appelle République, disait J.-J. Rousseau, tout État régi par des lois sous quelque forme d'administration que ce puisse être, car alors seulement l'intérêt public gouverne et la chose publique est quelque chose". *À ce compte, rien ne ressemble moins à la République que le régime où nous vivons.*
R. DE JOUVENEL, *la République des camarades*, p. 265.
— La **partialité probable**, où l'on montre que nul n'est bon juge dans sa propre cause. **Ex.:** *"Le fonctionnaire de la pensée* (alias le prof) *se défend de pensées commandées: personne n'avoue facilement des tâches de policier"* (NIZAN, *les Chiens de garde*, p. 96).
— L'**absence de preuve** à l'appui de telle ou telle affirmation.

Ex.: *"Ces choses-là — on conviendra qu'elles sont d'importance — sont posées sans l'ombre d'une preuve. Et c'est sur elles que va reposer tout l'édifice"* (J. BENDA, *le Bergsonisme*, p. 22). Pour la réfutation du dilemme, V. à *alternative*, rem. 3.

Rem. 2 L'*apodioxis*, l'*échappatoire* et d'autres réfutations de moins bonne foi sont décrites à *argument*, rem. 2. V. aussi à *sophisme*, rem. 3, *antiparastase*, rem. 1; *concession*, rem. 3; *contre-litote*, rem. 2; *excuse*, rem. 1;

Rem. 3 La réfutation prend place dans la seconde partie du noeud (V. à *plan*). Elle caractérise la relation locuteur / destinataire. (V. à *énonciation*, rem. 1). Elle a son intonation*. Elle prend la forme d'une dissimilitude (V. à *parallèle*, rem. 1). On peut la simuler (V. à *faux*, rem. 1).
Anticipée, c'est une prolepse*.

Rem. 4 La **contre-réfutation** consiste à réfuter une réfutation. Si l'argument* opposé à un raisonnement* est présenté d'avance comme susceptible d'être réfuté éventuellement, c'est une **objection** sans plus. L'objection caractérise la discussion menée de bonne foi (on ne cherche pas à réfuter mais à voir clair). Aussi se présente-t-elle de préférence sous forme de *question**. **Ex.:** *"Que faisiez-vous au temps chaud? dit-elle à cette emprunteuse"* (La Fontaine). Elle peut être aussi simulée (argument *ab absurdo*; V. à *supposition*, rem. 1).

RÉGRESSION Reprendre ..... les mots qui se trouvent au commencement (d'une phrase) ..... en les expliquant un à un. LITTRÉ.

Ex.: ..... *l'injustice des gens et des choses; de ces gens à qui, en donnant la terre, il avait tout donné de ce qui n'était pas lui; de ces choses à qui, en donnant sa vie et son coeur, il avait tout donné, tout sans réserve. À quoi bon!*
RINGUET, *Trente Arpents*, p. 303.

Autre ex.: *Elle le quitta avec impatience et dédain: impatience parce qu'il la contrariait, dédain parce qu'il n'était pas riche.*
MONTHERLANT, *le Chaos et la nuit*, p. 161. V. aussi à *épanorthose*, rem. 4.

Même déf. Quillet, Lausberg (§ 798), Morier (sens 2).

Autre nom Épanode (Littré, Quillet, Lanham).

Rem. 1 La régression est une récapitulation* anticipée.

Autre déf. *"Reprendre ..... les mots qui se trouvent au commencement* (d'une phrase), *en les rangeant dans un ordre inverse"* (Littré, Morier, sens 1). À ce sujet, V. à *réversion*.

REJET Fait de rejeter à la fin de la proposition ou de la phrase un élément important et significatif, l'ordre normal étant abandonné dans un souci d'expressivité. ROBERT.

Ex.: *Est-ce qu'il n'y aura vraiment pas quelqu'un pour reconnaître ..... tout cela, pour lui arracher, le crayon d'abord à la main, et puis la plume, le sens.*
P. CLAUDEL, *O. en prose,* p. 644.

Autre nom Rejet syntaxique. Trajectio (chez Morier, lorsqu'il s'agit du rejet d'un adverbe). **Ex.:** *"Tu vas te reconnaître au lever de l'aurore Amèrement la même..."* (VALÉRY, *O.,* t. I, p. 105).

Autres déf. 1 — Rejet prosodique: en fin de vers ou à l'hémistiche; V. à *enjambement,* rem. 2; *césure,* rem. 6.

2 — Rejet énonciatif. Quand le locuteur ne reprend pas à son compte certaines expressions, il utilise des *marques de rejet* (*Dict. de ling.*), les guillemets, la citation des sources, *"prétendu"* ou *"soi-disant", "ce qu'on appelle",* etc. V. à *assise,* 5.

3 — Rejet rhétorique ou apodioxis (V. à *argument,* rem. 2).

Rem. 1 Le rejet à longue distance d'un syntagme* inclus produit un effet de suspension*. S'il s'agit d'un syntagme exclu, V. à *hyperbate.*

REMOTIVATION La motivation linguistique est la relation qu'établit l'esprit entre une forme et son sens*. La remotivation est un changement apporté dans cette relation.

Ex.: *" La poésie n'est pas seulement belle, elle est rebelle, belle et rebelle"* (R. DUGUAY). *Rebelle* est ici remotivé en **re-** et **belle**, donc "deux fois belle".

Autre ex.: La graphie de *locomotive,* où Claudel voit une imitation de l'engin, le **l** et le **t** figurant les cheminées; les **o**, les roues. (*O. en prose,* p. 83).

Rem. 1 La motivation est souvent inconsciente. Elle compense le caractère arbitraire du signe, car la relation établie n'a jamais un caractère de nécessité absolue. Comme l'a montré Saussure, il n'y a pas de raison pour que tel signifié reçoive tel signifiant (à preuve la diversité des langues). La motivation est un phénomène psychique qui vient se greffer sur le lien préexistant entre le signifiant et le signifié.

Il se réalise de diverses façons: onomatopée*, amorce sonore (V. à *jeu de mot*), graphisme*, association à une famille de mots, étymologie*. Avec des segments plus étendus, c'est la métanalyse*. Parfois, c'est seulement l'allure générale du mot, qu'on associe à la chose et par laquelle s'explique le pouvoir évocateur de certains mots-valises*

Plus subtil est le **mot dévalisé**, inverse du mot-valise*, dans lequel on suppose qu'un terme usité est en réalité le résultat de la contraction de plusieurs mots qui en sont un équivalent périphrastique.
Dans son *Glossaire*, M. Leiris en a accumulé des exemples.
Sangloter: ôter ses sangles. Foudre: le feu en poudre. Décimer: détruire les cimes. Abrupt: âpre et brut.
Le procédé n'est pas dédaigné des universitaires. À propos de Chateaubriand, A. Brochu déclare par exemple: *"Rancé — ce René ranci... —"* (*Hugo, amour /crime/Révolution*, p. 25).

Plus facile à réaliser: la remotivation syntaxique, qui ramène telle catégorie grammaticale à telle autre dont elle vient **diachroniquement**[1] . Un adj. ou un subst. qui viennent d'un participe présent peuvent être ramenés à cette forme verbale. **Ex.:** *Un étudiant des révolutions.* L'objet direct réveille l'action d'étudier alors que *un étudiant* fait seulement penser à un jeune homme qui fait des études.

Il y a aussi remotivation quand on revient du sens figuré, entré dans l'usage, au sens propre toujours actuel.

Ex.: *"Tout à l'heure ..... j'avais été frappé (mot étonnant. Que de mots semblent avoir été inventés par des névrosés!) par l'affreuse chaise qui s'y trouve* (dans la salle d'eau d'un asile d'aliéné)." (MICHAUX, *Connaissance par les gouffres*, p. 78).

V. aussi à *comparaison figurative*, rem. 3; à *dénomination propre*, rem. 3.

Rem. 2 Quand un sens spécifique est attaché à un terme en vertu d'un raisonnement, la motivation est parfois flottante. Par exemple, en statistique, *moyenne objective* et *subjective.* La moyenne objective est celle des différentes mesures d'un même objet; la subjective est celle des mesures de plusieurs objets analogues. *Objective* semble avoir été pris par référence au caractère unique de l'objet, mais un autre raisonnement serait aussi vraisemblable: avec un seul objet, la moyenne porte sur la diversité des estimations (leur aspect subjectif); avec plusieurs, le calcul considère chaque variable comme immuable, "objective"! On obtiendrait alors des sens spécifiques inverses.

RÉPÉTITION Employer plusieurs fois les mêmes termes... FONTANIER, p. 329.

---

1 Diachroniquement: "à travers le temps" En diachronie, on compare un phénomène à ce qu'il était précédemment En synchronie, on le compare à d'autres phénomènes actuels analogues

Cette définition, plutôt étroite puisqu'elle ne concerne que les "termes", englobe déjà plusieurs figures spécifiques V. à *réduplication, triplication, tautologie.* Pour d'autres types de répétition, V. à *allitération, antimétathèse, assonance, chiasme, écho sonore, gémination, pléonasme, verbigération,* et le doublon (à *faute*).

Même déf. Littré, Quillet, Lausberg.

Rem. 1 Si la répétition porte sur plusieurs termes, ils peuvent revenir dans un autre ordre.

Ex.: *Voix en bas: Coupequesne — Jean Midi —Toutmouillé — malvenu* **Autres voix**: *Toutmouillé — malvenu — Jean Midi — coupequesne —*
P. CLAUDEL, *Jeanne d'Arc au bûcher*, p. 65.

Rem. 2 La répétition, quand elle n'est pas utile, est une négligence. N. Arnaud (*les Vies parallèles de Boris Vian*, p. 294) raconte qu'un romancier prix Goncourt avait chargé Vian de revoir ses textes pour ôter les répétitions. De là peut-être le malin plaisir que prendra Vian plus tard à en accumuler de gratuites: *"C'est compliqué,* **dit Chick** ..... *C'est merveilleux,* **dit Chick."** (B. VIAN, *l'Écume des jours*, p. 13).

Rem. 3 Il y a des répétitions intensives (V. à *amplification*, rem. 3; *anaphore; antépiphore; épiphore)*, même renforcées (V. à *soulignement*, rem. 1).

Rem. 4 La **palilalie,** maladie de la répétition, consiste à redire le même mot indéfiniment; la **palimphrasie**, la même phrase. V. aussi à *épanalepse; écholalie.* La répétition quasi mécanique d'un acte est appelée **itération** en psychiatrie (Marchais). Les médiévaux se signaient avant de compter 1, 2, 3, 4 de crainte de l'automatisme (diabolique) qui les forcerait à poursuivre.

Rem. 5 Dans le récit*, on trouve des répétitions d'épisodes, sous forme d'annonce* ou de rappel, ou avec des variations*. C'est le récit* *"répétitif"*, auquel s'oppose le récit* *"singulatif"* (GENETTE, *Figures III*, p. 147). V. aussi à *boucle.*

RÉPONSE Énoncé dont la fonction est de compléter, de confirmer ou d'infirmer une question*.

Ex.: *Où je prétends aller? Je te le dirai en confidence.* (Etc.)
GOETHE, *Souffrances du jeune Werther*, p. 110.

On voit que la réponse peut commencer par reprendre la question (en adaptant les actualisateurs). Elle peut aussi la retourner (*requestion*), ou en reprendre les termes (si c'est en retournant leur sens, on a une *antanaclase*). **Loc.**: prendre la balle au bond. **Ex.:** *"Le roman-fleuve... Ce fleuve est le Léthé"* (CLAUDEL, *Journal*, t.2, p. 116).

Analogues Répondre *du tac au tac*: "rendre coup pour coup".

Ex.: *"— Venez à la première de Pygmalion avec un ami, si vous en avez un", aurait écrit G. B. Shaw à un zoïle en lui envoyant des billets. Celui-ci aurait reparti: "— Je ne suis pas libre, mais je viendrai à la deuxième, s'il y en a une."*

Repartie: "réponse vive et spirituelle".
Réplique: "réponse à une réponse". **Ex. courant:** Si! **Ex. litt.:** *"Toute ma poésie est là: je décalque / L'invisible (invisible à vous)"* (COCTEAU, *Poèmes*, p. 79).
Rétorsion*: réponse à une objection.
Répons: "chant exécuté par un soliste d'une part et répété en partie ou complété par le choeur, qui représente le peuple". La partie à chanter par tous est marquée d'un **R** orné.

Loc. *Servir la soupe*: "donner la réplique à un comédien pour qu'il puisse briller ou quand il mémorise son rôle". **Fin de non-recevoir**, V. à *tautologie*, rem. 1.

Rem. 1 Le jeu alterné *question / réponse* (V. à *dialogue*) est présent dans des segments plus courts ou plus longs que la phrase, et d'abord au coeur de la simple assertion*. Celle-ci n'est-elle pas divisée en présupposés d'une part, en posé d'autre part? Les **présupposés** forment le contenu plus ou moins implicite d'une question (qui précise habituellement en outre quelle est la pièce qui manque au puzzle). Le **posé** est la réponse.
Dans un texte plus étendu, la position de la question peut requérir plusieurs alinéas tandis que la réponse s'articulera en arguments multiples, hypothèses, conclusions et réflexions.

Signalons aussi l'accumulation d'échanges brefs, comme les **catéchismes**, "recueils de vérités doctrinales" sous forme de question / réponse, qu'il fallait apprendre "par coeur". Notre époque connaît un autre type d'accumulation d'échanges brefs: le **sondage d'opinion**. Dans ceux-ci, la réponse est à l'interlocuteur. Plus didactique, le **test** ne donne à choisir qu'entre des réponses toutes faites. C'est une variété de l'**examen**, où la réponse est cotée et permet de calculer un résultat, base d'un classement des candidats.

Rem. 2 La plupart des textes participent au dialogue du moi et du monde. On interroge les autres, on leur répond, on s'interroge soi-même. Les textes les plus impersonnels sont encore des réponses et se comprennent plus nettement replacés dans leur contexte. Selon Jolles (*Formes simples*, p.104 et sv.), le genre littéraire primitif du mythe est réponse aux interrogations implicites d'un auditoire, par opposition à la devinette, où c'est la réponse qui est implicite. Le bon écrivain sait guider l'esprit du lecteur, l'amener à se poser une question, à laquelle il va se faire un plaisir de répondre.

Ex.: *Il essaie de lire. C'est le soir. La lumière de la lampe éclaire son livre, ses mains, le divan. Lire cependant devient difficile. Quelque chose quelque part diffère. Il jette un coup d'oeil par-dessus le texte. La chambre est devenue plus grande, notablement plus grande. Celle-ci .....se trouve dans une grande demeure où il est allé quelquefois, chez une grande dame. Elle pourrait entrer.*
MICHAUX, *les Grandes Épreuves de l'esprit*, p. 93.

Plus évident, le mot-thème qu'on garde en réserve jusqu'à la dernière ligne, comme fait Éluard dans *Liberté* et Xavier Forneret dans son *Pauvre honteux (Anthologie de l'humour noir*, p. 128-9). De même Breton (ib., p.124-5) décrit longuement "un Bourguignon" avant de dire qu'il s'agit de Forneret. Le procédé est dénudé par Green décrivant un voyage en cargo sans nommer ni port ni mer, puis, avec une sorte de coquetterie de conteur: *"Ai-je dit que la Bonne-Espérance allait de France en Amérique? Elle suivait la route la plus longue et filait droit sur Savannah."* (J. GREEN, *le Voyageur sur la terre*, p. 234.)

Au théâtre, il y a les phrases destinées à dévoiler à la salle les données de l'intrigue, les personnages se nommant l'un l'autre et se faisant part de leurs préoccupations. C'est le *dialogue d'exposition* (V. à *explication*. rem. 1). **Ex.:** Le début d'*Iphigénie*, *est* parodié en argot de Bruxelles (**Brusseleer**):
AGAMEMNON. — Kaboebel, moi je suis Ghamemnon.
KABOEBEL. — Ghamemnon? Mo, Ghamemnon, moi je sais bien que tu es Ghamemnon. Pourquoi c'que tu me le dis le me le?
AGAMEMNON. — Mo, Kaboebel, moi je sais bien que tu sais que je suis Ghamemnon. Je te dis ça s'ment parce que tu es mon confident.
KABOEBEL. — Et ça est tout ce que tu as pour me confider? Merci s'tu!
AGAMEMNON. — Kaboebelke, moi je te dis ça pour que les aut'là le soûriont qui sont s'assis dans la salle et qui ont donné leurs censs pour ça.
KABOEBEL. — Pourquoi c'que tu leur dis pas ça toi mêm' dans leur fughuur?
R. KERVYN, *les Fables de Pitje Schramouille*, p. 85-6.

Rem. 3 La réponse véhicule les marques d'un type de contact entre les interlocuteurs. Celui-ci se modifie parfois en cours de route (V. à *réactualistion*, 3). L'identification du destinataire se fait sentir dans le ton, et c'est "chose capitale" (Valéry). Les trois styles (sublime, simple, familier) définissent à peine des catégories, autrefois sociales, d'auditeurs (V. à *niveau de langue*). On distinguera plutôt aujourd'hui ton oratoire, intellectuel, affectif... Valéry, préoccupé de la réponse

silencieuse de son lecteur, va jusqu'à en imaginer le caractère:
.....un peuple, un garçon superficiel qu'il faut éblouir, étourdir, remuer — ou un défiant individu difficile à ouvrir — ou un de ces légers-profonds qui laissent tout dire, accueillent, saisissent, devancent, mais vite annulent tout ce qui fut écrit.
VALÉRY, *O.*, t. 2, p. 577.

Une part inavouée de la réponse est à prendre en dehors de l'énoncé proprement dit, notamment l'identification du locuteur. Par exemple, on parlera français au Danemark, même si on connaît l'anglais, alors que l'anglais a plus de chances d'être compris... uniquement parce qu'on ne veut pas être pris pour un Anglais. C'est la *valeur perlocutoire* de l'énoncé.) Le ton dévoile aussi l'humeur du personnage (menace, découragement, etc.)

Rem. 4 Un autre type de réponse, pas toujours attendue (ni bienvenue) est l'**objection**. On s'en fait soi-même: c'est la fonction de *négativité*. Reprendre quelques mots de la question sur un ton donné y suffit. **Ex.:** — *C'était couru.* — *Couru... couru... On ne sait jamais.*

On n'évite pas les objections, mais on peut tenter de les réfuter d'avance. C'est la prolepse* et la subjection (V. à *question*, rem. 3). Les préfaces, avertissements, avis au lecteur, postfaces, etc. sont parfois des réponses qu'on essaie d'opposer d'avance à des objections.
Dans la **discussion** comme genre académique ou simplement lors des assemblées, l'objection prend la forme d'une simple question*.
Pour la *réponse à côté*, V. à *argument*, rem. 2. Pour le retour sur les présupposés, V. à *impasse*, rem. 1. Pour la réponse positive attendue et pour la réponse de Normand, V. à *négation*. V. aussi à *interjection; jeux littéraires; persiflage; rappel; tautologie*, rem. 1; *souhait*, rem. 2.

REPRISE Nous proposons de donner à ce terme un sens restreint, celui de répétition*, non du lexème, mais de son environnement grammatical: forme et fonction (et donc articles, terminaisons, prépositions, conjonctions de subordination, etc.).

Ex.: *Un ruisseau sans talus / Un enfant sans ami*
RENÉ CHAR, *Jouvence des Névons* dans *les Matinaux*.

Autre ex.: *La femme et son poisson*
La vierge et son grillon le lustre et son écume
La bouche et sa couleur la voix et sa couronne
ÉLUARD, *O.*, t. 1, p. 599. V. aussi à *synonymie*, rem. 1; *triplication*, rem. 1.

Rem. 1 Ce serait une figure assez proche de l'*homéoptote* classique, où la déclinaison identique permettait de rapprocher les lexèmes de même fonction (cf. *homéotéleute,* rem. 1). V. aussi *parallélisme*, rem. 1; *période*, rem. 2.

Rem. 2 Si le lexème est modifié, mais non les affixes, c'est une *demi-reprise,* souvent avec *homéotéleute.* V. aussi à *isolexisme*, rem. 1.

Rem. 3 La reprise devient un procédé de collage* par substitution* quand on remplace les lexèmes arbitrairement. Éluard l'enseigne (*O. c.,* t. 1, p. 991):
Prenant pour modèle cette chanson stupide: **S'il n'y avait pas de soupe, il n'y aurait pas d'cuillers. S'il n'y avait pas d'gendres, il n'y aurait pas d'bell'-mères .....** *nous obtenions* **S'il n'y avait pas de rêve, il n'y aurait pas de lunettes noires. S'il n'y avait pas de noir, il n'y aurait pas de poètes...**

V. aussi à *sériation*, rem. 2; *anaphore*, rem. 1.

Autres déf. (Sens plus général).

1 Au théâtre, fait de jouer une pièce à nouveau.

2 *Demi-variation.* Dans un récit* ou une description*, on revient sur le même point, en des termes différents mais sans incompatibilité. (V. à *variation*).

Ex.: (Les yeux de Julien, dans *le Voyeur* de Robbe-Grillet) *ne trahissaient ni effronterie, ni malveillance, ils étaient affligés tout simplement d'un très léger strabisme . . Un défaut de vision, certainement, troublait l'expression du jeune homme, mais il ne louchait pas. C'était autre chose... Une myopie excessive? Non ..... Ou bien était-ce un oeil de verre, qui rendait si gênant son regard?* (p. 210) *Seules les images* (du crime) *enregistrées par ces yeux, pour toujours, leur conféraient désormais cette fierté insupportable. Cependant c'étaient des yeux gris très ordinaires — ni laids ni beaux, ni grands ni petits — deux cercles parfaits et immobiles, situés côte â côte et percés chacun en son centre d'un trou noir.* (p. 214) *Il regardait Mathias droit dans les yeux, de ses yeux rigides et bizarres — comme inconscients, ou même aveugles — ou comme idiots.* (p. 215)

RESSASSEMENT Retour des mêmes mots un grand nombre de fois.

Ex.: *L'écho l'écho qui joue à répéter plus fort plus fort plus fort plus fort plus fort PLUS FORT*
MICHAUX, *Connaissances par les gouffres,* p. 107.

Autres ex.: *YSÉ. – Dis, Mesa, nos deux coeurs, ces deux coeurs, dis, tu le sens, ces deux coeurs, mon coeur contre le tien, ma*

chair contre la tienne, on va mourir, on est bien au chaud ensemble tous les deux! ces deux coeurs, Mesa, c'est drôle la manière qu'ils ont de se détester!
CLAUDEL, *Partage de Midi, Théâtre,* t. 1, p. 148.

Ensuite il a neigé de l'oubli, de l'oubli, de l'oubli, de l'oubli, de l'oubli.
MONTHERLANT, *Romans,* p. 732.

Analogue Matraquage (en publicité).

Rem. 1 Il y a de l'insistance dans le ressassement, mais aussi une certaine dose d'égarement.

Ex.: *Mr. MARTIN. — Mais alors, mais alors, mais alors, mais alors, mais alors, nous nous sommes peut-être vus dans cette maison, chère Madame?*
IONESCO, *la Cantatrice chauve,* p. 30.

V. aussi *Pièce fausse* de Breton, dans *Clair de terre.* Un prototype du ressassement se trouve dans la lamentation de David sur la mort d'Absalon: *"Mon fils Absalon, mon fils, mon fils Absalon... Absalon mon fils, mon fils"* (Samuel, II, 19, 1 & 5).

Rem. 2 Queneau a repéré une sorte de ressassement morpho-syntaxique qui consiste à construire toutes les phrases de la même façon. *"Alors l'autobus est arrivé. Alors j'ai monté dedans. Alors j'ai vu..." (Exercices de style,* p. 61).

RÉTORSION Retourner un argument* contre celui qui s'en est servi. (Verbe: rétorquer)

Ex.: *Ils nous objectent lugubrement que le temps des contes est fini.*
Fini pour eux! Si je veux que le monde change ..... ce n'est pas dans le vain espoir de revenir à l'époque de ces contes mais bien celui d'aider à atteindre l'époque où ils ne seront plus seulement des contes.
A. BRETON, *l'Amour fou,* p. 6-7.

Même déf. Lalande, Robert.

Autre déf. Antimétathèse*.

Rem. 1 Un autre type de rétorsion, plus courant, consiste à montrer que l'adversaire ne met pas ses principes en application dans sa conduite (cf. Perelman, t. 1, p. 274). **Ex.:** *"l'invective à la bouche et la haine au coeur, il se réclame d'un idéal humanitaire pour mépriser les hommes vivants"* (R. ARON, *Polémiques,* p. 58).

Rem. 2 Il y a une rétorsion purement rhétorique ou **fausse rétorsion**, qui consiste à tirer de l'adversaire une phrase dont on va se servir contre lui, en en sollicitant l'intention. **Ex.:** *"je sais* *que Giraudoux disait: La seule affaire c'est de trouver son style, l'idée vient après. Mais il avait tort: l'idée n'est pas venue"* (SARTRE, *Situation II*, p. 76). On peut prendre l'adversaire au mot de façon plus anodine encore, et plus rusée. C'est l'antanaclase*.

RÉVERSION Présentée par Littré, Quillet, Morier, Robert comme un synonyme de régression*, et d'autre part, chez Fontanier et Lausberg (*Lexique*) comme synonyme d'antimétabole*, la réversion pourrait se réduire à ce qu'il y a de commun entre ces deux figures: la répétition* d'une suite de termes dans un ordre inversé.

Ex.: *Hors des Entrepôts Prince, des haquetiers aux brodequins balourds boulaient de sourds barils et les faisaient rebondir sur le haquet de la brasserie. Sur le haquet de la brasserie rebondissaient de sourds barils boulés par les baquetiers aux brodequins balourds hors des Entrepôts Prince.*
JOYCE, *Ulysse*, p. 111.

Rem. 1 À la différence de l'antimétabole*, la réversion n'est pas créatrice de sens* nouveau.

Rem. 2 La figure est plus facile à réaliser en latin, où la place des mots est plus libre. En français, on inversera les syntagmes* plutôt que les mots.

RIME Identité d'un certain nombre de phonèmes à la fin de deux ou plusieurs vers*.

1. — Qualité des rimes.

Rime suffisante: identité de la voyelle tonique et de tous les sons qui la suivent. Toutefois, la rime d'une lettre ne suffit pas (*monta — tomba) tandis que la rime d'un son écrit en deux lettres est admise (aveu — enjeu*). Ceci montre que le vers* classique était surtout de la littérature écrite.
En deça de ces exigences minimales, on n'a qu'une assonance*, voire une *contre-assonance* (V. à *assonance*, rem. 3).

Rime riche: identité de la consonne d'appui (celle qui précède la voyelle accentuée). Malherbe, Banville exigèrent la rime riche. C'était pour eux un moyen de parvenir à des associations rares et originales (un peu comme les jeux surréalistes). La rime suffisante du type *harem / Jérusalem* est dite **enrichie.**

Rime dissyllabique (ou léonine): plus riche encore, identité de deux syllabes. Trop riche, la rime tourne au jeu de mots*. Ce sont les *rimes équivoquées* des rhétoriqueurs (V. à *équivoque*), qui portent sur plusieurs mots.

Ex.: *Gloire du long désir, idées*
Tout en moi s'exaltait de voir
La famille des iridées
Surgir à ce nouveau devoir
MALLARMÉ, *Prose pour des Esseintes.*

Cependant, la rime trop riche peut aussi, à l'instar des paronomases* et des échos sonores*, conférer à une idée ou un sentiment sa forme définitive.

Ex.: *L'amour s'en va*
Comme la vie est lente
Et comme l'espérance est violente
APOLLINAIRE, *le Pont Mirabeau.*

Pour le détail des règles de la rime, cf. PH. MARTINON, *Dict. des rimes fr.*, p. 43 à 53.
La rime est dite **défectueuse** entre un mot et son composé (*heur* et *bonheur*) ou un mot avec lui-même (sauf s'il est pris dans un sens différent).
Elle est dite **pauvre** ou **rurale** quand elle n'est pas **"suffisante"**.
Elle est dite **provinciale** ou **normande** lorsque l'infinitif rime avec un mot en **-er** où le **r** s'entend (*arriver — hier*), parce que le **r** final des infinitifs en **-er** s'entendait encore en Normandie au XIXe siècle.

2. — Place des rimes.

On appelle rimes **plates** (ou **suivies**, ou **jumelles**) celles qui sont accouplées deux à deux (aabb); rimes **croisées** (ou **alternées**) celles qui sont formées de deux couples, l'un de masculines, l'autre de féminines (V. ci-dessous, rem. 3), entrecroisés (abab). Les rimes **embrassées** ont un couple d'une espèce enserré dans un couple de l'autre (abba)
Les rimes **mêlées** et les rimes **redoublées** ne forment pas de couple mais reviennent plus de deux fois, les mêlées sans ordre, les redoublées dans l'un des trois ordres prévus pour les couples.

À ces catégories s'ajoutent les inventions plus retorses des Grands Rhétoriqueurs. La rime **annexée**, dite encore **enchaînée, concaténée** ou **fraternisée**, est répétée au début du vers suivant. La rime **batelée** (ou *serpentine* suivant Guiraud) revient à l'hémistiche du vers suivant. Guiraud (p. 260) en donne un exemple tiré de *la Fileuse* de Valéry
Le songe se dévide avec une **paresse** / *Angélique. Et sans* **cesse** *au doux fuseau créd***ule** / *La chevelure ond***ule** *au gré de la car***esse**.

La rime couronnée (ou *rhétorique à double queue*) se répète immédiatement (*Toujours est en vie envie*) La rime **empérière** est doublement couronnée (*... très diligents gens gents*). La rime

interne ou **brisée** se répète à l'hémistiche du vers lui-même, en sorte que les deux hémistiches riment ensemble (ce qu'on appelle encore un vers **léonin**).

Pour pousser le jeu plus loin, on pouvait prévoir que le poème conserve du sens quand on n'en lisait que les premiers hémistiches (qui rimaient comme un *poème* régulier, puisqu'il y avait une rime interne). Cf. MARTINON, *Dict. des rimes fr.*, p. 58. Le procédé fut assez répandu pour recevoir un nom, celui d'*asynartète* (Littré, Quillet, Preminger).

Autre curiosité proche de celle-ci: les *rims biocatz* des *Leys d'amors* occitanes. Ce sont des rimes internes disposées de façon que le poème* puisse être récité sur plusieurs mètres au choix: alexandrin, octosyllabe, vers de six syllabes. P. Guiraud en parle à propos d'Aragon, qui s'y est essayé. *"Le désir d'adapter le poème à des mélodies différentes"* serait à *"l'origine de telles combinaisons"* (*Essais de stylistique*, p. 261-2).

3. — Rimes masculines, rimes féminines.

Il s'est instauré progressivement du XIVe au XVIe siècle l'habitude de faire alterner les rimes où la tonique est suivie d'un **e** muet et les autres. Cet **e** perdant de plus en plus sa valeur dans la prononciation courante, une redistribution s'est manifestée notamment chez Verlaine et Aragon, où riment les finales vocaliques avec ou sans **e** (*rue* et *disparu*), les finales consonantiques avec ou sans **e** (*peine* et *pollens*). Réf.: Deloffre, p. 139-140. De toute façon, la règle de l'alternance ne doit plus être observée que pour un poème* à forme fixe.

Rem. 1 Quand on adopte une forme fixe (V. à *poème*), la place des rimes est déterminée par celle-ci. Si la strophe* est hétérométrique (V. à *vers* syllabique*), les vers de même longueur riment habituellement ensemble. Dans ses quatrains, P.-J. Toulet fait l'inverse (8a, 6b, 8b, 6a), ce qu'il a appelé *contre-rime* (J. MAZALEYRAT, *Cours de métrique*, Sorbonne, 1971-2).

Rem. 2 Pour la rime dans un texte en prose, V. à *homéotéleute*.

Rem. 3 Le mot *rime* a la même origine que *rythme* et son sens spécifique ne s'est dégagé que progressivement, aux XIVe et XVe siècles (cf. P. ZUMTHOR, *Un problème morphosémantique: le couple fr. RIME-RYTHME* dans les *Travaux de linguistique et de littérature de Strasbourg*, II, 1, p. 187 à 204).

Ainsi rime **rétrograde** désigne une façon de faire le vers (on peut le déchiffrer à rebours, mot par mot). **Ex.:** *Triomphalement cherchez honneur et prix.*

Rime **senée** désigne le tautogramme*. Rime **kyrielle** désigne un refrain*. Rime **serpentine,** une assonance*, non seulement

des deux voyelles finales, mais de toutes les autres (G. de Machaut, cité par Morier[1]). On n'est pas loin du vers holorime: il suffit d'ajouter la concordance des consonnes. Mais il devient alors assez difficile d'obtenir deux vers* différents (V. à *équivoque*)!
Le vers holorime, c'est ce qu'on appelle aussi **rimes millionnaires.**

Rem. 4 La rime, par sa difficulté, est encore parfois le cerbère de la poésie française. Une poétique fondée sur la rime n'est-elle pas condamnée à la stérilité à longue échéance, comme l'a montré P. Guiraud?
Le **Dictionnaire des rimes** *présente 120 mots en* **-oire** (*baignoire, boire, ciboire, mâchoire, etc.*) *qui peuvent donc se combiner en 15.000 couples. Mais l'ensemble des contraintes lexicales, phonétiques, morphologiques, syntaxiques de la poésie classique réduit ce nombre à deux ou trois combinaisons. (Dans* **le Cid**: *gloire — victoire; mémoire — gloire; croire — gloire; victoire — histoire)*
Essais de stylistique, p. 234-5.

Signalons les efforts contemporains de renouvellement de la rime (*faux rejet, contre-assonance**, etc.). L'entreprise poétique des surréalistes, portant à la fois sur la forme et sur le fond, rouvre la voie aux procédés universels de la poésie: on voit la diversité des rythmes succéder au syllabisme et la rime, elle, céder la place à des échos* sonores, dont les combinaisons se nuancent indéfiniment.

RYTHME Au sens large, le rythme concerne la durée respective de segments du ***discours****, de quelque dimension qu'ils soient. On parlera du ***rythme de l'action**** dans un récit aussi bien que du rythme binaire ou ternaire d'une ***phrase****.

Au sens strict, le rythme de la prose est l'organisation des mots phonétiques en ***groupes* rythmiques***. La prose poétique se caractérise par une certaine régularité des ***accents****.

Le rythme du ***vers**** est plus élaboré.

Rem. 1 La poésie est à la prose ce que la danse est à la marche: elle a un rythme particulier, qu'il est possible de saisir en battant la mesure.

Morier signale qu'on peut le faire *"en décrivant un cercle de la main"* et que *"c'était peut-être la manière de scander le vers antique*[2] *"* (*le Moment de l'ictus*, dans *le Vers français*, p. 86).

---

1 D'autres traités appellent rime serpentine celle qu'on retrouve de strophe en strophe (alors que varie l'autre rime)

2 Pour confirmer cette hypothèse, Morier propose une nouvelle étymologie de

"Dans cette manière assouplie de battre la mesure, l'ictus se trouve indiqué par le passage au point zéro, au nadir du cercle décrit[3] *."* L'avantage de cette façon de marquer le rythme est évident: spontanéité, naturel, rapidité, souplesse...

Cette méthode convient particulièrement à la scansion d'un vers* rythmique, dans lequel la coupe* ne serait plus trop liée à l'accent. On préserve ainsi le jeu des syllabes longues, qui peuvent prendre place aussi bien au début qu'au milieu ou à la fin des mesures, ainsi que le jeu des accents expressifs. Battre la mesure *en rond* permet de faire sentir la régularité de la durée des mesures même lorsque changent le nombre et la durée des syllabes, des silences. Il est aussi possible de déplacer l'ictus, de le poser sur l'arsis, par une sorte de **changement de pied**, comme en danse. C'est ce que fait notamment René Char, dans ses admirables dictions de *la Sorgue*, de *Jacquemar et Julia.*

À trop faire coïncider les coupes et les ictus, on aboutirait à des marches militaires, plutôt qu'à des vers.

Rem. 2 Francis Poulenc, qui a mis de nombreux poèmes* en musique, a expliqué, lors d'une entrevue à l'O.R.T.F., le 10 nov. 1968, comment il procédait pour établir un rythme:

Lorsque j'ai élu un poème, dont je ne réalise parfois la transposition musicale que des mois plus tard, je l'examine sous toutes ses faces. Lorsqu'il s'agit d'Apollinaire ou d'Éluard, j'attache la plus **grande** *importance à la mise en page du poème, aux blancs, aux marges.*

Je me récite souvent le poème, je l'écoute, je cherche les pièges .... je note les respirations, j'essaie de découvrir le rythme interne par un vers qui n'est **pas** *forcément le premier .... Lorsque je bute sur un détail de prosodie, je ne m'acharne jamais. J'attends parfois des jours, j'essaie d'oublier le mot, jusqu'à ce que je le voie comme un mot nouveau.*

Rem. 3 V. aussi à *apocope*, rem. 5; *cadence*, rem. 1 & 2; *césure typographique; chute; écho rythmique; enjambement*, rem. 1; *faute*, rem. 2; *harmonie imitative; ode; parallélisme*, rem. 1; *pause*, rem. 1; *période; strophe; tempo*, rem. 3; *triplication*, rem. 1.

RYTHME DE L'ACTION Faute d'étalon, le tempo événementiel n'a guère été analysé. Il y a, par exemple,

---

versus (vers), qui serait relié au latin *vertĕre* (tourner) par ce mouvement circulaire qui pouvait accompagner la diction. Il réfute aisément l'étymologie traditionnelle du sillon en rappelant que le vers fut oral avant d'être écrit.

3 Le rythme binaire est divisé en temps faible / temps fort (arsis / thésis ou levé / posé; yi ts'ing yi tchouo disent les Chinois) et le nadir du cercle correspond au temps fort.

dans le roman policier, alternance de phases de recherches lentes, et de phases d'action rapides. Comment jauger les accélération et ralentissements du rythme de l'action? Le critère intrinsèque le plus naturel reste le premier épisode de l'oeuvre, auquel on peut comparer impressivement les suivants. Dans les romans d'action, le tempo général est croissant. Inversement, dans *la Recherche du temps perdu,* les derniers volumes dissolvent l'action dans la réflexion.

Rem. 1 Le rythme du récit* a été étudié par comparaison*, impressive aussi, du temps du narré (histoire) et du temps de la narration. G. Genette (*Figures III,* p. 129) distingue: la **scène,** où la durée du *récit* paraît identique à celle de l'histoire; le **sommaire** (sens dérivé), où l'action est résumée; la **pause** descriptive ou explicative, où la relation et l'action sont suspendues; l'**ellipse,** où le récit est escamoté tandis que l'action suit son cours.

L'ellipse est implicite quand le *récit* s'arrête, puis reprend sans que l'on sache rien de ce qui s'est passé dans l'intervalle. Elle est déterminée ou indéterminée dans sa durée (deux ans passèrent / quelques années...). Elle est parfois qualifiée (après quelques années **de bonheur**).

Il y a bien des stades intermédiaires entre le sommaire et la scène. Dans *Guerre et Paix,* Tolstoï jette un coup d'oeil d'ensemble sur la retraite de Napoléon, puis résume l'activité d'un escadron, puis décrit la matinée d'un des héros, puis transcrit le détail de sa conversation enfin s'attache à développer sa pensée, à expliciter ses sentiments

Il semble difficile aussi de ne pas considérer certaines pauses comme faisant partie du *récit* de l'action Les descriptions* sont souvent faites par les yeux d'un personnage, au moment où il contemple, et parce que la contemplation importe à ce point précis de l'action. Et dans *le Planétarium* de N Sarraute, par exemple, la moindre impression du héros est développée en *descriptions, explications* et surtout dialogues* imaginaires, ce qui donne au temps de la narration plus de durée qu'à celui du narré. Plutôt que de *ralentissement,* qui concernerait l'action elle-même, on parlera ici de **dilatation**. La dilatation est proche de l'étoffement (V. à *amplification*), qui concerne l'expression plutôt que le contenu; et de l'étirement* L'action subit un étirement à l'opéra, où le chant fait durer des heures un libretto dont la lecture prend quelques minutes. Souhaitable aux passages lyriques, l'accroissement de durée paraît gênant aux endroits où l'action se précipite, d'où les éclats de voix avec accompagnement musical, et la solution apportée par l'opérette (parties parlées). V. aussi à *accumulation,* rem. 5; *définition, rem. 4; généralisation,* rem. 4; *récit,* rem. 2.

SARCASME Moquerie agressive et souvent cruelle.

Ex. (À propos de Thiers): *Peut-on voir un plus triomphant imbécile, un croûtard plus abject, un plus étroniforme bourgeois! Non, rien ne peut donner l'idée du vomissement que m'inspire ce vieux melon diplomatique, arrondissant sa bêtise sur le fumier de la bourgeoisie! ..... Il me semble éternel comme la médiocrité!*
FLAUBERT, *Correspondance, à G. Sand,* 1867. V. aussi à *titre,* rem. 3.

Déf. analogues Scaliger, t. 3, p. 86; du Marsais, t. 3, p. 187; Le Clerc, p. 262; Littré; Lausberg.

Autres noms Diatribe, satire, libelle (bref écrit polémique et diffamatoire; Bénac), pamphlet (brochure où est attaquée une institution). Ces parasynonymes désignent des sarcasmes plus étoffés, parfois des genres littéraires. V. aussi à *ironie.*

Rem. 1 Parmi les attitudes à l'égard du destinataire, celles qui détruisent la confiance et l'entente mutuelle parce qu'elles le maltraitent (en paroles) sont le persiflage*, le *sarcasme* et l'injure*. Péguy a nommé ces attitudes des *"barbaries"* (les *barbarismes* concernant seulement la langue). Blâme, reproches, vitupération échappent à la barbarie par l'intention. La forme rhétorique du reproche s'appelle **objurgation** (Littré, Robert).

La barbarie est communicative à sa façon.

Ex.: *PÈRE UBU. — Abattez trois vieux chevaux, c'est bien bon pour de tels sagouins.*
MÈRE UBU. — Sagouin toi-même!
JARRY, *Tout Ubu,* p. 61.
Autre façon de détruire l'entente, et plus radicale: l'**anathème** ou excommunication, condamnation spirituelle. Ici, comme dans les condamnations judiciaires, comme dans les coups et blessures, on sort du domaine rhétorique.

Rem. 2 Le sarcasme se combine avec l'apostrophe* et l'exclamation*. **Ex.:** *"Ah! Malraux! De combien de phrases stupides et creuses vous êtes responsable — sans omettre celles dont vous êtes l'auteur"* (J.-Fr. REVEL, *Contrecensures,* p. 40). Cette *apostrophe* est rhétorique, en fait, car le véritable destinataire était le public témoin, qu'on veut parfois instruire sans accuser trop nettement la victime, qui sert d'exemple, de plus en plus étrangère au débat, désignée allusivement parfois.

Ex.: *il est connu qu'un universitaire septuagénaire spécialisé dans les fromages depuis sa tendre jeunesse, a mis avec enthousiasme les deux ou trois cellules de son cortex cérébral*

qui fonctionnent encore au service de l'audio-visuel.
J.-F. REVEL, *Contrecensures*, p. 169-170. V. à *caricature*, rem. 2.

Rem. 3 Le sarcasme a son intonation*. L'épigramme* est volontiers sarcastique. V. aussi à *chleuasme*; à *ambiguïté*, 1.

Rem. 4 L'inverse du sarcasme est la louange (V. à *célébration*, rem. 2). V. aussi à *faux*, rem. 1.

SCHÉMATISATION Au lieu de raconter, de décrire ou de mettre en scène, on ne donne qu'un schéma de l'oeuvre.

Ex.: *Le personnage principal du livre est un fonctionnaire des douanes. Le personnage n'est pas un fonctionnaire, mais un employé supérieur d'une vieille compagnie commerciale. Les affaires de cette compagnie sont mauvaises, elles évoluent rapidement vers l'escroquerie. Les affaires de la compagnie sont très bonnes. Le personnage principal — apprend-on — est malhonnête. Il est honnête, il essaie de rétablir une situation compromise par son prédécesseur, mort dans un accident de voiture.*
ROBBE-GRILLET, *la Jalousie*, p. 216.

Rem. 1 Dans la plupart des romans, il y a des épisodes racontés rapidement, en style indirect. Ce sont des résumés de l'action (V. à *rythme*, rem. 1) et non pour autant des schématisations.

Ex.: "*Et les voilà partis sur le sport national et les jeux irlandais ..... et le pur terroir et reconstituer une nation et tout ce qui s'ensuit.*" (JOYCE, *Ulysse*, p. 304).

Pour qu'il y ait schématisation, il faut que le texte se présente comme une épure d'un autre texte qui est le vrai, qu'il remplace l'oeuvre, que son auteur se donne seulement pour le commentateur de l'oeuvre faite ou à faire. Ainsi le roman de Klossowski *la Vocation suspendue* est le résumé critique d'un récit* intitulé *la Vocation suspendue*... Ce résumé remplace une oeuvre non rédigée et il y a donc schématisation.

N. Brossard a introduit le procédé dans son titre en appelant une de ses oeuvres *Un livre*, sans plus. Le reste de l'oeuvre est aussi schématique, chaque texte indiquant un épisode qui resterait à écrire.

La schématisation apparaît déjà chez Lautréamont: "*J'établirai dans quelques lignes comment Maldoror fut bon pendant ses premières années où il vécut heureux; c'est fait. Il s'aperçut ensuite qu'il était né méchant* (etc.)" Début du *Chant 3*.

Ce procédé s'inscrit dans le mouvement qui tend à dissoudre, torturer ou remplacer l'oeuvre afin de lui ôter sa résistance d'objet parfait, achevé, et de libérer l'imaginaire en une pluralité de lectures.

Rem. 2 Trop résumée, l'action risque de devenir banale. L'inverse est l'*hypotypose* (V. ce mot, rem. 2).

Rem. 3 Le résumé reçoit parfois la forme d'une notation*. **Ex.:** *"marchant dans les rues solitaires (Maggie les enfants Néa Néa Cutie Alexander Maggie Weingerter) avant de regagner la maison solitaire."* (BESSETTE, *l'Incubation,* p. 128).

SENS Qui s'étonnera qu'il y en ait de nombreux? Le texte, après rédaction, avant lecture, n'est qu'un fait. Le sens, pour le lecteur, est un effet produit par le texte, effet immédiat ou différé par des réflexions, des analyses, et diversifié non seulement par la multiplicité des cultures, mais aussi parce qu'il y a plusieurs façons d'aborder les éléments du texte, et l'ensemble. Ces angles de visée, procédés de décodage, l'auteur a pu les prévoir, en tenir compte en vue de communiquer un sens initial donné. L'étude des modalités de la signification est donc essentielle à celle des procédés.

1. — Sens fondamental / sens spécifique.

Le sens fondamental d'un mot est un concept ancien (cf. Beauzée, cité par A. REY, *la Lexicologie,* p. 42) redéfini par Bloomfield comme *"ce qui viendrait à l'esprit en premier lieu si le contexte ne jouait aucun rôle"* (W. EMPSON, dans *Poétique,* t. 6, p. 250). (**Syn. sens dominant, sens majeur**).
Empson observe que ce concept peut recouvrir des idées diverses: le sens **primordial**, c'est-à-dire le plus fréquent; le sens **central**, autour duquel les autres sont censés rayonner; le sens **étymologique**, en relation avec le processus de la dérivation; le sens **premier**, c'est-à-dire le plus ancien dans la diachronie.
Ceci intéresse avant tout le lexicologue. Le sémiologue préférera le concept de **classème**, que B. Pottier définit comme une partie du sémème, regroupant les sèmes[1] génériques (ceux qui indiquent l'appartenance à une classe; pour le mot *rouge,* le sème *"couleur"* par exemple). Au classème, Pottier oppose le sémantème, ensemble des sèmes spécifiques (**Ex.:** les sèmes qui distinguent *rouge* de *vert* et de *pourpre*) — et le virtuème, ensemble des sèmes occasionnels, qui dépendent des contextes. (Cf. *Dict. de linguistique*). Ces deux concepts n'étaient pas étrangers à la philologie classique. Beauzée parlait

---

1 **Sème:** "trait sémantique", élément de sens. L'analyse ***sémique*** ou ***componentielle*** les dégage par comparaison.

de *sens spécifique* pour celui qu'un mot partage avec ses synonymes*, ce qui n'est pas loin du sémantème; il parlait de sens *accidentel* pour les valeurs d'emploi particulières aux contextes, ce qui n'est pas loin du virtuème (**Ex.**, V. à *catachrèse*).

L'attribution d'un sens spécifique à un vocable, par exemple dans une langue de métier, s'accompagne parfois d'une modification de la forme de ce vocable. **Ex.:** En linguistique, *brévité* désigne spécifiquement le caractère bref des phonèmes; Fénelon appelle *passiveté* une attitude intérieurement passive et extérieurement active, pour qu'on ne puisse confondre avec la *passivité* extérieure; le louchement* ou construction ambiguë, dans le présent ouvrage, se distingue de la *loucherie*, état d'une personne qui louche.

Le sens spécifique peut évoluer. **Ex.:** un livre comme *le Triomphe du sexe* risquerait de passer, aujourd'hui, pour une oeuvre érotique alors qu'en 1749, année de sa publication par l'abbé Dinouart, il était évident qu'il s'agissait d'établir la supériorité de la femme sur l'homme.

Il peut même arriver qu'un sens spécifique vienne s'opposer au sens fondamental, ce qui provoque des malentendus. J. Mazaleyrat en relève un exemple (*Pour une étude rythmique du vers français moderne*, p. 10, n. 2): "*Tel ouvrage sur le vers* **alexandrin** *se trouve* (classé) *entre deux études sur la littérature hellénistique*". Plus fréquent: l'acception de *moderne* dans "*l'époque moderne*", où il s'agit des XVIIe et XVIIIe siècles, souvent remplacée par le sens fondamental, notamment dans *les Temps modernes* (titre de revue, traitant de problèmes actuels).

Dans les dictionnaires, la multiplicité des acceptions vient souvent du fait que l'on distingue sens spécifique et sens fondamental. **Ex.:** "**Essence.** 1° carburant; 2° extrait concentré." La première acception, même si c'est la plus fréquente, est une spécification de la seconde (extrait concentré de pétrole).

2. — Dénotation / connotation.

La dénotation, réunissant les sèmes constants, doit se définir par l'ensemble de ce que Pottier appelle classème et sémantème, de ce qu'on appelait naguère sens fondamental et sens spécifique. Dans la connotation, on pourra faire entrer les autres sèmes, qui dépendent du contexte, le virtuème ou le sens accidentel[2]. (**Analogue** Valeur d'emploi).

---

2 Le concept d'extension, avec l'acception qu'on lui donne en mathématiques, concerne le référent plutôt que la connotation. Sur l'emploi de ***connotation*** par les logiciens, cf. Lalande.

Parmi les sèmes complémentaires de l'idée essentielle, on peut distinguer avec Bally ceux qui dévoilent une attitude de l'auteur (sens **expressif**) et ceux qui sont destinés à produire sur le lecteur un effet donné (sens **impressif**). Les uns et les autres forment l'ensemble des **effets affectifs**, avec lesquels il est courant d'identifier la connotation.
La recherche d'effets affectifs entraîne le choix entre parasynonymes. **Ex.:** *médiéval / moyenâgeux.*
La connotation est laudative (ou **méliorative**) quand le terme choisi présente la chose sous un jour favorable; elle est péjorative dans le cas contraire (**Ex.:** le suffixe -ard dans *chauffard*). V. à *compensation,* rem. 1.
Aux effets affectifs, Bally ajoute les **effets par évocation**, certains mots apportant avec leur sens spécifique toute une ambiance implicite, celle de leur milieu naturel. **Ex.:** *"— Le voilà bien le rasta qui roule des yeux blancs, que dit le citoyen, qui n'a jamais misé sur un cheval même avec une fleur."* (JOYCE, *Ulysse,* p. 323). On croirait qu'on se trouve au café du coin.
Réciproquement, pour le lexicologue, le contexte contribue à déterminer le sens. Empson (*ib.*) appelle sens **thématique** celui qui est commandé par le contexte de l'oeuvre en général (**Ex.** *poste* dans un livre sur les Postes et Télécommunications) et sens **probable** celui qui s'impose par le contexte réel (**Ex.:** *corniche* si l'on se trouve en montagne).

Le sens accidentel de Beauzée était aussi appelé sens **divisé** par du Marsais (*Des tropes,* p. 249). Une analyse sémique implicite pourrait avoir présidé au choix de ce terme. Certains contextes abolissent des sèmes essentiels et privilégient des sèmes secondaires, ils *"divisent"* le sémème! **Ex.:** *"Un académicien vient de décéder. Il y a donc un* **fauteuil.**" Seule l'idée de *"place vacante"* est retenue. Le complémentaire du sens divisé est le sens **composé**, où tous les sèmes entrent en jeu. **Ex.:** *"Si le nombre des académiciens était augmenté, on manquerait de* **fauteuils**".

Un sens accidentel peut entrer dans l'usage et devenir un sens spécifique. Il prend alors le nom de sens **dérivé**, tandis que le sens spécifique dont il dérive accidentellement s'appelle sens **primitif**. **Ex.:** *crucial,* dont le sens primitif est "en forme de croix"; impact, dont le sens primitif, resté dans l'usage, est *"heurt d'un projectile"* et le sens dérivé, *"effet brutal"*.

3. — Sens strict / sens large.

Le prestige dont jouissent certains termes à la suite d'événements socio-culturels, ou simplement l'usage qu'en font de non-spécialistes, leur confère de plus en plus d'extension, en sorte qu'ils finissent par perdre certains sèmes spécifiques. Ils prennent un sens **large**, ou *étendu, élargi,* tout en continuant à pouvoir être employés au sens **strict** ou *restreint*. **Ex.:** métaphore*, souvent employé au sens large d'image* littéraire, alors qu'il désigne seulement les images à phore unique, mêlé syntaxiquement au reste de la phrase.

Il arrive que le sens strict soit postérieur au sens large. **Ex.:** *structure,* qui signifiait simplement *"forme, organisation"* et qui a pris le sens strict de *"système de formes définies par leurs différences mutuelles"*. Dans ce cas, on parlera plutôt de sens **restreint** ou **limité** (surtout si l'acception n'est pas courante).

4. — Sens propre / sens figuré.

Fontanier (p. 57) appelle sens **tropologique** ou **figuré** celui qui résulte d'un emploi particulier où plusieurs sèmes deviennent non pertinents, en sorte que l'on quitte, mais volontairement, le sens propre du terme. Les **tropes** sont les procédés de figuration. V. à *image,* 2; *métaphore, métonymie, synecdoque, antonomase* et, pour des propositions entières, à *allusion*.

Des sémanticiens comme Darmesteter et Bréal voient dans la métaphore* et la métonymie* (si elle inclut la synecdoque*) les bases de tout glissement de sens (P. GUIRAUD, *la Sémantique,* p. 37-8). Mais en donnant à ces termes traditionnels un sens plus large, Jakobson a favorisé le remplacement de la logique et de la rhétorique par la sémiologie. L'analyse sémique précisera la notion de figure en montrant que le changement de signifiant lexical entraîne dans le signifié un changement de dénotation, et pas seulement de connotation, pour un référent (objet extra-linguistique) inchangé. Le lexème, qui ne désigne le référent que par un de ses sèmes secondaires, présente à titre gracieux tous ses sèmes essentiels. Gide illustre astucieusement ces renversements: *"Printemps, aurores des étés! Printemps de tous les jours, aurores!"* (GIDE, *Romans,* p. 220-1).
D'abord, c'est *aurore* qui est figuré; puis c'est *printemps...*
Les tropes multiplient les synonymes* sans augmentation du nombre des vocables.

5. — Avant de passer à des sens qui concernent non plus les mots mais les ensembles de mots, signalons encore pour mémoire:
— Le sens **extensif** (Fontanier, p. 58), sens figuré devenu spécifique, entré dans l'usage après avoir subi l'un des processus tropologiques. **Ex.:** *fiole* dans le tour *se payer la fiole de quelqu'un;* (V. à *cliché,* rem. 4; *image,* rem. 4).
— Le sens **abstrait** qui place le sémème parmi les idées, le sens **concret** qui le pousse vers l'individualisation (Du MARSAIS, *Des tropes,* p. 251; Fontanier, p. 57). **Ex.:** la témérité d'un soldat / un soldat téméraire (...a entraîné le peloton).
— Le sens **collectif**, qui ne s'applique qu'à des référents groupés, tandis que le sens **distributif** s'applique à chaque

élément. Cf. R. BLANCHÉ, *Introduction à la logique contemporaine*, p. 176, Fontanier, p. 56. **Ex.:** Les hommes sont *nombreux*. Or Socrate est un h. Donc S. est nombreux! On dira que *nombreux*, ayant un sens collectif, ne peut servir de prédicat à un sujet indivis. **Ex. litt.:** *"Tu t'en iras trois par trois / Comme ils ont emmené ton père"* (Chanson du galérien). *"Le policier se dispersa"* (Beckett). *"D'une seule voix, je crie: Vive les amateurs!"* (Satie).

— Le sens **indéfini** ou **indéterminé** s'applique au lexème situé de manière imprécise (un, certain...), tandis qu'il est **défini** ou **déterminé** quand le lien entre le lexème et l'environnement est net (le, ce, notre). Les marques de l'indétermination du syntagme* verbal sont les pronoms indéfinis, plus *on*. Cf. Fontanier, p. 56.

L'indétermination peut cependant provenir de la disparition du contexte. Ainsi Ducrot (*Dire et ne pas dire*, p. 136) montre-t-il qu'une simple affiche comme *"Ouvert le mardi"* peut signifier *"même le mardi"* ou *"seulement le mardi"*, selon la coutume du lieu. V. à *ambiguïté*, rem. 3.

— Le sens **implicite** est attribué sans marque spécifique, vu l'état embryonnaire de l'expression par rapport au contenu. Ainsi les commentateurs de déclarations politiques tentent-ils souvent d'expliciter des formules à l'imprécision voulue.

Le sens implicite peut être dévoilé par une périphrase* qui développera les sèmes visés.

Ex.: *"Ellison fut toujours poussé par une brise de prospérité. Et je ne me sers pas ici du mot prospérité dans son sens purement mondain. Je l'emploie comme synonyme de bonheur."* (E. POE, *Histoires*, p. 620).

Jespersen (*Philosophie de la grammaire*, chap. 8) a repéré deux types implicites de rapport entre les lexèmes dans le groupe subst. + complément: la jonction (*junction*) et la connexion (*nexus*). **Ex.** proposé par Empson (dans *Poétique*, t. 6, p. 269-270): *La compétence du médecin était grande*. Pour certains, *compétence* et *médecin* seront simplement en jonction et la phrase équivaut à *"le médecin était très compétent"*. Les sèmes s'additionnent. Pour d'autres, le sens implicite est différent. *Compétence* et *médecin* sont en connexion, c'est-à-dire qu'ils ont des sèmes communs, tous les médecins étant nécessairement compétents. La phrase équivaut alors à *"le médecin avait une compétence toute spéciale"*, *"Parmi les compétences médicales, la sienne était grande"*.

— Le sens **prégnant** est un sens implicite mais sans aucune ambiguïté, la vraisemblance suffisant à lever les doutes. **Ex.:** *dans leurs larges bras* pour *dans leurs bras largement ouverts*. (**Analogue** Sens proleptique, V. à *prolepse*).

6. — Sens littéral / sens symbolique.

Parmi les façons d'aborder un texte dans son ensemble, la plus importante est celle qui consiste à instituer une isotopie générale différente de celle qu'indique le thème*; isotopie* souvent abstraite, ou "profonde"et qui ne contredit pas nécessairement le thème mais l'éclaire et à l'occasion le remplace (V. à *symbole,* 1).

Analogues Sens spirituel, moral (Fontanier, p. 59), allégorique, analogique, anagogique[3] .
Le sens non symbolique est dit *littéral,* ou *logique.* Cf. DU MARSAIS, *Des tropes,* p. 251 et sv.

7. — Sens d'origine / sens accommodatice.

Bien que l'influence du contenu de l'alinéa sur celui de la phrase n'ait guère été étudié, il est évident qu'il suffit de modifier le contexte ou la situation d'une phrase pour en modifier le sens. Ce sens nouveau, né d'une citation* hors du contexte (soit littéraire, soit réel) est appelé sens **accommodatice** ou sens **adapté**. Cf. DU MARSAIS,*Des tropes,* chap. 3. Voici une accommodation dénudée par Zola (*le Roman expérimental,* dans *Anthologie des préfaces,* p. 316):
Je citerai encore cette image de Claude Bernard, qui m'a beaucoup frappé: **"L'expérimentateur est le juge de d'instruction de la nature".** *Nous autres romanciers, nous sommes les juges d'instruction des hommes et de leur passions.*

Presque toutes les citations* doivent être prises *mutatis mutandis* (en changeant ce qui doit l'être), voire *cum grano salis.*
Ex.: Rabelais exploite habilement une phrase de l'apôtre Paul, *"la charité croit tout",* pour engager son lecteur à le croire quand il raconte la naissance de Gargantua par l'oreille de sa mère.
L'accommodation va jusqu'à la réactualisation*. **Ex.:** *Je vous salue, Marie, pleine de grâce* ..... Ces paroles, attribuées à l'archange Gabriel, qui s'adresse à la Vierge, prennent, dans la bouche du catholique qui les *"récite"* un sens tout autre (nulle annonce*[4]).

Souvent, le contexte d'origine restreint le sens tandis que la citation*, dans son isolement, le dilate. Dans ce cas, le sens accommodatice est appelé sens **plénier** (du latin *plenior*). La plupart des auteurs seraient défigurés par l'attribution d'un sens

---

3 ***Allégorique*** ou ***analogique,*** quelle que soit l'isotopie, du moment qu'elle n'est pas celle du sens littéral; ***moral*** s'il s'agit des moeurs; ***spirituel*** s'il s'agit de mysticisme; ***anagogique*** s'il s'agit de vie éternelle..

4 Il est encore différent dans tel poème adressé par Hugo à Marie, une de ses amies dont il va "saluer" les "grâces".

plénier à la moindre phrase. *Donnez-moi une ligne d'un homme et je vous le ferai pendre,* dit un proverbe. D'aucuns, pourtant, semblent choisir leurs idées de telle sorte qu'elles aillent s'appliquer ici ou là. V. à *mot d'auteur.*
La validité d'un sens accommodatice dépend de l'utilisateur. Au lieu d'être plénier, il peut aussi être *limitatif.* **Ex.** Bossuet cite Qohélet: *"Tout est vanité",* en omettant soigneusement d'inclure dans ses exemples la vanité de la sagesse elle-même, dont il entreprend au contraire l'éloge.

L'accommodation des textes est un droit du lecteur. Gide nous y invite en commençant, à notre place, une *Table des phrases les plus remarquables de Paludes* où l'on lit notamment (p. 91) — Il dit: *"Tiens! Tu travailles?".* Hors contexte, ce persiflage amical s'érige en programme d'oisiveté...

8. — Sens manifeste / sens subjectif.

De l'écriture à la lecture, le contenu peut subir des distortions. Chacun est seul, en principe, à savoir ce qu'il comprend. À côté du sens manifeste, il y a place pour un sens **subjectif**, infiniment diversifié, et qui peut donc faire l'objet d'onéreux commentaires: de la part d'un Montherlant par exemple (cf. les postfaces successives au *Maître de Santiago*).

Avatar intéressant de ce couplage de notions complémentaires, l'opposition sens **évident** ou **obvie / sens visé** ou **intentionnel.** Elle surgit de façon très nette dans les textes au contenu plus ou moins obligé (discours*de commande, enseignement de disciples, endoctrinement), dans lesquels la liberté d'expression est réduite à des connotations fugitives, ou limitée par l'ensemble de la culture de l'époque. Le sens visé est alors *"ce que le texte voudrait dire, l'intention expressive qui, probablement, l'anime, au-delà du sens courant des mots employés"* (J.-P. Audet).

On peut dire que le sens subjectif est un sens intentionnel qui n'est pas du tout manifeste. On le percevra davantage en se familiarisant avec l'ensemble de l'oeuvre d'un auteur (méthode de recoupement).

Ex.: *"Cela s'est passé / Je sais aujourd'hui saluer la beauté"*

RIMBAUD, *Une saison en enfer.*
Il semble que Rimbaud veuille dire, non qu'il a appris le respect du beau, mais qu'il vient d'apprendre à résister aux excès de l'extase du Beau, à *"saluer"* sans plus, à garder ses distances.

Du côté du lecteur, le sens subjectif est aussi assez fréquent (plus qu'on ne le voit), voire recommandé. On parlera dans ce cas d'**extrapolation** et, s'il y a tentative délibérée de faire passer un sens subjectif de lecteur pour celui de l'auteur, on parlera de **sollicitation du texte.**

Outre le sens intentionnel et le sens subjectif, on distingue, du côté de l'auteur, un sens qui pourrait être appelé **subjectal**, c'est-à-dire vécu par le sujet: c'est sa manière d'être et de s'exprimer, son *style* au sens le plus strict du mot. La recherche des marques du style personnel semble facilitée par la méthode de commutation littéraire: établissement de variantes propres à l'analyste; de stylèmes ou couples dans lesquels l'auteur a dû faire ses choix; interprétation des choix, c'est-à-dire hypothèses sur les motifs; intégration des hypothèses qui se recoupent. Le détail de cette méthode, capable de préserver l'objectivité d'une recherche qui concerne le sujet, est exposé dans notre *Étude des styles*.

9. — Signalons encore:

— Le sens **forcé**, qui exploite le texte pour lui faire dire plus qu'il ne dit; il fait voir autre chose que le sens **naturel**.

— Le sens **équivoque**, double sens basé sur la polysémie des termes. **Ex.:** Allais, proposant le chauffage à la nitroglycérine: *"On risquera de* **sauter**, *dites-vous? ..... Quoi de plus gai qu'une petite sauterie, après dîner?"* (*la Barbe et autres contes*, p. 142).

— Le sens **louche**, double sens basé sur un défaut de clarté dans la construction syntaxique.

Ex.: *"Nous sommes à votre entière disposition pour résoudre vos difficultés de fabrication ou pour en créer de nouvelles."* (JEAN-CHARLES, *les Perles du facteur*, p. 56). De nouvelles difficultés ou de nouvelles fabrications?

— Le sens **principal**, que Fontanier (p. 60) oppose au sens **accessoire**; le sens **exemplatif** (M. Dupont / un quidam)... etc.

SÉRIATION Classement d'un grand nombre d'éléments par séries de deux ou plusieurs.

Ex.: *C'était Léandre, la bête noire des pères, des maris, des tuteurs, l'amour des femmes, des filles et des pupilles.*
TH. GAUTIER, *le Capitaine Fracasse*, p. 123.

Rem. 1 Le classement peut être marqué par juxtaposition (de séries dont les éléments sont coordonnés) ou par coordination (de séries dont les éléments sont juxtaposés). **Ex.:** *Han Suyin parle de la France et de la Chine, des femmes et de l'amour.* Souvent, on a une disjonction* avec, pour introduire chaque série, des termes antinomiques.

Ex.: *Ici, les farines, les sucres, les pâtes alimentaires, les conserves, les sauces préparées; là, les fruits frais, les légumes, les primeurs, les agrumes.*
Les séries alternées sont marquées sur le plan sonore par un

changement de ton; sur le plan graphique, on pourrait mettre un trait* oblique. **Ex.:** Corneille, *le Cid*, I, 6 deviendrait: "*Père / maîtresse; honneur / amour; Noble et dure contrainte / aimable tyrannie*".

Rem. 2 Comme la reprise*, dont elle prend la forme, la sériation peut servir de prétexte ("*justification formelle dérisoire*", V. à *image*, rem. 1) à des inconséquences*.

Ex.: *À Paul et Virginie*
au tenon et à la mortaise
à la chèvre et au chou
à la paille et à la poutre
au-dessus et au-dessous du panier (etc.)
PRÉVERT, *Paroles*, p. 163.

SIMILITUDE Comparaison* fondée sur l'existence de qualités communes à deux choses. *Petit Robert*.

Ex.: *Quelles affinités particulières lui paraissaient exister entre la lune et la femme? .....sa prédominance nocturne; sa dépendance de satellite ..... son pouvoir de rendre amoureux, de revêtir de beauté, de rendre fou ..... sa splendeur quand elle est visible; son attirance quand elle est invisible.*
JOYCE, *Ulysse*, p. 623.

Autre sens "Ressemblance", "trait commun" (V. à *paronomase*, rem. 1).

Rem. 1 La similitude est un type de parallèle*. Elle peut se prêter à un raisonnement (V. ce mot, rem. 3).

SIMULATION Attitude ou déclaration tendant à induire l'interlocuteur ou le lecteur en erreur sur ce que l'on est, ce que l'on pense, ce que l'on veut, ce que l'on ressent, etc.

Ex.: *Je m'inscris sous le nom de Percy C. Rice et je taille une petite bavette très beurre et oeufs à la réception, de façon à passer pour le provincial qui trouve New York un endroit épatant pour les touristes, mais un peu grand tout de même.*
P. CHEYNEY, *la Môme vert-de-gris*, p. 8.

Analogues Feinte, attrape, mystification, comédie, jeu, cabotinage, théâtre, pose (l'inverse est le **naturel**).

Rem. 1 Quand la simulation ne trompe personne — qu'elle est trop évidente — on a une pseudo-simulation*. Tout procédé tant soit peu faux* ou rhétorique au sens péjoratif relève de la simulation ou de la pseudo-simulation, attitude très générale. La diplomatie, la simple politesse ne vont pas sans une certaine simulation. V. à *ambiguïté*.

Rem. 2 La verbigération* simule du langage; l'**assimulation** (Quillet) est une ignorance feinte en vue d'attirer l'attention, elle est donc proche de la communication*; le **parenthyrse** est un enthousiasme simulé (THÉODORE, cité par LONGIN, *Du sublime,* III, 5).

Rem. 3 Le trait d'esprit* peut se présenter sous la forme d'une erreur simulée. **Ex.:** *"BLAISE. — ..... Vous, à force de vivre ici, vous finissez par attraper la médecine. La médecine, moi, les malades m'en guériront."* (AUDIBERTI, *l'Effet Glapion,* p. 233). Le docteur parle comme si la médecine était une maladie.

Rem. 4 Le trait d'esprit peut aussi être simulé. C'est le cas dans une anecdote sur Gounod et Mme Strauss, réputée pour son esprit. Il lui murmura lors d'une première: *"Ne trouvez-vous pas cette musique un peu... octogone? — C'est ce que j'allais dire, rétorqua-t-elle"* (CH. LALO, *le Comique et le spirituel,* p. 324), ayant flairé la taquinerie.

Rem. 5 V. aussi à *chleuasme,* rem. 1; *citation,* rem. 4; *dubitation; énonciation,* rem. 1; *nigauderie,* rem. 3; *permission,* rem. 1.

SINGULARISATION Présentation d'un épisode de récit* à partir d'un point de vue singulier, inhabituel, par les yeux d'un tiers qui n'y comprend mie, d'un enfant, de sorte que le lecteur est amené à y voir des détails et des valeurs insolites.

Ex.: *Alexis Ivanytch, voici déjà cinq ans qu'il a été muté chez nous à la suite d'un meurtre... Il est allé, vois-tu, hors de la ville avec un lieutenant. Ils avaient pris leurs épées et les voilà à se pousser des pointes et* (il) *a transpercé le lieutenant, et encore devant témoins!*
POUCHKINE, *la Fille du capitaine,* cité par TOMACHEVSKI, p. 291.

Analogue *Ostranénie* (Cf. JAKOBSON, préface à *Théorie de la littérature,* p. 11).

Rem. 1 Le procédé a été repéré par Tomachevski (ib., p. 290). Il serait assez fréquent, sa fonction étant d'introduire dans l'oeuvre *"du matériau extralittéraire ..... vieux et habituel* (dans l'exemple ci-dessus, le duel) *comme du nouveau et de l'inhabituel* (le meurtre)". Le procédé appartient à la pseudo-simulation*.

La singularisation est une façon de faire table rase des idées reçues pour aller aux choses mêmes. **Ex.:** *"Un certain phénomène qu'on appelle musique"* (MICHAUX, titre d'une préface à une *Encyclopédie de la musique,* reprise dans *Passages,* p. 181).

Rem. 2 Le procédé est diffus dans bien des romans, lorsque l'auteur arrive à voir toutes choses par les yeux de son personnage. **Ex.:** la guerre vue par Pinette, Philippe, Gros-Louis, etc. dans *les Chemins de la liberté* de Sartre.

SLOGAN *Le slogan est une maladie de la formule.*

L.-P. FARGUE, dans le *Nouveau Dict. de citations fr.,* 13689. Autrement dit, c'est l'emploi d'une formule (V. à *maxime*) considérée comme riche et pleine de sens et de valeurs connotatives diverses, mais en réalité banale par la trivialité du sens (publicité) ou par un emploi trop courant. **Ex.:** *Qui a bu boira ... chicorée Pacha.* **Autre ex.:** Avec Coke, 'y a d'la joie!

Ex. litt.: *LE POMPIER. — Je parle de choses que j'ai expérimentées moi-même.* **La nature, rien que la nature.** IONESCO, *la Cantatrice chauve,* p. 48.

Analogues Devise, mot d'ordre.

Rem. 1 Le slogan partage avec le lieu commun (V. à *cliché*), la banalité du contenu; avec le cliché* il se caractérise par une sorte de psittacisme* qui fait attribuer un sens déterminé et unique à un segment plus long que le mot (au moins un syntagme*). Ainsi, Desnos, chantant la Marseillaise, ajoutait: Halte là, les Montagnards sont là!

Rem. 2 Le slogan, à l'origine, est un cri de guerre lancé par l'entraîneur et repris par le groupe des attaquants. "Montjoie. Saint-Denis!" On le retrouve dans les compétitions sportives, quand il s'agit d'encourager les athlètes. V. aussi à *épigramme,* rem. 2.

Rem. 3 Le slogan a une intonation publicitaire (forte intensité).

SOLÉCISME Emploi, fautif dans un cas donné, de formes linguistiques par ailleurs existantes. MAROUZEAU.

Ex.: *En un soir que je suis* ***été*** *avec un copain* ***dans*** *une de leurs soirées chant et danse .....*
JOYCE, *Ulysse,* p. 299.

Même déf. Littré, Quillet, Lausberg, Robert.

Autres noms Agrammaticalité, antiptose (*"figure de grammaire par laquelle, dit-on, on met un cas pour un autre",* du Marsais, t. 4, p. 148). Comme ce sont les prépositions qui, en français, jouent souvent le rôle des cas, on pourrait considérer comme des antiptoses les exemples suivants: *j'ai mal la tête* (à); *je ne me rappelle de rien* (supprimer *de*). V. aussi à *barbarisme,* autre déf.

Rem. 1 V. à faute, rem. 2, et à *syllepse grammaticale,* rem. 1. Claudel affecte des négligences qui, selon lui, vont de pair avec l'enthousiasme poétique. **Ex.:** *"Il attend pour toi deux vieillards dans la vieille maison natale"* (*Cinq Grandes Odes,* p. 96; tour impersonnel, au lieu de: deux vieillards t'attendent .....)

R. Ducharme se donne des **licences* poétiques.**

Ex.: *Une avalanche les avale*
Sur le chemin de le cheval (Le Nez qui voque, p. 70.)
L'article a été dé-contracté, pour que le vers* ait huit syllabes. (Observer aussi l'écho* sonore entre les deux hémistiches). Pour Ducharme, d'ailleurs, il s'agit moins de licence que de fantaisie d'écriture.

Vous voulez des **s** *au pluriel? Qu'à cela ne tienne: Je ne suis pas avare de mes* **s.** *Uns. Deuxs. Trois. Quatres. Cinqs. Sixs. Septs. (ib.,* p. 103).
Emporté par son élan, il est allé cette fois jusqu'au barbarisme*.

Rem. 2 Il y a des **demi-solécismes. Ex.:** *"ma mère me proposa de me faire prendre ...... un peu de thé". Me proposa de prendre* ou *de me faire servir:* ce n'est pas le jeune homme qui *"se fait prendre son thé".* Peu d'auteurs échappent à ce genre d'inadvertances, que l'on voit souvent dans la langue familière. *"J'aurais le ménage à m'occuper, je me porterais mieux"* (AUDIBERTI, *Le mal court,* p. 142). Il y a aussi le solécisme intentionnel (V. à *énonciation,* rem. 2).

SONNET C'est la principale forme fixe de poème* en français, du XVIe au XIXe siècle. Il fut aussi très répandu dans les autres littératures européennes. En général, il comporte deux quatrains à rimes* embrassées puis deux tercets dont les six vers* présentent d'abord deux rimes suivies, puis quatre rimes embrassées (abba, abba, ccd, eed).

Le **sonnet français** a les quatre dernières rimes croisées (abba, abba, ccd, ede). Il présente ainsi toutes les variétés de place des couples de rimes*[1] .

Rem. 1 V. à *chute; imitation,* rem. 3; *pointe.*

SOPHISME Raisonnement* faux* (malgré une apparence de vérité). ROBERT.

Ex.: *MARGUERITE, au roi. — Tu as fait massacrer mes parents, tes frères rivaux, mes cousins et arrières-petits-cousins, leur famille, leurs amis, leur bétail.*
LE MÉDECIN. — Sa Majesté disait que de toute façon ils

---

1 On peut en dire autant du dizain de Malherbe, qui fut imité jusqu'au XIXe siècle. Les variétés de place s'y présentent en ordre inverse (ababccdeed).

allaient mourir un jour.
IONESCO, *Le roi se meurt*, p. 95.

Grâce à Pasteur, il y a plus de petits vieux malheureux et de petites vieilles malheureuses sur la terre qu'il n'y en aurait.
R. DUCHARME, *le Nez qui voque*, p. 99.

Même déf. Du Marsais, Le Clerc (p. 141), Littré, Quillet.

Analogues Paralogisme*; adj.: spécieux (argument* —), captieux (raisonnement* —).

Rem. 1 Le sophisme est un paralogisme* de mauvaise foi, où l'on a l'intention de tromper. Le sens péjoratif du terme, qui en grec vient de *sophia*, la sagesse, est dû à Socrate, dénonciateur de l'hypocrisie des sages (ou sophistes), logiciens mercenaires, ou prétentieux. Le vrai sage sait que la sagesse, comme la vérité, est un idéal qu'il faut chercher sans cesse, il est donc ami de la sagesse (philo-sophe).

Rem. 2 Les formes du sophisme sont les mêmes que celles du *paralogisme* (V. ce mot, rem. 2). Il peut aller jusqu'à l'antilogie*.

Rem. 3 Montrer le sophisme de l'*argumentation* adverse constitue une excellente réfutation*. Son efficacité est si grande que même une conclusion valable n'y résiste pas.

Ex.: (Les naturistes) *ont un désir irrépressible de manger ce que les autres jettent. Puisque les gens meurent d'habitude avant cent ans, il faut qu'il y ait dans ce qu'ils jettent le petit quelque chose qui fait les centenaires. Cela semble irréfutable.*
CL. MARTIN, *Dans un gant de fer*, p. 39.
Les naturistes se contenteraient sans doute de soutenir que c'est dans la pelure et dans le coeur que se trouvent les meilleurs éléments de la pomme.

Rem. 4 Dénudé, le sophisme tourne au mot d'esprit*.

SOUHAIT Attitude d'auteur ou de personnage, où s'exprime un ardent désir que qqn bénéficie de qqch.

Ex.: *Beauté, ma toute droite, par des routes si ladres .....*
Que je me glace et que tu sois ma femme de décembre.
R. CHAR, *la Double Tresse* dans *Poèmes des deux années.*

Analogues Optation (Fontanier, p. 438). Littré, Quillet et Robert précisent qu'elle doit avoir la forme exclamative. En rhétorique traditionnelle, l'optation figure parmi les arguments* propres à se concilier la faveur du jury; on terminait le plaidoyer en souhaitant une issue heureuse.
Voeux (V. à *lettre*).

Rem. 1 La forme du souhait est le subjonctif (subordination implicite à un verbe de sentiment) ou l'adjectif *bon*, dans une phrase nominale: bon voyage, bonne année, bon appétit, bonnes vacances, etc. Le point d'exclamation* éventuel dépend de l'intensité du sentiment. Le souhait a son intonation*.

Mr. MARTIN (au pompier qui s'en va). — Bonne chance, et bon feu!

IONESCO, *la Cantatrice chauve,* p. 59.

Rem. 2 Les anciennes formules, *"plaise au ciel que", "à dieu ne plaise que",* tenaient compte du peu de puissance de l'homme sur son destin. Quand le souhait s'adresse directement à celui dont on peut penser que sa réalisation dépend, on a la demande (V. à *supplication*), la prière*, l'exhortation*. Mais les formules figées favorisent une certaine hypocrisie. **Ex.:** l'abréviation* R.I.P., qu'on lit sur les épitaphes, "qu'il (ou elle) repose en paix". C'était une formule de pardon réciproque (lui souhaiter l'absence de ces remords ou ressentiments qui auraient fait de lui un **revenant** possible). V. à *notation,* rem. 1.

Ex.: *"Le mari était servi. — Merci pour ta cuisine, qu'Allah t'en soit reconnaissant"* (A. KOUROUMA, *les Soleils des indépendances,* p. 49). Ces souhaits sont présentés comme des clichés*, le héros se faisant servir sans arrière-pensée grâce à ces réponses toutes prêtes.

Rem. 3 La supplication*, quand elle ne s'adresse pas à quelqu'un, n'est qu'une forme de souhait.

Ex.: *"— Ah! que vienne enfin, suppliais-je, la crise aiguë, la maladie, la douleur vive! Et mon cerveau se comparait aux ciels d'orage"*(A. GIDE, *Romans,* p. 159).

En revanche, un souhait extrêmement ardent tourne à la supplication*.

Ex.: "Pourvu qu'elle ait réussi. Oh! pourvu qu'elle ait réussi."

C'était une espèce de prière.

SARTRE, *l'Âge de raison,* p. 253.

Rem. 4 Le mauvais souhait est la **malédiction.**

Ex.: *Je te souhaite que ta loi* (il s'adresse à un certain Moutonnier, auteur de la législation de 1916 sur les stupéfiants) *retombe sur ton père, ta mère, ta femme, tes enfants et toute ta postérité. Et maintenant avale ta loi.*

ARTAUD, *l'Ombilic des limbes.* p. 72.

La formulation rappelle les antiques **imprécations**, variété religieuse de la malédiction, où l'on s'adresse au Puissant pour obtenir le malheur d'autrui. (Cf. Fontanier, p. 435). Un poème de Michaux, *Je rame,* décrit sur un mode incantatoire les maléfices que veut opérer le locuteur:

L'air que tu respires te suffoque
Tu ne peux pas fuir

Ta bouche te mord
Tes ongles te griffent
Je rame contre ta vie (Face aux verrous, p. 25 à 29).
Il s'agit d'un charme au sens ancien du terme, chant magique.

SOULIGNEMENT On attire l'attention, par divers moyens, sur certaines parties du texte.

Ex.: *Ce mouvement* (de saisissement) *m'a toujours averti de la présence du* beau. *Et je puis bien dire qu'à cette place, le 29 mai 1934, cette femme était* scandaleusement *belle.*
BRETON, *l'Amour fou,* p. 50-1. Les mots soulignés le sont par l'auteur.

Syn. Mise en relief, mise en évidence.

Rem. 1 Formes du soulignement.

À une plus grande intensité (volume de la voix) correspond dans le texte la mise en caractères gras (dans un manuscrit on se contente de souligner, d'où le nom du procédé). Mais le gras est souvent remplacé par des italiques (V. à *assise*). Pour éviter toute confusion, on distinguera le soulignage d'un trait simple, marque d'un ton spécial, à imprimer en italiques; le soulignage d'un trait double pour les capitales; celui d'un trait ondé, marque d'intensité, pour le gras.

Dans sa thèse: *la Mise en relief d'une idée en français moderne,* M.-L. Mueller-Hauser observe divers autres modes de soulignement.

— La *séparation syllabique* ou syllabation*.
— La pause* phonétique. **Ex.:** *Un coup // épouvantable.* La transcription normale est le tiret (V. à *assise*).
— La répétition*. **Ex.:** Il ne dit rien. *Rien.* (V. à *réduplication*). Le mot repris ici constitue à lui seul une assertion*, d'où sa force. Son isolement ne l'empêche pas d'être clair, à cause de la phrase qui précède. On répète seulement le segment qui contient le posé.
— La répétition* renforcée. **Ex.:** *"J'avais le désir de lui affirmer que j'étais comme tout le monde, absolument comme tout le monde"* (CAMUS, *l'Étranger,* p. 95). *"Faites-moi du punch, Grignolles. Oui, du punch!"* (BERNANOS, *Romans,* p. 832).
— La répétition* en forme de dialogue* **Ex.:** *Hier justement? — Justement hier soir.*
— L'ordre anormal des mots, c'est-à-dire la mise en évidence au début du segment essentiel, par dislocation*. **Ex.:** *Vingt minutes, on est resté.*
— Les *incises* qui soulignent. **Ex.:** *Toutefois — et cela est grave —* (etc.) *Car, et ceci est le prodige, le type vit* (Hugo).

— La segmentation de la phrase (hyperparataxe). **Ex.:** *La politique, moi, tu sais...*
— L'emploi de *c'est... qui...* (tour présentatif ou **emphasis**).
— L'ellipse* (V. à *réticence*). **Ex.:** *Il a un charme...*

On peut ajouter: — l'**explétion** (Fontanier, p. 303), emploi apparemment inutile de mots explétifs. **Ex.:** Saisissez-**moi** ce petit vaurien. Je **vous** le traiterai de la belle manière. Les méridionaux raffolent de ce tour: Ils *se* mangent une bonne ratatouille. **Analogue** Datif éthique.
— Certains graphismes* (V. aussi à *gémination*).
— Des accents*.
— L'amplification*. **Ex.:** *"La plus riche parure de Gertie était sans contredit le trésor de son incomparable chevelure"* (JOYCE, *Ulysse,* p. 336).
— L'abstraction*. Comp.: *Tout ce que son esprit bizarre avait conçu*
Tout ce que la bizarrerie de son esprit avait conçu.

— La conjonction qui annonce une conclusion (*donc*) est affaiblie en soulignement. **Ex.:** *Arrête donc!*

Rem. 2 Le rôle de la majuscule n'est pas de souligner.
En principe (la majuscule ou grande capitale) *ne s'applique qu'à des noms propres ..... à des débuts d'alinéa, de phrase, de vers. Les petites capitales* (servent à) *mettre en valeur certains mots ..... signature d'un article de journal, noms d'interlocuteurs dans une pièce de théâtre, ou suite d'une initiale très agrandie, parfois ornée, dite lettrine.*
P. LECERF, *Manuel pratique du typographe,* p. 119 et 126.

On trouve cependant les petites capitales dans le rôle des caractères gras. **Ex.:** *"chose déjà pleine et parfaitement accomplie — LA LUNE —douce, douce, douce"* (GIDE, *Romans,* p. 176). Et même la grande capitale:

"Dans le bureau d'Abakoumov, le Plus Brillant Stratège de Tous les Temps et de Tous les Peuples était représenté sur une toile haute de cinq mètres." (SOLJENITSYNE, *le Premier Cercle,* p. 78).

Rem. 3 Divers procédés peuvent avoir un effet de soulignement. V. à *cliché,* rem. 1; *comparaison figurative,* rem. 3; *contre-litote,* rem. 3; *diérèse,* rem. 2; *énigme,* 3; *énumération,* rem. 5; *épanadiplose,* rem. 1; *étirement,* rem. 2; *étymologie,* autre déf.; *euphémisme,* rem. 5; *généralisation,* rem. 2; *interjection,* rem. 5; *isolexisme,* rem. 3 & 4; *métanalyse,* rem. 1; *pléonasme,* rem. 1; *réécriture,* rem. 1; *truisme,* rem. 2, *litote,* rem. 3; *déception,* rem. 3; *exclamation*; *distanciation,* rem. 1; *hyperbate.* Pour le soulignage dans la *citation,* V. ce mot, rem. 7.

STROPHE Ensemble de vers*, limité par deux pauses* étendues (silence ou ligne de blanc).

Ex.: *Ce charme a pris âme et corps*
Et dispersé les efforts
Ô saisons, ô châteaux!
RIMBAUD, *Une saison en enfer.*

On a des strophes de trois à douze *vers*. Elles ont reçu les noms que voici: tercet, quatrain, quintil (ou cinquain), sizain (ou sixain), septain, huitain, neuvain, dizain, onzain, douzain. Cependant, il ne faut pas exclure le distique.

Ex.: *Pourquoi suis-je si belle?*
Parce que mon maître me lave.
ÉLUARD, *les Petits justes.*

Le monostique n'est pas ignoré non plus. V. un ex. à *symbole*, 1.

Analogue Couplet (d'une chanson). V. à *paragraphe*, rem. 1 et à *période*, rem. 4.

Syn. vieilli Stance[1] (Bénac, Robert). Un ensemble de quatre *vers* liés par rime* et rythme* a été appelé **quartier** (Cf. Morier).

Rem. 1 On distingue des formes actuelles de la strophe, la *strophe classique*, que Morier définit: *Ensemble constitué par un nombre de vers limité, avec une disposition fixe des rimes et des mètres, et qui peut se reproduire indéfiniment.*
De plus, dans la strophe classique, il y a alternance des rimes* masculines et féminines, les unes prenant la place des autres dans la strophe postérieure.

Rem. 2 La *laisse* groupe des *vers* assonancés, en nombre quelconque. C'est la strophe des chansons de geste.

Rem. 3 Morier caractérise divers types de strophes d'après la figure géométrique de leur transcription graphique. Strophes carrées: six *vers* de six syllabes, dix décasyllabes, etc. Strophes horizontales: quatre alexandrins; verticales: dix *vers* de trois syllabes; sans compter divers types de strophes hétérométriques, en forme de cône renversé, d'enclume, etc.
Quand les vers écourtés riment ensemble, on a la strophe *couée*. Morier propose l'adj. **homorime** pour qualifier les strophes qui ont les mêmes *rimes* (souvent en ordre inversé). V. à *poèmes (forme des —)*.

Rem. 4 La **césure strophique** est la principale articulation du sens entre deux vers*. Morier montre qu'elle peut se placer au centre, vers le début ou vers la fin de la strophe (césure *médiane, avancée*, ou *différée*).

Ex. de césure différée:

---

1 Au XVIIIe siècle, ***stance*** devient synonyme d'***ode*** (Le Hir).

Le loup criait sous les feuilles
En crachant les belles plumes
De son repas de volailles;
= = = = = =
Comme lui je me consume
RIMBAUD, *Une saison en enfer.*

Ex. de césure avancée:

Je ne partirai pas, je ne penserai rien:
= = = = = =
Mais l'amour infini me montera dans l'âme,
Et j'irai loin, bien loin, comme un bohémien,
Par la Nature, — heureux comme avec une femme.
RIMBAUD, *Sensation.*

Rem. 5 La structure de la strophe actuelle, comme celle du vers* libre et celle du poème* à forme propre, reste à déterminer. Elle paraît parfois très régulière, comme chez Prévert, qui aligne volontiers au centre.

Ex.: *Immense et rouge*
Au-dessus du Grand Palais
Le soleil d'hiver apparaît
Et disparaît

Cf. *Paroles,* p. 176, 139, 146, 153, 160, etc.
Elle paraît très irrégulière (mais motivée) chez Reverdy.

Rem 6 V. aussi à *acrostiche; antépiphore; ballade; célébration; coupe rythmique; épiphrase,* rem. 3; *ode; refrain; inclusion,* rem. 1.

SUBSTITUTION Dans une formule attendue, cliché*, syntagme* figé, proverbe*, citation*, idée "reçue", on remplace certains lexèmes par d'autres, inverses, ou étonnants.

Ex.: *Mes efforts ont déjà porté des légumes. Sans coeur et sans reproche. Tout ce qui brille n'est pas ordure. Pour qui sont ces serpents qui sifflent à mes pieds. Pasteur, le malfaiteur de l'humanité.*
R. DUCHARME, *l'Océantume,* p. 38, 131, 136, 83 et *le Nez qui voque.*

Dès ma naissance, j'ai eu le front couronné de poux.
M.-Cl. BLAIS, *Une saison dans la vie d'Emmanuel,* p. 49. On attendrait *"de lauriers"* car c'est l'autobiographie naïve d'un poète. M.-Cl. Blais mêle au drame un humour ironique.

Analogue Paraplasme.

Rem. 1 La substitution de lexème, incontrôlée, relève de la pathologie du langage (paraphasie), le lexème substitué étant parfois un mot* forgé. Dans ce cas, la substitution a pour effet d'effacer le sens*. V. à *verbigération*, rem. 2.

Les substitutions en littérature, quand elles ne sont pas de simples *jeux de mots**, poursuivent au contraire des buts déterminés. Simon fait frémir avec son *"image à faire-part"* (*Histoire*, p. 383). Tardieu, en écrivant *Un mot pour un autre*, a voulu montrer que le lexème n'avait pas la primauté dans la communication. *"Quoi, vous ici, cher comte? Quelle bonne* **tulipe!** *Vous venez* **renflouer** *votre chère* **pitance?** *... Mais comment donc êtes-vous* **bardé?"** La place et la sonorité de *tulipe* éveillent plus ou moins consciemment un autre mot, *surprise; bardé* pourrait rappeler *entré*. V. à *faute*, rem. 2; *humour*, rem. 1.

La poésie de Gauvreau, plus proche de la paraphasie, magnifique jusque dans le mot* forgé, est, suivant son auteur, pleine de sens* nouveau. **Ex.:** *"Tollicudins donss drassic dassigric gassic gossulupe bassig / Ofneuf nif narip niplok de pojik ofton de brak azik sigur" (Étal mixte*, p. 50). V. aussi à *glossolalie*, rem. 1.
Ces substitutions ne semblent pas aussi systématiques que celles du groupe surréaliste, pour qui ce fut un procédé de recréation, voire de récréation. **Ex.:** *"Quand la raison n'est pas là, les souris dansent"* (*152 proverbes mis au goût du jour*, dans ÉLUARD, *O.*, t. 1, p. 153 et sv.) V. à *anaphore*, rem. 1; à *faux*, rem. 4; à *reprise*, rem. 3.

Rem. 2 La substitution arbitraire étonne, mais il y a une autre substitution très courante, qui se contente de rajeunir les clichés* et d'adapter les citations* à de nouveaux contextes. On la rencontre dans les textes les plus sérieux. **Ex.:** *"La poésie française sera métrique ou ne sera pas"* (Souriau adaptant Breton, *"La beauté sera convulsive ou ne sera pas"*). Valéry étudie le procédé (*l'Idée fixe*, dans *O.*, t. 2, p. 237 à 240) et lui trouve un nom cocasse, celui de **perroquet**. "Descendre un perroquet", c'est reprendre une phrase ou une expression célèbre en la pliant à un sens nouveau. *"Oui, je distingue... C'est le propre de moi!"* (issu de: rire est le propre de l'homme). Voici un perroquet plumé (V. à *dénudation*):

"Pascal a dit un mot bien juste: **"l'éloquence continue ennuie"**. *Je serais tenté de le modifier en disant: la musique continue ennuie... La poésie continue ennuie."* (CLAUDEL, *O. en prose*, p. 152).

La force de la substitution naturelle vient de la présence, dans l'inconscient collectif de l'auditeur, d'une séquence signifiante quasi identique, en sorte qu'on lui donne à la fois du connu et de l'inconnu, avec la connivence d'une astuce à découvrir. Un très bel exemple littéraire en est le titre de Desnos: *Deuil pour deuil*

(issu de: Oeil pour oeil et dent pour dent).
Outrée, la substitution devient **altération**. **Ex.:** *"J'aime mieux pondre un oeuf que voler un boeuf"* (IONESCO, *la Cantatrice chauve*, p. 54). Dans cet exemple, il y a plus qu'un simple perroquet: le proverbe *Qui vole aujourd'hui un oeuf, demain volera un boeuf* est rappelé mais dans un contexte tout différent, celui des préférences personnelles, et sur un mode absurde (pondre). Cette altération va jusqu'à la **subversion**.

La *réminiscence* est un **demi-perroquet**. **Ex.:** *"Rompez, vagues, rompez d'eau réjouie..."* (VALÉRY, *Cimetière marin*) qui pourrait lui être venu de son cher Racine: *"Rompez, rompez tout pacte avec l'impiété"* (*Athalie*, I, 1).

Certains perroquets font un clin d'oeil au lecteur: *"Mon sang, dans lequel les globules rouges sont juxtaposés par leurs* **faces** *en* **piles** *plus ou moins longues"* (BUTOR, *Intervalle*, p. 112).

Rem. 3 Pour la substitution graphique, V. à *paragramme*. Pour la substitution sonore, V. à *faute*, rem. 1 et 2. Pour celle des noms propres, V. à *anachronisme*, rem. 1. Il y a une substitution de construction; V. à *faute*, rem. 2.

Rem. 4 Valéry a pratiqué la substitution d'idées, ce sont ses **rhumbs**, pensées présentant des *"écarts définis par contraste avec je ne sais quelle constance dans l'intention profonde et essentielle de l'esprit"*.

Rem. 5 La substitution de personnages est une des ficelles du drame classique, le **quiproquo**. **Ex.:** Frombellbed, dans *l'Effet Glapion* d'Audiberti, se faisant passer pour une bonne femme, un bandit, Monique se faisant passer pour la princesse, cette dernière se faisant passer pour la bonne, etc.
Le quiproquo se dénoue par la **reconnaissance**, scène si habituelle au théâtre classique, à cause probablement de l'importance que lui avait accordée Aristote. Le quiproquo est un malentendu (organisé ou non) sur l'identité d'un personnage. Le **malentendu** proprement dit porte sur une situation. **Ex.** tiré d'*Occupe-toi d'Amélie*, de Feydeau, acte 3:
Le parrain croit assister à un vrai mariage, les autres, sauf Étienne et le maire, s'imaginent qu'il s'agit d'un pseudo-mariage et qu'ils participent à une comédie. Étienne et le maire savent qu'en fait, le mariage est réel.
Y.-A. FAVRE, *le Comique de Feydeau*, dans la *Revue des sciences humaines*, nº 150, p. 241. Cf. aussi les malentendus dans *le Malentendu* de Camus.

Rem. 6 Il y a une substitution d'action dans le roman, qu'on peut appeler *"relai narratif"*. Ainsi Maupassant, laissant au pied d'un arbre Henri et Henriette à leur oaristys, décrit le chant d'un pinson, d'abord langoureux, puis ardent, puis rauque, enfin apaisé.

Rem. 7 Une façon moderne d'opérer des substitutions surréelles serait de faire passer le texte par un programme de traduction automatique par ordinateur, mais dans les deux sens, aller puis retour. Un aphorisme comme *l'esprit est prompt mais la chair est faible* ayant transité vers le russe serait revenu ainsi: *le spiritueux est rapide, mais la viande est ramollie...* (*C'est-à-dire*, Bulletin du Comité de linguistique de Radio-Canada, 6, 3, p. 13).

SUPPLICATION Requête insistante et humble.

Ex.: *Thalie, par pitié une feuille de ton lierre*
BECKETT, *Comment c'est*, p. 46 .

Analogue Déprécation (terme de rhétorique judiciaire; on implorait l'indulgence du juge; cf. Verest, § 454; puis dans un sens plus large, *"figure de passion"*; cf. Girard, Fontanier, p. 440; Littré, Lausberg, Morier, Robert).

Rem. 1 L'**épiclèse** est une prière **impétratoire**, c'est-à-dire qu'on fait en vue d'obtenir qqch. dont on sent le besoin individuellement ou collectivement. **Ex.:** les dizaines de chapelet récitées au chevet d'un malade. L'**imploration** consiste à demander avec des larmes. Le **mémento** est une demande très générale faite pour autrui. La Puissance est requise de *"se souvenir"* d'un mort ou d'un vivant.

L'**obsécration** est une demande d'assistance (Littré, Quillet, Lausberg) par laquelle on se revêt de l'autorité de la puissance invoquée ou de sa force. **Ex.:** *"Domine ad adjuvandum me festina"*, leitmotiv liturgique.

L'**imprécation** est une malédiction (V. à *souhait*, rem. 4) qui a pris la forme d'une supplication. **Ex.:** *"Et toi, Élohim, tu les feras descendre dans le puits de la fosse, ces hommes de sang et de fraude: ils n'atteindront pas la moitié de leurs jours!"* (*Psaumes*, 55, 24). On n'est pas loin de la prophétie*.

Rem. 2 Il suffit d'une apostrophe* pour que le souhait* prenne la forme d'une supplication. **Ex.:** *"Si sous mes lois, Amour, tu pouvais l'engager"* (RACINE, *Andromaque*, 2, 1). V. aussi à *blasphème*, rem. 1; *célébration*, rem. 4; *exclamation*, rem. 1; *exhortation*, rem. 1; *intonation; injonction*, rem. 2.

SUPPOSITION Modalité de l'assertion*. Elle consiste à poser qqch. comme possible, idée qu'on envisage en vue de la vérifier plus tard, pure éventualité où l'imagination s'avance.

Ex.: *La pensée agit sur le corps d'une manière inexplicable; l'homme est peut-être la pensée du grand corps de l'univers.*
CHATEAUBRIAND, *Génie du christianisme*, p. 530.

Autres ex.: *Un temps. Si tous nous devenions subitement d'autres*
JOYCE, *Ulysse*, p. 105.

Quand vous serez bien vieille, au soir, à la chandelle (etc.) avec la conclusion: *"N'attendez à demain"* (Ronsard).

Syn. Hypothèse.

Rem. 1 Même imaginaire, la supposition porte sur qqch de réel; mais il y a une supposition gratuite, purement expressive, **pseudo-supposition.** **Ex.:** *"Si la mer prononçait des noms dans ses marées / Ô vieillard, ce serait des noms comme le tien"* (HUGO, *la Légende des siècles*, p. 354-5).

Le raisonnement* *"par familiarisation"* (Angenot), qui invite l'auditoire à se mettre à la place d'autrui pour mieux comprendre, est à mi-chemin de la pseudo-supposition. **Ex.:** Que dirions-nous si c'était nous qui...

Bien différent est le raisonnement* **ab absurdo** ou **apagogique** (Lalande), car, par le même chemin, il aboutit en fait à une réfutation* de l'hypothèse. L'ayant acceptée par feinte, on en tire par déduction logique des conséquences aussi ridicules que possible. **Ex. litt.:** *"Si elle n'a pas demandé quarante-deux fois* **je ne suis pas trop pokée?**, *je ne sais pas comment je m'appelle"* (R. DUCHARME, *l'Hiver de force*, p. 251). L'évidente fausseté de la principale est là pour souligner vigoureusement celle de la conditionnelle. L'indignation de Job dans le malheur s'exprime de façon analogue. Ayant supposé la possibilité de certaines fautes de sa part, il profère pour lui-même des malédictions qui, en réalité, prouvent son innocence. *Si mon coeur a été séduit par une femme / et qu'à la porte de mon prochain j'ai fait le guet, / que pour un autre ma femme tourne la meule / et que sur elle d'autres se couchent! (Le Livre de Job,* 31, 12).

Rem. 2 Le raisonnement* hypothético-déductif, assez largement utilisé en sciences, consiste à développer les conséquences d'une hypothèse en vue de mieux la vérifier expérimentalement. **Ex.:** *"Tout se passe comme si..."* (et l'on fait ses déductions).

Ex.: *"Pour te plaire, il faudrait jouer un rôle n'est-ce pas? et celui d'un homme triste! et qu'est-ce que la société me donnera en échange de mon ennui? et cette contrariété serait de tous les instants."* (STENDHAL, *Lucien Leuwen*, p. 13).

Rem. 3 En littérature, la supposition est la porte ouverte aux transports de l'imagination, ce qu'Audiberti dénommait *"l'effet Glapion"*. Blaise explique à Monique de quoi il s'agit:
BLAISE. — Vous-même... On sonne.
MONIQUE. — On a sonné? Moi qui d'habitude entends tout...

BLAISE. — Restez donc tranquille. On sonne, je suppose. Vous ouvrez. Vous vous trouvez devant une personne qui vous frappe par je ne sais quoi d'inattendu, de curieux. À partir de cette apparence vous devinez tout un roman, énorme, instantané, délirant. Effet Glapion!
AUDIBERTI, *l'Effet Glapion*, p. 141.

Les hypothèses peuvent porter sur n'importe quelle question, s'accumuler, être rejetées, entrer dans une antithèse*.

Ex.: *Leur amour seul m'importe; et il ne m'intéresse point parce qu'il m'attendrit ou parce qu'il m'étonne, ou parce qu'il m'émeut ou parce qu'il me fait songer, mais parce qu'il me rappelle un souvenir de ma jeunesse*
MAUPASSANT, *Amour*, début.

Rien de plus hypothétique que les intentions d'autrui. N. Sarraute en tire longuement parti.
(Le père prend une attitude plus conventionnelle encore.) *Il est difficile de savoir exactement si c'est malgré lui, sans qu'il sache pourquoi, qu'il durcit ainsi de plus en plus, ou bien si c'est délibérément qu'il force ainsi sa ligne pour punir celui qui se livre devant lui à ces pitreries dégradantes, lui rendre plus cuisante sa turpitude; ou encore si c'est pour décourager l'adversaire, pour se défendre, en faisant le mort ..... ou si c'est au contraire dans l'obscur espoir d'exacerber ces efforts, de corser le jeu...*
N. SARRAUTE, *Portrait d'un inconnu*, p. 63-4.

Rem. 4 Elle peut prendre la forme d'une question (V. ce mot, rem. 3). Pour l'argument* par supposition niée, V. à *paralogisme*, rem. 2.

Rem. 5 L'hypothèse, par la suite, sera infirmée (rejetée), ou confirmée, à moins qu'on ne dispose pas d'indices; elle demeure alors à l'état de **conjecture.**

SURENCHÈRE On qualifie un objet, une idée, un argument*, un être de plus fort, plus extraordinaire que les autres, ou on le présente comme tel.

Ex.: *Inaccessible! Mais il y a encore quelque chose de plus inaccessible que l'avenir, c'est le passé.*
CLAUDEL, *O. en prose*, p. 271.

Autre ex.: *Là, non seulement le naturel et l'artificiel ont réussi à s'équilibrer d'une manière parfaite mais encore sont réunies électivement toutes les conditions de libre extension et de tolérance mutuelle qui permettent le rassemblement harmonieux des individus de tout un règne.*
BRETON, *l'Amour fou*, p. 84.

Même déf. Curtius, p. 200.

Syn. Renchérissement.

Rem. 1 Souvent le point de comparaison* de la surenchère est déjà ce qu'il peut y avoir de mieux, et l'on peut parler de **paroxysme. Ex.:** *"ALVARO. — Je ne tolère que la perfection"* (MONTHERLANT, *le Maître de Santiago*). *"À la moindre rature, le principe d'inspiration totale est ruiné"* (ÉLUARD, *O. c.*, t. 1, p. 478).

Le genre littéraire médiéval du panégyrique a fait de la surenchère paroxystique son premier *"lieu"*, comme le montre Curtius:

Dire de la personne dont on fait l'éloge qu'elle surpasse les Dieux est une flatterie très en vogue......Walahfrid Strabon chante les mérites d'un certain Probus, qui compose mieux que Virgile, Horace, Ovide... (La Littérature européenne et le moyen âge Latin, p. 200).

Rem. 2 Ce qui distingue de la simple comparaison* la surenchère, c'est qu'elle semble toujours impliquer qu'en allant *"plus loin"*, le locuteur l'emporte sur un interlocuteur réel ou possible (d'où le paroxysme, forme irréfutable du procédé).

Rem. 3 Les marques de la surenchère sont principalement les comparatifs, les adv. de liaison *non seulement...mais encore,* des locutions comme *disons mieux, je dirais même,* et un dicton: *À malin, malin et demi.* V. à *miroir,* rem. 1. Elle peut s'étoffer davantage: *"Las, un beau jour, des japons nacrés et dorés, des blancs wathmans, des hollandes bis ..... il avait commandé des vergés à la forme"* (HUYSMANS, *À rebours,* p. 181).

On peut considérer l'ensemble du mouvement précieux du XVIIe siècle, lui-même héritier du maniérisme, du néo-platonisme et du platonisme, comme une surenchère généralisée, dans le fond et dans la forme, par un groupe aristocratique. Les classiques, en revanche, considèrent le soin excessif, l'affectation (V. à *baroquisme*) comme un manque de naturel (cf. Lausberg, p. 523).

Rem. 4 À l'instar de la gradation*, qui est ascendante ou descendante, la surenchère peut se faire dans le sens d'une diminution. **Ex.:** *"Il n'avait été qu'en Prusse, et encore seulement sur le front"* (SOLJENITSYNE, *le Premier Cercle,* p. 15).

Une autre variété de la surenchère est l'**hypercorrection**, où, à force de vouloir parler mieux que les autres, on tombe dans des incorrections.

Ex.: *Eh, mon cher vicomte, intervint Anna Pavlovna, l'Urope (elle prononçait on ne sait pourquoi l'Urope, comme s'il s'agissait d'une fine nuance de la langue française, qu'elle pouvait se permettre en s'entretenant avec un Français), l'Urope ne sera*

jamais notre alliée sincère.
TOLSTOÏ, *Guerre et Paix*, p. 475.
La surenchère peut aussi prendre la forme d'une correction (V. à *autocorrection*, rem 1).

Finissant en tautologie*, la surenchère sera déceptive. **Ex.:** les deux Dupondt: *"— Bizarre affaire... — Je dirais même plus: c'est une affaire... heuh... bizarre."*

On peut aussi présenter comme plus fort un terme moins fort, ce qui donne lieu à des implications* ironiques. **Ex.:** *"Cette politique est inhumaine, mais surtout elle est maladroite"* (J. FOURNIER, *Mon encrier*, p. 61).

SUSPENSE Attente anxieuse d'une issue dramatique, plus près de l'angoisse (*thriller*) que de la sustentation (V. à *suspension*, rem. 2). Mot anglais (cinéma).

Ex.: Dans *Prochain Épisode* d'H. Aquin, on s'attend à voir le héros rattrapé par ses poursuivants.

Rem. 1 Le suspense a son intonation* prometteuse. Il constitue un moyen facile d'accrocher le lecteur ou le spectateur des histoires policières et films d'aventures. V. aussi à *déchronologie*, rem. 1.

SUSPENSION Faire attendre jusqu'à la fin d'une phrase ou d'une période, au lieu de le présenter tout de suite, un trait par lequel on veut produire une grande surprise ou une forte impression FONTANIER, p. 364.

Ex.: *Un mal qui répand la terreur, / Mal que le ciel en sa fureur / Inventa pour punir les crimes de la terre, / La peste, puisqu'il faut l'appeler par son nom .....*
LA FONTAINE, *les Animaux malades de la peste, cité par* FONTANIER.

Ex. cont.: *La pipe, dit-elle en éclatant d'un rire forcé qu'elle prolongea bien au-delà du temps nécessaire, je veux fumer la pipe du mort!*
BERNANOS, *Romans*, p. 730.

Même déf. Du Marsais (t. 5, p. 286), Littré, Quillet, Willem (p. 36), Lausberg, Morier, Robert.

Autre sens Interruption (V. ce mot, rem. 5). V. aussi l'expression *points de suspension*.

Rem. 1 Morier étudie diverses formes de suspension: insertion d'une subordonnée (voire d'une seconde subordonnée dans la première); réticence, après laquelle on s'adresse au lecteur et *"on le taquine sur son attente"*; mots couverts destinés à provoquer les questions de l'interlocuteur; développement d'une indépendante à valeur annonciatrice du drame. Ajoutons la digression (V. ce mot, rem. 2); l'accumulation* et le rejet (V. ce mot, rem. 1).

Ex.: *"Comme il est attentif auprès d'elle... Voilà qu'il déplace, pour qu'on ne le piétine pas — comme il doit savourer cela, ces précautions, ce respect — le baluchon..."* (N. SARRAUTE, *Portrait d'un Inconnu*, p. 105).

Rem. 2 Fontanier (p. 364) distingue la suspension, figure de style, et la **sustentation** (p. 417), figure de pensée, qui *"consiste à tenir longtemps le lecteur ou l'auditeur en suspens et à le surprendre ensuite"* . On remarquera que les trois dernières formes de suspension examinées par Morier sont, pour Fontanier, des sustentations.

Rem. 3 La suspension peut provoquer un louchement (V. ce mot, rem. 2).

SYLLEPSE DE SENS Figure par laquelle un mot est employé à la fois au propre et au figuré. LITTRÉ.

Ex.: *BLAISE. — ..... Le capitaine de gendarmerie tenait qu'on s'embarque tous les quatre, plus les toutous, dans la **"quatre cent trois"** qu'il vient de se payer. Une voiture nouvelle, ça vous transporte, les premiers jours!*
AUDIBERTI, *l'Effet Glapion*, p. 232.

Même déf. Du Marsais (II, 11), Fontanier (p. 105), Lausberg, Preminger.

Syn. Syllepse oratoire.

Rem. 1 La syllèpse* grammaticale n'est pas une figure.

Rem. 2 La syllepse est une des formes du jeu* de mots.

Ex.: (Sur le menu d'un restaurant) *"Nos petites cuillères n'ayant rien à voir avec des médicaments, nous prions notre aimable clientèle de ne pas les prendre après les repas."* (JEAN-CHARLES, *les Perles du facteur*, p. 71).
Bien des devinettes (V. à *énigme*), y compris certaines définitions de mots croisés ardus, se fondent sur le passage du figuré au propre ou l'inverse. **Ex.:** *— Quel est le comble de l'habileté pour un plongeur, sur un paquebot? — Essuyer une tempête.*
On l'utilise même en vue de donner du farfelu à un récit*..

Ex.: *Dupont ..... préparait dans sa cuisine une autre boîte de conserve pour le repas du soir. Il lui fallait, tout d'abord, faire cuire avec l'assaisonnement ..... puis distiller la soudure, remplir de méture la boîte de tôle étamée avec la nourriture cuite à grande eau ..... et puis souder le couvercle .... et ça faisait une boîte de conserve pour le repas du soir.*
B. VIAN, *l'Automne à Pékin*, p. 69.

Rem. 3 Fontanier (p. 105 à 108) distingue une *syllepse métonymique* (**Ex.** de Vian, ci-dessus, où c'est le contenant qui est donné pour le contenu), une *syllepse synecdochique* (Plus Néron que Néron lui-même) et une *syllepse métaphorique.*

Ex.: *PYRRHUS. — Je souffre tous les maux que j'ai faits devant Troie*
Vaincu, chargé de fers, de regrets consumé
Brûlé de plus de feux que je n'en allumai.
RACINE, *Andromaque.* Spitzer (*Études de style,* p. 266) relève chez Racine de très nombreux exemples de ce type, où il voit une forme caractéristique du maniérisme (V. à *baroquisme*).

Rem. 4 Il suffit parfois de modifier le contexte pour créer une syllepse. **Ex.:** *"Glissez, mortels, n'appuyez pas",* légende placée par un hebdomadaire sous une photo de tueur au revolver, à l'époque des attentats contre De Gaulle. La phrase recevait un sens propre (N'appuyez pas... sur la gâchette) alors que le sens du proverbe était figuré (= N'insistez pas).

Rem. 5 Il y a des syllepses involontaires et ridicules. Ainsi cet extrait de lettre à une Cie (de machine à laver?):

"Votre agent a besoin d'un savon: dès qu'il a placé la machine, il s'en lave les mains." (JEAN-CHARLES, *les Perles du facteur,* p. 58).
On crée ainsi des incohérences*, le sens figuré, même endormi, étant parfois trop facilement réveillé. **Ex.:** *Il mourut décapité, mais la tête haute.*

SYLLEPSE GRAMMATICALE Rapprocher dans une même construction syntaxique des termes de forme grammaticale différente sans faire l'accord entre eux.

Ex. proposé par Marouzeau: *"étant donné son caractère et les circonstances".* **Ex. québécois:** *le Monde sont drôle,* titre d'un recueil de textes de Clémence Desrochers. (*Le monde:* **"les gens"**). De même, en fr. populaire: *Tout le monde sont là?*

Autre ex.: *"une chaise dorée dont les restes flott***ait** *sur un lac de sang"* (J. COCTEAU, *Opéra,* p. 88). Il ne s'agit peut-être pas d'un lapsus* calami (distraction d'écrivain), car *les restes* peut former un tout.

Autres noms Synthèse (Fontanier, p. 308), accord selon le sens.

Autre déf. La plupart des auteurs (Littré; Vannier, p. 127; Blinkenberg, 12 à 26; Morier, Preminger) définissent le phénomène en créant une opposition entre un accord grammatical et un *"accord selon le sens",* opposition qui nous paraît forcée, vu que l'accord grammatical n'est pas, de soi, contraire au sens. Il s'agit seulement d'une autre façon de conceptualiser. Parler d'absence d'accord entre deux termes est d'ailleurs plus conforme à l'étymologie grecque de *syllepse* (laisser ensemble).

Rem. 1 Si l'absence d'accord ne se justifie pas, soit par l'usage (comme c'est le cas pour *étant donné,* assimilé à une préposition), soit par l'évocation (comme pour *le monde* avec verbe au pluriel, qui est un régionalisme), soit par le sens* (comme dans le troisième exemple), on a un solécisme*.

Rem. 2 **L'attraction** (V. à *lapsus,* rem. 2) est l'inverse de la syllepse grammaticale.

Rem. 3 Il existe peut-être une syllepse syntaxique. Elle consiste à donner à un syntagme* simultanément deux fonctions distinctes par rapport au noeud verbal. **Ex.:** *À l'ombre de l'Orford (1929), le poète estrien entend pleurer en lui "les grands espaces blancs"* (L. MAILHOT, *la Littérature québécoise,* p. 62). Le titre du recueil d'Alfred Desrochers est complément de lieu, à la fois comme titre et dans la phrase.

SYMBOLE Le symbole peut se présenter sous trois formes:

1. Un texte, auquel son auteur attribue un sens* dans le cadre d'une isotopie* plus générale. Il s'établit alors deux niveaux d'isotopie*, l'un évident, l'autre symbolique (V. à *sens,* 6); l'un à la dimension du mot (ou de la phrase), l'autre à la dimension de la phrase (ou de l'oeuvre).

Ex.: *CHANTRE*
Et l'unique cordeau des trompettes marines
APOLLINAIRE, *Alcools.*

Le sens* littéral de ce poème, qui ne compte qu'un seul vers*, concerne un instrument de musique du XVIIe siècle, appelé *trompette marine* à cause de sa sonorité, et qui consiste en une guitare allongée, à une corde, employée sur les vaisseaux du roi pour annoncer les repas...

Un autre sens est probable vu qu'il s'agit ici d'un poème*. Le titre, *chantre,* peut désigner le poète ou tout ce qui, dans l'homme, chante. *Et* est une continuation* et relie ce chant à la vie, à tout ce qui précède le poème. *Unique* convient au monostique (V. à *strophe*). *Cordeau* est aussi la qualité de ce poème *"tiré au cordeau",* de dimension si étroite. *Trompettes,* proclamation (de la poésie). *Marines* parce que, comme la mer, la poésie est mouvante, profonde et universelle, mettant les êtres en communication.

Le sens symbolique importe plus ici que le sens littéral.

Rem. 1 On distingue *sens* ou *valeur symbolique* et *interprétation symbolique* (ou interprétation allégorique, anagogique, analogique, V. à *sens,* 4 et 7). L'interprétation des oeuvres littéraires s'effectue couramment par la recherche d'un ou de plusieurs sens symbolique(s). On peut donner à une oeuvre des valeurs de symbole très diverses, à l'aide de la psychanalyse, de la sociologie littéraire, de la symbolique des nombres, etc. Ces valeurs, même si l'auteur ne les a pas cherchées, ne sont peut-être pas moins réelles que celles qu'il avait dans l'esprit. Mais elles restent postérieures à la création, extérieures même à celle-ci peut-être. Une interprétation symbolique dépend entièrement de son auteur, qui est le lecteur, alors que le symbole comme procédé dépend de l'auteur du texte et demande à être perçu par le lecteur.

La présence d'un sens symbolique intentionnel se décèle notamment:

a Par l'insuffisance du sens littéral dans le contexte. **Ex.:** *"Le lion rugit dans la brousse"* (proverbe bantou, cité par M. MALOUX, *Dict. des proverbes, sentences et maximes,* p. 248). Le sens visé est immédiatement senti par l'autochtone, qui utilise ce proverbe* pour parler du courage: sur le champ de bataille se reconnaît le héros.

b Par le caractère hermétique, énigmatique ou absurde du sens* littéral. **Ex.:** *"Le sage trouve l'édredon dans la dalle"* (MICHAUX, *Tranches de savoir*). Qu'y aurait-il comme sagesse à utiliser des dalles en guise d'édredon? (V. à *sens*).

Rem. 2 Les tropes, par lesquels on remplace un signifiant par un autre (V. à *image,* 2), peuvent s'opérer notamment à la faveur d'une relation de type symbolique entre les signifiés correspondants (V. à *métonymie,* rem. 4).

Rem. 3 Pour le récit* symbolique, V. à *mythe* et à *apologue.* Dans le nouveau roman, spécialement chez Robbe-Grillet, le symbole reçoit un statut plus intériorisé. Il devient, selon le mot de Bruce-Morissette, le **corrélatif objectif**[1] de la subjectivité des héros, c'est-à-dire le support de sensations, de sentiments, de souvenirs sur lesquels l'individu projette ses obsessions, criminelles ou sexuelles, et qui devient ainsi un élément de l'action. **Ex.:** le mille-pattes, dans *la Jalousie;* les gommes, dans le roman du même nom. Le héros, qui va constamment s'acheter des gommes à effacer, en guise d'alibi, tente aussi d'effacer le temps, les 24 h qui séparent le meurtre manqué du meurtre effectué.

Rem. 4 On distingue le symbole de la correspondance*.

---

1 De l'anglais ***objective correlative***, utilisé dès 1850 par W. Allston.

2. Un geste ou un objet auxquels la tradition culturelle attribue un sens* particulier dans le cadre d'une isotopie* plus générale. **Ex.:** le salut militaire, l'échange des anneaux lors du mariage, le *"signe de la croix"*, le langage des fleurs, la symbolique des nombres, etc. Morier donne une liste d'objets à valeur symbolique (*Dict. de poétique et de rhétorique,* à *symbole*).

Dans ce type de symbole, le passage d'un terme à l'autre s'effectue non seulement par analogie, mais encore par métonymie (V. ce mot, rem. 5) ou synecdoque*, voire en vertu d'une pure convention. **Ex.:** la tourterelle, pour la fidélité en amour.

Si l'objet symbolique représente un ensemble de valeurs, on parle d'**emblème**; s'il indique l'appartenance à une institution, on parle d'**insigne**.

3. Un signe graphique, auquel les spécialistes attribuent un sens* dans l'isotopie* de leur science ou de leur technique particulière. **Ex.:** les signes du zodiaque, le code de la signalisation routière, les légendes de déchiffrement des cartes géographiques, ♂ ♀ pour masculin et pour féminin, etc.

Quand le signe graphique reproduit, de façon plus ou moins stylisée mais sans codification, la forme du signifié, on a un simple dessin et non un symbole; autrement dit, selon la terminologie de Peirce, une **icône**. Mais il suffit que l'icône entre dans un ensemble de signes analogues, ou qu'elle soit fréquemment utilisée, pour que le signe se simplifie et devienne un symbole iconique. **Ex.:** ⚔ pour bataille. Quand la forme du signifié n'est plus clairement perçue, on a un pur symbole graphique. **Ex.:** ☮, ou les vignettes des marques de fabrique, des enseignes.

Tous les symboles ne sont pas d'origine iconique. Les sciences créent des symboles commodes pour abréger les transcriptions et rédiger des formules. Elles ont souvent recours, dans ce but, à l'initiale du terme technique. **Ex.:** H pour hydrogène, Kg pour kilogramme, db pour décibel, Q pour l'ensemble des nombres fractionnaires (d'après le mot *q*uotient) Ce sont des symboles d'origine lexicale. L'absence du point les distingue de la simple ***abréviation*** (V ce mot, rem. 1).

Rem. 1 Le mot **signe**, qui est le générique de la série *indice, symbole,* etc. reçoit aussi un sens restreint par opposition aux autres termes. On passe du symbole au **signe** pur par effacement de la relation iconique. **Ex.:** ∀, la tête de taureau, stylisée sous forme de A majuscule tête en bas, perd son signifié à mesure qu'on l'utilise davantage pour désigner un son, et le signifiant s'incline, ∢ , jusqu'à se retourner, A, preuve de la disparition du symbole.

Les lettres sont des signes. Les chiffres également. En algèbre, a, b, x, y ne sont pas des symboles mais des signes parce qu'ils peuvent représenter n'importe quoi.

L'opposition icône / signe apparaît manifestement dans le symbole ⊂ de la mathématique ensembliste, qui veut dire *"est contenu dans"*. Il faut le déchiffrer comme icône (le côté ouvert visant le contenant), alors que comme signe, si l'on se référait à la lettre **c**, initiale de *contient*, on aurait un sens inversé.

Rem. 2 On distingue souvent deux types d'icône, celle qui constitue un message et remplace une phrase (pictogramme* ou *phrasogramme*, cf. *Dict. de ling.*) — **Ex.:** l'écriture indienne primitive; **Ex. courant:** un x au coin d'une carte pour dire *"baiser"* — et celle qui vise le contenu d'un mot sans plus, comme dans l'écriture chinoise (*idéogramme* ou *logogramme.)* **Ex.:** les symboles au sens 3.

Rem. 3 Les légisignes (Peirce) englobent tous les types de signes, par opposition aux réalités, aux *"documents"*, qui peuvent aussi, souvent, recevoir, par leur contexte, une valeur significative. (Une réalité qui en accompagne une autre habituellement n'en sera pas un signe, mais un **indice**, un **symptôme**). Cette distinction reparaît dans l'opposition sémiologie / sémiotique. **Sémiologie**: science des signes au sens large, c'est-à-dire des signifiants en rapport avec leurs signifiés; **sémiotique**: science des réalités significatives, des signifiés dans leur rapport avec les sociétés humaines.

Rem. 4 V. à *acronyme*, rem. 4.

SYMPLOQUE Emploi simultané de l'anaphore* et de l'épiphore*.

Ex.: *Dans le noir, dans le soir sera sa mémoire*

. . . .

Dans les bras tordus des désirs à jamais inassouvis sera sa mémoire.

H. MICHAUX, *l'Espace du dedans*, p. 293-4.

Autre ex.: Les yeux *noirs* **de Stella, les yeux** *d'oiseau* **de Stella,** *se dilataient dans son visage creusé.*

A. HÉBERT, *le Torrent*, p. 229.

Même déf. Bary, t. 1, p. 316; Morier; Lausberg, p. 633-4; Preminger.

Autres noms Complexion (Fabri, t. 2, p. 160; Littré; Quillet; Lausberg; Preminger), variation (Bary).

Autre déf. Littré: commencer *ou* finir plusieurs membres de phrase par le même mot.

Rem. 1 V. aussi à *antépiphore*, rem. 1; à *épanalepse*, rem. 6.

SYNCOPE Retranchement d'une lettre ou d'une syllabe au milieu d'un mot. LITTRÉ.

Ex. cité par Littré: *j'avoûrai pour j'avouerai.*

Même déf. Marouzeau, Quillet, Lausberg (§ 489), Robert.

Rem. 1 Terme de l'ancienne grammaire, qui correspond à un procédé actuel. **Ex.:** *"Omftdirvoir. Blmslva."* (JOYCE, *Ulysse*, p. 275; probablement pour: Oh mais, faut dire au revoir. Bloom se leva.)

Rem. 2 Le procédé n'est pas aussi artificiel qu'il le paraît. Il est fréquent dans la langue parlée. **Ex.:** *"Reviens chez M'man, P'pa"* (JOYCE, *Ulysse*, p. 66), *"Bsoir msieurs dames, dit Pierrot"* (QUENEAU, *Pierrot mon ami*, p. 169).

Rem. 3 La syncope est un métaplasme*. V. aussi à *césure*, rem. 5.

SYNECDOQUE Trope (V. à *sens*, 4) qui permet de désigner qqch. par un terme dont le sens inclut celui du terme propre ou est inclu par lui. (V. à *inclusion*).

Ex. de Littré: *une voile* pour un navire, *l'airain* pour les canons.

Ex. litt.: *"il regarde ..... grimper sur la pente de la côte,* **les guêtres** *du voyageur, aidé de son bâton ferré"* (LAUTRÉAMONT, *les Chants de Maldoror*). *"Un arbre par dessus le toit / Berce* **sa palme***"* (VERLAINE, *Le ciel est par dessus le toit*).

Déf. analogues Du Marsais (II 4), Fontanier, Littré, Le Clerc (p. 260), Lausberg, Morier, Robert, Preminger.

Syn. Le type de synecdoque dont *voile* ou *guêtres* sont des exemples (partie pour le tout) pourrait être appelé *gros plan sur un détail.* Mais le gros plan n'est pas toujours tropologique. **Ex.:** *Ses lèvres* cherchaient le sein. *Mes yeux* pleurent mais pas moi (de froid).

Rem. 1 Fontanier énumère de nombreuses variétés de synecdoque:
1 *La partie pour le tout.* Dans les êtres animés: *une ganache* pour un cheval (*ganache*, **"mâchoire inférieure du cheval"**); *"J'ignore le destin d'une tête si chère"* (Racine). Dans les objets: *la poupe* pour le vaisseau; *là naissent des épis* pour des blés. Dans les pays: *la Seine a des Bourbons*, pour la France (mais *la Seine* pour les habitants de Paris serait, souligne Fontanier, une métonymie*). Dans un groupe humain: *Israël* pour le peuple juif,

Ignace pour les jésuites. Dans un tout abstrait: *il compte quinze printemps* pour quinze ans. Dans les êtres spirituels: *la Providence* pour Dieu.
2 *La matière pour l'être ou l'objet. "Vous êtes le sang d'Atrée"* pour son fils. *"Rome est dans les fers"* pour l'esclavage.
3 *Le nombre. Le singulier pour le pluriel: l'ennemi* pour les ennemis. Le pluriel pour le singulier: *"Il fut loin d'imiter la grandeur des Colbert"* Voltaire) pour *de Colbert.* C'est le pluriel emphatique; (V. à *grandiloquence*).
4 *Le genre pour l'espèce.* "L'arbre *tient bon, le roseau plie"* (La Fontaine), pour le chêne. "Le quadrupède *écume"* pour le lion.
5 *L'espèce pour le genre. Refuser* **du pain** pour de la nourriture.
6 *L'abstrait pour le concret. "Celle dont* la fureur *poursuivit* votre enfance" (Racine). *"Le fer ne connaîtra ni le* sexe *ni* l'âge" pour n'épargnera ni les femmes, ni les vieillards.
7 *Un nom commun pour un nom propre. Un nom propre pour un nom commun. Un nom propre pour un autre nom propre.* Etc. V. à *antonomase.*

Rem. 2 Pour la distinction entre *synecdoque* et *métonymie,* V. ce mot, rem. 2.

Rem. 3 La synecdoque introduit une distance, ce qui permet divers effets. La diplomatie en use et abuse pour dire ce que l'on ne peut dire.
LOUIS.— C'est à cause de la bouche que vous me haïssez?

TURELURE.— Non, c'est à cause du nez et du front.
CLAUDEL, *Théâtre,* t. 2, p. 456.

Mais l'effet est parfois inverse, comme dans cet exemple où la synecdoque exprime la rage impuissante du héros:

"La police et la médecine étaient là de nouveau. Elles étaient inclinées au-dessus du lit, elles auscultaient Chateaugué." (R. DUCHARME, *le Nez qui voque,* p. 74).

Pour la périphrase synecdochique précieuse, V. à *baroquisme,* rem. 2. La synecdoque a son isotopie (V. à *image,* 2). Elle peut concrétiser (V. à *concrétisation,* rem. 3) ou personnifier (V. à *personnification,* rem. 1). V. aussi à *définition,* rem. 1; *titre,* rem. 1; *apposition,* rem. 4.

SYNONYMIE Il y a synonymie lorsque plusieurs termes désignent la même chose et qu'on peut en principe employer l'un à la place de l'autre. D. DELAS.
Ex.: *En somme, j'étais peu à peu conquis, peu à peu saisi.* VALÉRY, *O.,* t. 1, p. 668.

Même déf. Fontanier (p. 332), Lausberg (§ 649 à 656), Robert.

Syn. Dittologie (selon Lausberg, qui cite Vossler, mais Marouzeau emploie dittologie dans un autre sens, V. à *gémination*).

Rem. 1 La synonymie est un mode d'amplification*. Elle ne se réduit pas à l'emploi d'un synonyme, mais constitue une figure expressive, qui juxtapose à un terme, avec la même fonction, des termes qui conviennent aussi à l'objet du *discours*, qui en dévoilent d'autres aspects.

Ex.: *"L'étude du droit m'aigrit le caractère au plus haut point: je bougonne toujours, je* **rognonne,** *je* **maugrée,** *je* **grogne** *même contre moi-même et tout seul."* (FLAUBERT, *Correspondance,* 26-7-1842).
"L'affaire Dreyfus, le **dreyfusisme,** *la mystique,* **le mysticisme dreyfusiste** *fut une culmination, un recoupement en culmination de trois mysticismes au moins: juif, chrétien, français.* (PÉGUY, *Notre Jeunesse).*

On a donc une accumulation de lexèmes, avec reprise*. **Ex.:** *"l'enchanteur pensait aux poissons et aux êtres ailés* (aux oiseaux)" (APOLLINAIRE, *O. en prose,* t. 1, p. 59.)

Rem. 2 Si les sémèmes sont identiques (synonymes parfaits), la figure devient gratuite, inutile, ce qu'on peut rendre encore plus évident en coordonnant plutôt qu'en juxtaposant. On obtient ainsi des périssologies*. **Ex.:** *"Il est et se trouve avec un ami et copain"* (QUENEAU, *En partie double, Exercices de style,* p. 8). *"Le monde rit / Le monde est heureux, content et joyeux"* (ÉLUARD, *Animal rit,* dans *O. c.* t. 1, p. 309). Toutefois, les synonymes parfaits sont plus rares que les imparfaits ou **parasynonymes. Ex.:** *prospérité / bonheur.* V. à *sens,* 5. Certains termes ont un grand nombre de synonymes. **Ex.:** V. à *nigauderie,* rem. 3.

Rem. 3 Si les sémèmes sont éloignés (analogues), on ne peut plus parler de synonymie, mais d'énumération*, voire d'accumulation*. **Ex.:** *"ce mobilier est vieux, crevassé, pourri, tremblant, rongé, manchot, borgne, invalide, expirant."* (BALZAC, *le Père Goriot,* p. 25). C'est ce que Bary (t. 1, p. 369; t. 2, p. 31) appelait *polyonymie.* V. aussi à *approximations.*

Rem. 4 Quand les synonymes apparaissent dans des phrases ou du moins des propositions distinctes, ils ne répondent plus à un souci d'expressivité, mais d'élégance: éviter la répétition*. **Ex.:** *"Et mes yeux dans le noir devinaient tes prunelles"* (BAUDELAIRE, *le Balcon*).

Autre ex.: *...nouvel instant ..... qui s'annonce, qui se fait, qui se forme, qui s'achève et s'exténue dans le suivant, qui naît, qui se dresse, qui succombe et au suivant se raccorde, qui vient, qui*

s'érige, mûrit et au suivant se joint... qui se forme et ainsi sans fin...
MICHAUX, *l'Infini turbulent*, p. 75-6. V. à *contre-pléonasme*, rem. 2.

Rem. 5 Quand ils apparaissent dans la même phrase avec diverses fonctions, ils forment pléonasme*, voire périssologie*.

Ex.: *"... tu retombes assez souvent, toi et tes pensées, recouvertes de la* **lèpre noire** *de l'erreur, dans le lac* **funèbre** *des* **sombres** *malédictions."* (LAUTRÉAMONT, *les Chants de Maldoror*, p. 81).
La synonymie inutile était appelée **datisme** (Littré, Morier).

Rem. 6 La littérature connaît une synonymie inversée. Elle porte sur les catégories grammaticales (Ô fangeuse grandeur! sublime ignominie[1] !) ou sur le sens (Une douleur très simple et non mystérieuse), ce qui produit une antithèse*.

La synonymie peut aussi porter sur des syntagmes* et passer par la métaphore*. **Ex.:** *"Le feu de ses prunelles pâles, clairs fanaux, vivantes opales"* (BAUDELAIRE, *le Chat*).

Rem. 7 La *fausse synonymie* consiste à opposer le sens du mot dans la langue (ce que Benveniste appelle la *signifiance*[2]) au *sens* attendu par le contexte. *Incertain* a pour synonyme *peu probable*, mais pas dans le contexte suivant:
Pour le moment, il avait un tiers d'an devant lui, tintant déjà des écus de sa paye. Il y avait de quoi être heureux et content pour quelqu'un qui connaissait en permanence les jours incertains, les semaines peu probables et les mois très déficients.
QUENEAU, *Pierrot mon ami*, p. 22.

Rem. 8 Il y a des synonymes intensifs. V. ex. à *interjection*, rem. 1. La synonymie peut porter sur des syntagmes et des phrases. V. à *métabole*. Elle peut masquer une tautologie (V. ce mot, rem. 1). Il est possible de donner des synonymes à un nom propre. V. à *titre (collation de —)*, rem. 5. Les tropes multiplient les synonymes. V. à *sens*, 4.

SYNTAGME Groupe de mots graphiques caractérisés par le fait qu'ils jouent un rôle par rapport au noeud verbal, qu'ils ont une fonction dans la phrase. Quand on envisage la chaîne parlée dans son déroulement temporel, que reproduit le déroulement linéaire[3] de la

---

1 Le premier adj. est synonyme du second subst. et réciproquement.

2 V. à ce sujet les diverses acceptions de ***sens fondamental***. Quand un terme n'a pas de synonyme, on recourt à la périphrase*.

3 La ***linéarité*** du langage, de la musique s'oppose à la ***spatialité*** des arts graphiques.

chaîne écrite, le syntagme est intermédiaire entre le mot, segment insécable (on ne peut y introduire d'autres segments) et la phrase, unité d'expression.

On distingue le *syntagme nominal* (SN), le *syntagme verbal* (SV), appelé aussi proposition, et le *syntagme qualifiant* (SQ). Ce dernier est le moins développé (adverbe, adjectif). Le SV est le plus développé, avec ses nombreux morphèmes grammaticaux (voix, mode, temps, nombre, personne) et ses expansions, nominales, verbales ou qualifiantes.

Rem. 1 L'analyse syntagmatique commence par un découpage en syntagmes et se poursuit en marquant par la méthode des parenthèses, de l'arbre ou des crochets, la hiérarchie qui préside à leur agencement. Nous exposerons la méthode des crochets.

On procède comme pour toute analyse en constituants immédiats, c'est-à-dire que, parmi des termes voisins, on choisit, pour les unir, ceux qui entretiennent le rapport de dépendance mutuelle le plus étroit. Les syntagmes sont réécrits à la ligne de façon qu'il suffise d'un trait plein dans la marge pour les unir. Le trait est fermé par un crochet vers la droite là où le texte comme parole pourrait s'arrêter ou commencer.

Ex.:

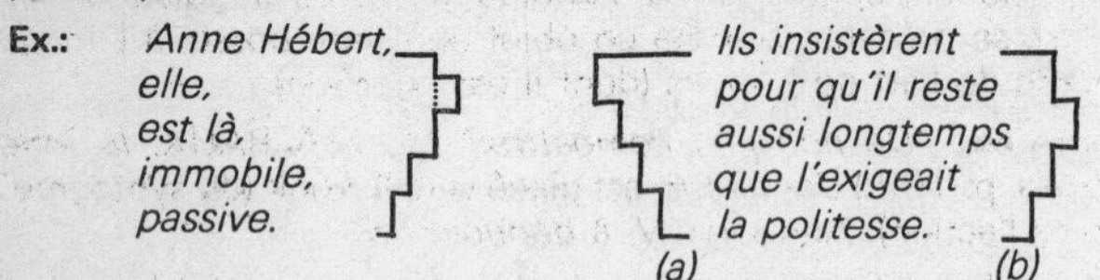

Anne Hébert,
elle,
est là,
immobile,
passive.
Ils insistèrent
pour qu'il reste
aussi longtemps
que l'exigeait
la politesse.
(a)
(b)

Dans le second exemple, les crochets lèvent une ambiguïté. On peut rattacher *"aussi longtemps..."* à *"pour qu'il reste"* (a) ou à l'ensemble des deux premiers syntagmes préalablement réunis (b), ce qui donne un sens très différent (ils sont contents de le voir partir).

Le crochet vers la gauche marque la possibilité d'exclure un syntagme sans que le sens* du reste de la phrase s'en trouve modifié. Il correspond presque toujours à une virgule (cf. la loi des deux virgules, à *césure,* n. 1). La rareté, relative, des syntagmes exclus est caractéristique du style de Proust. Leur fréquence est remarquable dans la phrase, également ample parfois, de Marie-Claire Blais.

Rem. 2 Le syntagme est parfois construit "en exclusion". V. à *césure typographique,* rem. 1 et *adjonction,* rem. 3. Quand les termes du syntagme ne sont pas disposés linéairement, mais "en saute-mouton", on a une distaxie (*Dict. des media*). **Ex.:** "ne ..... jamais".

Rem. 3 V. à *abrègement,* rem. 3; *alliance de phrases,* n. 1, *amphibologie; anastrophe,* rem. 1; *assise,* 3, a et c; *brouillage syntaxique; césure typographique,* rem. 1; *compensation, contrepèterie; dénomination propre,* rem. 2; *deux-points, disjonction,* rem. 2; *dubitation,* rem. 4; *écho rythmique,* rem. 2 *enchassement; enjambement,* rem. 2, 3 et 5; *épanalepse,* rem 1; *érosion,* rem. 1; *faute,* rem. 2; *hendiadyn,* rem. 1 et 2 *homonymie,* rem. 2; *jeu de mot; juxtaposition graphique,* rem 1; *juxtaposition lexicale; louchement; métanalyse,* rem. 1 *métathèse,* rem. 2; *monologue; parataxe,* rem. 1; *parenthèse,* rem. 2; *ponctuation expressive,* rem. 1; *psittacisme,* rem. 2; *réactualisation,* rem. 3; *régression,* rem. 2; *slogan,* rem. 1 *syllepse grammaticale,* rem. 3; *synonymie,* rem. 6; *tête-à-queue* rem. 1; *traduction,* rem. 2; *trait d'union.* Pour les variétés du syntagme, V. à l'*Index.*

TACTISME *(Néol.)* Construire la phrase de façon que l'ordre des mots reproduise qqch. du sens*.

Ex.: *une main de, autant que peintre, sculpteur.*
P. CLAUDEL, *O. en prose,* p. 868.

Cet énoncé, commente G. Antoine (*le Geste linguistique,* p 113), se présente comme un objet en ronde bosse, à l'image même de l'art de Rubens (dont il est question).

Autre ex.: *"De nouveau combattre."* (A. MALRAUX, *la Voie royale,* p. 163.) *Combattre* est placé vers l'avenir (du syntagme* et de l'action). Autre ex.: V. à *dénudation.*

Rem. 1 Le mot *tactisme* pourrait avoir été emprunté à la chimie organique, par analogie; mais il a été forgé sur τασσω *"je range",* avec un suffixe *-isme* qui peut désigner une attitude.

Rem. 2 Le procédé a été repéré notamment par Spitzer, qui commente le vers de *Phèdre, "C'est Vénus tout entière à sa proie attachée",* dans les termes suivants: *"L'acharnement sur la proie prend forme d'un enlacement, d'un enserrement du corps — grâce à l'ordre des mots!"* (*Études de style,* p. 279). V. à *inversion,* rem. 3.

TAUTOGRAMME Vers* tautogramme: dont les mots commencent par une même lettre. LITTRÉ.

Ex.: *Ma mer, m'amis, me murmure: Nos nils noient nos nuits nées neiges.*
DESNOS, cité par ÉLUARD, *O. c.,* t. 1, p. 1169.

Syn. Paronoméon (Fabri, t. 3, p. 128), rime* senée (Deloffre, p. 89), rime ingénieuse (Morier), vers lettrisés (Littré, Morier).

Rem. 1 On a aussi la phrase tautogramme. **Ex.:** *"Peter Pipe picoti picota un pi po peu de poivre en poudre"* (JOYCE, *Ulysse,* p. 183).

Rem. 2 Le procédé entraîne habituellement une allitération* excessive d'où son allure comique, ou allusive, s'il s'agit par exemple de l'initiale d'un prénom. Si l'effet est manqué, on a une *tautophonie* (V. à *cacophonie*).

Rem. 3 Les Grands Rhétoriqueurs se sont complu à ce jeu. Fabri propose une dénomination pour le tautogramme avec l, avec m, avec s...

TAUTOLOGIE Vice logique consistant à présenter comme ayant un sens une proposition dont le prédicat ne dit rien de plus que le thème*. ROBERT.

Ex.: *Les enfants sont les enfants et nos deux jumeaux ne faisaient pas exception à cette règle universelle.*
JOYCE, *Ulysse*, p. 334.

Ex. courant: on est comme on est.

Syn. Proposition identique (terme de logique). Antonyme: antilogie*.

Autre déf. *"On redit toujours la même chose"* (Littré, Lausberg), *"fausse démonstration par laquelle on répète la thèse avec d'autres mots"* (Robert), *"répétition de mots consacrés dans les formules de droit. Vente faite et consommée"* (Marouzeau).

Rem. 1 C'est le thème et le prédicat psychologiques qui coïncident, et la tautologie n'a pas nécessairement la forme d'une proposition avec prédicat grammatical (attribut). **Ex.** *"Ah! j'ai été jeune, dans ma jeunesse, moi itou"* (A. MAILLET, *la Sagouine*). Je l'ai acheté où ça s'achète (fin de non-recevoir à une question). Élève Durond, comment vous appelez-vous? (réponse contenue dans la question). La synonymie* camoufle la tautologie sans la supprimer. **Ex.:** *Quand trois poules vont aux champs, la première va devant; la seconde suit la première, la troisième vient par derrière.* (Comptine).

Rem. 2 La tautologie est, en principe, un défaut (V. à *paralogisme*, rem. 2). Mais il y a une vérité de la tautologie, qui est victoire de l'existence sur les essences, comme le montre V. Jankélévitch (*Traité des vertus*, p. 108). *"Parce que parce que. Forme du cercle non pas vicieux mais vertueux qui fait du bien sa propre origine."* De même: *"L'art, pour Gautier, ne peut être au service d'aucune cause, sinon celle de l'art même"* (*Anthologie des préfaces*, p. 31). Et René Char: *"Je suis seul parce que je suis seul, amande entre les parois de sa closerie"* (*la Parole en archipel*, p. 159).

La forme tautologique est chargée de sens* aussi dès que l'un des termes est autonymique (V. à *court-circuit*, rem. 4). **Ex.:** *"Il faut appeler les choses par leur nom / un chien c'est un chien"* (PRÉVERT, *Paroles*, p. 111). Ou encore lorsque l'un des termes est elliptique. **Ex.:** Lundi, c'est lundi; pour: lundi prochain, nous aurons l'horaire habituel du lundi (mais: mardi, c'est jeudi; *fausse antilogie**).

Finalement, presque toutes les tautologies s'accompagnent d'une diaphore* plus ou moins marquée, qui les justifie. *"La terre au goût de femme faite femme"* (SAINT-JOHN PERSE, *O. poétiques,* t. 2, p. 258). *"— Je ne crains pas de m'avancer jusqu'à... être sur le point de penser que le rêve... est un rêve"* (VALÉRY, *O.,* t. 2, p. 223) [*et rien de plus,* c'est une contestation du freudisme]. Les sèmes supplémentaires du prédicat sont souvent dans le ton. **Ex.:** Trente mille, c'est un chiffre. Quand je m'ennuie, je m'ennuie. Il est d'ailleurs commode de n'avoir pas à donner trop d'explications. **Ex.:** *"Les choses étant ce qu'elles sont..."* (De Gaulle). Mais la tautologie peut au contraire introduire des explications (V. ce mot, rem. 3); comme le truisme*, dont elle fait partie. La tautologie peut répondre à un souci d'atténuation* et constituer une litote*. **Ex.:** *le passé est le passé et le présent est le présent!* Double tautologie soulignant un truisme*: le passé n'est pas le présent. Ce truisme* est une litote* pour: *Les façons de faire d'autrefois ne sont plus valables aujourd'hui.* Ce sont là des **pseudo-tautologies.**

Rem. 3 Si les tautologies évidentes sont souvent fausses (elles veulent dire autre chose), il y a par ailleurs des tautologies déguisées, les pires, parce qu'elles sont vraies. **Ex.:** *Florentine est Florentine parce qu'elle correspond à ce que nous attendions d'elle et son geste est rigoureusement celui qu'il devait être.*

Les sciences ont un faible pour ces **demi-tautologies. Ex.:** le pavot, qui fait dormir parce qu'il a une vertu soporifique. L'abstraction (V. ce mot, rem. 2) les favorise. **Ex.:** *Mon esprit fureteur m'a permis de retrouver mon bonnet.*

Rem. 4 V. à *intonation; pléonasme; surenchère,* rem. 4.

TÉLESCOPAGE

TÉLESCOPAGE Condenser en une seule deux phrases ayant un syntagme* identique.

Ex.: *Soldats de Fontenoy, vous n'êtes pas tombés dans l'oreille d'un sourd.*
J. PRÉVERT, *Spectacle,* cité par ANGENOT, p. 255

Autre ex.: ..... *ma diction laissait à désirer l'amour du prochain*
P. PERRAULT, *En désespoir de cause,* p. 15. Le poète veut dire qu'il parlait joual (patois du Québec) pour s'identifier à ses compatriotes.

Même déf. Morier; Angenot p. 165: en pure perte + perte de vitesse = en pure perte de vitesse).

Autres noms Phrase-valise (par analogie avec *mot-valise;* V. ce mot, rem. 4); mixage (mais ce terme désigne déjà la technique permettant de combiner sur une même bande magnétique des sons d'origine variée).

Rem. 1 Le télescopage peut créer des dissociations*. **Ex.:** *La pendule sonne deux coups de couteaux"* (ÉLUARD, *O.*, t. 1, p. 297). Des télescopages répétés peuvent faire partir le sens* à la dérive (V. à *verbigération,* rem. 3).

Rem. 2 Il peut introduire dans une énumération* la *"justification formelle dérisoire"* susceptible de créer une *"image"* surréelle (V. à *image,* rem. 1).

Ex.: ..... *que pourront-ils, que pourront-elles, contre les exploits que je lis dans la main de la drave l'eau du ruisseau l'or des grèves ..... le chien de fusil le fusil de chasse la chasse aux lièvres le lièvre de la peur la peur du loup .....*
P. PERRAULT, *En désespoir de cause,* p. 34.

Rem. 3 C'est un jeu littéraire*: les mots en chaîne.

TEMPO Fréquence de la coupe* rythmique.

Déf. analogue Marouzeau, Robert, Morier.

Syn. Mouvement (au sens musical), agogique (Souriau, p. 188), cadence*.

Rem. 1 Morier a proposé un tableau des tempos en littérature lue à haute voix, tableau analogue à celui de la musique mais beaucoup plus restreint en étendue (de 50 à 98 battements par minute contre 40 à 120), avec les mêmes divisions générales: largo, larghetto, adagio, andante, allegro et **presto.** Rousseau (*Dictionnaire de musique,* à *mouvement*) avait traduit: lent, modéré, gracieux, gai, vite.
Ajoutons agitato, tourmenté (Robert).

Rem. 2 L'importance du tempo en poésie a été soulignée par Souriau:
Je croirais volontiers qu'un des premiers points qui conditionnent le choix d'une poésie au point de vue musical, c'est le fait même que le poème à lui seul suggère une agogique donnée qui peut être en rapport soit avec certaines formes sentimentales, idylliques, d'autres avec un élan rapide, ou d'autres au contraire avec une déclamation solennelle, et ainsi de suite.
É. SOURIAU, *Musique et poésie au XVIe siècle,* p. 319.

Rem. 3 On oppose au mouvement général du texte les modifications plus ou moins brusques qui interviennent dans ce mouvement. **Ex.:** Dans *l'Avenir* (poème cité à *vers*), le rythme devient haletant à *"Quand les mâhahâhahâ"*.

On peut parler ici de *changement de vitesse* (Grammont, p. 103), de métabole* (Quintilien) et spécifier *accélération* ou *ralentissement* soit brusque, soit progressif. Morier appelle **groupe dynamique** la mesure seule de son type parmi les autres et **groupe cinétique** la mesure rapide (au nombre élevé de syllabes). Il donne l'ex. de Viélé-Griffin, parlant d'un musicien dont les doigts *"couraient sur la flûte / en rythmes de danse"*. (lire en une seule mesure par hémistiche)

Les chansonniers ont beaucoup de liberté à cet égard. Ils peuvent étendre même démesurément certaines syllabes. **Ex.:** *"ton visa-a-a-ge"* (J.-P. FERLAND). Le **a** atteint jusqu'à la valeur de trois blanches pointées. C'est un procédé d'ailleurs constant en finale; il ancre profondément l'effet et l'effusion.

TÊTE-À-QUEUE Le lexème principal reçoit la fonction du lexème secondaire et réciproquement, moyennant les translations* nécessaires.

Ex.: *C'est son porte-monnaie perdu qui la fait rager* (au lieu de *la perte de son porte-monnaie*).

Ex. litt.: *"où est-elle, cette soupière de ventregris de gouvernante?"* (AUDIBERTI, *Le mal court*, p. 93).

Analogues Sicilia amissa (Deloffre), tour implicatif (Morier), inversion des lexèmes.

Rem. 1 L'expression *tête-à-queue* est tirée de l'analyse en constituants immédiats. On y appelle *tête* la partie de syntagme qui a la même fonction que l'ensemble du syntagme* (*Dict. de ling.*), donc le substantif dans un groupe subst. + adj. ou subst. + complément du nom, ou subst. + relative, par exemple. L'autre partie, le modificateur, est ici considérée comme la *queue* du convoi, où l'inversion* réalise donc un *"tête-à-queue"*.

Ce type d'inversion est assez fréquent aussi dans les métaphores*. **Ex.:** *les cailloux du bruit* (Éluard).

Rem. 2 Suivant que le lexème secondaire est plus abstrait ou plus concret que le lexème principal (qui est le noeud du syntagme* au point de vue psychologique tout en cessant de l'être au point de vue syntaxique), l'effet est une concrétisation* ou une abstraction* (V. ce mot, rem. 3).

THÈME Dans l'oeuvre, le thème est une idée fréquente (*motif*[1] , *leitmotiv*), fondamentale (thèse, *image** obsessionnelle) ou essentielle (forme structurante). Dans le paragraphe, c'est le sujet traité (*isotopie**). Dans

---

1 ***Motif*** (V. ce mot) est parfois confondu avec thème (cf. CLAUDEL, ***O. en prose***, p. 60).

l'assertion*, c'est l'objet de la prédication (propos, sujet psychologique). Dans la comparaison*, c'est le comparé. (V. à *image*, 2).

Rem. 1 Du grec *thèma*, littéralement *"le posé"*. Dans la terminologie de Ducrot (V. à *assertion*, rem 5), le posé est du côté du prédicat, et c'est son complémentaire, le *"présupposé"*, qui est réassumé par le thème; il y a donc une confusion terminologique possible, qui est due à l'évolution sémantique.

Rem. 2 L'idée de thème est associée à l'idée de "point de départ qui reste sous-jacent", d'où le sens, encore, de base initiale de la variation*. V. aussi à *allégorie*, rem. 1.

Rem. 3 Pour isoler le thème du prédicat, on a la dislocation (V. ce mot, rem. 2) et l'emphasis. Le thème est facilement implicite (V. à *phrase*, rem. 1) mais il peut aussi prendre la moitié de la phrase (V. à *phrase*, rem. 2). Dans la tautologie*, le prédicat s'y identifie.

Rem. 4 Pour le thème de l'oeuvre, V. aussi à *apocalypse; apologue; motif; poèmes, contrepèterie*, rem 2; *lamentation*. Pour le thème du paragraphe, V. aussi à *ambiguïté; cliché*, rem. 1; *écho sonore*, rem. 3; *réactualisation*, 4; *réponse*, rem. 2; *sens*, 6; *variation*, rem. 1. Pour le thème de l'assertion, V. aussi à *apposition; court-circuit; définition; deux-points; dislocation*, rem. 2; *énonciation*, 6; *injure; interjection*, rem 1; *inversion*, rem. 2; *mot doux; négation*, n. 1; *nominalisation; paradoxe*, rem. 1; *phrases; refrain*, rem. 1; *tautologie*, rem. 1; *truisme*, rem. 1. Pour le thème de la comparaison, V. aussi à *allégorie; comparaison figurative; correspondance; image, 2; incohérence*, rem. 1; *métaphore; personnification*, rem. 1.

TIMBRE Marque propre à l'organe phonatoire du locuteur. Au sens strict, le timbre est la qualité spectrale du son, visible au sonagramme, qui dépend du nombre et de l'intensité relative des harmoniques. Dans un sens plus large, le timbre individuel inclut la hauteur mélodique moyenne et les résonances de la boîte crânienne. J. PESOT.

Rem. 1 De ces marques individuelles, l'imprimé ne conserve rien. Les seules marques individuelles imprimables seraient l'écriture manuscrite de l'auteur, si on imprimait, avec la lumitype, dans un caractère spécial tiré de chaque manuscrit (V. à *graphisme*, rem. 1). V. aussi à *variation typographique*, rem 3.

Rem. 2 *Liste d'adj. caractérisant les voix*: grave / aiguë; forte / faible; bien timbrée / détimbrée, blanche, puissante / frêle; éclatante / étouffée; pleine, chaude, étoffée retentissante cuivrée / sourde, grêle, fluette, cassée, éteinte; ample /

perçante; vibrante / glapissante; claironnante, tonnante, ronflante, tonitruante, de stentor / fêlée, chancelante, trébuchante, tremblotante, chevrotante; mâle / sénile; ferme, âpre, sèche, aigre, brusque, cassante, impérieuse, autoritaire, tranchante, coupante, mordante, ironique, railleuse / douce, caressante, enjoleuse, flatteuse, insinuante, onctueuse; basse, profonde, gutturale, caverneuse, sépulcrale / clairette, suraiguë, criarde, flutée, aigrelette; de cristal, limpide, fraîche, nette, pure / métallique, de crécelle, de fausset, du nez, nasale, nasillarde, de ventriloque.

Rem. 3 V. à *dialogue*, rem. 1. Un changement de timbre accompagne et signale l'exaltation délirante (V. à *réactualisation*, 7). V. aussi à *faute*, rem. 2.

TITRE (COLLATION DE —) Attribution à une personne (parfois à une institution, un lieu...) de qualités supérieures ou caractéristiques, qui la situent, de façon plus ou moins durable, dans un groupe social.

Ex. courant: *M., Mme, Mlle, Me, Excellence, Sire, l'Honorable N (hommes d'État du Commonwealth), le Révérend N (certains ecclésiastiques), Commandeur des croyants (califes)...*

Ex. litt.: *Le* **Maître de la Formule,** *l'***Artisan universel,** *qui incite les pensées, nous l'appellerons aujourd'hui à l'aide, pour la joute.*
Hymnes spéculatifs du Véda, p. 78.

C'est elle la **chaste épouse** *de Léopold, Marion* **aux seins généreux.**
JOYCE, *Ulysse*, p. 308.

De nos jours, le titre est souvent celui de la fonction sociale (secrétaire, gérant, avoué, etc.). C'était le cas au Moyen Âge pour les titres nobiliaires, dont le sens a peu à peu disparu (*prince, "premier"; duc, "chef"*), remplacé par les grades de l'armée. V. aussi à *recette*, rem. 1.

Syn. Le titre dont on se sert dans les formules officielles est appelé **traitement** (V. à *lettre*). **Ex.:** Sire, Excellence.

Rem. 1 Le titre est une *qualification* spéciale; il peut prendre les mêmes formes que la qualification, être adjectif ou substantif, être épithète, attribut ou mis en apposition*, et encore mis en apostrophe* (V. à *injure* et à *mot doux*, rem. 3). Comparer: le généreux Ali / Ali est la générosité même / Ali le généreux / Ô Généreux. Le titre peut aussi être caractérisant ou déterminant, voire constituer une identification (cf. *définition*, rem. 2); il est abstrait ou concret, parfois imagé, par synecdoque*, métonymie* ou métaphore*.

Ex.: *Ô ma chamelle au pied léger*
Ma gazelle de Tartarie .....
Ô mon bonheur toujours en éveil!
M. IQBAL, *Message de l'Orient*, p. 107-8.

Enfin, comme toute image*, il peut recevoir une isotopie* complexe, ordinairement positive, mais "en équilibre" s'il y a identification, et même négative en cas de **réincarnation** (courant dans l'hindouisme).

Rem. 2 Si le titre a une incidence sociale, cela ne l'empêche pas de pouvoir naître dans une conscience individuelle de façon très subjective, on peut même remplacer la dénomination* propre par un titre plus ou moins gratuit, comme lorsque Bérénice exprime son agressivité envers sa mère en l'appelant Chamomor (R. DUCHARME, *l'Avalée des avalés*). La collation du titre peut se confondre avec la dénomination. **Ex.: "Sans joie** *est le nom de ces mondes / Enveloppés d'aveugles ténèbres"* (R. DAUMAL, *Bharata*, p. 141). Cf. aussi la Vierge.
Dans l'Antiquité, le nom était souvent constitué de syntagmes* figés.

Ex.: *Moi, devenu le* **"de-tous-les-hommes"** *(un nom du Feu), Je suis l'auteur de la* **"Fin-du-Savoir"** *(vedânta, c'est-à-dire l'enseignement des* **upanishads**).

R. DAUMAL, *Bharata*, p. 149.

Ex. courant: Je te prête ma calculatrice de poche, mais... elle s'appelle *Reviens*.

Rem. 3 Les surnoms aussi sont des dénominations* propres tirées d'un titre. Chez Lautréamont et les surréalistes, le sobriquet vire au sarcasme*: Châteaubriand, le Mohican-Mélancolique; Théophile Gautier, l'Incomparable-Épicier; Lamartine, la Cigogne-Larmoyante... (V. aussi à *annomination*, rem. 3).
La majuscule authentifie le procédé, tout en le rattachant à une tradition antique. Livie, femme d'Auguste, par exemple, fut vénérée comme l'incarnation de la Justice, du Salut ou de la Piété, et on la représentait sur les monnaies de l'Empire avec les attributs de ces *"allégories"*. On voit ici deux procédés converger, la personnification* d'une idée et l'identification d'une personne réelle à cette idée personnifiée.

Rem. 4 Au Moyen Âge, le caractère significatif du nom a reçu un grand développement par la théorie mystique de l'**effusion du nom**. Les noms divins opèrent immédiatement une compréhension, une intuition des qualités qu'ils représentent. *Par exemple, le nom de* **Dieu** *se fait liquide pour se mêler à cet autre nom:* **Dieu avec nous** (*Matthieu*, 1, 23). *L'***Admirable**

vient se fondre dans le **Conseiller**; *le* **Dieu** *et le* **Fort** (*Isaïe,* 9, 5) *dans le* **Père du siècle futur** *et le* **Prince de la paix**; *et le* **Seigneur notre Justice** *s'amalgame au* **Miséricordieux** *et au* **Dieu de compassion** (*Psaume* 111, 4).
BERNARD DE CLAIRVAUX, *Sermon XV* sur *le Cantique des cantiques,* § 1. Par là s'explique l'accumulation des titres dans les **litanies**.

Rem. 5 La collation de titre est une façon simple de donner des synonymes* au nom propre, par une antonomase* qui sera imagée parfois, voire périphrastique. **Ex.:** JOYCE, *Ulysse,* p. 306-7, où Bennett est appelé successivement Percy, le sergent-major, l'artilleur, le soldat, la tunique rouge, le poids lourd, l'Anglais, Battling Percy, le militaire, Battling Bennett, le cogneur de Portobello. V. aussi à *lettre*.

TITRE D'OEUVRE La plupart des titres tentent d'indiquer le contenu de l'oeuvre, soit de manière abstraite (*Théâtre, O. poétiques c.*), soit plus concrètement (*Situations*[1], *les Dieux antiques*[2]), soit métaphoriquement (*Pierrot mon ami*[3], *le Blé en herbe*[4]).

Il arrive que le titre reprenne simplement les premiers mots de l'oeuvre, l'*incipit* (*Je disais quelquefois à Stéphane Mallarmé*[5]...). Dans ce cas, la phrase n'est pas toujours répétée, et le titre fait alors partie du texte (***La Femme de Sorel*** *...s'appelait Adrienne*[6]).

À notre époque d'étiquettes et de marché, le titre de l'oeuvre *"se consomme"* nettement plus que le reste (conversations, fichiers, critique, bibliographies). De cet aspect pratique vient son raccourcissement (Un seul mot, voire une lettre: *l'Étranger*[7], *S/Z* [8]). Cependant les auteurs tâchent malgré tout de mettre dans leur titre le maximum, à la fois du dénoté et du connoté, d'où des titres très travaillés au point de vue du rythme*, des variantes, des effets évocateurs ou affectifs (*l'Oeil écoute*[9], *Rhumbs*[5], *Magie rouge*[10], *le Jacassin*[11]) .

Peter Weiss a évoqué la longueur des titres de jadis avec *la Persécution et l'assassinat de Jean-Paul représentés par le groupe théâtral de l'hospice de Charenton sous la direction de Monsieur de Sade,* bientôt ramené à *Marat-Sade.*

Rem. 1 Dans la presse, le titre tente de résumer un ensemble de faits et de considérations spécifiques. Il reste donc plus long, ou se dédouble. **Ex.:** *La Révolution portugaise traverse une nouvelle phase de tension. Le conflit de* "**Republica**" *rebondit.*

---

1 Sartre. 2 Mallarmé. 3 Queneau. 4 Colette.

5 Valéry. 6 Mallet-Joris, ***le Jeu du souterrain.*** 7 Camus. 8 Barthes. 9 Claudel. 10 Ghelderode. 11 Daninos.

Rem. 2 Joyce, qui n'a mis aucun titre aux *chapitres* d'*Ulysse*, s'est mis à titrer tous les alinéas pendant trente pages (p. 111 à 142). Les titres des chapitres de *la Jalousie* de Robbe-Grillet sont des *incipit* avec variation*. On peut aussi prendre la fin d'un texte en guise de titre. **Ex.:** *"Pour toi mon amour"* (PRÉVERT, *Paroles*, p. 41).

Rem. 3 Le titre en gros caractères, (V. à *capitale*, rem. 1), en tête de la première page d'un journal, est la **manchette.** Le **faux titre** est un résumé très court du titre d'un livre, que l'on imprime au centre d'une page blanche, avant la page de titre complète. Le **titre courant** est un résumé d'au plus une ligne, imprimé en tête de chaque page, reprenant, sur la page de gauche, le titre du livre, sur celle de droite, le titre du chapitre (ou la rubrique, dans le cas d'un dictionnaire).

Rem. 4 Les journaux, dont on lit beaucoup les titres, en ont plusieurs variétés. Le titre proprement dit d'un article, dans le caractère le plus gros, est suivi d'un sous-titre, et parfois précédé d'un **sur-titre,** en caractère plus petit mais qui peut être souligné. Il peut y avoir un **sous-sous-titre.** V. aussi à *paragraphe*, rem. 3.

Rem. 5 V. aussi à *assise*, 1 et 2; *pause; écho sonore*, rem. 3; *épanalepse*, rem. 3; *interjection*, rem. 2; *mot de la fin*, rem. 1; *notation; schématisation*, rem. 1.

TMÈSE Division des parties d'un mot* composé, par l'intercalation d'un ou de plusieurs autres mots. LITTRÉ.

Ex.: *Quelle et si fine et si mortelle*
Que soit ta pointe, blonde abeille.
VALÉRY, *O.*, t. 1, p. 103.

Même déf. Marouzeau, Quillet, Lausberg, Morier, Robert.

Autre nom V. à *hyperbate*, rem. 1.

Rem. 1 Normalement, l'intercalation n'est possible qu'entre les mots graphiques. La présence d'un trait d'union suffit à l'entraver. La tmèse suivante est recherchée: *"...porte-moi, porte doucement moi"* (VALÉRY, *ib.*, p. 105).
Rem. 2 V. aussi à *enchassement*, rem. 1: *phrase (types de —)*, 4.

TRADUCTION On fait passer dans la langue de l'oeuvre (dite langue cible) un texte ou un fragment de texte donné dans une autre langue (dite langue source).

Ex.: *ce cabotin ..... n'avait-il pas eu* ***die verfleighte Kuhnheit*** l'infect culot *de se présenter un soir chez lui* (l'Allemand dont le narrateur rapporte les propos) ***at his very door*** *de sonner* ***à sa porte même, verfleighte kuhnheit,*** *pour voir*

Antinéa, naturlich elle avait dit non
G. BESSETTE, *l'Incubation*, p. 72. Il s'agit de reproduire le récit* d'un vieux bibliothécaire d'origine allemande vivant en Ontario.

Autres déf. V. à *isolexisme*, autres noms.

"Passage d'un sens à un autre (pour le même mot)" selon Quintilien (9, 3), d'où la déf. de Fabri: *"répétition, excepté que le mot doibt estre esquivocque qui se reprent au commencement suyvant la fin...* **Ex.:** *Cures se font par medecin, cures se desservent par prestres"* (*Pleine*[1] *Rhétorique*, t. 2, p. 161). V. à *diaphore*.

Rem. 1 Supposons que l'on veuille traduire en allemand le texte de Bessette: cela posera des problèmes... Dans *Guerre et Paix*, Tolstoï rapporte que le snobisme de la haute société russe avant la campagne de Napoléon était de parler français. Le traducteur s'en est tiré en mettant en italiques les dialogues* qui étaient *"en français dans le texte"* russe. Autre péril, les fautes* de traduction (V. à *faute*, rem. 1 et à *anglicisme*, rem. 1). Sans parler de leurs défauts, car qu'advient-il des connotations? Peut-on se contenter de traduire mot à mot, comme on l'a fait pour les textes de Saint-John Perse, que leur auteur se refusait à élucider? De toute façon, le traducteur est le plus souvent obligé de faire, du texte, une **adaptation** qui reconstitue un équivalent dans le génie de la langue cible, voire dans l'univers culturel du public. Le jeu* de mots (V. cette rubrique, rem. 1) succombe à la traduction plus nettement encore que le poème. Par ailleurs, celle-ci peut devenir l'occasion de nouveaux jeux de mots.

Ex.: *PASQUIN. — ...le Conclave, fonctionnant à huis clos...*
MARFORIO. — Oui, dans Conclave, il y a **clave.**
JARRY, *la Chandelle verte*, p. 424.

Elle peut même inspirer le poète.

Ex.: *Je la surnommai Rosemonde*
Voulant pouvoir me rappeler
Sa bouche fleurie en Hollande
APOLLINAIRE, *Alcools*, p. 104. En néerlandais, *mond* veut dire *"bouche"*.

Rem. 2 La traduction **juxtalinéaire** donne les mots en colonne avec la traduction de chacun en regard (quitte à refaire en bas de page un texte de meilleurs style et syntaxe). Jarry parodie cette méthode scolaire.
Omnis a Deo scientia, ce qui veut dire: omnis, toute; a Deo, science; scientia, vient de Dieu.
Ubu roi, p. 163.

---

1 Pleine rhétorique: étude des figures de versification aussi bien que de rhétorique.

Ces inconvénients sont palliés quand on procède par syntagme*.

Ex.: *quaedam animi incitatio: et quelle vivacité naturelle innata omnibus: innée chez tous les hommes*
Cl. SIMON, *Histoire*, p. 119.

Rem. 3 La traduction peut prendre la forme inverse, partir d'une périphrase* de définition* et arriver au mot étranger.

Ex.: *Le liquide rouge à l'infime balbutiement, appelé* **"sang"**, *ailleurs* **"blut"**, *ou* **"blood"**, *et même fièrement* **"sangre"**
MICHAUX, *Vigies sur cibles*, p. 16.

Le recours à la définition* permet d'ailleurs aussi la traduction intralinguale: on décrit l'objet puis on en donne le nom. La science qui s'occupe de cela, l'onomasiologie, n'a guère été développée.

La traduction intralinguale est nécessaire aussi quand on crée des néologismes*. **Ex.:** *"ce qui, dans le texte de Proust, est non seulement* **"lisible"** *(classique) mais* **"scriptible"** *(traduisons grossièrement: moderne)"* (G. GENETTE, *Figures III*, p. 271). Dans le cas de néologismes* du sens "traduits" à l'aide d'une périphrase, on a en réalité une utilisation purement rhétorique du procédé, une *fausse traduction*, destinée à véhiculer une explication*. Celle-ci peut aller jusqu'à l'interprétation. Ainsi voit-on Gombrowicz *"traduire"* par *"Mollet, mollet, mollet, mollet (et ainsi de suite)"* un poème offert à la lycéenne de *Ferdydurke* (p. 175).

Desnos fait de la traduction un procédé poétique surréel. **Ex.:** *"Louis veut dire coup de dés / André veut dire récif"* (*Rencontres*).

Rem. 4 Il y a de *fausses traductions* (V. à *citation*, rem. 2). V. aussi à *célébration*, rem. 4; *chassé-croisé; discours; lapsus*, rem. 1. La traduction offre un champ nouveau aux jeux sur le signifiant. Il y a aussi les traductions allographes*, comme cette version française de la comptine *Humpty Dumpty sat on a wall*, devenue *Un petit d'un petit s'attend à l'autre* (etc.)

Rem. 5 La citation en langue étrangère n'est-elle pas le contraire d'une traduction? Elle pourrait ainsi recevoir le nom de contre-traduction.

TRAIT D'UNION Le trait d'union, qui est d'usage dans l'orthographe de certaines locutions (noms composés, verbes suivis du pronom, etc.) devient procédé littéraire dans les autres cas, à condition d'être intentionnel. Deux possibilités se présentent:

1 Lexicalisation* d'un syntagme. **Ex.:** *"Je suis ..... celui-qui-prend-toutes-les-formes"* (MONTHERLANT, *les Jeunes Filles*, p. 57). V. à *mot composé*, autre déf., et à *graphie*, rem. 4.

2 Syllabation. **Ex.:** *"Pho-to-gra-phie... bégaya-t-il"* (BERNANOS, *Romans,* p. 847); *"Elle répète in-trai-ta-bles, en séparant chaque syllabe, avec ostentation"* (A. HÉBERT, *Kamouraska,* p. 96).

Rem. 1 Dans les deux cas, il s'agit d'un seul vocable composé d'éléments disjoints, qui sont soit des mots, soit des syllabes. Les syllabes, sans le trait d'union, seraient, à cause de l'espace, plus disjointes encore. **Ex.:** *"Ah! oui, je veux ..... renoncer à jamais à la l'oi si ve té de ma vie"* (M.-Cl. BLAIS, *Une saison dans la vie d'Emmanuel,* p. 46). Il y a ici *désarticulation du mot* dans une intention ironique. V. cependant à *césure typographique,* rem. 1.

Rem. 2 Certains philosophes opèrent, en lexicalisant des syntagmes*, des translations* qui remplacent avantageusement les néologismes* obscurs. **Ex.:** l'être-au-monde. Ce procédé semble venir de l'allemand, langue où les mots composés par juxtaposition sont déjà très nombreux. V. à *étymologie.*

Rem. 3 V. à *assise,* n. 2; *césure typographique,* rem. 3; *ponctuation,* rem. 1; *asyndète,* rem. 2 et *trait oblique,* rem. 3; *apposition; mot composé; tmèse; translation; à-peu-près,* rem. 3.

TRAIT OBLIQUE Signe de ponctuation* marquant une rupture quelconque, par exemple le fait qu'à cet endroit le texte cité allait à la ligne.

Ex.: */ ici / jusqu'à la tombe inclu- / sivement* J. KRISTEVA, *la Révolution du langage poétique,* p. 564, citant Mallarmé, *le "Livre",* f. 28A.

Rem. 1 Le structuralisme réserve à ce signe un emploi spécifique qui en fait l'équivalent de l'abréviation* anglaise vs (*versus,* contre).

Ex.: *signifiant / signifié, parole / écrit, écriture / lecture, auteur / oeuvre, etc.* (**"Externe / interne, image / réalité, représentation / présence, telle est la vieille grille à laquelle est confié le soin de dessiner le champ d'une science"**)
M. PLEYNET, dans *Théorie d'ensemble,* p. 98. Sa citation est de J. DERRIDA, *De la grammatologie.*

Rem. 2 Le trait oblique est aussi utilisé comme signe d'*assise* (V. ce mot, rem. 7). Il indique parfois une pause (V. à *vers libre,* rem. 2), parfois une *césure* (V. ce mot, rem. 4), parfois une coupe* rythmique. V. aussi à *sériation,* rem. 1.

Rem. 3 V. à *double lecture.* Disons aussi qu'il n'est pas rare de voir le trait oblique confondu avec le trait d'union, en dépit du fait que sa valeur d'emploi est inverse. C'est que le trait oblique n'est pas encore très usité. **Ex.:** la dialectique violence-tendresse chez Thériault.

TRANSITION Tours de phrases particuliers qui unissent entre elles les différentes parties d'un discours*. (Elles sont) comme un pont jeté entre deux idées. Elles servent à mettre de l'unité dans un ouvrage. MESTRE, p. 108-9.

Ex.: V. ci-dessous; rem. 1; à *réactualisation*, rem. 4; à *billet*, rem. 1.

Analogue Fusée (en radiophonie, "transition courte, généralement musicale").

Rem. 1 La transition complète rappelle ce qui vient d'être dit, annonce ce qui reste à dire. V. à *plan*, rem. 3. **Ex.:** *"Voilà tous mes forfaits. En voici le salaire"*. (RACINE, *Britannicus*, 4, 2). Mestre conseille de déguiser les transitions, complètes ou incomplètes, en interrogations*, apostrophes*, concessions*, prétérition*, gradation*, correction*.

Rem. 2 La transition est parfois artificielle. Elle peut même déguiser un coq-à-l'âne*. **Ex.:** *"Alors on a deux parrains* (au Jockey-Club) *qui vous prennent par-dessous les bras et vous "soulagent". "Soulagent", c'est le mot. Parlons d'un autre mot.*

(Nouveau paragraphe) *Le comte de Cambronne* (etc.)" JARRY, *la Chandelle verte*, p. 375.

TRANSLATION Changement de catégorie grammaticale, avec ou sans marquant.

Ex.: l'article suffit à substantiver un adjectif ou un verbe: *le délicat de l'affaire, nos revoirs.*

Ex. litt.: *À l'entrée de la ville, un étrange bâtiment ..... plein de démoli autant que de construit.*
MICHAUX, *Ailleurs*, p. 75.

Le substantif, même composé, se conjugue, transformé en verbe. **Ex.:** *"Ceux qui majusculent ..... Ceux qui brossent à reluire"* (PRÉVERT, *Tentative de description d'un dîner de têtes à Paris-France*).
Le nom propre, avec *à la* ou *en*, voire seul, se transforme en adverbe. **Ex.:** Une réponse *"à la De Gaulle"; "Raisonne donc pas* **en Survenant** *de même"* (G. GUÈVREMONT, *le Survenant*, p. 151); on pense *Camus* dans tous les lycées (à la Camus).

Quand la base n'est pas lexicale, la translation éventuelle est précédée d'une lexicalisation* ou d'une simple nominalisation*. Des syntagmes*, des phrases entières se transforment ainsi en adjectifs. Montherlant parle de *"gens qui avaient un côté camélia à la boutonnière"* (*Romans*, p. 804); Joyce écrit: *"..... s'en fut Bloom, le mol Bloom, je me sens si seul Bloom"* (*Ulysse*, p. 276), ailleurs avec trait* d'union pour que la translation soit nette: *"ou une autre remarque aussi qui-va-de-soi"* (*ib.*, p. 573) ou en juxtaposition* graphique :

"Silencieux, chacun contemplant l'autre dans le miroir charnel de son lesienpaslesien visage semblable." (*ib.*, p. 623).
Dans *le je-m'en-fichisme*, on a une translation par dérivation opérée sur une lexicalisation. V. aussi à *trait d'union*, rem. 2.

Autres noms Dérivation impropre (Robert); hypostase (Robert); transfert (*Dict. de ling.*) Cf. aussi du Marsais, p. 227.

Autre déf. Bary donne *translation* comme synonyme* de métaphore*(t. 1, p. 274).

Rem. 1 Il revient à L. Tesnière (p. 361 et sv.) d'avoir montré l'importance du phénomène dans le fonctionnement de la langue.

Rem. 2 C'est un mode de verbigération (V. ce mot, rem. 5).

TRIANGLE Structure ternaire du drame ou de la comédie à trois personnages, le mari, la femme et l'amant. Elle a été étudiée notamment par É. Souriau, dans *les Deux cent mille Situations dramatiques*.

Ex.: GHELDERODE, *Trois acteurs, un drame*.

TRIPLICATION Répétition* à trois reprises.

Ex.: *Abrah! Abrah! Abrah!*
Le pied a failli
Le bras a cassé
Le sang a coulé!
Fouille, fouille, fouille,
Dans la marmite de son ventre est un grand secret
Mégères alentour qui pleurez dans vos mouchoirs;
On s'étonne, on s'étonne, on s'étonne
Et on vous regarde
On cherche aussi, nous autres, le Grand Secret.
H. MICHAUX, *le Grand Combat*, dans *l'Espace du dedans*, p. 14.

Autre déf. Greimas (*Du sens*, p. 240) a montré l'importance des structures narratives ternaires dans les contes: le héros-sans-peur doit passer trois nuits successives dans un endroit et y subir trois épreuves.
Le procédé de triplication, ajoute-t-il, *— avec sa signification paradigmatique de totalité et syntagmatique d'achèvement — indique nettement que la dernière épreuve subsumera les précédentes et apportera la solution décisive.*

Rem. 1 Outre la triple répétition* lexicale, on a des triplications syntaxiques et rythmiques (V. à *phrase*, rem. 4; à *reprise*, à *écho rythmique*). **Ex.:** *Le pied a failli / Le bras a cassé / Le sang a coulé!*

TRUISME On explicite des contenus sous-entendus qui étaient déjà parfaitement évidents.

Ex.: *"S'il n'y avait pas de Pologne, il n'y aurait pas de Polonais"* (JARRY, *Ubu roi*, p. 180). *"L'hiver est à Paris la plus froide saison"* (JARRY, *O. c.*, t. 1, p. 536).

Même déf. Littré, Robert.

Syn. Lapalissade (Robert). **Loc.**: Cela va sans dire. M. de la Palice en eût dit autant. Tu as trouvé cela tout seul?

Rem. 1 Le truisme se distingue du cliché*, qui est une figure de mot, et du *poncif* ou lieu commun, qui est pensée très usitée mais pas nécessairement évidente. À l'instar de la métabole*, le truisme est figure de pensée, mais sans répétition*, car son évidence est dans le contexte, culturel ou réel. Si l'évidence est due au thème* de l'assertion, on a une tautologie*. Au-delà du truisme, on trouve l'exténuation (V. ce mot, rem. 3).

Rem. 2 Le truisme est une faute*. **Ex.:** *"Nelligan emploie le mot chose pour désigner beaucoup de choses"* On peut y tomber par mégarde, à force d'atténuation* (V. aussi à *litote*, rem. 4). Il peut servir de soulignement* et créer une déception (V. ce mot, rem. 3).
Il fait bon ménage avec la pseudo-simulation*. **Ex.:** *"Ah! Sire Dragon russe, faites attention, ne tirez pas par ici, il y a du monde"* (JARRY, *Ubu roi*, p. 147). Certains sont ou se veulent poétiques. **Ex.:** *"Il y a des jours et d'autres jours encore. Il y a des matins et des soirs"* (GIDE, *Romans*, p. 205). Ils peuvent jouer le rôle d'épithète de nature et servir à faire voir, à *"peindre"*. **Ex.:** *"je couvre ma face flétrie avec un morceau de velours noir comme la suie* **qui remplit l'intérieur des cheminées"** (LAUTRÉAMONT, *les Chants de Maldoror*, I, 8).
Ils sont fréquents dans les exposés scientifiques, notamment à l'énoncé de la majeure des raisonnements*. **Ex.:** *CARACTÉRISTIQUES DES EMPREINTES DES MAINS. Les mains représentées peuvent être soit des mains gauches, soit des mains droites.* (Article de revue). L'humour (V. ce mot, rem. 5) des mathématiques prend facilement cette forme. **Ex.: loi de Gauss:** *"car Gauss avait trois ans quand Laplace l'a découverte (1780)...* **malgré la précocité bien connue de Gauss, il est peu probable qu'il ait pu la découvrir aussi à cet âge"** (FRÉCHET, cité par H. GUITTON, *Statistique*, p. 173). Le comique du truisme est efficace.

Ex.: *"l'ordonnance Dunoyer de Segonzac par laquelle il est rappelé aux condamnés à mort qu'une exécution est un événement sérieux."* (GIRAUDOUX, *Intermezzo*, p. 110).
Il est aussi la marque d'une bonhomie naïve. **Ex.:** *"C'est vrai, lui dit le Roi, je vais la remettre à l'endroit"* (*Le bon roi Dagobert*).

Rem. 3 À l'instar de la tautologie*, le truisme permet souvent d'exprimer, sous forme d'énoncé irréfutable, un sentiment qu'on n'ose dire ouvertement. **Ex.:** On n'a pas tous les jours vingt ans. *"Mon idée, c'est que le revolver était loin et qu'il n'est pas revenu tout seul"* (BERNANOS, *Romans*, p. 781).

Rem. 4 La banalité est un *demi-truisme*. Pour le truisme inversé, V. à *paradoxe*, rem. 5. Certains truismes ne sont qu'apparents (V. à *image*, 2), d'autres sont rajeunis (V. à *paralogisme*, rem. 2).

VARIATION Un récit*, une description* sont recommencés avec certaines différences voire des oppositions de détail. (V. à *répétition*, rem. 5).

Ex.: *Ils disent qu'ils n'ont pas soif; ils disent que ce n'est pas une source; ils disent que ce n'est pas de l'eau; ils disent que ce n'est pas l'idée qu'eux-mêmes se font d'une source et de l'eau; ils disent que l'eau n'existe pas* CLAUDEL, *Théâtre*, t. 2, p. 524.

Autres déf. V. à *reprise*, autres déf., 2, à *symploque*, à *épanalepse*, rem. 6; à *intonation*, rem. 1, 5.

Rem. 1 Terme emprunté à la musique, la variation se faisant sur un thème (V. ce mot, rem. 2) et n'étant donc pas de pure forme, ce qui serait une épanalepse*.

Rem. 2 Le Nouveau Roman a mis la variation dans ses techniques préférées.

Ex.: *Manneret en personne vient lui ouvrir; ou bien c'est un domestique chinois, ou une jeune eurasienne ensommeillée que le coup de sonnette, que l'insistante sonnerie électrique, que les coups de poing frappés contre la porte ont fini par tirer du lit.*
ROBBE-GRILLET, *la Maison de rendez-vous*, p. 210. V. aussi à *titre d'oeuvre*, rem. 2.
La variation a des causes diverses, l'hésitation (V. à *dubitation*), la gradation*; la dénudation* de l'acte d'écrire. Dans ce dernier cas, l'auteur semble dire au lecteur: *"choisissez vous-même; moi, ça m'est égal"*.

VARIATION TYPOGRAPHIQUE Changement de forme, de place ou de disposition des caractères typographiques.

Ex.: Dans *Conversation-sinfonietta*, J. Tardieu fait imprimer un "cri à six voix" de la façon suivante:

soprano: antique
le ténor en didot;
le premier contralto en plantin;
la second contralto en antique italique;
la première basse en cooper black;
la seconde basse en antique gras. (V. aussi à *graphie*, rem. 5).

Rem. 1 Parmi les variations de place, signalons la **superposition** (plus lisible si les deux caractères superposés sont de hauteur différente); le **croisement** (facilité par une lettre commune aux deux mots); le **renversement** (lettre tête en bas); le **retournement** (de gauche à droite, à déchiffrer au miroir); les **alignements hétéroclites** (texte en plusieurs colonnes avec marge variable, ou se croisant); l'**encart**, le **cartouche** (encadrement orné), le **ballon** ou la *bulle* (espaces où s'inscrivent les paroles des personnages de bandes dessinées).

Ex. de croisement:

```
  I          B I   R
GLACE          E   E
  E        ALOU  TT
```

Les techniques modernes de composition typographique (lumitype en particulier) ont fait de la variation typographique un moyen d'expression susceptible de rejoindre l'image publicitaire. Une école quasi picturale, le spatialisme, en use largement (V. à *vers graphique*). La poésie contemporaine est de plus en plus sensible à cette sémiotique visuelle du texte (D. Roche, J.-P. Faye, G. de Cortanze, etc.)

Rem. 2 Autre variation, le **rapprochement** ou l'**espacement** des caractères. Deux caractères sont *"rapprochés"* quand les empattements se touchent (l'*approche* est la distance entre l'oeil d'une lettre et le talus du caractère). Pour espacer, on introduit une *espace* (fém.), un blanc, plus ou moins large, mais ne dépassant pas la largeur d'une lettre (un quadratin).
On distinguera ce type de variation de celui qui consiste à réduire ou à augmenter la chasse du caractère, sans changer le corps. La lettre est condensée ou étendue quand sa forme même est rétrécie ou dilatée, en largeur seulement, ce qui donne les gras, demi-gras (la dilatation s'accompagne ordinairement d'un épaississement des pleins et des déliés), maigres étroits et étroits serrés (cf. J. PEIGNOT, *De l'écriture à la typographie*).

Rem. 3 Entre les traits sonores et typographiques peuvent se dessiner des analogies:

SON	TYPO
durée	espacement
timbre	type
intensité	graisse
hauteur	corps

Le dernier, un peu arbitraire, se défend par sa cohérence avec le reste des deux séries, où il remplit un vide. Faire correspondre à une élévation mélodique un caractère de corps plus grand dans un texte suivi est peut-être aussi lisible, et plus pratique, que de déplacer le texte sur une portée imaginaire. Ces quatre correspondances, utilisées pour transcrire du parlé, permettent un *"rendu"* sonore qu'on retrouve surtout dans les ballons de certaines bandes dessinées. (cf. Fresnaut-Deruelle). V. aussi à *coupe* et *intonation* .

Rem. 4 On trouve un résumé commode des principaux caractères typographiques occidentaux, dans la revue *Aspects* (mai 74, p. 49).

VERBIAGE Abondance de paroles ..... qui disent peu de chose. ROBERT.

Ex.*Mr. SMITH. — Le coeur n'a pas d'âge.* (Silence).
Mr. MARTIN. — C'est vrai. (Silence).
Mme SMITH. — On le dit. (Silence).
Mme MARTIN. — On dit aussi le contraire. (Silence).
Mr. SMITH. — La vérité est entre les deux. (Silence).
Mr. MARTIN. — C'est juste. (Silence).
IONESCO, *la Cantatrice chauve*, sc. 7.

Analogues Discours* creux, verbosité, verbomanie, verbalisme (Marchais), garrulité, diffluence (texte diffus, sans vigueur).

Rem. 1 Robert inclut la verbigération* dans le verbiage, dont voici la définition complète: *"Abondance de paroles, de mots vides de sens ou qui disent peu de chose"*. Nous préférons distinguer. Produire un texte qui n'a aucune signification est plus difficile que parler pour ne rien dire, produire un texte qui ne signifie rien de précis. Ce qui constitue le verbiage est l'absence de **denotatum** (objet réel visé), qui cantonne les propos dans l'indétermination.

Rem. 2 Le verbiage n'est pas loin de la battologie* et de la redondance*.

Ex.: *Sans parler des hôtels-Dieu, des léproseries, chambres de sudation, fosses des temps d'épidémies, leurs plus grandes sommités médicales, les O'Shiel, les O'Hickey, les O'Lee ont soigneusement établi les diverses méthodes par lesquelles la maladie et ses rechutes faisaient place à la santé, que cette affection fût la danse de Saint-Guy, la consomption ou la courante jaune. Il est certain que dans toute oeuvre sociale qui porte en elle un caractère de gravité la préparation doit être proportionnée à l'importance et c'est pourquoi ils adoptèrent un plan (fut-ce par l'effet de la prévision ou par maturation de l'expérience il est malaisé de le dire car pour élucider ce point*

les opinions divergentes des chercheurs ultérieurs ne se sont pas mises suffisamment d'accord jusqu'à ce jour) suivant lequel la maturité fût sauvegardé de toute éventualité accidentelle à tel point que, quelque soin que réclamât la patiente en cette heure critique entre toutes pour la femme, non seulement pour celle copieusement pourvue de ressources mais aussi pour celle qui dépourvue de moyens suffisants pouvait à peine souvent pas même subsister, ils lui fussent avec un noble dévouement en échange d'appointements parcimonieux accordés.
JOYCE, *Ulysse*, p. 372.

Rem. 3 Le *demi-verbiage* a nom **prolixité, loquacité, bagou, faconde, volubilité**, termes non péjoratifs dont le nombre indique assez que le phénomène est courant. **Ex.:** V. à *accumulation* et à *amplification oratoire*.

Rem. 4 Le délayage par imitation* du ton sublime rejoint la grandiloquence*.

Rem. 5 Autre mode fréquent de la verbomanie: la digression*. **Ex.** cité par Spitzer (*Études de style*, p. 406):
une succession de plans se développant à l'infini, comme un Mac Orlan dans la Cavalière Elsa: "Quelques tambours résonnaient encore dans la parade officielle sous le jeu des baguettes ..... maniées par des petits vieillards .... à fortes moustaches humides d'ivrognes dociles", *ce que Boulanger-Thérive,* les Soirées du grammaire-club, *p. 187, prolongent par plaisanterie*: "rossés par leurs femmes le dimanche soir en rentrant du mastroquet empuanti par des liqueurs fabriquées à Pontarlier, ville située dans le département du Doubs, jadis rattaché à la Franche-Comté, conquise, au traité de Nimègue, signé etc."

VERBIGÉRATION Production d'un texte dépourvu de sens* général, quoique les syntagmes*, pris isolément, soient le plus souvent intelligibles et paraissent normalement agencés.

Ex.: *Je suis le devoir du tri-Mystère, tri mystère du Finistère, des Trelendious et des trédious, des trébendious. Le gim de l'air de l'erme, le giderme, le citerme, le cin de terme de la terme en terme, le gim de l'air en trême.*
MME CH., citée par BRETON, dans le *Dict. abrégé du surréalisme*, à *devoir*.

Même déf. Robert, Marchais. (Ils mettent l'accent sur la répétition*, fréquente, mais non essentielle.)

Analogues Logorrhée (péj.), fantaisie verbale pure (mélioratif), ectopie (on pourrait appeler **ectopie** un texte sans isotopie*), salade de mots, kénoglossie.

Rem. 1 Le mot *verbigération* est emprunté, comme celui de *kénoglossie*, ou de *logorrhée*, à la psychiatrie. On parlera donc de la verbigération comme phénomène psychique plutôt que comme forme[1]. Mais cela ne veut pas dire que le phénomène soit nouveau en littérature, au contraire.
Une longue tradition de poésie irrationnelle plonge dans les adynatons de la poésie latine tardive. Depuis le fatras *et la* fatrasie, *en passant par les* soties de menus-propos, coq-à-l'âne, galimatias, baguenaudes, *jusqu'aux* amphigouris *du XVIIe siècle, jamais ne s'est interrompue la tradition de la* **fantaisie verbale pure.**
M. ANGENOT, *Rhétorique du surréalisme*, p. 63.

Rem. 2 On distingue la verbigération des **paragraphie, paraphasie, paragrammatisme** troubles du langage (V. à *faute*, rem. 2) caractérisés par des substitutions* ou déformations de lettres, de mots ou de construction (respectivement). Ces troubles sont dus à des lésions cérébrales qui entravent le fonctionnement du langage mais non celui de l'intelligence. Le malade n'arrive pas à s'exprimer mais sait ce qu'il veut dire.

Ex. V. à *paragramme*, rem. 3. En littérature, la verbigération est un procédé, non un trouble. (V. à *simulation*, rem. 2).

Rem. 3 Le lien syntagmatique minimal étant celui de l'accumulation*, celle-ci est fréquente dans les verbigérations. **Ex.:** *"L'O, l'Agneau, le Loup. / L'Oignon, le Chou, l'homme / L'O"* (R. DUGUAY, dans *Quand les écrivains*... p. 88). Spitzer l'avait repéré, qui parle d'*énumération chaotique;* Garapon, qui signale des *inventaires hétéroclites*. La **fatrasie** élevait la dissociation* et le coq-à-l'âne* au statut de genre littéraire (cf. P. ZUMTHOR, *Essai de poétique médiévale*, p. 141). On retrouve l'énumération* chaotique, sans inconséquence, dans le verbiage*.
V. aussi à *image*, rem. 1, l'image surréelle.

Rem. 4 Le lien entre les propositions peut s'établir sur le plan des seules sonorités. **Ex.:** *"Je n'ai plus l'âge d'avoir horreur de l'orage"* ou *"Un air de Lulli que je n'ai jamais lu au lit"* (ÉLUARD, *O. c.*, t. 1, p. 321). V. à *musication*.

Dès lors, le sens* peut partir à la dérive, bifurquer sur des rapprochements fortuits, comme si le signifiant pouvait à son tour rêver, c'est-à-dire se métamorphoser constamment de façon différente, sans que le fil ne brise.

Ex.: *Un jour je me suis dit: Qu'est-ce que cette clé fait dans ma poche? Alors je suis allé au Mans voir Clémenceau. Je lui ai dit*

---

1 Devant un échantillon, on dira c'est ***de la*** verbigération plutôt que c'est ***une***

"Savez-vous ce que cette clé fait dans ma poche?" *Il m'a poché l'oeil et j'ai dû garder la chambre des Députés pendant vingt-quatre heures* (etc.)
BRETON et ÉLUARD, *Essai de simulation de la manie aiguë,* dans ÉLUARD, *O. c.,* t. 1, p. 321. *Clé* appelle *Clémenceau,* d'où *le Mans; poche* appelle *poché* d'où *garder la chambre,* et *la chambre* appelle *des députés.*

R. Ducharme part à la dérive de façon similaire. *"de l'évêque errant, de l'évêque erroné, de l'évêque péroné, de l'évêque tibia"* (*l'Avalée des avalés,* p. 85); *"notre amitié doit rester chaste et végétale, minérale et puérile"* (*le Nez qui voque,* p. 82). V. aussi *Change matériel,* coll. 10/18, p. 64.

La **dérive** du sens* prend appui sur des télescopages* ou des amorces (V. à *jeu de mots*). On la rencontre aussi entre les répliques d'un dialogue*. Cf. JARRY, *les Jours et les Nuits,* V, 4, *les Propos des assassins.* V. aussi à *phébus,* rem. 2.

Rem. 5 Plus nettement kénoglossique, la verbigération appuyée sur des translations*. **Ex.:** *"Afin que ne se gâtent pas nos faines ..... que ne nous reinent pas les reines, que le fisc ne nous fisque pas, que la loi ne nous loie pas"* (R. DUCHARME, *l'Océantume,* p. 162).

VERS Disposition "poétique" des éléments du texte. Pour le vers oral, qu'il soit chanté, prononcé ou seulement imprimé, il s'agit des éléments rythmiques avant tout. Pour le vers écrit, il s'agit des éléments graphiques. Le rôle des images* et des sonorités[1], si important qu'il soit quelques fois, reste moins déterminant quand il s'agit de définir le vers.

Il y a trois façons de sentir et d'étudier le rythme* en français. Nous examinerons donc le vers syllabique, le vers rythmique et le vers métrique. Mais il faut prendre d'abord le vers à sa (re)naissance: c'est le vers (encore ou de nouveau) libre. Il a un avatar visuel, le vers graphique, dont il sera question au point 5.

V. aussi à *acrostiche; antépiphore; dialogue,* rem. 8; *diérèse; épitrochasme; harmonie; poèmes; rime; assise,* 5; *célébration; écho rythmique,* rem. 1; *homéotéleute,* rem. 1; *homonymie,* rem. 3; *maxime; paragraphe,* rem. 1; *paréchème,* rem. 3; *refrain; soulignement,* rem. 2; *strophe; tautogramme; tempo,* rem. 3; *verset,* n.1.

---

1 Les vers seulement rimés (Tardieu) ou seulement pensés (Pierre Garnier, "poème sémantique", dans ***Spatialisme et poésie concrète,*** p. 107 à 112) sont restés des curiosités.

1. LE VERS LIBRE

Son rythme* est souvent très proche de celui de la prose poétique, c'est-à-dire qu'il est caractérisé par une *certaine* régularité des accents* (V. à *vers rythmique*). Il se distingue toutefois de la prose par le jeu des pauses*, plus fréquentes, plus significatives. Il est souvent possible de faire compter les pauses* dans la structure rythmique.

Ex.: *Quand les màh, /*
Quand les màh, /
Les marécàges, /
Les malédictiòns, /
Quand les màhahàhahàs, /
Les màhahabòrras, /
Les màhahàmaladìhahàs
H. MICHAUX, *l'Avenir.*

Rem. 1 Nous avons ici emprunté à la théorie de la régularité de l'ictus (V. à *vers rythmique*) le système de notation des accents* par un point sur la voyelle. Les pauses* étaient déjà indiquées par des virgules.

Rem. 2 Le rythme* est si essentiel au vers qu'il faut regretter l'absence d'un système courant de notation. Les écrivains se contenteraient de placer des points au-dessus ou au-dessous des voyelles qui portent l'accent* rythmique, des traits* obliques aux pauses*, et déjà cela suffirait à rendre à la poésie une vivacité originelle qui la rapprocherait de la chanson.

Rem. 3 En l'absence de toute indication, comme c'est presque toujours le cas, rien n'empêche d'aborder l'étude rythmique du vers libre selon des principes divers, ceux du vers graphique, ceux du syllabisme, ceux de la régularité de l'ictus, voire même ceux de la prosodie antique. On aboutit à des dictions très différentes, mais plus travaillées, plus expressives que celles de la prose. V. aussi à *bruit*, rem. 4; *interjection*, rem. 2 et *écho sonore*.

Rem. 4 Le vers libre est souvent imprimé avec une disposition spatiale qui facilite sont interprétation sémantique et rythmique et qui le fait exister comme vers graphique.

2. LE VERS SYLLABIQUE

Le compte des syllabes en fixe le rythme*. C'est, en théorie, le vers français classique, qui de plus obéit aux règles de la rime* et de la césure*. Du XIVe au XVIIe siècle, d'autres règles ont été imposées, du moins dans les grands genres comme la tragédie, l'épopée, la poésie religieuse, le lyrisme officiel. Ce sont la rime rare avec "consonne d'appui", l'interdiction de la rime du simple avec le composé (*vue* et *entrevue*), l'interdiction de l'hiatus*, de l'enjambement*, du rejet et du contre-rejet, etc. (Cf. F. DELOFFRE, *le Vers français,* p. 46-7, 53, 109, 115, 120-1).

Bien que l'alexandrin, le vers épique et l'octosyllabe soient les vers les plus usités, toutes les dimensions sont possibles, et Hugo, dans *les Djinns,* les donne successivement. Ce sont: le monosyllabe, le dissyllabe, le trisyllabe, le tétrasyllabe, les vers de cinq et de six syllabes, l'eptasyllabe, l'octosyllabe, l'ennéasyllabe, le décasyllabe (vers épique), l'(h)endécasyllabe, l'alexandrin. Martinon signale des vers de treize, quatorze, *"et même"* seize syllabes (p. 18). De tels vers sont probablement rythmiques plutôt que syllabiques.

Dans les *poèmes* à forme fixe,* les vers sont isométriques (de même nombre de syllabes) ou parfois hétérométriques (**Ex.**: les *fables* de La Fontaine; V. aussi à *strophe*). Signalons par curiosité les vers "rhopaliques" (en forme de massue), qui vont croissant de une à n syllabes (cf. Littré).

Rem. 1 Les phonéticiens, à la suite de Grammont, se sont interrogés sur la réalité phonétique à laquelle répond le vers syllabique. Sans doute est-il possible de donner à chaque syllabe en français une valeur presque égale, mais la syllabation* n'a rien de poétique. Le *vers syllabique* devient harmonieux quand il est aussi un *vers rythmique* (V. plus loin).

Rem. 2 Les comédiens du XVIIIe siècle, en récitant Racine comme de la prose (V. à *apocope,* rem. 3), puis les romantiques, en autorisant des pauses* qui ruinent le rythme* régulier du vers classique, vont *"briser l'unité du vers",* c'est-à-dire surimposer le rythme de la langue à celui de la poésie (cf. Deloffre, p. 129-130), d'où la possibilité d'alexandrins à trois accents (vers romantique ou ternaire[2]) .

Rem. 3 Le vers de Musset s'inscrit dans le même mouvement *"révolutionnaire".* Il consiste simplement à supprimer la rime* (peut-être aussi à supprimer une trop grande uniformité du rythme*). C'est le **vers blanc.**

3. LE VERS RYTHMIQUE[3]

Son rythme est déterminé par le retour régulier des accents rythmiques, sans que l'on tienne compte du nombre des syllabes atones intercalaires, qui ont globalement la même durée. Il est donc possible de battre la mesure et le vers acquiert un rythme* au sens musical du terme. La durée des pauses* compte naturellement aussi, et l'on peut avoir, comme en

---

2 Ternaire plutôt que trimètre Cf Souriau, p. 211

3 Ou *"accentuel"* (P GUIRAUD p 232)

musique, un temps fort sur un silence. Normalement, les temps forts tombent sur les syllabes toniques (V. à *accent*). Ils peuvent tomber sur une prétonique.

Ce type de vers est le plus répandu et florit notamment dans les littératures germaniques. Grammont a montré qu'il était possible de rendre l'alexandrin plus rythmé en lui attribuant quatre accents, un sur la sixième et un sur la douzième syllabe, les deux autres dans chaque hémistiche (demi-vers), à l'endroit prévu par la ponctuation ou qui convient le mieux soit au sens, soit à l'expressivité. Il deviendrait ainsi un **tétramètre** (Morier).

Ex.: *Ariane, ma soeur, de quelle amour blessée*
Vous mourûtes aux bords où vous fûtes laissée

(RACINE, *Phèdre*) On pourrait dire le vers en accentuant, non pas *quelle,* mais *amour,* ce qui paraît moins expressif. On voit qu'il reste une certaine liberté dans la pose des accents.

Rem. 1 L'enregistrement sur mingogramme ne livrant aucune trace des accents* rythmiques, H. Morier a eu recours à un artifice analogue à celui du chef d'orchestre battant la mesure: il a frappé le support du microphone à l'aide d'une baguette, ce qui donne une trace précise et instantanée, aisément repérable, l'*ictus.*

Ce moyen très simple conduit à plusieurs découvertes ou redécouvertes: la présence d'ictus avant et après le vers, un excellent isochronisme d'un ictus à l'autre, la césure* qui vient se placer entre deux ictus, etc. (Cf. *le Vers français au 20e siècle,* p. 85 à 122). Morier installe son ictus *au début* de la voyelle longue accentuée et le fait donc correspondre à l'accent, ce qui donne à sa façon de dire le vers le caractère spécifique d'un vers rythmique. Toutefois, il suffirait de considérer que les ictus correspondent à des barres de mesure, qui peuvent éventuellement précéder des syllabes brèves, pour que sa méthode devienne pertinente à l'étude du *vers métrique.*

Rem. 2 Morier appelle *quinaire* le vers pourvu de cinq accents. **Ex.:** *"Debout! Debout! Agis! Sois vivante, sois libre!"* (LECONTE DE LISLE, *Poèmes barbares*)

Il appelle *senaire* le vers qui a six ictus. **Ex.:** *"Jeunes et vieux, cruels, indulgents, beaux, horribles"* (ib.). Le vers *septenaire* en a sept. **Ex.:** *"Soleil! Amour!... Rien, rien. Va, chair abandonnée!"* (ib.)

4. LE VERS MÉTRIQUE[4]

Son rythme*, plus souple, plus varié que celui de la musique occidentale, vient d'une division (relativement arbitraire mais

4 Ou *"quantitatif"* (P. GUIRAUD, *ib.*).

respectant les accents toniques) en mesures*. Toute durée, syllabe longue ou brève, consonne même (liquides surtout), compte (sans oublier les silences). Et l'ensemble forme une *"arabesque"* (Souriau). La mélodie de phrase viendra compléter l'effet esthétique.

Cette prosodie est celle de l'Antiquité, en Orient comme en Occident. On ne compte plus en syllabes ni en accents, mais en mesures, qui peuvent être catalectiques. Les ensembles les plus harmonieux sont codifiés; ainsi l'hexamètre dactyle qui est le vers de Virgile, a six mesures, et l'avant-dernière est un dactyle. V. à *mesure* une liste des mesures possibles selon les métriciens grecs et latins. Pour le vers français, nos relevés au mingographe de diverses dictions, notamment de celle d'É. Souriau, indiquent des durées syllabiques difficiles à classer en brève / longue. Il faudrait au moins quatre classes: très brèves (jusqu'à 20 centisecondes), brèves (20 à 40 centisecondes); longues (40 à 60); très longues (plus de 60).

La Pléiade, Baïf principalement, a tenté d'imiter en français la prosodie latine. Le résultat a intéressé des musiciens comme Goudimel. Mais en quoi consiste, métriquement, la poésie française? Apollinaire, par exemple, dont la Phonothèque nationale conserve un enregistrement a eu une prosodie métrique précise, d'un pouvoir d'incantation exceptionnel. Esthéticien averti, É. Souriau, a tenté de reprendre la prosodie classique sous l'angle métrique. Il a montré que la meilleure façon de lire l'alexandrin était sans doute la division en mesures. L'alexandrin, en ce cas, sera défini comme suit:

Un pentamètre avec césure penthémimère[5] *dont le premier pied est soit un pyrrhique soit un ïambe, soit un trochée... Le second est un dactyle, un amphibraque ou un tribraque. Le troisième, comprenant la césure, un trochée.. Le quatrième comporte les mêmes pieds que le second: enfin le cinquième est toujours un amphibraque alternativement complet (rime féminine) ou catalectique (rime masculine)*

É. SOURIAU, *Musique et poésie*, dans *la Correspondance des arts*, p. 204.

Pour ceux à qui le solfège est plus familier que la prosodie classique, il offre (p. 205) un tableau, où l'on voit les alternatives possibles de chaque mesure.

Ex.: *Lă lūnĕ frŏidĕ 'vērsĕ‿au 'lōin să pālĕ flāmmĕ* (Leconte de Lisle).

Comparer avec une diction rythmique en quatre accents:

La lune frȯide vėrse‿au lȯin sa pâle flåmme

5 Césure penthémimère: placée sur la cinquième demi-mesure.

On peut aussi en faire un ternaire:

La lune froi#de verse au loin#sa pâle flamme

Le choix est affaire de goût (mais aussi d'apprentissage). À notre avis, la première alternative est meilleure.

Rem. 1 Si l'on place un accent* rythmique sur les toniques finales de mots phonétiques, on obtient en français uniquement des combinaisons d'ïambes, d'anapestes et de péons quatrièmes (⏑⏑⏑–). C'est ce qu'envisage notamment M.-C. Ghyka (*le Nombre d'or*, p. 122, n. 2). Ainsi se justifie le système de notation du rythme* mis au point par P. Servien (V. à *groupe rythmique*), mais ce n'est vrai que pour la prose, et certains *vers libres* ou *syllabiques*.

Rem. 2 Souriau a montré, en revanche, que la barre de mesure devait généralement se placer *"sur le début et non sur la fin du temps fort"* (p. 192), ce que confirment les observations de Morier: *"C'est à l'attaque de la voyelle que l'ictus vient se loger"* (p. 90). Dans ces conditions, il est clair que la tonique finale de mot phonétique commence le plus souvent une mesure nouvelle. De plus, la césure* prend place au milieu d'une mesure, qu'elle distend. Ceci est indispensable à l'unité du vers, c'est un impératif bien connu de la prosodie classique. V. aussi à *coupe rythmique*.

Rem. 3 La diction des poètes (cf. les enregistrements de Valéry, Aragon et Verhaeren à la Phonothèque nationale) montre qu'il est possible en français d'allonger, par un accent* d'intensité ou par un accent* purement rythmique, la plupart des voyelles atones, comme de raccourcir aussi certaines toniques, en les plaçant dans un mot phonétique plus étendu. Rien n'empêche, par conséquent, de revenir au vers métrique, ni de scander de façon métrique la plupart de nos *vers* dits *syllabiques*. La structure rythmique effective de telles dictions reste un champ d'étude pratiquement inexploré. En surimposant des marques du rythme à des enregistrements d'auteurs assez typiques, celui de *la Sorgue* de R. Char par exemple, nous avons constaté: 1° que l'isochronie des mesures est démontrable; 2° qu'un vers peut voir ses barres de mesure déplacées vers les pauses et en dehors des voyelles longues; 3° que ce déplacement, suivi d'un replacement, se produit tous les deux vers, en une sorte d'alternance qui brise la monotonie d'une diction trop rythmée. Le rythme régulier du vers est donc un phénomène largement indépendant des données phonétiques spontanées (les divers accents* de la prose).

5. LE VERS GRAPHIQUE

Il est délimité par des blancs en fin de ligne, ou disloqué à travers la page (MALLARMÉ, *Un coup de dés*), voire transformé en dessin iconique (V. à *calligramme*), ornemental ou abstrait, (V. à *variation typographique*).

Déjà le *vers traditionnel* et le *vers libre* ont quelque chose de graphique, bénéficiant d'une certaine "spatialisation visuelle" (D. DELAS & J. FILLIOLET, *Linguistique et poétique*, p. 174) qui, même élémentaire (coupe en vers et strophe), leur est essentielle. **Ex.:** le dernier vers de *Pase de pecho* (M. LEIRIS, cité *ib.*, p. 170) équivaut à une strophe. De plus, la disposition du texte en lignes plus courtes que la *justification* (V. à *assise*, 5) suffit: 1° à donner *"des marques externes de poéticité dont la perception préalable oriente la lecture"* (*ib.*, p. 182); 2° à favoriser des liaisons verticales ou diagonales supplémentaires à la liaison syntagmatique du poème; 3° à suggérer une perception du fait poétique qui soit déjà *"globalisante et intégrative"*, de cette intégration qui est *"sélection des unités pertinentes par les formes pertinentes"* (*ib.*)

Les graphistes de publicité ont l'expérience des possibilités offertes par la multidimensionalité du texte sur la page. Mais des poètes, dans les pays de l'Est, en Allemagne, en Italie, en France, en Amérique latine, ont été plus loin, dans un mouvement qui rapproche le texte soit de la musique concrète (lettrisme), soit de la peinture abstraite (spatialisme). Le poème spatialiste peut se réduire à un pur dessin, ornemental ou qui reproduise l'énergie déployée dans la création. **Ex.:** le papillon réalisé à la machine à écrire avec les lettres JA pour une aile, TY pour l'autre, ONO pour le corps (cf. P. GARNIER, *Spatialisme et poésie concrète*, p. 51).

Il peut aussi conjuguer les vertus d'un texte et d'un dessin, toujours avec une machine à écrire (Ilse et Pierre Garnier, Frans Vanderlinde, Charles Cameron), avec une linotype (cf. la revue *Aspects*) ou de façon plus complexe. cf. les dessins écrits de J.-F. BORY, notamment *l'Oeil*.

Rem. 1 Dès l'Antiquité, l'écriture a été en certains ateliers un art graphique: l'on songe aux manuscrits persans, aux estampes japonaises. Les civilisations mahométanes, réprouvant les représentations humaines de la divinité, ont surtout décoré leurs constructions architecturales de dessins stylisés où se déchiffrent les versets* du Coran, exemples insurpassables de vers visuels.

Rem. 2 Pour la lecture du vers graphique, on peut relier les segments de même type (par exemple dans le *Coup de dés* de Mallarmé). Il y a souvent un phénomène d'irradiation*.

VERSET Bien qu'il soit le diminutif de vers*[1] (suffixe *-et* comme *wagonnet*), ce mot désigne un vers souvent plus long, irrégulier et d'un rythme* moins raffiné.

Ex.: *La Bête innommable ferme la marche du gracieux troupeau, comme un cyclope bouffe. Huit quolibets font sa parure, divisent sa folie... Ainsi m'apparaît dans la frise de Lascaux, mère fantastiquement déguisée,*
La sagesse aux yeux pleins de larmes.
R. CHAR, *Lascaux,* dans *la Paroi et la prairie.* V. aussi à *hypotypose,* rem. 1.

Analogue: antienne, terme de liturgie, "verset qui introduit ou suit un psaume." (**Ex.:** V. à **Exhortation**, rem. 1).

Rem. 1 V. à *paragraphe,* rem. 1; *réactualisation,* 6. Le verset de Claudel serait calqué sur le rythme* de la respiration: ... *comme l'amplitude du rythme respiratoire varie avec la qualité de l'émotion, il se dilate et se contracte tour à tour.*
J. RIVIÈRE, *Études,* p. 69.

Ex.: *"Encore! encore la mer qui revient me rechercher comme une barque,/ La mer encore qui retourne vers moi à la marée de syzygie et qui me lève et remue de mon ber comme une galère allégée,/"* (*Quatrième Ode*).

ZEUGME Figure de syntaxe qui consiste à réunir plusieurs membres de phrase au moyen d'un élément qu'ils ont en commun et qu'on ne répétera pas. Le zeugme comprend l'adjonction* et la disjonction*.

Même déf. Fabri (t. 2, p. 156, à *zeuma*), Fontanier (p. 313), Littré, Marouzeau, Le Bidois, Lausberg, Robert. Cependant l'accent est mis sur l'ellipse* plus que sur la réunion syntaxique qu'elle opère. V. aussi à *brachylogie.*

Autre déf. *"Le mot sous-entendu n'est pas conforme au terme exprimé"* (Morier). C'est ce que Fontanier et Littré appellent *zeugme composé.*

Ex.: *L'INSPECTEUR. — La tête est tiède, les mains froides, les jambes glacées.*
GIRAUDOUX, *Intermezzo,* III, 5.

Rem. 1 Certains zeugmes entraînent des anacoluthes*. **Ex.:** *"J'ai l'estomac fragile et horreur du graillon"* (J. Romains). On peut aussi, par de tels zeugmes, réveiller les expressions stéréotypées. Dans ce cas, Cressot et Morier parlent d'*attelage.* Ils donnent l'exemple suivant: *"Tambour et gifles battantes".* **Autre ex.:** *"À défaut de sonnette, ils tirent la langue!"* (VALÉRY, *O.,* t. 2, p. 219).

---

1 C'est ***versiculet*** qui joue le rôle de diminutif de ***vers,*** soit au sens de ***"petit vers",*** soit au sens de ***"vers de poésie légère".*** Cf. Robert.

Rem. 2 Le zeugme réunit parfois, un peu artificiellement, un terme abstrait et un terme concret. C'est ce que Lausberg (§ 707) appelle *zeugme sémantique* et Morier **attelage** (sens 2).
Ex.: *"Vêtu de* **probité** *candide et de* **lin** *blanc"* (HUGO, *Booz endormi*).

Ce tour est particulièrement adéquat pour présenter une métaphore* à isotopie* complexe en équilibre (V. à *image*).

Ex.: *.....dans cette campagne ruisselante de soleil et de sérénité ..... ma longue chevelure manuscrite se mêle aux plantes aquatiques et aux adverbes invariables.*
H. AQUIN, *Prochain Épisode*, p. 98 et 14.

INDEX

BIBLIOGRAPHIE

ACADÉMIE FRANÇAISE, *Dictionnaire*, 8e éd., Paris, Hachette, 1932, 2 vol. in-4o.

ALBALAT, Antoine, *la Formation du style par l'assimilation des auteurs*, 12e éd., Paris, Colin, 1921, 308 p.

AMAR DU RIVIER, Jean-Augustin, *Cours complet de rhétorique*, Paris, Langlois, 1811, in-8o.

ANGENOT, Marc, *Rhétorique du surréalisme*, thèse, Université libre de Bruxelles, polycopié, 1967, 2 t. en 3 vol.

ANGENOT, Marc, *Glossaire de la critique littéraire contemporaine*, Montréal, HMH, in-8o, 118 p.

ARAGON, Louis, *Traité du style*, Paris, Gallimard, 1958, in-8o, 236 p.

ARISTOTE, *Rhétorique*, Paris, les Belles Lettres, 1960, 2 vol. in-8o.

AUERBACH, Erich, *Mimésis, la Représentation de la réalité dans la littérature occidentale*, Paris, Gallimard, in-8o, 562 p.

BALLY, Charles, *Traité de stylistique française*, 3e éd., Paris, Klincksieck, 1951, 2 vol. in-8o.

BARTHES, Roland, *l'Ancienne Rhétorique. Aide-mémoire*, dans *Communications*, t. 16, p. 172 à 229.

BARY, René, *la Rhétorique française, où pour principale augmentation l'on trouve les secrets de notre langue*, Paris, Pierre le Petit, 1665, in-8o, 470 p.

BEAUZÉE, Nicolas, *Grammaire générale, ou exposition raisonnée des éléments nécessaires du langage*, Paris, Barbon, 1767; rééd. Fr. Frommann, 1974.

BÉNAC, Henri, *Vocabulaire de la dissertation*, Paris, Hachette, 1959, in-8o, 186 p.

BENVENISTE, Émile, *Problèmes de linguistique générale*, Paris, Gallimard, 1966, 2 vol. gd in-8o.

BESCHERELLE, Louis-Nicolas, *Dictionnaire national ou Dictionnaire universel de la langue française*, 8o éd., Paris, Garnier, 1860, in-4o.

BLINKENBERG, Andreas, *le Problème de l'accord en français moderne, essai d'une typologie*, Copenhague, Munksgaard, 1950, gd in-8o, 180 p.

BREMONT, Claude, *Logique du récit*, Paris, le Seuil, 1973, in-8o, 350 p.

CHAIGNET, Anselme-Édouard, *la Rhétorique et son histoire*, Paris, Wieveg, 1888.

COURAULT, Marcel, *Manuel pratique de l'art d'écrire*, Paris, Hachette, 1956, 2 vol. in-8o.

CRESSOT, Marcel, *le Style et ses techniques, Précis d'analyse stylistique*, Paris, P.U.F., 1947, in-8o, VIII-253 p.

CURTIUS, Ernst Robert, *la Littérature européenne et le Moyen*

Âge latin, de l'all., Paris, P.U.F., 1956, in-8°, 738 p.
DELAS, Daniel et Jacques FILLIOLET, *Linguistique et poétique*, Paris, Larousse, 1973, in-8°, 206 p.
DELATTRE, Pierre, *les Dix Intonations de base du français*, dans *The French Review*, vol. 40, p. 1 à 14.
DELOFFRE, Frédéric, *le Vers français*, Paris, Sedes, 1969, in-8°, 178 p.

Dictionnaire de linguistique, par DUBOIS, Jean et collaborateurs, Paris, Larousse, 1972, in-8°, 516 p.
DIWEKAR, H.-R., *les Fleurs de rhétorique de l'Inde, Étude sur l'évolution des Alankara ou ornements stylistiques dans la littérature sanskrite*, Paris, Maisonneuve, 1930, in-8°, 135 p.
DUBOIS, Jacques, Francis ÉDELINE, Jean-Marie KLINKENBERG et coll., *Rhétorique générale*, Paris, Larousse, 1970, in-8°, 206 p.
DUBOIS, Jean, *Grammaire structurale du français*, Paris, Larousse, 1965, 3 vol. in-8°.
DUCROT, Oswald et Tzvetan TODOROV, *Dictionnaire encyclopédique des sciences du langage*, Paris, le Seuil, 1972, in-8°, 470 p.

Encyclopédie ou Dictionnaire raisonné des sciences, des arts et des métiers, Neuchâtel, Faulche, 1765.
FABRI, Pierre, *le Grand et Vrai Art de pleine rhétorique*, publié par A. Héron, Rouen, Euguiard, 1889-1890, 3 vol.
FONTANIER, Pierre, *les Figures du discours* (Introduction de Gérard Genette), rééd., Paris, Flammarion, 1968, in-8°, 503 p.
GARCIN DE TASSY, Joseph, *Rhétorique et prosodie des langues de l'Orient musulman*, 2e éd., Paris, Maisonneuve, 1873, in-4°, 440 p.
GENETTE, Gérard, *Figures, Figures II, Figures III*, Paris, le Seuil, 1966, 1969 et 1972, in-8°, 3 vol. 268, 300 et 286 p.
GEORGIN, René, *les Secrets du style*, Paris, Éditions Sociales françaises, 1961, gd in-8°, 246 p.
GIRARD (l'abbé), *Préceptes de rhétorique tirés des meilleurs auteurs anciens et modernes*, 9e éd., Rodez, Carrère, 1828, in-8°, 368 p.
GRAMMONT, Maurice, *le Vers français, ses moyens d'expression, son harmonie*, Paris, Delagrave, 1954, gd in-8°, 508 p.
GREIMAS, Algirdas-Julien, *Sémantique structurale*, Paris, Larousse, 1966, in-8°, 262 p.
GUIRAUD, Pierre, *Essais de stylistique*, Paris, Klincksieck, 1953, gd in-8°, 120 p.
JAKOBSON, Roman, *Essais de linguistique générale*, Paris, le Seuil, 1970, in-8°, 260 p.
KIBEDI-VARGA, A., *Rhétorique et littérature. Études de*

structures classiques, Paris, Didier, 1970, in-8°, 236 p.
LALANDE, André, *Vocabulaire technique et critique de la philosophie*, Paris, P.U.F., 1962, gd in-8°, 1324 p.
LAMY, Bernard, *la Rhétorique ou l'art de parler*, 3e éd., Paris, Pralard, 1688, 380 p.
LANHAM, Richard A., *A Handlist of Rhetorical Terms*, Berkeley, Univ. of California Press, 1968, in-8°, 148 p.
LAROUSSE DU XXe SIÈCLE en six vol. publié sous la direction de P. Augé, Paris, Larousse, 1931.
Larousse (Grand Larousse encyclopédique en dix volumes), Paris, Larousse, 1960.
LAUSBERG, Henri, *Handbuch der literarischen rhetorik*, Munich, Max Hueber, 1960, 2 vol. in-8°, 957 p.
LE BIDOIS, Georges & Robert, *Syntaxe du Français moderne*, 2e éd. revue, Paris, Picard, 1967, 2 vol. gd in-8°, 560 et 794 p.
LE CLERC, Jos Victor, *Nouvelle rhétorique extraite des meilleurs écrivains anciens et modernes*, Paris, Delalaing, 1855, in-16°, 406 p.
LE HIR, Yves, *Rhétorique et stylistique de la Pléiade au Parnasse*, Paris, P.U.F., 1960, gd in-8°, 209 p.
LÉON, Pierre Robert et Philippe MARTIN, *Prolégomènes à l'étude des structures intonatives*, Montréal, Marcel Didier, 1970, in-8°, 226 p.
Lexis, par DUBOIS, Jean et collaborateurs, Paris, Larousse, 1975, in-4°, 1950 p.
LITTRÉ, Émile, *Dictionnaire de la langue française*, Paris, Hachette, 1877, 4 vol. in-4°; rééd. intégrale, Paris, Pauvert, 1956.
LONGIN, *Traité du sublime*, Paris, les Belles Lettres, 1939, in-12.
MARCHAIS, Pierre, *Glossaire de psychiatrie*, Paris, Masson, 1970, in-8°, 240 p.
MAROUZEAU, Jules, *Lexique de la terminologie linguistique*, 2e éd., Paris, Geuthner, 1943, 241 p.
MARSAIS, César Chesneau du, *Des tropes, ou des différents sens dans lesquels on peut prendre un même mot dans une même langue*, Paris, David, 1757, in-12, XIV-310 p.
MARTINON, Philippe, *Dictionnaire des rimes françaises précédé d'un traité de versification*, Paris, Larousse, 1962, in-8°, 288 p.
MAZALEYRAT, Jean, *Éléments de métrique française*, Paris, Colin, 1974, in-8°, 232 p.
MESTRE, (le P.), *Préceptes de rhétorique*, 12e éd., Paris, Beauchesne, 1922, in-16, 420 p.
MORIER, Henri, *Dictionnaire de poétique et de rhétorique*, Paris, P.U.F., 1961, gd in-8°, 492 p. Éd. augmentée, 1975,

1210 p.
PAUL, Armand Laurent (abbé), *Cours de rhétorique française à l'usage des jeunes rhétoriciens*, Paris, Delalaing, 1810, in-18, 272 p.
PEIRCE, Charles Sanders, *Philosophical writings of Peirce*, New York, Dover publications, 1955, XVI-386 p.
PERELMAN, Chaïm, *Traité de l'argumentation*, Paris, P.U.F., 1958, 2 vol. in-8°.
PONS, Émile, *Introduction* dans SWIFT, Jonathan, *Oeuvres*, collection Pléiade, Paris, Gallimard, 1965, 1940 p.
PREMINGER, Alex, J. FRANK, O.-B. WARNKE, Jr. HARDISON, *Encyclopedia of poetry and poetics*, Princeton University Press, 1965, XXIV-906 p.
QUILLET, *Dictionnaire Quillet de la langue française*, rédigé sous la direction de Paul Mortier, Paris, Quillet, 1946, 3 vol. in-4°.
QUINTILIEN, *Institution oratoire*, Paris, les Belles Lettres, 1975, 4 vol. in-8°.
RAT, Maurice, *Dictionnaire des locutions françaises*, Paris, Larousse, 1957, in-8°, 446 p.
RHEIMS, Maurice, *Dictionnaire des mots sauvages*, Paris, Larousse, in-8°, 590 p.
ROBERT, Paul, *Dictionnaire alphabétique et analogique de la langue française*, Paris, Société du Nouveau Littré, 1953-1964, 6 vol. in-4° et un *Supplément*.
SAUSSURE, Ferdinand de, *Cours de linguistique générale*, Paris, Payot, 1931, in-8°, 332 p.
SCALIGER, Jules-César, *Poetices libri septem*, 1561; rééd., Stuttgart, Frommann, 1964, XX-364 p.
SOURIAU, Étienne, *la Correspondance des arts*, 2e éd., Paris, Flammarion, 1969 et 1972, in-8°, 320 p.
SPITZER, Léo, *Études de style*, traduit de l'anglais et de l'allemand par E. Kaufholz, A. Coulon et M. Foucault, Paris, Gallimard, 1970, gd in-8°, 534 p.
SUBERVILLE, Jean, *Théorie de l'art et des genres littéraires*, Paris, l'École, 1941, in-8°, 340 p.
TESNIÈRE, Lucien, *Éléments de syntaxe structurale*, Paris, Klincksieck, 1959, gd in-8°, 670 p.
TLF, Trésor de la langue française, Dictionnaire de la langue du XIXe et du XXe siècle, Paris, Éd. du C.N.R.S., 1971, 7 vol. parus.
TOMACHEVSKI, B., *Thématique*, dans *Théorie de la littérature*, Paris, le Seuil, 1965, in-8°, p. 263 à 307.
VANIER, Antonin, *la Clarté française*, Paris, Nathan, 1949, in-8°.
VEREST, Jules, *Manuel de littérature, principes, faits généraux, lois*, 18e éd., Bruges, Desclée de Brouwer, 1939, in-8°, 587 p.

VINAY, Jean-Paul et Jean DARBELNET, *Stylistique comparée du français et de l'anglais*, Paris, Didier, 1958, gd in-8°, 332 p.
VUILLAUME, M.-J., *Cours de rhétorique*, Épinal, Saint-Michel, 1938, in-8°, 112 p.
WAGNER, Robert Léon et J. PINCHON, *Grammaire du français classique et moderne*, Paris, Hachette, 1962, in-8°, 640 p.
WARTBURG, Walter von, et Paul ZUMTHOR, *Précis de syntaxe du français contemporain*, 2e éd., Berne, Francke, 1947, in-8°, 400 p.
WILLEM, Albert, *Principes de rhétorique, Aide-mémoire du rhétoricien*, suivi de la *Théorie de la dissertation*, Bruxelles, De Boeck, 1954, in-8°, 109 p.

ABRÉVIATIONS

adj.	adjectif
adv.	adverbe, adverbial
chap.	chapitre
cont.	contemporain
déf.	définition
dict.	dictionnaire
éd.	édition
ex.	exemple
fr.	français(e)
ib.	ibidem (dans le même ouvrage)
litt.	littéraire
ling.	linguistique
loc.	locution
néol.	néologisme
n.	note
O.	oeuvres
O.c.	oeuvres complètes
p.	page
péj.	péjoratif
qqch.	quelque chose
rem.	remarque
subst.	substantif
sv.	suivant(e)s
syn.	synonyme
t.	tome
V.	voir
.....	passage sauté (dans une citation)

TABLE DES MATIÈRES

Etes-vous intéressé à collaborer à une recherche collective en poétique formalisée ? Informez-vous au sujet du groupe D.I.R.E. (Délibérations informatisées sur les ramifications de l'expression). Envoyez-nous aussi vos suggestions de compléments ou d'amendements au présent ouvrage. Écrire soit à l'adresse du Département d'Études françaises, Université de Montréal, Montréal, Québec, Canada ; soit aux soins de M. Christian Bourgois, 8, rue Garancière, Paris 6ᵉ.